JN114463

語り継ぐ1969

糟谷孝幸追悼50年 ——その生と死

糟谷孝幸50周年プロジェクト［編］

社会評論社

糟谷孝幸君のことば

1970年9月発行。
糟谷孝幸君虐殺事件告発を推進する会発行。
A5で36頁。表紙は人民葬の写真。糟谷さんの遺稿、水戸巌・今井和登・佐藤耕造の文章、会の趣意書・アピール、告発状を掲載。
資料編370～399Pに再録している。

明日への葬列
高橋和巳
樺美智子 東大生 享年22歳
所美都子 東大研究生 享年29歳
奥 浩平 横浜市大生 享年21歳
和井田史朗 日大生 享年20歳
糟谷孝幸 岡山大生 享年21歳
由比忠之進 弁理士 享年73歳
榎本重之 デザイナー 享年37歳
津本忠雄 関大生 享年20歳
中村克巳 日大生 享年21歳

1970年7月発刊。合同出版刊
高橋和巳編。副題「60年代反権力闘争に斃れた10人の遺志」で、樺美智子さんから中村克己さんの10人を紹介。糟谷孝幸さんの章（104～125頁）を執筆したのは長沼節夫さん。岡大生の証言、朝日・サンケイ新聞の引用、告発状・事実経過が収録されている。

情況の中で苦悩する
己自身を見つめる時程
むなしいものはない。
自己保身にのみにすがりついて
閉塞情況におちいっている。
我々にとってではなく
僕にとっての〝未来〟は何であるのか。
我々にとっての〝未来〟は
我々の後に続いてくれる
〝誰か〟があるということなのか。

10・21の大阪は
静かな葬式行列ではなかったのか。
参加したもの、あるいは
秘かに期待を寄せていたものの
全てを―裏切った

1980年2月発行。
大阪での69戦士糟谷同志虐殺弾劾10周年追悼集会の記録。
告発を推進する会事務局長や前田俊彦さん、花崎皋平さんなどの報告が掲載されている。

1976年12月発行。
九州で開かれた糟谷君虐殺7周年集会の記録。
桑野博・西山浩介・石崎昭哲・花崎皋平さんの発言を収録。

1969年12月発行。
コムネの会（岡山大法二・クラス闘争委員会）発行の追悼集。クラスで闘争委員会「コムネの会」の活動記録。当時、地方大学における先駆的・典型的な全共闘運動を展開していた。資料編433～438Pにも一部再録。

機動隊による虐殺の事実をあばく
弾劾
許すな！時効
あばけ！権力犯罪
糟谷孝幸君虐殺事件告発を推進する会

1975年11月発行。
糟谷孝幸君虐殺事件告発を推進する会発行。
告発付審判闘争の経過概略、11.13公判の最終弁論（一部）付審判の意義等を収録。

※内容の詳細は http://kasuya1969.com 参照

消耗しない方がおかしいではないか。
僕は ― 政治的人間になる ― ことはできない。
でも僕も含めて消耗した人達を
その苦悩から救ってやるには
ぜひ、11・13に
何か佐藤訪米阻止に向けての
起爆剤が必要なのだ。

犠牲になれというのか
犠牲ではないのだ。
それが、僕が人間として
生きることが可能な唯一の道なのだ。

抑圧する者 ― 全てに ― 災いあれ!!

一九六九・一一・八

冊子：機動隊による虐殺の事実をあばく『弾劾』より
糟谷孝幸君虐殺事件告発を推進する会
1970年9月　発行

■ 1969年　岡山大生糟谷孝幸君の「人民葬」に集まった学生と青年労働者

佐藤栄作首相の訪米抗議のため、大阪・扇町公園で開かれた集会で機動隊に逮捕され、翌日死亡した糟谷孝幸君の「人民葬」が、全国全共闘連合によって開かれ、多くの学生や青年労働者が参加した。（1969年12月14日・日比谷野外音楽堂）

共産主義労働者党機関紙『統一』350号 1969年12月22日

朝日新聞アーカイブス

■大阪扇町虐殺事件のレリーフ

制作：金城　実さん（1977．虐殺８周年の日に）

1977 年２月に大阪市住吉区の住吉解放会館 (当時) の大壁面に沖縄県出身の彫刻家・金城実さん制作の像が取り付けられた。「解放へのオガリ」と題され、高さ 12.3 メートル・幅７メートル・重さは約３トンの巨大な母子像。地元住民たちの部落差別解消への思いを背負って制作した。なお、この像は会館の解体に伴って 2018 年に沖縄に移設されている。

金城さんと親交のあった 1969.11.13 闘争被告Ｙさんを介して制作依頼し、盤面作成・接着を手作りで仕上げたレリーフ。25 × 25 センチの合成樹脂製。警官が糟谷君に暴行を加える様子を彫りあげている。

1969.11.13　扇町虐殺事件のレリーフ
制　作　金　城　　実
糟谷孝幸君虐殺事件告発を推進する会
1977．虐殺８週年の日に

■糟谷プロジェクトの歩み（詳しい経過は、475P 活動目録、476P「あとがき」参照）

糟谷プロジェクトスタート集会
2019 年 10 月 13 日（日）
ところ：大阪 PLP 会館

権力犯罪を許さない　忘れない
糟谷孝幸君追悼 50 周年
首都圏の集い
2019 年 12 月 8 日（日）
東京都千代田区和泉橋区民館

糟谷君の墓参り

2019 年 11 月 13 日

写真右：称名寺
（兵庫県加古川市加古川町本町 313）

写真下：
糟谷君の墓前で黙祷する
参加者

■ 2020.1.13 糟谷孝幸君追悼 50 周年集会における発言者たち（於：大阪 PLP 会館）敬称略

元告発を推進する会　荒木雅弘

講演する海老坂武

連帯挨拶　山﨑建夫

主催者代表　内藤秀之

元救援センター 水戸喜世子

11.13 元被告　山本久司

同級生　加納洋一

同級生　扇谷　昭

元プロ学同委員長　岩木 要

婦人民主クラブ　溝辺節子

沖縄から　松井裕子

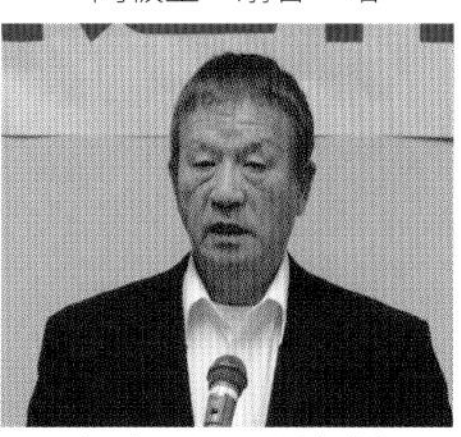
石垣島から　山崎雅毅

世話人　白川真澄

3.26 元被告　中川憲一

司会　田中幸也・高村幸子

集会全景

■糟谷孝幸君の中・高校生時代

宝殿中学校時代

　宝殿中学校は、印南郡高砂・加古川市共同の学校組合立で、現在は高砂市立宝殿中学校。

写真上はアルバムから。

写真左は、当時の中学校の看板。

糟谷孝幸君追悼 50 周年集会の後、大阪扇町公園に移動、現場で献花する参加者たち
2020 年 1 月 13 日

1965 年（昭和 40 年）、九州への修学旅行にて。
前列左端が糟谷君で、後列左から２人目が中村一二さん（写真提供者）

はしがき

糟谷プロジェクト

1969年11月13日、佐藤首相の訪米を阻止しようとする激しいたたかいの渦中で、一人の若者が機動隊の暴行によって命を奪われた。糟谷孝幸、21歳、岡山大学の学生であった。ごく普通の学生であった彼は全共闘運動に加わった後、11月13日の大阪での実力闘争への参加を前にして「犠牲になれというのか。犠牲ではないのだ。それが僕が人間として生きることが可能な唯一の道なのだ」（日記）と自問自答し、逮捕を覚悟して決断し、行動に身を投じた。

糟谷君のたたかいと生き方を忘却することなく人びとの記憶にとどめると同時に、この時代になぜ大勢の人びとが抵抗の行動に立ち上がったのかを次の世代に語り継ぎたい。社会の不条理と権力の横暴に対する抵抗は決してなくならず、必ず蘇る――本書は、こうした願いを共有して70余名もの人間が自らの経験を踏まえ深い思いを込めて、コロナ禍と向きあう日々のなかで、執筆した共同の作品である。

序章：糟谷君がどのように生き、たたかったのかを証言する。内藤秀之、高校と大学の同級生5人の文章は、本人を直接に知る人が少ない糟谷君の人間像を描く。逆に、想像力を働かせて糟谷君への想いを語るのが、最も若い「息子世代」の黒部俊介の文章である。

第1章：1969年のたたかいの全体像を67～69年という一つの時代のなかで、また世界的な同時代性のなかで論じる。

第2章：1969年のたたかいがどのような課題に挑戦し、何を宿題として残したのかを俯瞰的に述べる。糟谷君よりも上の世代の人間が当事者として経験し、感じ、考えたことを語る。

第3章、第4章：執筆者の多数を占める糟谷君と同じ世代の人間が熱く語る。第3章では、職場や地域のさまざまの運動分野から69年のたたかいに加わった経験が述べられると同時に、この時代の「決死の覚悟」や死者の「記憶」も考察される。第4章では、糟谷君と行動を共にした人間をはじめ、別の場所で69年秋のたたかいを担った人間が、自らの経験と糟谷君への思いを吐露する。

第5章：1970年代以降にさまざまな社会運動に参加した人びとが語る。自分が取り組んだ課題や現在の問題関心を述べつつ、「私にとっての」糟谷君への想いを語る。

第6章：糟谷君を虐殺した権力犯罪の真相を究明する、こうした闘争では初めての告発・付審判の取り組みについて報告・解説する。併せて、11・13扇町闘争公判について最終弁論と被告意見陳述を紹介する。

第7章：資料編として、当時の発行物などを収録した。

目次（各章50音順）

同じ時代をかけぬけて

第4章

私にとっての糟谷孝幸さん／70年代以降の運動に参加してきた人びとから

序章

糟谷とともに生きた半世紀／糟谷孝幸さんへの手紙

糟谷君の思い出（加古川東高校・岡山大学同級生）

■糟谷とともに生きた半世紀

権力犯罪を忘れない　許さない

１９６９年大阪扇町闘争で虐殺された糟谷孝幸を追悼する

内藤　秀之（日本原農民・１９６９糟谷孝幸50周年プロジェクト世話人）

岡山県北部に陸上自衛隊日本原演習場がある。私は岡山県奈義町に住み、日本原基地に対する反対運動をしている。演習場に接近して村があり、生活がある。演習場内には私の家の田んぼが五反。地区の神社もある。池のほとりには公会堂があり、池の取水口は演習場の真ん中を過ぎたところにある。

私は72歳で、１９７１年より日本原で農業、酪農を50年ほどしている。10年前からは乳牛に和牛の受精卵を移植して産ませている。その和牛も飼っている。牛を45頭ほど飼育している。乳牛10頭、和牛20頭、和牛の子牛が15頭くらいいる。

１９６９・11・13扇町闘争に糟谷とともに参加する

１９６９年11月13日、岡山大生・糟谷孝幸（当時21歳）は大阪・扇町公園での佐藤訪米阻止集会・デモの中で権力に虐殺された（11月14日に死亡）。

60年安保闘争は国会へむけた闘争だった。70年安保闘争は、69年秋に佐藤首相が沖縄返還交渉に行くと言って訪米し、米ニクソン大統領と会談し、安保をアジアまで広げる日米共同宣言を出すのを阻止する闘いであった。それで、私が所属していたプロ学同（プロレタリア学生同盟）は、69年11月17日佐藤訪米の阻止を69年秋期決戦として闘うとした。

佐藤首相が訪米する11月16～17日に闘うだけではなく、10・21からの闘いで佐藤首相が訪米できないような政治状況を作りだすという積極的な闘いとして69年秋の闘いを取り組んだ。

そのはじまり、東京での10・21の闘いで、岡山大のプロ学同からも5人ほど参加したが、全員逮捕された。私は中央突破闘争の任につく予定であったができなくなり、岡山に帰ってきて事後逮捕された。だが、不起訴処分となった。他の仲間はデモの開始直後に全員逮捕、起訴された。今から思えば、この年政府は全員を逮捕するという姿勢で臨んでいた。

そして、糟谷の日記にも出ているが、10・21の次の闘いとして、11月13日の扇町公園の闘いが来た。

岡山で、当時動けるのは2人だけで、1人は逮捕者救援や裁判対策のために行動に参加せず、残った。実力闘争に参加できるのは自分1人だけになってしまって、1人で大阪の11・13闘争に参加しようと思っていた。そうしたら、プロ学同の隊列に糟谷君が加わってくれた。彼は同盟員でない一般の学生だった。当時は全共闘運動があり、彼は法科で、法科2－1（2年1組）闘争委員会で活動していた。そこで独自のビラを作ったりして運動していた、いわゆるノンセクトの学生だった。

彼を誘うために、自分がどういう話をしたのか、前述したようなことを話したと思う。彼が加わってくれて、前日12日、岡山を一緒に出発し、扇町で闘うことになった。

途中の電車で彼とどのような話をしたのか、あまり思い出せない。一晩泊めてもらったところは1メートル隣を電車が通るような家でよくこんなところで眠れるなという場所だった。

そこで一晩よく寝て、翌13日、扇町公園の集会に参加した。この日、扇町公園では、午後4時より「佐藤訪米阻止・安保粉砕・沖縄闘争勝利」集会が開催された。反戦労働者・学生・ベ平連等の集会及び総評系労働者集会が併行して行われ、約4万人が集まった。

大阪府警は、当日、会場周辺その他に約7千人の機動隊員を配置し、公園の各入口で検問を行い、入場者に対して強制的に不法な所持品検査を行っていた。

6時頃から総評系労働者がデモ行進に出はじめた。その頃、鉄板棒（幅32ミリ・厚さ6ミリ・長さ130センチ）と火炎瓶が渡された。よくこんなものを準備し、持ち込めたなとビックリした（前日持ち込んでいた鉄棒が警察に発見、押収された。急きょベッドの部品の鉄板棒を取りに行き、6時過ぎに到着。それまで公園の出入口にいた機動隊はデモ警備にまわっていた。そのため鉄板棒を積んでいたトラックは正門から入れた）。

それを持った50人くらいの実力部隊の隊列がデモ隊と一緒に出て、機動隊を攻撃した。それは、その秋では一番厳しくて激しい闘いだったのではないかと思う。

自分は、足が遅いせいだけではないが、デモ隊の後ろのほうになって、自分が向かった時は、既に投げた火炎瓶で10メートルくらい先が火の海になっていた。前には進めず、デモ隊にまた戻った。

糟谷はすでに前に進んでいた。同じ場所を出発したのだから、糟谷はよほどの全力疾走をしたのだと思う。自分は後れをとって前に進めなかった。先に進んだ糟谷たちは、持っていた火炎瓶を機動隊に向けて全部投げて、鉄板棒をふりおろした。ふりおろされた鉄板棒は大楯に食い込んだ。機動隊は一瞬ひるみ後退した。突入した部隊は、「勝てる」と思った。しかし、「機動隊は直ちに増員して、学生集団に反撃、『全員逮捕せよ』との命令の下に、『殺せ！殺せ！』と絶叫しながら警棒と楯をふりかざして襲いかかり、撲る蹴る突き倒す」（告発を推進する会『弾劾』より）の暴行を加える。さらに機動隊は、後続の関西大学の学生部隊等にも襲いかかり、暴行を加えた。圧倒的な数の差

（数十人対数千人）があり、数の上でも装備の面でも機動隊を打ち負かすのは難しかった。

その中で糟谷が逮捕された。糟谷は頭蓋骨骨折の重傷を負ったまま、曽根崎署まで歩かされて、警察署で「黙秘します」とだけ言って倒れ、翌日病院で死亡した。「糟谷プロジェクト」を呼びかけていく中で、関西大学の学生2人が機動隊の暴行を受け負傷、後遺症に苦しみ、1年前後して亡くなっていたことを知った。警察権力は、1969年秋、扇町で3名の若者の命を奪った。

糟谷は警察（機動隊）により虐殺された

糟谷を逮捕した警官は3人（荒木幸男、赤松昭雄、杉山時夫）。警官の1人の警棒には糟谷と同じ血液型の血痕が付いていたことが、11・13扇町闘争裁判の中でも明らかにされた。糟谷は警官3人に暴行を受けている。

自分の話になるが、68年東京で王子野戦病院反対の闘いがあって、参加した。途中、座り込んだ。そうすると機動隊は座り込んでいた全員のヘルメットを順番に取った。自分もヘルメットを取られた。あぶない、機動隊の殺気を感じて、逃げないといけないと立ち上がりかけたら、機動隊に警棒で額を殴られた。それでも立ち上がりかけたら、もう一度正面から警棒でガンと殴られた。二度殴られた。衝撃で起き上がれず、頭をやられたらかなわんと、頭を抱えて横になったら、今度は頭を踏みつけてきた。

額を4針と2針縫った。この日の機動隊の暴行で負傷、後遺症で苦しんだ仲間が多くいたと聞く。人間の頭の正面（額）は丈夫で警棒で二度殴られたが、大丈夫だった。

糟谷の場合は、逮捕時に3人の警官に拘束された。

糟谷の検視では頭部に何カ所か傷を負っている。前の傷は正面にいた警官から警棒で殴られた傷だと思う。糟谷は頭の真上も怪我している。横や後ろにいた警官に殴られた傷だと思う。糟谷は前から、上から、横から、後ろから殴られた。おそらく、上と横と後ろから殴られたのが致命傷になったのだと思う。自分の経験から、額の骨は丈夫で警棒で殴られても割れない。後ろや横から殴られ、致命傷になったと思う。

糟谷は手にも怪我をしている。糟谷は警官に捕まってヘルメットを取られて、手で頭を防御した。それを機動隊員が手をはがしたり、手の上から警棒で頭を殴ったりしたのだろう。糟谷は足にも傷がある。捕まって転がされるというか、転がらざるを得なくなる。そこをさらに蹴られた傷だと思う。そうして、全身が傷だらけになり、頭に致命傷を負った。

どう考えても警察の虐殺に間違いない。数千人の警官が過剰警備を行った。三人の警察官がすでに拘束・逮捕した糟谷に不当不法な暴行を加え、虐殺を行った。

警察は警備、逮捕の権限はあっても、逮捕した者に暴行を加え殺人する権限はない。しかし王子野戦病院反対闘争のころから、デモ参加者に対して殺人的暴行がくり返された。69年秋は、デモそのものを認めず、デモ隊を全員逮捕、殺人的暴行が加えられた。

告発・付審判請求を行う

機動隊員の警棒には糟谷と同じ血液型の血痕が付いていたと分かっている。

11月15日大阪からはじまり、岡山、加古川で、12月14日には東京日比谷野外音楽堂で1万人が集まり「糟谷君虐殺抗議人民葬」が行われた。愛知、金沢、福岡等でも延べ1万5千人が集まり、人民葬を行った。

こうして糟谷虐殺抗議、弾劾の声が大きくなる中、12月14日、91名が、逮捕3警官を大阪地方検察庁に告発した。

しかし、1971年9月7日、大阪検察庁は、不起訴処分とする。翌9月8日「特別公務員暴行陵虐致死罪」で大阪地裁に付審判を請求した。大阪府警は裁判官の忌避を申し立て、警官の出廷、発言を拒否するなど、真相究明を拒み続けた。76年9月14日大阪地裁は付審判を棄却。抗告申立するも10月20日大阪高裁は抗告棄却。

糟谷は明らかに虐殺された。権力・司法はそれを無視した。それどころか、火炎瓶が頭に当たった傷だという「法医学者」＝御用学者も出てくる有り様だった。

一年程して、糟谷の父に会った。父親は実際に遺体を見ているので、「身体は傷がいっぱいだった。無数の傷があった。頭の傷だけではなかった。孝幸は警察に負傷させられて、殺されたんだ。昔の時代だったら敵を討ちたい」と言われた。

私は毎年11月、加古川の糟谷の墓前に行って、糟谷の分まで自分も頑張るからと。糟谷を虐殺して平気でいる権力を倒すことでしか、糟谷に応えることはできないんだと、一生懸命いろんなことをしてきた。

69年秋期11・13闘争をふりかえって

10・21から始まる69年秋の闘いを、どんな闘いができて、次にどのようにつなげていったらいいのか。自分もなかなか考えをまとめる時間がないというか。どう総括するか。まとめにくいという状況だった。

一つは、糟谷の闘いは、10・21の闘いへの権力の弾圧で大打撃を受け、残っている仲間も少ない中、佐藤首相が訪米できないような政治状況を作り出すんだと必死に攻勢的に闘った。それが11月13日の闘いだった。

あきらめずに、しかも実力で闘う。何とか政治状況を変えていくという闘いだった。

当時、私たちも、10・21東京で全員が逮捕された状況にめげずに、さらに挑戦し、佐藤首相が訪米できないような政治状況をつくり訪米を阻止するんだということで扇町の闘いをした。

その自分たちで何とかするんだという粘り強い闘いが、その後の日本原、三里塚の闘いに引き継がれていった。

１９６９年11月13日の闘いは、その後の70年代の実力闘争に引き継がれていった。その大きな力になった。

78年三里塚の闘いで管制塔を占拠し開港が阻止されたとき、69年に必死で闘ったことがあったから、その経験が生かされ、地の利を得て勝利できたのではないかと感じた。

二つ目には、糟谷もそうだったが、ベトナム戦争時代の学生運動の理想は高かった。ベトナムに多い時は50万人の米兵が派兵された。あらゆる兵器、化学剤を使ってベトナムを攻撃して焼きつくし、老若男女を問わず殺した。その時代に核空母エンタープライズ佐世保入港（１９６８年1月）があり、負傷した米兵を運び込む王子野戦病院があった。沖縄からは戦闘機が飛び立った。

70年安保はそれらを確認し、日本のベトナム戦争加担をさらに強めて、安保条約をアジアまで広げていくというものだった。運動として、ベトナムの人々のことを想って、ベトナム戦争に加担する自国政府に対して闘う。日本政府に参戦国化をやめさせるんだと。素晴らしい国際主義だった。いまの安倍政権は、ベトナム戦争時の子や孫の世代の人たちを外国人労働者として、利用しようとするが、何の反省もない。先日もドクちゃんが米軍が使った枯れ葉剤の影響が今もあることを告発していた。安倍政権が地球儀を俯瞰し、１００カ国以上を訪問したと自慢しても、国際主義とはほど遠い。

三つ目に、糟谷は「黙秘します」を最後の言葉に亡くなった。糟谷自身、それ以上の言葉を発する力はなかったと思う。糟谷の最後の「黙秘します」という闘いが、その後の三里塚をはじめ闘う仲間を激励し、反弾圧の闘いにつながった。いろんな闘いの中で、糟谷の「黙秘します」の闘いがその大きな力になった。糟谷を引き継いで、糟谷の「黙秘します」という闘いをやるんだと、糟谷が支えになったと思う。それでその後の弾圧は最小限に抑えられたのではないかと思う。

糟谷の闘い、69年秋期11月13日扇町の実力闘争をどう総括するのか。一言で言うのは難しい。69秋期の闘いを考えていくと「どんな社会をめざすのか」「それをどんな方法で実現するのか」という課題と重なってくる。糟谷は必死で闘って命を失った。日米共同宣言を阻止すると。だが、日米共同宣言は出され、現在の安保法制につながっている。

日米共同声明が出たということで、私は日本原で日米共同声明路線を阻止していくのだと日本原に行く。12月より私は扇町闘争で事後逮捕され、拘留されていたが、70年2月か3月に保釈されて、鉄工所で9月まで働いていた。そうして、仕事をしながら、70年2、3月から日本原に行く。ちょうど日本原では4月東地区105ミリりゅう弾砲の実弾射撃をめぐり農民と自衛隊との攻防の最中でした。その後、1971年2月日本原で農民となり、演習場反対の運動を今日まで続けている。

糟谷プロジェクトで本発行の試み

以上は、2019年1月20日東京での「『糟谷孝幸の死』から50年―糟谷の反戦の遺志から日本原へ」の東京集会で話したことをもとに『ピープルズ・プラン』86号に書いたものです。

2019年1月の東京集会を準備する中で、手伝ってくれた友達から糟谷孝幸をインターネットで検索しても出てこない。樺美智子さんや山﨑博昭さんは出てくるのにと言われ、糟谷のまとまった公的記録がないことを思い知らされた。

2016年糟谷墓参のとき、山﨑博昭プロジェクトの話が出て、糟谷の資料も集めようと確認しましたが、手元には告発を推進する会のパンフレット『弾劾』しかありませんでした。その後、山﨑博昭プロジェクトの本の出版も知りました。1月20日の集会後、社会評論社の松田健二氏（岡山大ＯＢ）と出会い、出席者みんなで本の出版をお願いし、快諾をえました。その後、1日も早くと思いながら、岡山・大阪の仲間と相談しました。そして5月に、糟谷プロジェクトの呼びかけを出すことが出来ました。

6月に山﨑プロジェクトの集会に参加し、発言の機会を得ました。この日、山﨑博昭さんのお兄さん、山﨑建夫さん、救援連絡センターの水戸喜世子さんら山﨑プロジェクトの皆様に出会いました。以降いろいろ助言、指導、協力をいただきました。糟谷プロジェクトの呼びかけ文もいっしょに送ってもらいました。

1年余りの間に、岡山・大阪・東京…全国の多くの皆様に、呼びかけ人・賛同人になってもらい、多額の糟谷基金が寄せられ、感謝しています。たくさんのすばらしい追悼文も寄せられ、糟谷追悼集として、ここに結実しました。仲上常幸さんはじめ加古川東高校の同窓生の皆様には、糟谷君の思い出や貴重な写真も提供していただきました。立派な追悼集となりました。ご協力して下さった全ての皆様、本当にありがとうございました。

これから

糟谷孝幸は機動隊の残虐な警棒の乱打によって虐殺されました。21才の短い生涯を閉じてから50年が経過した今も許す事はできないし、忘れることができません。

糟谷は、10・21大阪扇町のデモに参加した後、「…ぜひ、11・13に何か佐藤訪米阻止に向けての起爆剤が必要なのだ。犠牲になれというのか。犠牲ではないのだ。それが僕が人間として生きることが可能な唯一の道なのだ…」と日記に残している。糟谷は、アメリカの不当な暴力殺人戦争に反対し、人間として生きる道を選んだ。そして家族のこと等を悩んだ末、51％の選択だったかもしれない。状況を変えようと11・13扇町の実力闘争に参加し、果敢に闘い権力によって虐殺された。

昨年10月20日頃でした。高橋和巳編著『明日への葬列』の中で、糟谷のことを取材記述された長沼節夫さんから電話があり、「糟谷プロジェクトが広がってよかったね。私はこんな状態だから何も出来ない。がんばれよ」と喜んでくれました。6月山﨑建夫さんから番号を教えてもらい、電話したとき、入院治療中でした。声が聞き取りにくく、住所を聞くのがやっとでした。10月声がはっきりしていたので、回復したと勘違いした。その後、まもなく亡くなられたと聞きました。ご冥福をお祈りします。

これからも糟谷プロジェクトは、糟谷墓参等を行いながら、権力によって虐殺された仲間を追悼し、行動する人々と連携交流をすすめ、糟谷と69秋のたたかいを一人でも多くの人に知ってもらう活動を続けます。それから糟谷の遺志である「戦争に反対します」。

私は引き続き日本原で自衛隊の人命を危険にさらす実弾演習に反対していきます。40年余り前に、実弾演習が行われる度に、阻止・抗議集会を行っていたが、80歳を過ぎていつも集会に参加していた鷲田正平さんが、「君らが僕の歳になるまでには、日本を軍事国家ではなく、文化国家にしてくれ」と言っていました。私もその歳に近づきます。しかし、未だに日本はそうなってはいません。

1972年ころより、いろんな団体が演習場内弾道下の田に、春サツマイモを植え、秋に収穫してきました。昨秋も約200人余り集まり、「軍事力の増強は緊張を高め戦争をもたらす。平和は軍事力ではなく平和を求める人々の行動によって作られる」ことを誓い合いました。

闘いは長くなり、日教組青年部の先生の教え子が教師になって青年部に参加しています。

これからも戦争に反対し、平和を求める行動を地道に続けていきましょう。

糟谷孝幸さんへの手紙

黒部　俊介（記録映像作家）

初めまして。あなたの大切な友人であり、今回のプロジェクトの発起人でもある内藤秀之さんの記録映画を制作している黒部俊介と申します。まさか、あなたに向かって手紙を書くとは思っていなかったので、とても緊張しています。あなたも会ったこともない自分の息子の世代から突然手紙をもらって、さぞかし面食らっていることでしょう。でも僕はこの1年、ずっとあなたのことを勝手に思いつづけてきたのです。拙い文章ですが、一生懸命したためます。どうぞ最後まで読んでやってください。

ところで、「内藤秀之」さんと記しましたが、あなたが知っている頃の名前は「青井秀之」さんでしたね。あなたが亡くなってから50年が経過する中で青井さんは内藤さんに変わりました。混乱を避けるためにも、先ずはその理由から説明したいと思います。青井さんは、あなたが亡くなってまもなく、岡山大学医学部を辞めました。そして日本原へ行き、自衛隊との闘いに身を投じました。その過程で、地元農民の内藤家に婿入りし、以降50年に渡り、牛を飼いながら自衛隊に反対する平和活動に取り組んでこられました。

青井さんをご存知の糟谷さんなら驚かないかもしれません。でも、「息子世代」の僕にとっては、この経歴はかなりユニークです。と言うより、最初に知ったときは、まったく理解できませんでした。「医者になって地位を得た上で、大江健三郎や吉永小百合みたいに集会に呼ばれて行って講演でもすれば良いじゃん」「そもそも何でそこまでして自衛隊に反対するの？　憲法9条には賛同しても自衛隊に反対する人なんて皆無じゃん」こんな疑問がグルグル頭の中を渦巻いて、その答えを得るために、映画を撮ることにしたのです。（糟谷さんには理解できないかもしれません。でも、現在の日本で自衛隊に反対する人は殆どいないのです。これは、本当です。納得できないとは思いますが、説明する力が僕にはないので、どうか我慢して読み進めてください)。

先の疑問を解決するために、僕は今年の2月まで約1年、内藤さんの生活を撮影しました。内藤さんは牛飼いです。朝晩休まず働き通しです。身体もボロボロです。牛の世話だけでも大変なのに、平和活動の一環として、演習場の中でサツマイモや牧草の耕作もしています。昔は沢山いたようですが、現在も演習場内で耕作をしているのは内藤家だけです。心ある友人や仲間が応援してくれていますが、草刈りだけでも大変です。それでも、内藤さんは不平不満を一切言いません。いつもニコニコ笑い、穏やかに優しく牛にも人間にも接します。まるでお地蔵様のように。

糞尿にまみれながら黙々と牛の世話をする内藤さんにカメラを向けているうちに、僕は先のような疑問を抱いた自分がとても恥ずかしくなりました。そしてこんな素晴らしい人に出会えた縁に感謝しました。(もしも医者になっていたら、僕が内藤さんに会うことは絶対にありませんでした。集会や講演会は眠くなるから苦手だし、病院も大嫌いなので)。

牛の世話の合間に、僕は内藤さんの人生の転機となったと思われる学生時代のことについて聞きました。内藤さんはいつもと同じ穏やかな口調で、学生時代のことについて、何も知らない僕に対して、丁寧に粘り強く話してくれました。糟谷さん、そうして僕はあなたに出逢ったのです。

正直僕には、学生運動のことは分かりません。ですから、あなたが内藤さんと2人でどのような気持ちで大阪扇町公園に向かったのかも分かりません。それでも分かったことがひとつあります。

内藤さんが医者ではなく牛飼いの道を選んだのは、学生時代からの必然の帰結だったと思います。しかし、それは「活動家として筋を通した」とか、「イデオロギーゆえにそうした」わけではなく、内藤さんの全身から溢れ出る人間としての優しさや誠実さが、自然とその道を歩ませたのだと思います。そして、その優しさや誠実さを育んだ源流こそが、あなたの存在だったのだと思うのです。

撮影中、内藤さんが繰り返し私に言った言葉があります。「この50年、糟谷の分まで生きてきた」と。何度聞いたか分かりません。内藤さんが覚えているかは分かりませんが、こんなことも言われました。「映画のタイトルは、自分の名前はいいから、糟谷孝幸にしてほしい」と。繰り返し聞いているうちに、僕は次のように考えるに至りました。「糟谷の分まで生きてきた」という内藤さんの言葉は、あなたの死を「呪縛」や「負い目」と感じての発言ではなく、誠実に生き抜いたあなたの人生をエネルギー源にして、「大変なことも多いけれど、何とか頑張って生きていこう」という自分への励ましだったのではないか、と。それは、内藤さんにかぎった話ではありません。僕が直接お話したなかでも、加納洋一さんや山田雅美さんなど、糟谷プロジェクトに集まった人たちは、あなたの人生を励みにして、自身の人生を穏やかに優しく、そして力強く切り拓かれた方ばかりでした。

糟谷さん。あなたの死は、だれの死もそうであるように、辛く、悲しいものです。しかし、あなたの生きた証を支えに、この50年必死に前向きに生きた人が、たとえ少数でもいたという事実は、「息子世代」の僕が、今後生きていく上での支えになりました。その感謝の気持ちを伝えたくて、この手紙をしたためた次第です。今、僕は映画の編集の只中にいます。とっくに終えている予定だったのですが、新型コロナウィルスなど多くの困難が生じ、大分遅れてしまいました。

現在の日本は、あなたが生きた時代よりも悪い方向に進んでいると思います。どうすれば良いのか、皆目見当もつきません。日々オロオロしながら生きているうちに戦争になる。そんな悪い予感ばかりが頭の中を渦巻く日々です。内藤さんやあなたと違い、僕は意志薄弱でいい加減な人間です。とても闘えそうにありません。それでも、今作っている映画だけは、あなたに見てもらっても恥ずかしくない誠実な作品にしようと思います。

どうか、楽しみにお待ちください。

（2020年7月10日）

加古川東高時代の糟谷孝幸君

仲上　常幸（加古川東高19回生　年次幹事）

高校時代に初めて会った糟谷君はおとなしく、真面目そうで堅物な男という印象でした。加古川東高は県内屈指の進学校でしたので、大学受験のために勉学に励む校風でした。ですから授業が終わってから、放課後に生徒同士が集まって語り合うとか、何かをするということはほとんどありませんでした。あるとすれば進学の話しとか成績の話しばかりでした。糟谷君は真面目に勉学に励んでいましたので、私がわからない事を質問すると丁寧に教えてくれましたし、その教え方は性格上キメ細かく順序立てて、私が納得するまで説明してくれたことを記憶しています。そして、決して偉ぶる事がないところに好感が持てましたね。

新聞・ニュースで糟谷君の死を知った時は、何であのおとなしい控えめな男が安保闘争のデモに参加したのか信じられませんでした。高校時代の同級生はみんなそう思ったに違いありません。

岡山大学に進学してからの糟谷君のことは知りませんが、環境によって人間の考え方が変わってしまうのかなあ～と思っています。ご両親も同じ思いだったろうなあ、悔やまれただろうなあと思うと胸が痛みます。岡山大学の学生仲間の全共闘運動が糟谷君の正義感に火をつけ、全共闘運動に身を投じていったのであろう。ごく普通の若者であった糟谷君が「なぜ」という気持で一杯です。高校時代の糟谷君を知る私にとっては、若くして散ってしまったことはとても空しいことです。

今は糟谷君の冥福を祈るのみです。

糟谷孝幸君を想う

中村　一二（かずじ）（高校同級生）

糟谷君が理不尽な死を遂げて、50年が過ぎました。彼と私は高校の2、3年生を同じクラスで過ごした仲です。特別親密な付き合いがあった訳ではありませんが、人生の最も多感な時期を共に生き、私しか知らないエピソードもいくつかあります。

彼は加古川市の西部にある宝殿中学を文字通り優秀な成績で卒業し、昭和39年4月に県立加古川東高校に入学しました。我々は世に謂う『団塊の世代』の真っ只中でこの世に生を享け、ものすごい人数の中で激烈な競争を強いられてきました。地元では東高と呼ばれ、一応進学校として認められています。従って、地域の中学校の成績上位一割以内の者が集結し、実際我々の学年も10名以上が東大に進学しています。

ただ、当時学校内の雰囲気は勉強第一主義で、スポーツも奨励されず、テストで良い点を取ることのみが目的で、勉強の楽しさなど感じたこともなく、人より成績上位になる達成感とそこから得られる優越感のみで勉強していたように思います。従って、当時の高校生活を『最悪』と断言する同級生が何人もいます。

中学時代には全員が一応『秀才』で、みんなから一目置かれていたのに、高校ではやってもやっても普通の子です。同級生が550人なので当然550番の生徒が存在します。

私自身はスポーツが得意で、性格的にもはみだし者で自由を謳歌しているタイプですが、糟谷君はいわゆる『真面目タイプ』で悶々とした日々を送っていたのではないかと想像します。高2の時には彼も私も一応成績優秀でトップクラス（男女混合）にいたのですが、高3の組替えでBクラス（58名全員男子）に格下げになりました。私は気にもしていませんでしたが、彼には屈辱的なことだったと思います。どこの家庭でも特に母親は真面目に勉強して一流大学から一流企業という人生を願っていましたので、私も随分母親の愚痴や説教を聞かされたものです。

高3の10月頃、私は社会の授業中にラジオで野球の日本シリーズを聴いて先生に見つかり廊下に立たされたことがありました。糟谷君も何かの不始末で後から立たされたのですが、私の存在に勇気を得たのか、嬉々とした様子で立っていました。あまりのはしゃぎように少し面食らったのですが、彼の表情から『優等生返上』という決意を感じたのです。(デモにより死亡のニュースの時、一番にその事が頭に浮かびました。)

そして、昭和42年3月に彼と私は同級生20名余りと県立神戸商科大学を受験しました。

加古川市内からも近く、授業料1ヶ月千円の時代で、一番親孝行な選択で私も彼も私立大学は受験せず当然2人とも合格と思っていたのですが、彼だけが不合格となり、一浪する決意をした時「中村の一年後輩にはなりたくないので、来年は岡山大にする」と話していたのが最後の会話になりました。

彼のように真面目で一本気なタイプは下宿生活で同世代の者と対話していると、どんどん尖っていって突き進んでいくような気がします。当時の学生運動は70年安保の『全学連・全共闘世代』といわれていますが、私の中では彼は学生運動の闘士でもなく、只々普通の学生で不運にも初めてのデモで舞い上がり命を落としてしまったのではないか？　あれから50年、人生に『～たら・～れば』はないのですが、もし私といっしょに神戸商大に進学していたらどんな人生が待っていたのでしょう？　ベトナム戦争は何だったのか？(モハメド・アリの徴兵拒否以降アメリカの世論も一気に戦争反対へと進んでいったことのみ記憶に残っています。)

学生時代の私は、いわゆる『ノンポリ』で、政治的なことに関心はあるが、自分たちの力では何も変えられないと悟って、ひたすらスポーツ(陸上競技)に打ち込みました。その後、紆余曲折を経て現在71歳。昨年大病をして医師より余命宣告を受けた身です。古希を過ぎた私と18歳丸坊主のままの糟谷君とどう対面するのか。楽しみですが、少し戸惑ったりもしています。もう少し待ってくれ孝幸。

糟谷君のこと

上月　昭信（高校同級生）

彼の名前は「糟谷孝幸」君。高校時代の彼の住所は加古川市米田町船頭。宝殿中学校を卒業して加古川東高校に入学したのでしょう。

私は志方中学校でしたから彼の中学校時代は知らず、加古川東高校で初めて会ったことになります。そして、高校3年生の時、私は3年2組、彼も3年2組、同じクラスで高校3年生を過ごしたことになります。

卒業アルバムを見ながら彼を思い出しています。

彼はメガネをかけており、真面目そのものの顔で卒業アルバムの写真に載っています。クラス全員で書いた「寄せ書き」では正面の真ん中下に「糟谷孝幸」と大きな文字で自分の名前を書いています。

彼は、特に目立つ生徒ではなかったのかも知れません。

私は彼と話しをした記憶がありません。彼は勉強が好きだったようで、私のように部活動などにはあまり参加していなかったのではないかと思います。

クラスの座席は私より姓が若いので、確か私の一列違いの右手の後ろの席だったことを覚えています。

高校卒業後、彼は岡山の岡山大学、私は京都の立命館大学に入学し、1回生、2回生の前半までは順調に学生生活を送ったと思います。しかし、2回生の後半は学園紛争が起こり、70年安保も重なり、当時、「実存」が問われ、それぞれが自分に忠実に行動せざるを得なくなった時期だったと思います。

しかし、世相と関係のない生き方をした方、いわゆる「ノンポリ」もいれば敏感に世相に合わせた生き方をした方もあったと思います。

私は当時、考古学の先輩と一緒に立命館大学の全共闘運動に参加したことを覚えています。

私は京都市左京区の修学院で下宿生活を送っていて、親に負担をかけたくないということで、新聞もテレビもない生活をしていましたので、糟谷君が亡くなったことも知りませんでした。

いつのころか忘れましたが、糟谷君が亡くなった後、どなたかの呼びかけで加古川市加古川町本町の春日神社で糟谷君の追悼集会だったと思いますが、私も参加したことを覚えています。

彼は真面目すぎたから「実存」ということを実践して大阪の扇町公園での「訪米阻止」「安保破棄」の抗議デモに参加したのだと思います。

彼は「実存」をかけて許せない出来事に正面からぶつかっていったのだと思います。

残念でなりませんが、今、彼が生きていたら今年で72才になります。孫などに囲まれた別の人生もあったかもしれません。ご冥福をお祈りします。

合掌。

岡山大学・同級生から

糟谷君のこと

扇谷　昭（岡山大同級生）

○糟谷君と同じ岡山大学法文学部法科２―１のクラスメートでした扇谷です。

○糟谷君を知っていただくために、最初に、１９６８年から１９６９年にかけての岡大闘争についてお話しします。
私たちは、１９６８年４月に入学し、通常の授業を受けられたのはほぼ半年、その年の９月17日に大学の自治権確立を訴えて岡大闘争は始まりました。

○私たち法科２―１は、クラスで闘争委員会「コムネの会」を立ち上げ、クラス討議によるデモや集会参加、通信を発行するなど、当時、地方大学における先駆的・典型的な全共闘運動を展開していました。糟谷君は、クラスの中では目立たない、非常におとなしい性格の学生でした。

○翌年１月20日に全学スト権を確立し、ストライキ・大学封鎖に突入します。
その年４月12日、機動隊が導入され、全面衝突しました。そして、大管法施行を前に、全学ストライキを続けており、全国で最も廃校の可能性のある大学でした。しかし、施行日の前日、９月16日、全学ストライキ中の大学に、再び機動隊が導入され、強権的に封鎖を解除、授業が再開されました。

○このような運動の挫折感の中で、11月13日、大阪扇町闘争に参加した糟谷君は、権力に暴行を受け、虐殺されたのです。

○当時、私たちは、組織に参加していないノンポリ学生だった糟谷君が、大阪扇町闘争に参加していたこと自体に驚きがありました。この事は、彼が日記に残した『犠牲になれと云うのか。犠牲ではないのだ。それが僕が人間として生きることが可能な唯一の道なのだ。』という言葉に、当時の糟谷君の一途に思いつめた葛藤・苦悩が表れていると思います。

○私たちは、地方大学の一学生として純粋な思いで全共闘運動にかかわりました。私自身も、その後、自ら大学を去り、その後の50年の人生において、常に、「何が正しいのか」「人としてどうあるべきか」を問い続け、生きてきたと自負しています。

○ネット上では、糟谷君は〝昭和期の新左翼活動家〟と出ていますが、決してそうではありません。

○一人の人間、学生として、真摯に社会と向き合い、自らが正しいと信じる行動を起こす中で、権力の暴力によってその尊い命を奪われたのだ、ということを記憶に残していただきたいと思います。

○糟谷君追悼50年に当たり、糟谷君を知る数少ない一人として、発言の機会をいただいたことに感謝申し上げ、私の報告とさせていただきます。

（糟谷追悼集会報告・2020・1・13）

糟谷、君が遺したもの

加納　洋一（岡山大 同級生）

私が全共闘運動に参加して刑務所まで行った昔話をふと話したとき、「加納さんはどうして（意味があったとも思えない）学生運動にのめり込んだのですか」という問いかけを若い人から受けたことを思い出す。

私はもう71歳。政治闘争に明け暮れて、出獄してから50年近くとなる。そうだ、岡山大学で一緒にバリケードで闘った友人の糟谷孝幸も行方正時（連合赤軍リンチ事件）も50年前に亡くなったのだ。想えば、今の私は、そんな時代の世界から本当に遠いところで生きてきた。決して生き方を変えたわけではないが、今でも地道な運動を支え続けている友人に畏敬を抱きつつ、私はこの現実社会の中で生活者として生きている。小さな会社で、社員たちを食わせていくために様々な技術を開発・販売して、業界の一端でそれなりの成功を納めた。60歳から仕事とともに僧侶の道に足を入れ、現在小さな寺の住職のような立場に居る。

昨年、日本原で酪農をしながら基地反対運動を続けている内藤秀之さんからの電話を受けた。彼は今でも地道な運動を支え続けている友人で、数年に一度位お会いしている。岡大闘争時代の友人たちは数少ないとは言え、数年に一度くらい集まることがある。内藤さんからの話は、「糟谷が亡くなって50年経つ。樺さん、山﨑さんの追悼事例は色々あるが、糟谷のことは埋もれたままだ。自分は彼とともに大阪・扇町に行き、彼を見失った。このまま彼を埋めもらせてしまうことは残念だ。彼とともに、あの時代を自分たちの生き様の証拠として残していきたい。協力して欲しい」というものだった。私は彼が毎年加古川に墓参していることを知っていた。そんな彼からの依頼だから、出来ることは協力すると約束してしまった。

彼からの呼びかけで、何度かの集会が催され、私もそこに参加した。発言を求められると、糟谷の大学時代の友人としてコメントも行った。そんなとき、若い人からの問いかけを思い出した。

そうだ、あの時代、何故私たちは運動に参加したのだ。さらっと流すつもりなら、「若気の至り」と言えばいい。本当に語りたいのであれば、どれだけの時間と言葉が必要だろうか。その質問者がそれなりの覚悟を持っていた場合、私はざっと次のような話をする。

確かにあの時代の運動が現在にどのような影響を与えたのか、それはなんとも言えない。あるとも言えるし、全くなかったとも言える。あるいは悪影響だったかもしれない。ベトナム戦争反対を契機とした反戦運動は世界中の若者を駆り立てた。アメリカはベトナムから撤退したけれど、世界から争いがなくなったわけでもない。日本国中の大学で全共闘運動は盛り上がったけれど、いつの間にか燎原の炎は消え去っていた。

こんな運動の結末はほとんど具体的な成功をもたらすものではないのだ。しかし、日本では150年ほど前、明治維新という具体的な大変革をもたらした歴史があるんだよ。黒船到来という契機が日本国中の意識ある若者たちの心に火をつけ、至る所で反乱が起こったわけだ。その渦中で大勢の若者たちは命を落とし、今日に至ってその名をとどめているものは少数だ。明治維新まで至ってなかったら、命を落とした若者たちも歴史の中で消えていったことだろう。こんな歴史は世界中にある。中国の歴史の中で、英雄豪傑が物語を面白くしているけれど、無名の若者たちがその反乱物語に参加していたことも承知しておいて貰いたい。

私はそういう時代に遭遇したことに喜びを感じて、喜々として身を投じたというわけだ。その運動がたとえ敗北であったとしても、決して後悔はしていない。多分参加してなかったとしたら後悔したかもしれないと思うほどだ。

そうした話をしたとき、いつも心の中で疼くものがあるのは、同時代を生き延びられなかった友人たちのことだ。岡大闘争中に構内で焼身自殺をした友人、大阪扇町公園で警官に撲殺された糟谷、連合赤軍のリンチ事件で仲間に総括という名で殺された行方たちは直接の友人であったが、間接的に関わった人たちにも様々な困難や死が訪れている。

私が参加した岡大闘争東門バリケード闘争では、警官に私たちの投石が当たり亡くなった。日本赤軍のテルアビブ闘争では岡山朝日高校の奥平君が亡くなり、連合赤軍リンチ事件では行方以外にも何人かの知り合いがいて、それぞれに重い思いを噛みしめたものだ。

「どんな悲しいときでも腹が減る」と言った話を聞いたことがあるが、そんな時代をくぐり抜けた私は、いつの間にか生活者としての自分を大切にしてきていた。あの時代の語り部はまだ数多く居る。しかし、糟谷の語り部は少ない。少しだけ、彼の思い出を語っておこう。

私たちは昭和43年4月岡山大学法経学部法科1年1組で出会った。50名ほどのクラスであったが、まだ親しく話したことはなかった。初夏の頃、クラスで他大学の女性たちとコンパをしたときにも糟谷の記憶は無い。至って地味な存在であった。夏休み前、私はブントの誘いを受けて、少し学生運動に足を突っ込んだ。そのときの仲間が行方だ。秋の終わり、中核派が自衛隊基地反対のデモを行った後、岡大構内に帰った時私服警官が構内に足を踏み入れた。それをきっかけとして岡大闘争は始まった。最初は小さな党派の運動だった。年末にかけて少しずつ盛り上がりを見せていたが、東大時計台闘争がテレビで放映された後、各クラスにおいても討議が重ねられ、有志をもって岡大全共闘に参加した。この頃糟谷もこの討議に参加していたと思うが、これと言った記憶は無い。各学部に所属しながら、新入生たちは教養学部に所属していた。そこで、教養学部闘争委員会（C戦）を結成した後、いつの間にか私はその代表のような形になっていた。私たちのクラスからの参加者は10名から20名で、かなり多かった。全学ストライキに入り、私たちはバリケードの中で生活するようになった。4月12日早朝機動隊が3隊に分かれてやってきた。私は仲間を集めて東門に陣取り、道を封鎖したバリケードから投石で応えた。このとき、糟谷はやってきていなかった。その夜、警官が危篤状態だというニュースが入ってきた。一気に緊張に包まれた。党派に所属していなかった私だが、警官有本氏の死は私に革命家への思いを一気に押し上げてしまった。指名手配を掻い潜りながら東京に行き、4・28闘争に参加、新橋駅高架の上で逮捕され、二十歳の誕生日に起訴状を貰った。

8月アポロが月面に到着したとき保釈され、久しぶりに大学に戻った。バリケードは撤去され、友人たちは闘争の鎮静化に苛立ちを募らせ始めていた。

9月の全国全共闘大会は終わりの始まりだった。突如登場した赤軍派は徒花か、希望か。私は赤軍とのコンタクトを模索し始めた。

この頃から糟谷とはしばしば話をするようになっていた。彼の家は公務員の家で、非常に実直な家庭環境のようだった。一浪をして岡大に来たのだが、浪人中は家族もテレビを我慢して彼の受験勉強を支えてくれたとも聞いた。彼の真面目な正義感は、当初から全共闘運動に目が向いていたが、家族の期待との軋轢に悩んでいたようだった。私が赤軍とのコンタクトを果たし、岡山に赤軍の拠点を作ろうとした時、どちらかというとアナーキーなメンバーたちが参加してくれた。そのうち、そのアナーキーさに影響されたか、糟谷はしばしば私と軽口をたたく仲になっていた。「一点突破・全面展開」が私たちの合い言葉で、この殿（しんがり）戦の逆転のために、何をすべきかと唾を飛ばして語り合っていた。私やアナーキーなメンバーは赤軍兵士に参戦しよう、糟谷は家の事情もあるだろうから後続の革命戦線で支えてくれなどと話した記憶がある。

そんなとき、大阪扇町公園で糟谷が虐殺されたというニュースが飛び込んできた。まず、驚いた。何で糟谷なんだ。

怒りと悲しみが交錯したことを覚えている。彼の真面目さと剽軽さは絶妙にバランスがあって、突然「これでいいのか、ショクン」と笑わせてもくれた。そう、その頃の私たちは眉の間にしわを寄せながら、冗談とも本気とも分からない政治談義を楽しんでいた。悲壮感に包まれた自分たちに酔ってもいたのだ。しかし、糟谷の死は冷や水を浴びせてくれた。私は戦士の道に足を踏み出した。

数年後、行方の死を知った。何で行方なんだ。彼が妙義山で亡くなった頃、私は刑務所の中だった。浅間山荘闘争の後、私は出所し、彼の死を知った。今度は悲しみの方が強かった。何で仲間同士で殺し合うのだ。追い詰められた者たちは、自分たちを追い詰めてしまうのか。私は少しずつ生活者の道を選び始めていた。再びの参戦の機会がないまま今に至り、それなりに充実して生きている。

50回忌は弔い上げで土に帰る儀式だと思っている。普通の死はそのように弔っていけばいい。しかし、弔い上げで済ませない死もある。糟谷の死を記憶しておこう。時代とともに。

第1章

1969年とは何であったのか

海老坂　武（フランス文学）

1969年とは何であったのか

海老坂　武（フランス文学）

私は、最初ここで話をする依頼を受けた時に、ひどい難聴でもあり、何ができるだろうかと迷いがありました。しかし、漠然と名前を聞いた程度の糟谷孝幸君の死を、内藤秀之さんがお書きになった文章で詳しく知ることができました。それで、同じ時代に同じ志を持った仲間であると、今日この場に参りました。

1967年・68年・69年

「1969年とは何であったのか」というテーマを考えるためには、三つの視点があると思います。一つ目は1960年代の終わりの年であるという視点。二つ目は1970年代の前の年であるという視点。三つ目は1967年、68年、69年という3カ年の枠で考える視点です。この三つは全部つながっていますが、今日は三つ目の視点を中心にお話ししたいと思います。

ここに、朝日新聞社が1年ごとの出来事をまとめて発刊している『朝日クロニクル　週刊20世紀』という雑誌が3冊あります。毎年その年のシンボル的な人の写真を表紙に出しています。1967年はチェ・ゲバラです。ゲバラは10月8日に捕まって、翌日殺された。ゲバラの有名な「二つ三つのベトナムを」という言葉は、当時の世界の運動に大きな影響を与えました。１９６８年は誰か。秋田明大、日大全共闘の議長です。日大闘争は、20億円のお金を日大の上層部がごまかして不正使用したことに対して学生が怒った。当然のことです。にもかかわらず弾圧されて、秋田さんは逮捕され、１００万円の保釈金を求められた。今のお金にすれば５００万円ぐらいでしょう。しかし、彼はこれを拒否して獄中闘争をして『獄中記―異常の日常化の中で』という本を出しています。その中で、69年の９月にベトナムのホーチミンが亡くなった時に涙を流したという一節がある。秋田さんはそういう青年だった。

問題は69年です。誰だと思いますか。高倉健さんなんですよ。67年のチェ・ゲバラ、68年の秋田明大、そして69年高倉健です。どう思われますか。編集者に言わせると、それなりの理由があるということでコメントが付いています。『「健さん」と「お竜」に我を忘れた青春』という題です。団塊の世代が大学紛争の最中にあった60年代後半、怒れる学生たちは革命家ゲバラに憧れる一方で、任侠映画に熱い思いを託し、寅さんにある懐かしさを味わった。この中には「あーそうだったなぁ」と思い当たる方もいらっしゃるかもしれません。

世界的な同時代性

この時代の特徴は、運動が世界的に同時代的で、お互いに呼応しあったということだと思います。その背景として考えられるのは、大きく分けると四つある。

一つはベトナム戦争です。この時代の若者にとってベトナム戦争は、これ以上はないという政治教育、倫理教育となりました。殺し尽くし、焼き尽くし、破壊し尽くす、それがベトナム戦争でした。犯罪国家アメリカという姿をあからさまに浮かび上がらせた戦争だった。日本では、これに対して65年にベ平連の運動が起きました。ベ平連だけではなくて全国で色んな反戦運動が立ち上がった。

二つ目はアメリカで起こったスチューデント・パワーとブラック・パワーの運動です。スチューデント・パワーは主に白人の若者が起こした運動ですが、ブラック・パワーは黒人が中心になった運動です。いずれもベトナム反戦を契機としています。67年の10月21日にはベトナム反戦の国際統一行動が行われ、アメリカの青年が徴兵カードを焼いたり、ペンタゴンの前に座り込みをした。ブラック・パワーは、最初は非暴力の運動だったのですが、66年にその仲間の一人が撃ち殺されたことから「殴られたら殴り返せ」をモットーにして暴力行動に移っていきます。

三つ目は中国の文化大革命です。文化大革命は、最初は党の官僚を批判する市民の行動として起こったのですが、だんだんと共産党内の権力闘争、すなわち「ブルジョワ路線を歩む実権派の打倒」をめざす運動になっていった。運動の主体も知識人や学生から紅衛兵に移っていった。文革とは何だったのかということは、いまだに解決できていない問題だと思います。結果としては権力闘争に終わったけれども、それだけではなく他の要素もあったのではないか。党や党の官僚の腐敗を正すという面で、これを習近平は今上からやろうとしているけれども、当時は下からやろうとした。あるいは下を動員してやろうとした。さらに、知的労働と肉体労働を統一しようという発想もあったのではないか。また生産至上主義に対して人間の意識の改革を重視するという面があった。そして時代の言葉として出てきたのが「造反有理」という言葉です。

日本は、ひじょうに権威主義的な社会です。家庭においても学校において職場においてもそうだし、上の言うことにはとにかく従えという権威主義が広がっている。ですから、「造反有理」という言葉は日本では非常にインパクトがあり、あちこちの大学闘争で使われました。

四つ目が1968年のフランス五月革命です。発端はパリ大学のナンテール分校で、男子学生の寄宿舎に女子が入っていいかどうかという問題だった。その後、コーン・ベンディットなどベトナム反戦運動のグループがその問題で突っ込んでいき、これに対してパリのソルボンヌ大学が封鎖され、学生が立ち上がった。そして、今度は一般の労働者が次々と立ち上がって一時期は９００万人の勤労者がストライキをした。そして、社会党と共産党とが連合政府を立ち上げようという案さえ出てきました。しかし、ポンピドー首相が労働組合の幹部との話し合いで妥協し、ド・ゴールがラジオで演説し、その1カ月後に選挙をして政権を保つことができた。5月革命は、行動が全面的に表現に依拠した運動、ないしは表現をもって行動となしたという面で、やはり日本の運動に大きな影響を与えたと思います。

１９６７年の10・８羽田闘争から６８年「イントレピッド四人」の会へ

67年・68年・69年というこの時代は、歴史家がいろんな資料を集めてきて「はい、こうですよ」と出されても、当時関わった人間はなかなか納得できないのではないでしょうか。それぞれが時代に関わった何かがある。69年とは何であったのかは、その時代を生きた人間たちの色々な体験が積み上げられて、それをもとにして語られたときに最終的に答えが出るものだと、私は考えています。その意味で、私自身この時代に何をしていたか、何を考えていたかを少しお話しします。

私は63年夏から2年半ほどフランスに留学して、帰国して66年の4月から一橋大学でフランス語を教えることになりました。67年の10月８日に第一次羽田闘争と呼ばれたデモにたまたま出かけたのです。いてもたってもいられなくなった。グループには所属していないので、一般市民と呼ばれる人の後ろにくっついていました。後から考えると、それは国民文化会議の人たちだったらしい。ほどなく前の方にいた学生グループと機動隊がぶつかると、投石隊が現れて石を投げる。石を投げられると機動隊はさーっと後ろに下がる、投石が終わると機動隊がどっと前に出てくる。私は後ろの方にいたのですが、だんだん身の危険を感じ始めました。60年安保の時には殴られたこともあったけれど、この時ほど身の危険を感じたことはなかった。それで、情けないことに隊列を抜けて横の歩道に上がって見る側に回ったのです。

山﨑博昭さんが殺されたという話を聞いたのは、夕方ぐらいでしたでしょうか。そのときの現場の感覚からすると、車に轢かれて死んだなんてありえない。次の日、今は亡くなった詩人の長田弘から電話があった。この事件について抗議声明を出したいから、私にも呼びかけ人の一人になって署名してほしいという話でした。私は、署名は偉い文化人・知識人がするもので、一介の大学教員が署名しても仕方がないと渋ったのですが、長田弘という友だちの説得にあって署名しました。

2、3日して、また署名してくれという別の文章がどこからか届きました。その呼びかけ人の顔ぶれは、岩波文化人と言われる吉野源三郎とか羽仁五郎、さらに鶴見俊輔、日高六郎とか野間宏さんたちがいました。僕はちっぽけな存在だけど、まあ文章にこれといった異議がないからと署名しました。「羽田の10・8救援活動についての要請」という文章です。最初の声明は『現代の眼』という雑誌に掲載されています。もう一つの文章は『世界』に載せられたと思います。山﨑プロジェクトが出した『かつて10・8羽田闘争があった』という本の中に、この二つの声明も収められています。

1968年には、先の5月革命について、コーン・ベンディットの発言を紹介したり、『情況』という雑誌に書いたり、あちこちの大学で喋ったりしています。また、先年亡くなられた福富節男さん、古山洋三さんたちと一緒に「イントレピッド四人」の会を立ち上げました。67年の11月12日にべ平連が記者会見をして、アメリカの航空母艦イントレピッド号から脱走した4人の反戦兵士をかくまって国外に出したと公表した。そして、その4人だけじゃなくて現在もたくさんの米兵が脱走していて、それを支援しようということになった。その実行部隊、実際に彼らをかくまって逃がす仕事を請け負ったのは、山口文憲や吉岡忍などベ平連の若手の連中です。まあ、今は皆70代だと思いますが。

しかし、お金が要るわけですね。お金を集めなきゃいけない、広報活動もしなきゃいけない。というので、「イントレピッド四人」の会主催で、68年に3回ほど講演会を開いています。第1回は日高六郎さんが話をし、当時東京御茶ノ水にあった日仏会館の500人のホールが超満員になった。時代の雰囲気があって、カンパもたくさん集まりました。

もう一つは、68年8月に京都で「反戦と変革に関する国際会議」に参加しました。日本各地の運動をしている人たちが一堂に会して、外国からも20人ぐらいの人を呼んできて、3日間にわたって議論しました。私は、昼間は司会をしたり、夜になるとフランスから来ていた2名を囲む集会で通訳をしたりしていた。フランスから来た一人はミシェル・ロカール、当時は新左翼でしたが、後に首相になり湾岸戦争時には旗振りの役割をした人です。

1969年——全共闘運動の中で

1969年は、大学闘争の中でもみくちゃになった年です。1月18日・19日に東大全共闘が占拠していた安田講堂の封鎖解除をめぐる衝突が起こった。当日、私は東大の正門前でうろうろしていたのですが、一番腹が立ったのはやはり東大教授の中で誰一人として当時の加藤執行部に正面から文句をいう人がいなかったことです。駒場では、折原浩さんがほとんど孤立無援で闘っていましたが。

そして、封鎖が解除された後、抗議声明を出そうということになった。なぜか私がその原案を書くことになり、武藤一羊さんに後から手直しをしていただいた。「国家暴力の秩序から東大の解放を」という文章です。60人ぐらいの方に署名していただいて、当時の『朝日ジャーナル』に発表した。『朝日ジャーナル』は、当時よく売れたからでしょうけど、全共闘寄りのニュースをたくさん載せていたのです。

この後、実はひじょうに腹が立つことがあった。『世界』の3月号に大内兵衛が「東大を滅ぼしてはならない」という文章を書いている。いろんな立場もあるからそれはいいとしても、その中で「東大を不逞の輩から解放した警察に感謝の意を表したい」という一節があった。さらに「貰ってくれるならお菓子の一箱を持ってどなた様もご苦労様でしたと、お礼に行きたい気がした」と。冗談じゃなく、本気で書いている。大内兵衛は、戦前たしかに天皇制に抵抗した一人です。ただそういう経歴の上にあぐらをかいて東大名誉教授の名前でこういう文章を書くということに、私はものすごく腹が立った。これ以降ずっと買っていた『世界』を買わなくなりました。

もう一つ、全共闘議長の山本義隆さんは逮捕状が出たため地下に潜っていたのですが、『情況』の編集者から声がかかり、対談することになり、どこか分からない場所に連れて行かれて対談をしました。対談と言っても私はむしろ聞き役だったのですが。

4月には「東大闘争を支援する会」が立ち上がり、救援連絡センターも結成された。水戸巌さんが中心になって動いておられましたが、ある日横川という地裁の裁判長のところに3～4人で怒鳴り込んだ。実際に怒鳴ったのは水戸さんで、私はむしろ抑える側だったのですけど、たちまち追い出されてしまった。

5月29日には、全共闘を支援する大学教員の「大学を告発する」集会が開かれ、２００人ぐらい集まった。昼間に集会を行って、夜は夜で徹夜で議論をしたのです。私は朝方疲れて抜け出した。これはどこかに記録が残っているはずです。

夏になると「イントレピッド四人」の会で『脱走兵通信』を刊行しました。そして街に出て売ろうとした。暑い最中で紀伊国屋書店の前で声を張り上げていたのですが、3、4部売れただけ、がっくりしたことを覚えています。

私のいた一橋大学でも闘争委員会が国立市の本校を占拠した。そのため6月からは夏休み以外はほとんど毎日のように教授会が開かれ、対応をめぐって始終喧嘩をしていました。一時期は封鎖された館内で自主講座が催され、そこで話をしたこともあります。しかし、この闘争委員会が夏の間に自然消滅、封鎖は自然に解除されてしまったんですね。

この時期に私が何を考えていたかを振り返りますと、一つは脱走兵支援運動を一体何のために、何に共感してやるのかということでした。兵士たちは、上官からいつも殺せ殺せという命令が降りてくるわけです。その国家の命令に対して、彼らは必死に抵抗して脱走した。そういう心の営みに共感したのだと思います。それからまた、私は大学の教師であって、学生の異議申し立てに対して造反教員だからといって責任を免れることはできない。だから、教師というのは一体何だろう、教えるとは一体どういうことなんだろうと考え、文章も一つ書いています。

文化／抑圧と解放

もう一つは、文化の闘争ということを考えていた。というのは、全共闘運動は政治闘争や社会闘争という言葉だけでは括れない、文化の闘争であると考えていたからです。

その時まで私に欠けていたのは、文化は抑圧装置であるという発想です。文化をプラス・イメージだけで考えていた。それは、私が新制中学の一回生だということと関係がある。「これからの日本は文化国家にならなければいけない」という言葉をどれだけ聞かされたことか。事実、「文化の日」をはじめとして、文化包丁、文化理髪、文化鱳、あらゆる場で「文化」が使われた。日本人のナショナリズムをうまく脱皮させる言葉だったのかもしれません。ということで文化をいつもプラスイメージで考えてきた。文化が人間を疎外する、教育が人間を疎外するという考えは、全くなかったわけです。

文化の抑圧性と解放性という問題を、フランス5月革命のいろんなテキストを読みながら、あるいは文化大革命を知って学んでいきました。5月革命は何よりも「言葉の解放」でした。大学の中は劇場化し、みんな疲れもせずに毎日毎晩議論している。その中から色んなことが生まれた。それから壁の上に様々な言葉が書き記され「壁の言葉」が生まれた。言葉の解放が新しい文化の中身でした。文化についての新しいイメージを一つだけあげるなら、〈生きること〉と文化をつなげて考えるという視点です。文化は一方で抑圧する側面があるが、しかし一方では新しい意味を持ちうるということを、私は文化の闘争という言葉で考えるようになりました。

他方、文化大革命の文化は、形容詞ではない。文化=革命であり、「革命の中の革命」が文化だった。少なくとも建前としてはです。文化は経済や政治と切り離されたものではなくて、政治や経済を包含したものであるという新しい考え方を出したと思います。

個人原理／運動の主体としての市民

以上が私の個人的な体験談ですが、あらためて1969年とは何だったのかをもう少し視野を広げて考えてみましょう。

まず考え方とか思想のレベルでは、行動の根拠を問うという発想がひじょうに強くあった。何故それをするのか、何のために研究するのか。そこから己を問い返すという発想。いったん一つの秩序を作ったりシステムを作ってしまうと、自分を問い返すということがなくなってしまう。山本さんに言わせれば、それが近代合理主義です。彼は研究者でしたから、研究は何のためにあるのかを問題にした。では教師とは何か。教師とは権力を支える高等職人ということになる。別の言い方をすると、修理から配達までを請け負って国家に銘柄品を供給する手配師が教師であると。

二つ目は運動という視点から考えると、組織原理に対して個人原理が強く押し出されてきた時代だったと思います。べ平連も全共闘運動も個人原理で動いています。上も下もない、指揮―命令という系統がない。全共闘運動には代表者会議があったようですが、誰でも代表になることができてしまう。べ平連も、自分がべ平連だと言えば、べ平連になってしまう。個人原理になってくると、そこにはある組織が他の組織をやっつけるという内ゲバが入り込む余地がなくなってくる。なぜなら内ゲバは、上の者が下の者に命令して、あの組織をやっつけてこいと命令してやらせるわけです。内ゲバを支配しているのは、軍隊のメンタリティそのものです。しかし個人原理によれば、俺はイヤだと止めることができる、気に入らなければ組織を離れることができる。そういう意味では、内ゲバを減らす要因にもなっていたと思います。

ただし、個人原理にはマイナス面もあるわけで、個人のモチベーションが衰えてくると、運動をやめてしまう。だから個人原理だけでできた組織や運動は、自然消滅することが多かったと思います。

三つ目には、個人の論理が押し出されたことに関連して、市民が運動の主体になっていったと思います。運動の主体という意味で市民という言葉が生まれたのは、日本では1960年の安保闘争の時です。もちろん市民という言葉は、大阪市民や広島市民とか、そこに住んでいる人という意味であった。もう一つは、市民社会とか市民階級とか、社会科学で使われてきた。その市民は、元をただせばブルジョワのことです。ですから、憲法の中には市民という言葉はありません。憲法の主体は国民です。1954年に原水爆禁止の運動が杉並の市民の中から起こりますが、市民という言葉は使っていない。国民という言葉を使って、国民運動ですと。国民文化会議もそうですね。

市民という言葉は、1960年安保の時に新しい意味を帯びました。鶴見俊輔さんの『思想の科学』が「市民の抵抗」という特集を出した。また日高六郎さんが編集した『１９６０年5月19日』という岩波新書の中で、新しい市民の自覚ということを語られています。その市民とは、無党派であること、政治的野心を持っていないこと、24時間活動家ではなくちゃんとした職業を持っていること、動機としては古い世代の場合は戦争体験であり新しい世代の場合は権力主義への抵抗であろう、と。その後に出た広辞苑の第5版には「広く公共空間の形成に自発的に参加する人」という定義が新しく加えられたわけです。

ただ、実際に市民の運動が時代の空気のようになったのは、67年・68年・69年だったと思います。そして各地域に根ざした運動も起こってくる。王子野戦病院に反対する運動が68年の2月から4月にかけてありました。また68年の1月には、佐世保の市民の会がエンタープライズの寄港に反対して運動を起こしています。あるいは水俣の公害反対の運動は少し前からありましたが、これが激しくなってきた。それから、三里塚の空港反対運動が起こってくる。沖縄の基地反対の運動が盛り上がってきました。地域の住民が主体になる運動がひじょうに高まりを見せたのがこの時代だったと思います。

記憶ということ

四番目に、この時代は個人の青春と「時代の青春」とが合致した稀な時代だったと思います。時代の青春とは、自分が動けば社会が変わると思いうるそういう時代、と言っておきましょう。これが日本にあった時期は、戦後すぐの45年~46年、それから60年安保の59年~60年だったでしょう。ただその時代の主体は、必ずしも若者だけではなかった。もっと上の世代も入っていた。ところが、67年~69年の主体は大多数が若者でした。そういう意味で時代の青春と自分の青春が一致した時代だったと言ってみたい。それから50年経って、この間にそういうことが言える時代があったのかどうか。これは若い人に聞いてみないと分かりません。海老坂が言っていることは老人の妄想だと、言われるかもしれない。

それからもう一つ、67年・68年・69年は、その時代を積極的に生きた多くの人にとって、その後の生き方を決めた時代だったのではないか。人間はおそらく、あらゆる動物の中で一番記憶を大事にする。もちろん記憶と忘却がバランスをとっていて、記憶は大半忘却の方に流れていきます。その中でしかし、これだけは忘れないという記憶が各自あると思うのです。悲しみの記憶、怒りの記憶、絶望の記憶、悔しさの記憶がある。これだけは忘れないという記憶がみな寄せ集まってくる、そういった歳月がこの時代だったのではないかと。

私は、道徳と倫理を区別して考えます。道徳は外部から与えられた規範です、そんなものは破ったってかまわない。しかし、倫理は自分自身で選び取った生き方の選択の規範です。その倫理の核心にあるのが記憶ではないか、と私は考えています。

怒りによる抵抗を

最後に、69年とは何であったのかを考えることは、現在何をするかを考えることです。そのために今日は様々な地域から色んな方がお集まりになったのだと思います。

私自身は怒っています。人間を殺そうとする方向に向かっている政治に怒っているし、あるいは市民主権、民主主義を制限する政治に対して怒っている。怒りによる抵抗こそ、市民運動の原点にあるのではないか。一体何ですか、あの原発輸出は。自国の事故の処理さえできない国なのに。一体何ですか、あの武器輸出の解禁は。首相が外遊する度に三菱重工を筆頭に日本の軍需産業のトップがくっついて歩いている。一体何ですか、辺野古の基地建設は。

民意を無視する問答無用の姿勢しかない。

最近の中東への自衛隊の派遣も、トランプへの迎合以外の何ものでもないでしょう。現在の安倍内閣ほどアメリカに迎合隷属した内閣はなかったと思います。これをみると、私は、右翼のナショナリストにでもなりたくなる。右翼のナショナリストにとって一番けしからんのは、アメリカのはずです。ところが、アメリカには何ものを言わない。実際にいま動いているのは右翼ナショナリストではなくて、ちっぽけな排外主義者です。

さらにいうなら、隠蔽虚言を重ねてへらへら笑っている安倍に対する弾劾演説をする人が、国会議員の中に一人ぐらいいたっていいじゃないかと、私は怒っているんです。今日の集会が、そういう大いなる怒りの場になっていただければと思って、話を終わらせていただきます。


（2020年1月13日「権力犯罪を許さない　忘れない、糟谷孝幸君追悼50周年集会」での講演）

資料＊1967〜1969年のできごと

◇1967年

1月6日　ベトナム参戦のアメリカ軍47万3000人。(朝鮮戦争を上回る)
　9日　北京天安門広場で紅衛兵による劉少奇、鄭小平、打倒大会。
　25日　東大医学部学生自治会がインターン制度廃止などを要求して無期限スト。
2月11日　初の建国記念日。
　17日　第二次佐藤内閣発足。
　21日　水質審議会、足尾鉱山の鉱毒が流れ込んでいる渡良瀬川の流水基準を政府に答申。
4月15日　美濃部亮吉、都知事に。アメリカで大規模の50万人のベトナム反戦デモ。
　28日　モハメッド・アリ、徴兵宣誓を拒否、タイトル剥奪。
5月2日　B・ラッセルらの提唱によるベトナム戦犯裁判が開廷、アメリカに有罪判決。
6月5日　第三次中東戦争(6日戦争)、イスラエル軍ガザを占領。
　12日　新潟水俣病患者、昭和電工相手に訴訟。
7月23日　デトロイトで黒人暴動。
9月14日　法政大で学生処分を巡り学生の団体交渉。総長らを監禁、警官導入。
10月8日　佐藤首相、南ベトナム他の東南アジア訪問に出発。全学連各派が羽田周辺で警官隊と衝突。山﨑君が虐殺される。第一次羽田闘争。
　9日　チェ・ゲバラ、ボリビア山中で逮捕、翌日射殺。
　21日　ベトナム人民支援国際統一行動日。国内370カ所で集会、150万人。

11月2日　那覇市で沖縄即時無条件返還要求大会、10万人参加。
11日　由比忠之進氏、佐藤首相の米軍北爆支持に抗議し首相官邸前で焼身自殺。
12日　佐藤首相、訪米に出発。第二次羽田闘争。
13日　ベ平連記者会見。米空母イントレピッド号から四人の兵士が脱走。これを支援し国外に送り出したことを発表。

◇1968年
1月18日　原子力空母エンタープライズの佐世保寄港阻止で5万人集会。
24日　「イントレピッドの夕べ」日高六郎、宮崎繁樹、もののべながおき　よびかけ。
2月〜4月　米軍王子野戦病院建設反対闘争。
2月20日　金嬉老、寸又峡の旅館に立てこもり朝鮮人差別を訴える（人質13人）。
26日　成田空港反対闘争本格化。警官隊と衝突、重軽傷400人。
3月16日　南ベトナムのソンミ村でアメリカ軍による村民虐殺。
4月4日　キング牧師、銃撃され死亡。全米各地で抗議運動。
15日　日大、経理で20億円の使途不明金。日大紛争の発端。
5月3日　フランス、パリ大学ナンテール分校で学生と警官が衝突。
4日　ソルボンヌ分校封鎖。学生のデモ拡大。5月革命の始まり。
5月27日　日大全学共闘会議結成、秋田明大議長。
6月　「情況」創刊。
8月13日　ベ平連、京都で「反戦と変革に関する国際会議」開催。15日まで。
16日　嘉手納基地前の集会でベ平連の活動家ら13人逮捕。
20日　ソ連軍、チェコに侵攻。「プラハの春」の終わり。

10月21日　国際反戦デー。全国600カ所で集会やデモ、新宿駅占拠。

11月　東京外語大、安東次男辞職勧告事件。

◇1969年

1月18日　警視庁、8500人の警官を動員し、東大安田講堂などの封鎖解除を開始。

19日　封鎖解除。東大構内で633人を逮捕。20日、山本義隆に逮捕状。

大内兵衛「東大を滅ぼしてはならない」（世界3月号）。

27日　「イントレピッド四人」の会集会、500人参加。

2月4日　沖縄「いのちを守る県民共闘会議」B52の撤去要求。

18日　日大で機動隊導入、全学の封鎖解除。

3月12日　指名手配中の日大秋田明大共闘会議議長を逮捕。

16日　東京外国語大学で機動隊導入、封鎖解除。

4月　「東大闘争を支援する会」「救援連絡センター」結成（水戸巌よびかけ）

15日　「水俣病を告発する会」発足。

27日　ド・ゴール大統領退陣。（6月15日、ポンピドーが選出）。

28日　沖縄デー。社共統一中央集会。那覇で戦後最大の本土復帰デモ。反代々木系学生による銀座、有楽町の道路占拠、国電ストップ。

5月17日　一橋大学全学闘争委員会、国立本校の本館封鎖、6月。

5月29日　全共闘支持の大学教員200人が「大学を告発する全国教官報告集会」開催。

6月15日　日比谷、反戦反安保集会。山本義隆演説。

28日　新宿西口のフォーク集会に7000人集まる。機動隊と衝突、64人逮捕。

7月1日　「ジャテックは闘う」講演と映画。「脱走兵通信」発刊。
8月27日　「男はつらいよ」封切り、寅さんシリーズ第1作。
9月3日　早大で機動隊導入。大隈講堂・学生会館の封鎖解除、90人逮捕。
　3日　北ベトナム、ホー・チ・ミン大統領死去。
　21日　京大で機動隊導入、助教授含め56人逮捕。
　22日　赤軍派学生、大阪・京都で交番襲撃。
10月15日　アメリカ全土でベトナム反戦大集会、100万人以上参加。
　21日　国際反戦デー。反代々木系学生各地で機動隊と衝突、1505人逮捕。
11月13日　沖縄祖国復帰協議会が佐藤訪米に反対して県民大会、10万人参加。
　大阪で佐藤訪米阻止闘争、岡山大学生糟谷孝幸君機動隊に虐殺される。
　16日　反安保全国実行委員会、沖縄連共催の首相訪米抗議集会。全国120カ所で集会、72万人参加。新左翼各派、
　実力闘争、逮捕者2093人。
　17日　佐藤訪米、454人逮捕。1970年の沖縄の施政権返還を決める。

（作成者：海老坂武）

1969年から半世紀、この先へ

ベトナム反戦下の労働運動と連合労働運動

要　宏輝（元連合大阪副会長）

はじめに

私たちが力を尽くして主体的（主観的）に生きた日本の「一九六八」（1965〜1970年のほぼ数年間）とはどのような時代だったのか。国家権力（その象徴たる機動隊）との実力的対決の推進が、現代における革命構想たりうるかが問われていた。新左翼諸党派に、かくも多くの学生・青年労働者が結集し、血を流して闘ったという事実、その連鎖反応で無党派の学生、青年労働者、市民が行動に参加し、巨大なエネルギーを爆発させた。その時代の労働運動はどのようなものだったのか。現代と重ねながら考察する。

運動史の概観：企業別組合の「産別離れ」「争議離れ」、組織率の低下

(1) 日本の労働運動もかつては産業別労働組合が中心で、その機能・役割を果たしてきたが、今は企業別労働組合が当たり前のようになっている。企業の力が勝った結果だ。一企業の利益よりも労働者全体のことが大事とする「階級闘争」派が刈りとられ、組合活動家という「異分子」が駆逐されてしまった。企業内の組合員意識の世界では、「企業＝イエ」意識つまり自分の企業がもうかれば月給も上がるという考えの方が勝り、企業を超えて連帯して闘って賃金を引き上げる（「労働は商品でない」＝独禁法カルテル規制の適用除外）という論理と運動が敗北した。

⑵１９５５年以降、民間企業の労使関係においては労使協議制度が生成・発達した。団交よりも協議を好む労使自治が、１９６５年〜70年代に大勢として確立した。それまでは労使共存的組合と並んで労使対決的労働組合が存続し、また並存組合の労使関係の企業もあって、労使紛争も続いていたが、１９７７年の私鉄春闘の自主解決以降、半日以上のストライキ、労働委員会における集団的労使紛争がつるべ落としに減少していく。

⑶そして、１９６０年代、労働界も「個別化」と「分権化」が進んだ。「個別化」とは労働条件の個別処遇化のことで、経営側の査定や人事考課によって決まる賃金等の割合が拡大して企業意識が強まり、労働者の「組合離れ」が進んだ。「分権化」とは労使交渉や労働条件の決定が企業レベルに移ることで、これによって企業別組合の「産別離れ」(産別方針の不貫徹や組織脱退)が進んだ。昔は「団結強制」が法的に当たり前の労働界だったが、今は「脱退自由」なのだ。上部組織の産別が個人加盟方式を放棄し、団体加盟方式を採用してしまった結果、いとも簡単に「丸ごと脱退」ができる、つまり脱退権の乱用が罷り通る。上部組織としては対抗の術がない。

連合は２０２０年9月で結成31周年。各単産でも5年、10年毎に「周年行事」が開催される。周年ごとの編纂史を目にするが、争議のない「組合史」は全く面白くない。ただただ馬齢を重ねてきたのかと嘆息する。さらに驚きは単組数とりわけ小単組数の激減だ。なかでも都会よりも地方がひどいようだ。小単組対策には、「町医者」それも「訪問医」のようなオルグの面倒見が必要だ。それ以上に産別（上部組織）に加盟している値打ちを組合員に理解してもらわなければならない。総評系と同盟系が合併して一つの産別になって起きた予期せぬ出来事は、旧同盟系の小単組の大量脱退だ。旧同盟系の企業内組合は、過激な総評系の侵入を防ぐための「保険」のような組合が多かった。単産合併でその「保険」が必要なくなったため、いとも簡単に脱退していく。鼎立する三つのナショナルセンター(連合・全労連・全労協）のいずれも組織を減らし、非組・非正規の労働者が増えて組織化の不毛地帯がさらに広がっている。

(4) 現代労務管理制度（人事考課制度・職能資格制度・内部昇進制・福利厚生制度）による企業主義への吸引、並行した組合役員の会社人事処遇化、団体交渉に前置される労使協議制の優位機能化等によって、企業内組合はカンパニー・ユニオン（御用組合）と化し、競争と格差の企業社会編成の一翼を担い、グローバル競争に加担させられている。労使協議制の優位機能化というのは、団体交渉に前置された労使協議会の場で妥結してしまう。そこで決裂すれば団交に移行することになっているが、団交をセレモニー的に開催し、一発回答で終わってしまう。労使関係の空洞化、荒廃は目を覆うばかりだ。

「同時代」、ベトナム反戦下の労働運動

(5) さて、日本の「同時代」と重なる、60年代後半（1965〜1970）は、いざなぎ景気・ベトナム反戦下の労働運動であった。1973年オイル・ショックまでは総評主導の労働運動がつづいたが、その背景には〈年平均9％前後の高成長プラス組合の戦闘力発揮〉があった。産業別統一闘争（統一要求⬇統一闘争⬇統一妥結）や躍動的な地域共闘（地域連帯スト・集団交渉・争議組合への求心デモ）、単組レベルの職場闘争（独自スト・集団交渉ほか）、私鉄の中央統一交渉（〜1994年まで続く）、維持された公労協の戦闘性（〜1975年スト権ストまで続く）。暦年の6・23や10・21などの反戦・平和の政治闘争も右肩上がりに取り組まれていった。

61春闘以降、鉄鋼回答以前に先行して闘う総評系中小民間単産の成果は一年毎に拡大し、68年頃から76年まで「西高東低型春闘」を生み出し、大企業そして全国に影響を及ぼす。その頃の全国金属（「全金」と略称、「泣く子も黙る全金」と評された）は、よくストライキを打ち、いくつかの長期争議があり、毎日が闘いのような日々だった。南大阪は運動の高揚感があふれ、とりわけ全金港合同は地域共闘の砦としてその存在感は大きかった。争議戦術の創造性は豊か、即戦力・持久力を持っていた。「365日が闘い」「企業内少数、地域多数」の合言葉を象徴す

るのが細川鉄工闘争（71〜73年、組合結成と同時に分裂攻撃➡少数派組合に）だ。暴力ガードマン（特別防衛保障という初の「民警」）との闘いでは、港合同の組合員が昼休みの休憩時間、食事をかき込んで細川鉄工に駆け付け、3〜400人が門前集会・渦巻デモを解決までの863日間、1日も欠かさず展開した。「受けた連帯は運動で返す」「団結こそ命、闘争こそ力」といった合言葉も血肉となった。躍動的な地域闘争が組織拡大につながり、個別企業での交渉力や地域相場を大きく引き上げた。

65年2月、北ベトナム爆撃開始、米原潜の佐世保入港、日韓条約締結と相次ぎ、それにつれて労働運動も次第にベトナム反戦・沖縄返還・米原潜寄港阻止、大阪では能勢ナイキ基地反対も加えた平和運動と結びつくようになっていく。「若者の叛乱」といわれた学園闘争が街頭での激しい活動に発展するのと連動して、反戦青年委員会の活動が職場にも浸透していった。総評は、毎年、6・23闘争や10・21国際反戦統一行動を闘ってきたが、69年定期大会で「70年安保ゼネスト」を目標に掲げるに至った。一方、次第に激化する新左翼系の各派間の「内ゲバ」が拡がり、反戦青年委員会の是非をめぐり、総評や単産のなかでは激論が起き、反戦排除の動きも強まる。

68・69年の全国闘争状況

⑹68・69年の全国闘争状況を要約して触れる。総評は、騒乱罪適用の事態となった68年10・21国際反戦行動を総括、「今後、反代々木系全学連とは絶縁せざるを得ない」（岩井事務局長）と声明したのに対して、大阪総評は「暴力的な行為は認めることはできないが、今後、全学連を締出すようなことをせず門戸を開いておく」とし、共闘方針を修正しなかった。さらに10月25日、府警本部長に対して、東京では学生に騒乱罪を適用したことに反対の旨を申入れたのに対し、府警側は「大阪では騒乱罪の適用はしない」と確約した。10・21では東西において反日共系学生が機動隊と激突し、群衆も加わって騒乱状況となった（逮捕者は全国で739名、大阪では92名）。

翌年、69年5月19日に「安保廃棄・平和と民主主義を守る大阪府民共闘会議」（略称「反安保府民共闘」に社会党・総評・部落解放同盟・全大阪反戦と並んで社青同・統社同・日本のこえ・共労党・共産同など参加）が結成された。これにより、反党分子や反戦との共闘を拒否する日共系の「安保破棄・諸要求貫徹実行委」と決定的対立にいたる。

官公労や民間中小企業の反戦青年委のグループが急速に増殖し、7月全電通大会では反戦労働者の激しい突き上げで、運動方針の「安保ストはできない」が「スト体制を固める」に修正された。また3月、塩水港製糖争議でバリケード・ストが、6月、図書月販大支店でも反戦組合員が「大衆団交」を要求し職場をバリケード封鎖するといった事態も起こり始めた。「七月、総評38回大会に提出された『急進左翼集団各派と反戦青年委各派資料集』によると、全大阪反戦青年委員会に加盟している単産と職場反戦は、全逓・全電通・市職・大交・水道・労金・全金・マスコミ・近畿車輌・近畿印刷であると記している。」（『資料労働運動史・昭和44年』Ｐ７４１）

そして迎えた、10・21反戦デーの統一行動は、スト（全国で17単産2万７０００人、大阪で9単産４１３４人）、集会・デモ（東京は一日共闘の集会が実現、大阪は分裂集会）が取り組まれ、大阪の政治行動参加者としては戦後最大9万規模となった。総評集会（大阪城公園、５万人）でのデモの最後尾の出発が20時となり、解散地点の難波府立体育館前に達したのは23時だった。

69年末総選挙で社会党が惨敗したことにより、「安保ゼネスト」戦術は軌道修正を余儀なくされた。70年６・23の各党・各派の安保統一行動は戦後最大のものとなったが、戦線が分裂していたため、60年安保の時のような政治危機をもたらすほどの高揚したものとはならないまま、安保は自動延長された。70年安保敗北を転機として労働運動は経済闘争中心の生活要求を主軸とする運動になっていく。

69年10・21と11・13の頂上闘争

(7) 69年10・21で全大阪反戦の分裂が公然化した。(二つの頂上闘争に遡及し、深堀りして叙述する。) 反戦労働者は名実ともに命と人生を賭して闘った。私にとっても短いが白眉の「同時代」だった。10・21「拠点政治スト」では、早朝、近畿車輛青年部を先頭に「五地区反戦」(東大阪・豊能・東淀川・大東・枚方、その水色ヘルメットの梯団はブントや中核派の地区反戦に伍していた)の100余名が国鉄・徳庵駅前に結集し、近畿車輛の門前で渦巻デモと集会を行った。会社は正門封鎖の逆ピケで防御態勢をとったが特段の衝突はなかった(事後の青年部処分もなかった)。午後、部隊は扇町公園の集会へ合流した。

10・21統一行動では、新左翼系の地区反戦は午後2時から扇町公園で約1万人集会、新左翼各派と共に中郵までデモした。親組合統制下の職場反戦は総評集会(前述)への参加と分かれた。10・21に向けて別の行動計画も並行していた。10月3日以降、「10・21大阪中電マッセンストライキ、北大阪一帯制圧」を内容とするビラを配布するとともに「中電マッセンスト実」の当該3名と、地区反戦や社学同のグループが中央電報局の玄関や食堂で座り込みを開始した。10・21の直前、全大阪反戦・ベ平連・全共闘連合の三者と関西ストライキ実行委員会が母体となって、「10・21闘争全関西統一実行委員会」を結成、総評とは別個の行動による「北大阪制圧」の方針を明らかにした(「朝日」69・10・20)。そして21日、中電の職場反戦グループは73名が職場放棄し、屋上で火炎瓶を投げた9名が検挙された。10月以降、反戦行動で処分された全電通近畿の組合員は免職12名はじめ停職・減給など計982名。

「佐藤訪米抗議11・13統一行動日、沖縄では10万人県民大会、本土では67単産83万名が統一ストを行った。大阪では公務員共闘6単産3万9389名、公労協2単産4314名、民間では17単産2万3519名がストを実施した。この日、早朝出勤デモ、昼休みデモなどが13か所で行われ、大阪総評集会が17時と18時に扇町公園で開かれ、一次集会には時限ストを行った全金を中心に民間労働者が1万5000名、二次集会にはその他民間労組、官公労、民主団体の2万名が公園を埋め、集会後、中郵に向けデモを行った。

公園北側に新左翼各派の地区反戦・ベ平連・全共闘の約７０００名が4時から結集し、総評の二次集会のデモ隊が出発し始めたなか、火炎瓶を投げかけるのを契機に機動隊と衝突、４〜５００名の反戦や学生のセクトが機動隊に次々と火炎瓶や鉄パイプを投げかけて、府道扇町線の路上は一時火の海となった。興奮した機動隊は無差別にデモ隊に襲いかかり、多数のけが人が出た。このとき、頭に負傷したまま逮捕された岡山大学のノンセクト学生・糟谷孝幸が同夜曽根崎署で死亡した。７時過ぎから労働者のデモ隊の間に地区反戦や学生部隊が次々と割込み、フランスデモで中郵まで行進した。大阪駅や梅田周辺の商店街はシャッターを下ろし、機動隊は歩道橋の上に立並んで通行人が立ち止まるのを防いだ。」（有斐閣刊『大阪社会労働運動史』第五巻（下）Ｐ７０８）。

なぜ、ニワトリがアヒルになれないか：連合の構造問題

⑻連合を、三階建ての家に例えれば、一階は企業別組合（単組）、二階は産業別組合（上部組織）、三階はナショナルセンター（上部団体）ということになる。組織労働者の66％、８００万人の結集というけれど、企業別組合の集合体にとどまっている。二、三階を強化しようとしていない。社会正義という労働運動の魂が薄れている。労働運動家が少なくなって、労働組合の管理者が増えている。「連合の家」は下剋上？の力関係になっている。それを許しているのが、以下の構造問題だ。
①第一は、労働運動の血液である財政（組合費）の大部分を単組が握っていることだ。「連合会費は組合員一人月額30円。かつての総評会費は90円、同盟会費は60円で、連合会費は総評の三分の一、同盟の二分の一という非常に脆弱な内容で年間予算規模は24億円。図体は26万人と大きいが所詮は単組にすぎない私（注：山岸章）の所属する全電通の予算規模が１４０億円だから、連合の予算規模は全電通の五分の一以下に過ぎない。昨年一年間（注：

２０１３年）にわが国労働組合が集めた組合費は６０００億円に達するが、連合予算の24億円はその０・４％にしかすぎない。10％とは言わないが、５％（それでも３００億円になる）程度をナショナルセンターに集中する努力をしなければならない」（初代連合会長山岸章、２０１４・11「連合結成25周年　語り継ぐ連合運動の原点」所収、Ｐ17）。

結成から25年経過しても「三階建ての下剋上」の世界は少しも変わっていない。産別・大単組の潤沢な予算・財政・共済の絡む不祥事報道も増えている（週刊ダイヤモンド２００９・12・５号特集「労働組合の腐敗」ほか）。山岸氏の箴言は「道半ば」というより、「彼岸に」といった現状だ。

②第二は、「産別自決」、「単組対応」が連合の組織運動原理であること。「産別自決」は、連合が産別を指導しない（できない）言い訳、「単組対応」は単組の自主性尊重が建前で、実は産別が単組を指導しない（できない）方便だ。まともな単組は上部組織の作為（指導）を求め、御用組合は不作為（指導拒否）を求める、これが企業別組合の習性、今日の労働運動の体たらく（てい）は起こるべくして起きている。

③第三は、「一致しないことはやらない」という申し合わせの存在だ。連合結成（労働戦線統一）によって、最も遅れた「労働運動の陥没地帯」（清水慎三）の民間大企業労組と「労働運動の封じ込め地帯」（同）の官公労が連合の上層部を構成することになったが、「一致しないことはやらない」という申し合わせに自縄自縛され続けてきた。連合は三役会議が事実上の決定機関、この三役会議は国連安保理常任理事国のようなもので、一人が反対（拒否権発動）すれば何も決まらない仕組みになっている。

連合よ、正しく強かれ！

(9)私の所属した連合大阪では、民間大企業労組の企業利害に関わる案件、たとえばパナソニックの偽装請負問題、関電の原発問題等は機関討議の俎上に載せない。自治労大阪府・市の重大事、橋下知事の府職員の賃金・退職金カット（２００９年）、橋下市長の組合攻撃（２０１１～14年、裁判ほか訴え総数57件）に支援を取り組まない。サンプラザ事件（２０１１年～、府内30店舗・従業員２０００人のスーパー、自治労全国一般が組合結成したところ、ＵＡゼンセンが第二組合を作り労使一体で切崩し、中労委で救済命令確定）、連合内の「領土戦争」の調整もせず、いまだ放置したままだ。理由は「産別自決」つまり、連合は産別事案には関与しないということだ。

私も現役引退―嘱託雇用時、パナソニックの偽装請負問題批判論文を所収した「正義の労働運動ふたたび 労働運動要論」の出版に際し、出来の悪い後輩役員に憲法違反の事前検閲・出版妨害を受け、連合大阪を相手取った訴訟の提起（２００７・１）を余儀なくされた。これらは、連合行動指針（２００５・10・６大会決定）の第４条「私たちは、企業や使用者による不正や不公正を見逃すことなく、その社会的責任を全うさせる運動を推進する」に違背している。この指針に限らず、政策や方針は「書くだけ」「言うだけ」の「やる・やる詐欺」みたいなもので、やる意思も力もない。

世直しは後世に委ねるわけにはいかない

⑽日本では、半世紀以上にわたって、企業別組合が上部組織や地域との連帯を分断し、連帯意識の形成を阻む役割を果たし続けているが、企業を超えることのない階級連帯はそもそもありえない。階級連帯が後退し、見えなくなっているのはそれを阻んでいる様々な「構造問題」が横たわっているからである。グローバル競争で企業と運命をともにしている企業別組合はいかに強固に見えてもそれは普遍的ではないし、微細な存在でしかない。日本株式会社の三度目の倒産危機といわれた２００８リーマン・ショック、それ以前は、三大機械産業（輸送機械・工作機械・建設機械）が貿易黒字の稼ぎ頭だった。輸出産業では、以前から危機だった電機はリーマン・ショックで

壊滅（サムスンや中国企業の後塵を拝す）、唯一の稼ぎ頭で残った自動車トヨタも最終損益は創業以来71年ぶりの4369億円の赤字（2009・3決算）。2020春闘協議の席上、トヨタの社長は「倒産」を口にしたほどだ。

そして今、世界は新型コロナという世紀末的危機に見舞われている。一蓮托生の国・大企業の先行きも予測不能、そして大企業の労使関係も安穏ではなく、連合もどう転ぶかわからない。「昔はよかった」といったロートルの繰り言で「今」を語るつもりはない。敗戦後の二世代にわたる活動家層は払底してしまった（労働界の「2007年問題」）と言われるが、戦後労働運動は二世代を経て、まだこのレベルとみなすこともできる。為すべきことに不足や過ちはなかったか。労働戦線統一（連合結成）が本当によかったのか、どうか。連合が社会的役割を果たし得なければ、平和が戦争の始まりのように、統一は分裂の始まりになる。「連合＝正社員組合の集まり」（2003連合評価委員会最終報告）に対して、外部からのルサンチマン、内部からの「リセット願望」の声がもっと大きくならなくては連合の自己改革、運動変革はない。闘いはこれから、世直しは後世に委ねるわけにはいかない。

（2020・7・3）

プロフィール：かなめ　ひろあき
1967年総評全国金属労働組合大阪地方本部／1999年連合大阪専従副会長／大阪府労働委員会労働者委員（1999〜2008年）／大阪地方最賃審議会委員（1993〜2003年）
著書：「正義の労働運動ふたたび 労働運動要論」（単著、アットワークス2007年、労働ペンクラブ賞）、「時代へのカウンターと陽気な夢」（共著、社会評論社2019年）
論稿：「連合よ、正しく強かれ」（「現代の理論」2009年春号）、「結成28年で岐路に立つ『連合』（週刊金曜日2017・8・25号）

「人間の世ではない」この世界で

菅　孝行

私は生前の糟谷孝幸を知らない。彼の死は新聞報道で知った。当時、権力犯罪や大学の傭兵の暴力で死者が出るのはさほど珍しいことではなかった。ひとり、またひとり、知人ではなくても、ほぼ一世代下の若者の死が伝えられるごとに心が痛んだ。

１９６０年代の闘いの中の死者の遺志を継承する目的で、小説家で京大助教授だった高橋和巳が『明日への葬列』（合同出版）を編んだ。その中の糟谷孝幸の章からは、純朴なノンポリ学生が、世界や日本の激動に遭遇して、瞬く間に運動の中心に飛び込んでゆくさまが読み取れる。何万、十何万という糟谷のような普通の青年・学生が闘いの渦に身を投じた。１９６９年11月、21歳の岡山大生糟谷孝幸は、13日に大阪で行われたデモで警官に撲殺（死去は14日）される直前の時期に、自身のノートにこう書き残した。

「抑圧する者―全てに―

災いあれ！」

（『明日への葬列』１２５頁）

２０２０年5月25日、ミネソタ州で起きた白人警官による黒人の殺害に抗議するデモが、今、アメリカ全土で続いている。トランプ政権の弾圧は熾烈だ。しかし、闘争は日々燃え広がっている。この闘いの渦の中に〈抑圧する者全てに災いあれ〉という糟谷の志の継承を見る気がする。

「魯迅は民国15年、段棋瑞政府の軟弱外交に抗議するデモ隊が銃撃され、彼の教え児を含む学生たちが殺された時、『わたしはただ、いま住んでいる場所が人間の世でないことを感じるだけだ』と書いた。手痛い錯誤を25年前に悔悟したはずの私たちもまた、現在同じ嘆きを嘆かなければならないのだろうか。」（高橋和巳「死者の視野にあるもの」『同』）

高橋がこう書いてから50年が過ぎた。何度繰り返せばいいのか、と思う。糟谷が殺された日のデモのスローガンは「佐藤訪米阻止」だった。当時の闘争課題の柱の一つは安保条約延長反対と、ヴェトナム反戦、沖縄「返還」、反基地など、それに密接に結びついた諸課題だった。岡山大学は地元に自衛隊の三軒屋弾薬庫や日本原自衛隊駐屯地を抱えており、彼が活動の拠点としていたプロレタリア学生同盟は、継続的に反対闘争に取り組んでいた。もう一つが全国の大学での大学の腐敗を指弾する全共闘運動だ。

今日の視野から見ると、日米軍事同盟の怪物的肥大化も大学制度の限りない腐朽爛熟も、ともに天皇制の延命と長きにわたるアメリカへの自発的隷従の原因となった日本の敗戦処理の過程で生まれた重大な欺瞞のつけを清算するための闘争だった。激しく長い戦いにも拘らず、遺憾ながら清算は成らなかった。安保も大学も、その醜悪さは糟谷の生きた時代の比ではない。だから糟谷に向かって「安らかに眠れ」などとは口が裂けても言えないと思う。むしろ、いつまでも魂魄を現世に留め、諸悪の元凶どもの首根っこに取り憑いて、命脈を絶やすまで離さないでいてくれと祈りたいほどだ。

今や糟谷が生きた時代より遥かに混迷の度は深い。政府は日米同盟という名の自発的隷属関係の泥沼に嵌まり込んで、安倍晋三はアメリカの武器を爆買いし、民意を完全に無視して辺野古基地の埋め立てを強行することに巨費を投じ、イージス・アショア計画を中止したかと思えば、敵基地攻撃能力の保有を叫びはじめている。政府への批判には、反日左翼だの売国奴だのという、ヒステリックで薄汚い反撃の言説がネット上に溢れ返る。

それというのも、国際環境が50年前よりはるかに深刻で、アメリカが没落して「世界の憲兵」の地位を放棄しアメリカファーストに回帰したのと軌を一にして、中国が世界制覇の野望を露わにし、国際関係の全体が、大義のかけらもない権力のパワーゲームに堕してしまったからである。「平和国家」の幻さえも見出せない。平和を語ることが空論と見なされ、選択肢が見失われ、義の側ではなく、パワーゲームの側に就くことが、勝馬に乗る選択であり、それが厚顔無恥とは見なされにくくなっているのだ。

信じるに足るのは、国の内外に広がる人と人、運動と運動の繋がりと、その繋がりが生み出す〈関係の叡智〉だけだ。思えば実は50年前もそうだったが、当時の方がまだ、世界を変える希望が見えた。その素朴な楽観主義と激しい権力への怒りが結びついて、無数の青年学生を街頭に誘い出したのだった。

糟谷の口癖は「諸君、これでいいのか」だったという。魯迅が見た「いま住んでいる場所」以上に現代は「人間の世」でなくなっている。しかし、権力と資本制がより邪悪である以上、いかに〈時の利〉を失っても、現実を素通りする訳にはゆかない。

糟谷の死の九年前、ノンポリ学生だった私は、6月15日、全学連主流派ではないデモの隊列にいた。樺美智子の死は青天の霹靂だった。「これでいいのか」という声が聞こえたような気がした。遅れ馳せに、既に現実的には「後の祭り」になってしまった全学連のデモに翌日から日参した。六月十八日の晩には南通用門の近くにいた。もし「再突入」の方針が出たら──後からもうその可能性はなかったことを知るのだが──糟谷と同じ事態を経験させられていたかもしれないと思う。「ぎなのこるがふのよかと」（生き残るのは運がいい奴）だ。

「人間の世」でない事態は繰り返される。それに対してただ異議申し立てを繰り返すしかないのか。たしかに性急に「いい国家」「いい権力」を求めるのは不毛だろう。しかし、そうではない道筋で、単なる抵抗の反復に終わるのではない可能性を探ることが生き残った者に闘いのなかの死者から託された使命なのではあるまいか。

不正がまかり通っている。
抑圧の千年計画が立っている。
暴力が請けあう、何も変わらねえぞ。
ひびく声は支配者の声だけで
市場では搾取ががなる、本番はこれから。
しかも被支配者の多くがいっている、
ぼくらののぞむことはできっこない。

生きているかぎり、できっこないとはいうな!
堅固なものは堅固でない。
変わらずにいるものはない。
支配者がしゃべりおえれば
被支配者が口をひらくのだ。
なんで、できっこないなどというのか?
圧政が続くならだれのせいだ?ぼくたちのだ。
それが打ち砕かれるなら?やはりぼくたちのだ。
(B・ブレヒト『弁証法をたたえる』、野村修訳)

支配の網を破るまで何度でも立ち上がろう

児玉　正人
（京都府南丹市　原発なしで暮らしたい丹波の会）

1969年11・13大阪扇町闘争で糟谷孝幸君が3警官の暴行を受け、絶命した11月14日は私の27歳の誕生日だった。戦いに先立つ数日前、後詰めに指名されてからは勤務していた労働組合の無断欠勤を続け、これ以降、労働組合運動を語る資格を永久に失うこととなった。

私が、戦闘的労働組合として自他ともに認める全金大阪（総評全国金属）関西地協のオルグとなったとき、産別会議出身の巣張秀夫氏（故人）からオルグ心得3か条を示された。①オルグは現場からは浮いた存在である、だから労働者大衆の中に深く入れ、②現場のことは現場に聞け、③非合法の領域に踏み込まなければならない時は労働者に諮り、彼らの意思に従え。―この教えは終生導きの糸である。

当時所属していた組織は、小党派ながら街頭闘争は某党派のように「皆兵制（根こそぎ動員）」を採らなかった。また、高校生運動を経て、大学進学を止め職場に入った高卒の活動家群をはじめ基幹職場には要員を残し、打撃に耐えて引き続き強靭な職場組織を建設する覚悟だったが、時代の大波はすべてをのみこんで組織は三分解し、それぞれに解散した。

60年安保から70年安保までの10年間の戦いに参加した人々の多くは死をも覚悟し、遺書を胸に忍ばせあるいは日記に記して「戦場」に赴いた。60年安保から70年安保までの間には1965年の日韓条約批准反対闘争や、北爆を含むベトナム侵略に反対しエンタープライズの寄港に反対する学生・市民・労働者の佐世保闘争があった。

うずくまる若者をなおうちすえてヘルメット割る音なんときくべき
日本の若者頭割られるに心痛まぬはどこどこの組織か
1968年春　佐世保のあとで　大田遼一郎

この歌ゆえに大田は死後の全歌集『阿蘇』出版を妨害されている。（大田は戦中2度にわたって治安維持法違反で逮捕され、非転向で出所した）

◆糟谷君亡きあと、世界は別の貌になった

私達は［一九六八］として括られる世界的な大衆反乱の足元で、世界の、そして日本の社会が基層から変化しつつあったのだと、のちに知ることとなった。

西側世界に架け渡された「連帯の橋」と見えた文化大革命はまったく別の貌を持っていた。対立が決定的となっていたソ連との戦争に備えることを最大の目的として、戦場となるはずの内モンゴルを中国共産党が直接掌握するため内モンゴルにおいて文革が発動されたのであり、それは文革終了後もウイグル、チベットなどの少数民族抑圧へと拡大している。「民族自決権」よりも上位におかれた「階級」闘争だったが、1978年、鄧小平の「改革開放路線」によって中国は「赤い資本主義」に変質し、外に向けては赤い「帝国」として覇権を唱えるようになった。

1991年にはソ連邦が崩壊したが、第三世界もまた分解し、シンボルとしてのベトナムは汚職と腐敗にまみれた。ロシア革命からソ連消滅までの革命の一世紀とは、おびただしい血を流しながら進められた『開発独裁』の歴

史ではなかったか。

国内では、69闘争を殿（しんがり）としてあらゆる運動が退潮に向かい、70年代半ばには街頭からデモが、職場からはストライキが消えていった。１９７０年過ぎまで続いた高度成長と「総中流社会」は「失われた30年」につながり、この間に新自由主義が跋扈して路上に投げ出される人びとが増大した。

ロスジェネと呼ばれ、景気の谷間に生まれた世代は単に不況に遭遇した不幸な世代ではない。非正規という労働予備軍が意図的につくり出されたのだ。その結果、資本家階級・新中間層・正規の労働者階級という3つの階級の下に生み出された第４の階級＝アンダークラスが９３０万人を超えるまでになった。このクラスの平均年収はわずか１８６万円で、女性の貧困率は50％を超え、男の生涯未婚率が高く、親に寄生するパラサイトシングルと言われながら実は低所得の中から親を支える人たちが半数いた。こんな彼らは体格にまで格差をつけられているという。男は資本家階級より3・8センチ低く、約7キロ軽い。（橋本健二）。

新自由主義が変えたのは、社会のつくりだけではない。「労働の主力が工場労働から非物質的な認知的労働に代わり…組合運動による反撃が許されない、抵抗ができないような形での支配が及んでしまった」（アントニオ・ネグリ）。「新自由主義は人間の…感性を変え…資本による魂の包摂が広がった」（白井聡）。その結果、正規雇用の労働者で組織される第3の階級＝「連合」組合員は早くから自民党（＋維新）を支持する体制内存在になった。

左翼の退潮が止まらないなか、日本でも既存の左右の枠にはまらない左派ポピュリズム政党「れいわ新選組」が誕生した。先の参院選でれいわに投票した世代の70％が60歳以下であるのに対し、社・共どちらかに票を投じた世代は70％が60代以上の高齢層で占められていた。既成左翼の言説はもう若いアンダークラスに届かない。

共産党もれいわも、「議会政党」である。自ら闘わなければ真の変革はないのだ。人々が自ら闘うその先に、かつて闘われた実力闘争の魂が否応なく復活すると信じる。

69―70実力闘争が終息したあと、我が家に何十ものヘルメットが集まってきた。メットは用済みの『廃棄物』として処分できるモノではなかったのだ。傷跡から見える、1個1個の塗り重ねられた色に一時代の歴史とその終焉を見た思いがした。

◆再びソリチュード（孤独）からマルチチュード（大衆）へ。「脱成長」から未来へ

2011年3月11日、東日本大震災によって福島第一原発が破壊され、東北・東関東を放射能が覆い、人々が声をあげ始めた。事故直後の4月10日に東京高円寺で1万5000人のデモが行われたのを皮切りに、全国に「デモが帰ってきた」。柄谷行人は、デモをすれば何が変わるのかと聞かれ、「デモをすればデモをする社会になる」と答えている。毎週末のスタンディングアピールも各地で8年、連続400回を超えた。廃炉・脱原発まで決してあきらめないという人々が原子力国家を追い詰めている。

私は1986年のチェルノブイリ事故以降、脱原発を掲げて小さな市民グループを立ち上げていたが3・11福島事故以降は、京都北部を広域で結ぶ新しいグループの結成を呼びかけた。避難圏とされる若狭の原発から30キロ圏内の村々を何度か訪ね歩き、1週間かけて全集落・全戸を訪ねた地域もあるが、行くたびに廃屋が増え、廃村まじかの集落を野生動物が歩いている。これから毎年100万の人口減少が続く。「経済は人口の波で動く」（藻谷浩介）。さらに、無貯蓄世帯の多さを見ればもう経済成長などないことは明らかだ。

橋本健二は、アンダークラスは「所得の再分配」を望むが、他方では「排外的」だという。アンダークラスは相互に孤立し、考える余裕を奪われているが「社会的弱者であるマルチチュードは、共に支え合わなければ生存の様式を作り上げることができない」（上野千鶴子）。そうである限りいつか人々が再び「大衆」に転化するのは不可避である。その時、「社会的公正」と「民族間の友愛」が人々を結ぶ旗印となっていると信じたい。

霧が光る

最首　悟

全共闘の総括は、といっても、わたしにとっての東大闘争という意味合いになってしまいますが、「壮大なゼロ」がふさわしいと思っています。ゼロは何やらわからない空白を抱えた出発点です。それまでの大きなことが、批判、否定の対象が消えた、さりとて新しい目標があるわけでもない出発です。消えたというのは自分たちが動いて倒したわけではないという意味です。自滅という方がふさわしい。たとえば、教授の権威、大学の権威は見事に消えました。

闘争のころ、一、二学年の学生だった諸氏には到底感じられないことなんだろうと思うのですが、一対一で向かい合うと、体が震えてくるような神的権威をまとった教授がいたのです。助手はそのような権威の下でいちばん委縮する存在で、闘って権威を倒すなど、考えにもありません。現に助手共闘は、バレバレとはいえ、名を隠し顔を隠した集団で、メディアとの都合で公式に名前を出すようにと押し出されたのが私です。

正々堂々と名乗ったわけじゃないので、それを見越してか、朝日ジャーナルが私の文につけたタイトルは「砦の狂人」でした。狂人じゃなくては、教授に盾突くなど考えられないというわけです。助手共闘は全共闘の尻馬に乗った覆面共闘といわれましたが、覆面は助手ばかりじゃありません。みんな実際に手拭いで顔を隠した覆面だったのです。そりゃ、セクトにとっては権力から身を隠すという大原則の表れでしょうが、ノンセクト、ノンポリにとっては、恥ずかしさ、怖さの表れなのです。ゲバ棒と言ったって、たたけば折れるようなやわなものです。68年末東大本郷に現れた民青部隊のゲバ棒は樫でした。

全共闘にとって、セクトは水の中の油のような存在です。わたしはノンセクト・ラジカル（根掘り派）の一員で、出自はベトナム反戦会議です。東大理系大学院生を主としたこの会議の出自は、60年6月15日の国会構内突入と、62年の大学管理法反対闘争です。国大協は大管法の取り下げと引き換えに大学の自治と学生の自治を切り離したのです。このとき一人で厳冬のさなか安田講堂前にテントを張って立て籠ったのが、山本義隆です。「ベ反戦」の中軸であり、東大闘争ではメンバーと共に理系大学院の全闘連をつくって安田講堂に立て籠りました。

わたしも東大駒場で学生75人と教養学科の本拠に立て籠ったのですが、バリケード封鎖といえば聞こえはいいものの、各クラスも含めて、実態は閉じ籠りで、展望など皆無と言っていい状態です。籠城は外向きにはいつまで保つかの話で、内向きには自分との対峙です。仲間を攻めれば赤軍のように誰もいなくなる。岡山大闘争20周年の集会では、山口泉の「自明の信頼、清潔な無関心」を紹介しました（「この二十年」岡大闘争20周年記念文集１９８９、『星子が居る』世織書房１９９８所収）。谷川雁の「連帯を求めて孤立を恐れず」もスローガンでしたが、恰好をつけているところがあって、やはり「自明の信頼」の方が自分に集中できます。岡山大闘争20周年集会の記録には、糟谷君のことも数か所出てきますが、「自明の信頼」への言及も幾つかあります。

これまでの自分のあり方、大学に盾突く自分、行く先が全く閉ざされた自分、自分はどれくらいしっかりしているというのだ、自分なる者ははたしているのか、いるとしてもそれで前に進めるのか、あまりにヤワではないのか。とにかく情況にコミットしてゆけば自分は変わるさ。などなど、そういう自分との向き合いを「自己否定」としたのです。セクトは「自己否定」で闘えるかと一蹴しました。そりゃそうです。理論あっての実践なのですから。最もその理論をめぐって四分五裂、殺し合いも辞さないのですから。しかしその現状に対してこそ、「ゼロからの出発」が意識されるのです。

ゼロと言っても、全くのゼロではなく、ある起点からという意味です。「べ反戦」はべ平連を横目に見ながら結成したのですが、べ平連は市民運動を名乗りました。すると市民とは何かが問題になり、ジョン・ロックの市民政府が一つの起点になります。大学闘争の性質は日大闘争と東大闘争に分けられますが、後者で言えば、やはり近現代の学問とはという大きな疑問が挙げられます。その起点と言えば、17世紀のフランシス・ベーコンによる「知は力なり」でしょう。「わが解体」で命を縮めたかのような高橋和巳は、資本・大学・国家の金力・知力・権力による支配を論じました。自然を対象とした知力の営みは、建設より破壊、そして取り返しのつかない核による破滅を招きました。

自然科学系の学問を志し、やり始めた者にとって、「ゼロからの出発」とは、この巨大な複合権力に対してドロップアウトしかありません。落伍です。落伍といっても蟷螂（とうろう）の斧の覚悟をするか、心の支えを見つけようとするか、それともすでに四面楚歌にしても身過ぎ世過ぎの仕事しての学問を続けるか、いずれにしても容易なことではありません。

そこへ娘の星子が生まれてきました。呉智英の『危険な思想家』が送られてきて、「『ダウン症です』と告げられる前に、最首にはわかった。『ああ、授かった』……最首にこそ病理があるのだ。知的でも誠実でもない職業的な恥知らずであることはいうまでもない」とありました。相場というか、分相応というか。星子の世話をほぼ第一とするような生活が始まったのです。

1994年、東大を辞めるにあたって、東大駒場の水俣支援の集まり「不知火グループ」が主となって、助手27年の総括としてのパロディ「最終講義」が組まれました。助手にはそもそも講義の資格がありません。何百人という集まりで、教養学部長の蓮實重彦の顔もありました。この話しは、「さらば東大―問学の軌跡」として『情況』1994年6月号に収録されています。「問学」は学問一歩前というか、わからなさと向き合うというか、普遍や究極や始原について認識できないという枠組みの学問です。認識できないということになりますから、認識できるかわからないという立場です。努力すればいつかわかるという望みが確固としない世界のなかでの取り組みです。「霧が光る」を一つの表現としてきました。乳白色の霧の中で、そこかしこがピカリと光ることがあるという世界です。

14世紀英国の作者不詳の「不可知の雲」という本があります。神と出会うためには、不可知の雲に入らねばならぬ、しかし出られるかどうかは保証の限りではないという趣旨です。虎穴に入らずんば虎子を得ずです。夏目漱石は「私の個人主義」と題する講演で、霧の中に立ち竦(すく)んでしまった、どちらの方角を眺めてもぼんやりしている、と述べました。星子との待ったなしの生活の中で、学問をし、星子について考える、ときおり何かがここに居るよというような発信はあるものの、概して穏やかな世界です。そういう学問を問学といいたい。真理を知りたいとか、よりよく生きたいというような営みではないのです。ときどきどこかが光るのは希望であろうかと思います。

80歳近くで、物事は二者性を帯びるという思いになりました。ペアリングと似て違います。世界は二という複数の単位からなり、すべては二者性を持つという思いです。二者性は和光大の野中浩一さんが"Diadity"とし、ワークショップが立ち上がっているところです。

「大事な生命(いのち)」を断たれて50年が過ぎた

佐藤　耕造（福岡市）
（糟谷君虐殺事件告発人・医師）

◆糟谷君は死ななかったはず!!

私と糟谷君との関わりは「大阪のデモで機動隊と衝突した学生が病院に担ぎこまれた、ついては脳外科医のあなたに来てもらいたい」という友人からの電話でした。京都の病院での当直勤務を他の医者に替わってもらい糟谷君の入院先・行岡病院に急行したのは１９６９年11月14日午前6時のことでした。

「何とか助からんものか。脳外科の医師として、こういう処置をしたほうがよいと言えるかもしれない」「専門の医師なら人命救助を第一番に考えるなら、入院患者に逢わせてくれる」と思い、樺嶋弁護士とともに病院に「担当医師との面会」を求めました。しかし病院側の阻止は厳しく直接にまた電話で3時間に亘って要求し続けましたが面会は完全に拒否されました。常時携帯しているはずのない「医師免許証」の提示を求められる事態もありました。

病院・警察は頭部打撲を負った重症患者を脳外科医に診察治療させることを拒否しました。脳外科医が適確な治療・手術を行っていれば糟谷君の生命は救えたかもしれません。脳外科専門病院に救急搬送することも考えられた筈ですが、頭部重症患者の糟谷君に対して秘密裡に専門外の医師による手術しか実施しませんでした。その結果糟谷君の意識は戻らず１９６９年11月14日21時に死亡するに至りました。

診察治療した医師は、人の生命をどう考えているのか、医師の使命を何と心得ているのかと思いを巡らさざるをえませんでした。

私は脳外科医として頭部重症者の生命を救うために病院に待機していたのですが、結局糟谷君の生命を救うことができなかったのです。

◆権力犯罪を暴けなかった無念

その後糟谷君の死の真相究明のために、医師の立場で告発付審判（編集部注＊本誌271ページ以降の説明参照）の請求人として取り組みました。致命傷である複数の頭部骨折および脳損傷はなぜ発生したのかを、遺体写真や鑑定書を基に詳細に検分しました。その結果、判明したのは、次の事実でした。

頭骸骨の損傷は、機動隊員との小競り合い・争闘という頭部が可動する状態では起らないことを示しています。倒れた糟谷君の体を固定した状態で頭部に重大な打撃を加えなければ生じません。倒れた糟谷君を警官が押さえつけ、頭部を固定した状態で警棒等による打撃を加えたに違いありません。

警察官とは、デモ警備に当たるのが任務です。糟谷君を倒して逮捕連行すればそれで任務完了の筈です。逮捕者に対して暴行を加えて良い訳がありません。

しかし、糟谷君の身体には、20か所の打撲による皮下出血が残っていました。また「松倉鑑定書」には「頭部打撲で硬膜外に出来た血腫で脳の圧迫が起り、また各所の出血・脳腫瘍・脳挫傷により脳中枢機能に障害が起こり、死亡した」と記載されていました。このことは警官が逮捕後糟谷君に数々の暴行を加えたことの証左ではありませんか。

私は、そして私達はできる限りの場面で糟谷君虐殺の真相究明に努めてきたつもりです。しかしながら「警察権力の犯罪」を暴くことは残念ながらできませんでした。告発以来6年10か月に及ぶ権力との攻防において、もっと何かやるべきことがあったのではないか、やれることができていなかったのではないかと自責の念に駆られています。

◆「誰も行かぬなら、俺が行く」

糟谷君は最後の日記で、「自分はみんなの起爆剤になるのだ」と綴っていたと聞いています。このような思いは私も抱いたことがあります。

1982年当時私は、北九州市の小倉記念病院に勤務していました。ある日突然、徳田虎雄・徳洲会病院理事長が来られ、福岡徳洲会病院の院長就任を要請されました。その後4回ほど面談に来られ、その情熱にほだされて院長職をお受けすることになりました。周囲からは、「なぜ、あんな所に行くのか」と言われましたが、私は事前のリサーチもせず同病院に飛び込みました。その後全国各地の徳洲会病院院長として理事として各地で病院の改革に当たってきました。

私が、徳洲会病院の院長を引き受けたのは、「ひとの生命の大切さ」を掲げる徳洲会病院の理念に感銘を受けたからでした。加えて「誰も行かぬなら、俺が行く」という気概も持ったからでした。このような気質のことを筑豊地域の人たちは〝川筋気質〟〝川筋もん〟といっています。糟谷君も「覚悟」をきめて行動する〝川筋もん〟だったのでしょう。

◆筋金いりの〝川筋もん〟―中村哲先生とともに！

川筋もんといえば、２０１９年12月４日にアフガニスタン東部を車で移動中、凶弾に斃れた「ペシャワール会」現地代表の中村哲先生のことが思い出されます。

中村さんは福岡県生まれの医師で１９８４年からパキスタンに赴き医療活動に従事し、２０００年からは栄養失調や水不足による伝染病の発生で苦しんでいるアフガニスタンで灌漑用水路を作る事業に取り組んでいました。

私は中村さんがパキスタンでハンセン病診療に携わっていた頃からのお付き合いで、今は「ペシャワール会」の理事をさせて頂いています。中村さんが常に言っていたのは、「どの場所、どの時代でも、一番大切なのは命です」と、そのためには「めし」が食えて生活が成り立たなければならない、それには「水」が必要だ。そして一家団欒(だんらん)でめしが食えるのが一番の幸せだと。

私はある時、中村さんに「貴方は〝川筋もん〟だなあ」って言ったことがあります。「誰も行かぬなら、俺が行く」という〝川筋気質〟そのものです。医師の身で自らブルドーザのハンドルを握って水路づくりに取り組み、争いのない世の中をつくることを願って我が身を犠牲にしていました。彼の叔父さんは小説『花と龍』の作者・火野葦平さんですから筋金入りの〝川筋もん〟です。

私は糟谷君のことは書き遺したものでしか知りませんが、真面目で一途な青年だったようです。もし彼が警官に殺害されずに生きていたなら、無限の可能性があった筈です。ひょっとしてアフガニスタンのことに興味があったなら、中村哲先生の指導でアフガニスタンの砂漠で灌漑工事に汗を流していたかもしれません。そして滔々と流れる水の音を聞きながら現地の子ども達の笑顔を見詰めて微笑んでいるかもしれません。

1969年秋のたたかい ― その意味と現在

白川　真澄（ピープルズ・プラン研究所、元共産主義労働者党書記長）

反乱の時代

60年代後半、ベトナム反戦運動が全世界で高揚し、日本の運動も一気に活性化した。日本は米軍に従って派兵こそしなかったが、米軍基地・港湾・鉄道・病院などが戦争に大動員された。戦争への加担を許さないと、人びとは侵略の拠点を標的にして次々に直接行動を繰り広げていった。道路や線路への座り込み、機動隊の規制の突破。合法的な枠内の行動に終始する社共両党や総評の運動を乗り越えて、大衆的実力闘争の時代が始まった。

新左翼の諸党派や無党派の部隊が先頭を走っただけではない。職場帰りのサラリーマンやＯＬが「野次馬」として機動隊に詰め寄ったり投石したりした。「たたかう部隊」と「ふつうの人」の垣根がなくなったことは、国家権力を慌てふためかせた。

この時代、もう一つの巨大な社会的反乱が出現した。その象徴がフランス5月革命であった。日本では68年から日大と東大を起点にして全共闘運動が燃え上がり、69年に入ると瞬く間に全国110の大学に封鎖・占拠が波及した。これは、国家権力との対決や打倒というよりも、教授会や専門家の権威、大学の特権的地位を否定する反乱であった。そこには、自立・自治・自己決定をめざす精神が開花しつつあった。

ベトナム反戦運動と社会的反乱という2つの異なる性格の運動を抱えもっていたことに、この時代の民衆運動の厚みと潜勢力があった。日本でも2つの運動は、69年に入るまで重なり合い共鳴しあっていた。

1969年秋へ

69年秋を迎えると、時の佐藤政権は、11月の訪米計画に政治生命を賭けてきた。訪米はベトナム戦争加担を支える日米安保を自動延長し、同時に沖縄米軍基地を（施政権返還の形式の下に）永久化する大策謀の場となろうとしていた。これを阻むために、11月以前に実力闘争を大高揚させて政府を危機に追い込み、訪米を断念させる。新左翼勢力は、このたたかいを「秋期政治決戦」と定めて街頭実力闘争、さらに部分的だが「拠点政治スト」の実現に全力を投入した。私たち共産主義労働者党は「遅れてきた新左翼」であったが、他の党派に負けじと前線に立った。大量の逮捕者、そして糟谷君の虐殺という犠牲を払いながら、10・21、11・13、11・16~17と激しい闘争が連続して組織された。

しかし、69年秋のたたかいは、国家権力の分厚い包囲網に封じ込められて敗北し、佐藤訪米を許す結果となった。敗因の一つは、「野次馬」に手を焼いた国家権力が「たたかう部隊」を市民から分断し、孤立させることに奏功したことである。10・21の首都では、会社が一斉休業し、都心はゴーストタウン化した。新左翼の部隊は、ほとんど単独でたたかうことを余儀なくされた（大阪などでは、総評の集会から行動を起こしたが）。挙句の果てに、11・16~17闘争時の蒲田の街では住民の自警団が組織され、「たたかう部隊」を追い回す始末であった。「人民の海」が干上がってしまったと、私は現場で実感せざるをえなかった。

もう一つの、より大きな敗因は、秋にはすでに全共闘運動が大学から締め出され、運動全体の社会的拠点が失われていたことであった。私たちは、政府側に有利に傾いた劣勢な政治的力関係のなかで「強いられた政治決戦」をたたかい抜かざるをえなかった。社会のなかのさまざまな不満や批判が連鎖し相乗作用しながら、巨大な政治的怒りとなって政府に向かって吹き上がっていくようなダイナミクスの出現への期待は、潰え去った。

68～69年の運動に孕まれた新しい種や芽

訪米を強行した佐藤政権に真正面から挑んだ闘争は、一敗地にまみれた。だが、この敗北によって、69年秋のたたかいの大きな意味を否定し消し去ることは決してできない。

第一に、69年秋の敗北にもかかわらず、70年に入るとベトナム反戦・安保反対の行動にさらに多くの人びとが立ち上がった。全共闘・反戦青年委員会・ベ平連が共催した集会だけでも10万人が結集した。69年秋の大衆的実力闘争は、労働者や市民のなかに「自分も何かしなければ」という気持ちを掻き立て、新しい人びとが運動に加わるきっかけとなった。

第二に、69年秋のたたかいは一回切りの孤立した闘争ではなく、この時代を形づくる一連の運動とつながっていた。69秋は68～69年の運動全体の頂点であったとはいえ、あくまでも一部であった。この時代の運動は先に見たように、2つの異なる性格の運動が重なり合って厚みと潜勢力を持っていた。とくに、自立・自治・自己決定を志向する運動、すなわち70年代に入って開花する新しい運動の種や萌芽を豊かに孕んでいた。

例えばウーマン・リブが68～69年の運動の反権威の思想を土壌にして、しかも新左翼や全共闘の内部の男性優位主義への批判をバネにして誕生してきたことは間違いない。あるいは70年代に入ると、倒産企業での工場占拠・自主管理・自主生産の闘争や石油コンビナート心臓部での争議が噴き出したが、闘争を担った青年労働者が大学占拠や街頭実力闘争から強いインパクトを受けたことは容易に想像できる。さらに、三里塚をはじめ一連の地域住民運動は、「公共の利益」の強権的な押し付けを拒み「自分たちに関わる事柄は自分たちが決める」と主張して、頑強に抵抗し続けた。そして、69年秋のたたかいを体験した若者のなかから、地域住民の運動や地域づくりのリーダーを担う人びとも生まれた。たとえば岡山・日本原の内藤秀之さん、山形・置賜（おきたま）の菅野芳秀さん、山口・祝島の山戸貞夫さんの顔を思い浮かべることができる。

69年秋のたたかいは、その敗北を味わい噛みしめることを通じて、68〜69年の運動が孕んでいた潜勢力を解き放つ転機になったと言える。

大衆的実力闘争／「抵抗の暴力」／非暴力直接行動

第三に、大衆的実力闘争はその意味が問い直されると同時に、生活空間に根ざす形で継承されていった。今日ではそれは、非暴力直接行動の世界的な高まりとなって現われている。

私たち（新左翼）は「革命的暴力の復権」を掲げ、そこに選挙や議会中心主義の社共両党と峻別される自らのアイデンティティを見出していた。「革命的暴力」は、しかし、銃火器や爆弾を使った武装闘争から大衆的実力闘争までを包括する。また、国家権力を奪取するための「攻撃の暴力」から民衆の権利を守るための「抵抗の暴力」までを意味する。どうにでも都合よく解釈できる融通無碍な概念であった。

とはいえ、当時の「革命的暴力」の実体は、大衆的実力闘争であった。それは、座り込みや建物占拠から、機動隊への投石、火炎ビンや角材・鉄パイプを使った衝突に至るまでさまざまな形態をとった。物理的強制力を用いた点では暴力の行使であったが、何よりも自らの身体を武器にして抵抗すること、つまり非暴力直接行動こそが核心であった。国家権力の見境のない暴力への抵抗と反撃が原点にあったから、たとえ自分たちが傷ついたり殺されることがあるとしても相手は殺さない（戦争ではない）という規範が暗黙のうちに働いていた。大衆的実力闘争は、「抵抗の暴力」であった。だからこそ、多くの市民の共感を呼び、力や装備の面では勝っていた機動隊を圧倒することもできたのである。

しかし、私たちもそうだったが、当時の新左翼は「抵抗の暴力」を「攻撃の暴力」から区別し、その自己限定性を自覚的に取り出すことができていなかった。69年秋のたたかいの敗北から、大衆的実力闘争では国家権力に勝てない、武装闘争（戦争）や「建軍」、つまり「攻撃の暴力」の組織化へ飛躍すべきだという主張や試みが勢いを増した。ベトナムをはじめ第三世界の武装解放闘争が上昇線を辿っていたことも影響した。だが、武装闘争や軍建設の試みは暴力の独り歩きと堕落を許し、仲間殺しや内ゲバの悲惨な結末を招いた。

対照的に、三里塚の地では空港建設を阻む大衆的実力闘争が70年代にも生き生きと蘇り、継続された。立ち木に我が身を鎖で縛りつける、地下壕を掘って立て籠もる。非暴力直接行動で抵抗する農民に、機動隊はあらん限りの暴行を振るった。だが、農民と新左翼の支援勢力は手を組んで、創意工夫に富んだ大小無数の実力闘争を繰り広げた。78年3月には管制塔占拠闘争が見事に勝利し、開港を短期間とはいえ延期させた。実力闘争は農民の生活空間にしっかり根ざしていたからこそ持続し、時に勝利することができた。農民の協力なしに、火炎ビン1本作ることもできなかっただろう。

三里塚の実力闘争は国家権力と激突したが、国家権力の打倒や獲得をめざすたたかいではなかった。人びとの自治的な生活空間を侵犯してくる国家権力に対する抵抗であり、まさに「抵抗の暴力」であった。私にとって、三里塚闘争は民衆の自治への願いとそれを支える共同性のエネルギーの底深さを教えられ、「国家権力を取る革命」ではない「自治と共同性を実現する革命」を構想する原点にもなった。

69年秋から半世紀、そのたたかいは過去のエピソードになったのだろうか。私には、そうは思えない。いま、世界では68〜69年の反乱を再現するような運動が澎湃として起こっている。

2011年「アラブの春」をきっかけに、スペインのM15運動や米国のオキュパイ運動が出現した。16年〜17年には韓国の「キャンドル革命」が100万人の民衆決起によって朴政権を倒した。18年秋からは、フランスで新自由主義「改革」に激しく抗議する「黄色いベスト」運動が全土を覆った。19年6月からは香港の自由と自治を求める抗議行動が燃え上がった。14年の「雨傘革命」をはるかに上回る市民が参加し、現在も継続している。また、気候変動危機に対する危機感が若者を突き動かし、760万人が学校ストライキや街頭行動に立ち上がっている。そして、米国では黒人差別に抗議する巨大な行動が、60年代の公民権運動を再現する勢いで広がっている。

人びとは、不正義や不条理に対して決して黙っていないのだ。必ず声を上げ、自分の身体を武器にして行動に立ち上がっている。新左翼の衰退とともに大衆的実力闘争は姿を消したが、その核心にあった非暴力直接行動はますます広がり、人びとの共通の政治表現となっている。たしかに世界の運動と日本の運動の落差はひじょうに大きいが、この落差を少しずつ埋める工夫と努力をともに重ねたい。希望を手放すことはない、と私は確信する。

プロフィール：しらかわますみ
1942年、京都市生まれ。69年当時は共産主義労働者党副書記長（書記長はいいだももさん）。

糟谷孝幸さんが、佐藤訪米阻止を闘って命を奪われて50年

菅澤　邦明（西宮公同教会・元糟谷君虐殺事件告発を推進する会世話人）

墓参に集まられた皆様へのメッセージ

本日は、50年の追悼墓参にご一緒させていただくはずでしたが、それが出来なくなってしまいました。

糟谷孝幸さんが命を奪われた1969年11月13日は、扇町公園のその周辺にいました。糟谷孝幸さんが命を奪われた後、関西救援連絡センターの関係者の一人として、この権力犯罪の事実を明らかにする動きに加わることになり、その方向を模索する中で、何度か加古川にお父さん、お母さんをお訪ねすることになりました。命を奪われた原因、脳挫傷の様子などから、警棒による殴打であることは明らかでした。その事実と責任を明らかにするべく、ご家族による刑事告訴も検討されましたが、権力犯罪と闘う難しさから、お父さん、お母さんは断念されることになりました。もちろん、大切な我が子が志を持って闘いに立ち上がり、権力犯罪によって命を奪われた事実は、どんな意味でもご家族は了解も、許すこともできませんでしたが、断念は苦渋の選択でした。

その後、糟谷孝幸さんが葬られた称名寺を繰り返し訪ねることに成りましたが、それも遠くなってしまいました。数年前、加古川駅で降りた機会に、称名寺を訪ねたところ、墓石にお父さんのお名前も刻まれていました。

そうして、50年が経ってしまいました。50年、生き残った人間として報告できることがあるとすれば、生き方として、糟谷孝幸さんやその時代を生きた人たちを裏切りはしなかったことです。

大言壮語するのではなく、消極的でしかありませんが、その時代を生きた人間としての、小さな志を決して疎か

にしなかったし、裏切りはしなかったことだろうことです。小さな志を、小さな世界で貫くことが、糟谷孝幸さんや、その時代を生きた人たちへの礼儀としてきたことだけは、墓前に報告できるように思えます。（２０１９年11月13日）

１・13集会へのメッセージ

２０２０年１月13日の「糟谷孝幸君追悼50周年集会」の、呼びかけ人の一人を引き受けさせていただいているにもかかわらず、当日は出席できなくなったことを、集まられた皆様におわびいたします。

１月12日〜14日は、沖縄辺野古新米軍基地建設反対の座り込み、及び『沖縄スパイ戦史』のその後を追って」の監督・三上知恵講演会を手伝う為沖縄県読谷村に出かけることになりました。沖縄で戦われた地上戦、その後の沖縄の歴史、現在の辺野古新米軍基地建設を考える場合、その大きな分岐点の一つが、１９６９年11月13日を軸に闘われた佐藤訪米阻止の闘いであったことは、２０１５年から辺野古の座り込みに加わらせていただいて強く感じさせられます。すべてが、そこに帰って行くといっても過言ではないくらい、重要だったのが１９６９年です。大きな重圧のもと、これ以上、決して新しい米軍基地は作らせないとする沖縄島の人たちの強い意志で、厳しい状況での、座り込みが続いています。島で生きる人たちの意思は県政、地方議会などの選挙で示してきました。しかし、すべて踏みにじられてきました。踏みにじられる時に戻っていくのが１９６９年佐藤訪米で日米が合意した「沖縄処分」です。

１９６９年11月13日は、関西救援連絡センターの関係者の一人として、扇町公園の周辺にいたにすぎません。その時の「闘い」についての詳細は、最近になって内藤秀之さんの報告で知ることになりました。「１９６９年大阪扇町闘争で虐殺された糟谷孝幸君を追悼する」（「１９６９年混沌と狂騒の時代」紙の爆弾２０１９年11月増刊）。その時代を振り返ると、内藤秀之さんが報告する糟谷孝幸君の立ち位置で生きた人たちのことが思い起こされます。生き残って、唯一できたのは、そんな人たちを裏切らないことでした。

（２０２０年１月８日）

糟谷孝幸さんを偲びながら、一九六九年からの五〇年余の実践の歩みをたどる

花崎　皋平（哲学者）

20世紀後半から21世紀前半を振り返ってみるとき、私を含めてベトナム反戦から大学闘争を闘った人々は、次の時代をどう生きるかを問われたと言えよう。

大学を辞め、伊達火力発電所建設反対運動へ

私自身は、北海道大学の教員を辞め、ただの人としてどう生きるかを課題とした。大学教員をやめることに躊躇はなかった。ちょうど四〇歳で今なら生き方を変えることができると考えた。政治的社会的実践と、民衆の一人としての思想を形作ることを課題としてのことであった。最低限の生活費は、思想書の翻訳と書評など小さい原稿執筆などでやりくりした。若いウーマンリブのカップルと古い家を借りて共同生活をし、貧乏でも元気に暮らす方法をいろいろ学んだ。

実践の課題として目指したのは、北海道という地域の固有の課題との取り組みであった。その課題への自覚は、札幌べ平連を終えるに当たっての総括から生まれた。ベトナムの人々は自分たちの国、地域を守って戦い抜いた。

私たちはそれを支援して活動した。今度は、自分たちの生きている場である北海道の課題と取り組もう。そうして出合ったのが、日本列島改造計画で北海道に課せられたエネルギー基地化であり、その最初の計画としての伊達火力発電所建設であった。

現地の伊達市有珠漁協が建設反対の「海を守る会」を立ち上げ、漁協には元気のいいアイヌの漁師たちがいた。私たち札幌べ平連有志は、北大の学生たちとともに援漁と称してアイヌ漁師の家に泊めてもらいながら現地での阻止行動から、建設反対の裁判闘争へと闘った。

私は、この海を守る運動を世に伝える冊子を仲間と一緒に作る過程で、伊達・有珠の歴史を調べ、幕末の大旅行家、地図調査者としての松浦武四郎の記録に出合った。そしてその浩瀚(こうかん)な地理取調日誌を読み、民衆思想家としての松浦武四郎とアイヌ民族との関わりを取り上げ、『静かな大地～松浦武四郎とアイヌ民族』という著書を書いた。

同じ頃、足尾鉱毒事件に精魂を傾けた田中正造の言行に接し、その全集が刊行されたので、全17巻を読み、最晩年の思想の深まりを主題に、『田中正造と民衆思想の継承』を書いた。

歩きながら考える方法へ

松浦武四郎と田中正造は、これ以後の私の思想を形作る支えとなった。日本列島各地の住民運動を訪ね歩き、民衆の一員としての思想を紡ぎ出している人たちに接して学ぶところ大であった。何人か名前を挙げると、九州の前田俊彦、松下竜一、石牟礼道子、沖縄の安里清信、金城実、知花昌一、三里塚の小泉英政、アイヌの貝澤正、萱野茂などである。

1980年代は、各地の民衆運動体がつながりあい、学び合う活動として「地域を開くシンポジウム」運動を提唱し、札幌を皮切りに、川崎、富山、金沢、米子、名古屋、京都、熊本、愛媛など、10年、10箇所の交流と相互研鑽を行った。

またこの前後には、アジアの民衆運動との交流が活発で、フィリピンの民衆運動との行き来や、アジアの先住民族と出会う旅にも出た。

そして1989年8月には、アジア太平洋資料センターが日本列島各地で様々な民衆運動の集いを企画し運営した「ピープルズ・プラン21世紀、国際民衆行事」の一翼を担って、北海道で「世界先住民族会議」開催をアイヌの有志と企画した。それまで反戦平和を中心とした運動やアイヌ民族との連帯を模索してきた私たちが会議の運営事務局を担った。この会議は、南北アメリカ、太平洋、東南アジアの先住民族70余名が集まって、札幌、平取（二風谷）、釧路湿原を移動しながら、お互いの歴史を照らし会い、先住民族の権利の主張、要求、希望を語り合った画期的なものであった。参加者たちは、北海道から沖縄に移動し、沖縄の歴史と文化を学び、最後に、その他の民衆行事の参加者と共に、水俣で「ピープルズ・プラン21世紀」の総括会議と集会を開き、「水俣宣言」をまとめた。

さっぽろ自由学校「遊」の設立と運営

この世界先住民族会議の運営に当たった有志は、この行事をその後に生かすために「自由学校」を作ろうと合意して、1990年の4月から年間継続して市民向けに様々な講座を開いて運営する「自由学校」の活動を始めた。

「さっぽろ自由学校」は、「市民が作る市民のためのオルタナティブな学びの場で、人権、平和、開発、環境、ジェンダー、多文化共生など私たち市民が未来に向けて取り組むべき課題について、共に語り合い、楽しみながら共に学びあう」ことを目的にしている。「そして、私たち一人ひとりが出会いと共同作業をする中で、新しい社会の担い手としての力をつけていく」実践の場とうたっている。これは単なるうたい文句ではなく、まさにこのとおりの活動をしてきたといってよい。

2019年後期の講座プログラムからいくつかをあげてみると、「アイヌ政策から見える日本の民主主義」全5回、「ひとつの夢、ひとつのコリア—朝鮮半島の今とこれから」全4回、「子どもの貧困」全3回、「外国人技能実習生の人権」全3回、水道民営化問題全5回、「再生可能エネルギーの進め方パート4」全6回、「憲法改正」問題を考える全4回、などなどが並んでいる。語学の講座としては、「出会う英語。英語で語ろう」と「ハングル—最初の一歩から」が、手仕事の講座として長年「アイヌアートデザイン教室」がある。私は月1回の読書ゼミを最初から30年続けている。私は初代の共同代表二人のうちの一人であるが、今は交代して一会員である。

きっかけがアイヌ民族をホストとする先住民族の会議だったことゆえに、アイヌ史、アイヌ文化などアイヌに関する講座を重んじようと定めた。そうして、今日までこの約束は守られ、毎年、4つか5つのアイヌに関する講座を欠かしたことはない。これは、私たちの財産である。北海道の大学を含む教育研究機関で、このような一貫した講座を行っているところはなく、私たちの誇りである。しかも私たちの講座は、研究者による啓蒙や解説よりはむしろ、主に当事者アイヌ民族の活動家を講師としてきた。まさに「生きる場の哲学」を学んできたのである。

私が初めから今日まで担当してきているのは、読書ゼミである。最初に使ったテキストは、私の本『アイデンティティと共生の哲学』だった。今は、ブラジルの教育学者、思想家のパウロ・フレイレの『被抑圧者の教育学』を使っている。フレイレのこの本は、私にとって1970年代の活動の指針となったもので、いろいろな学習会でテキストにしている。そのほか市民にとって読みやすい古典、『論語』、プラトン『国家』、『ソクラテスの弁明』、ルソー『社会契約論』、ミル『自由論』、カント『恒久平和のために』、丸山真男『日本の思想』、内田義彦『社会認識の歩み』などを読んできた。

自由学校と同じ時期に、自主夜間中学「遠友塾」が発足し、今日まで30年間続いているが、きっかけは、求めに応じて私が行った公立学校の教員、OB、市民の読書会、テキスト吉野源三郎著『君たちはどう生きるか』であった。この運営の中心を担ってきたのも、北大での大学批判闘争を闘って逮捕され、実刑判決を受けて服役した私たちべ平連の仲間である。この夜間中学「遠友塾」の活動が呼び水になって、札幌市教育委員会が公立の夜間中学を2022年に開設する予定で準備している。

かえりみてこれらの活動は、地域に市民社会スペースを作り維持する活動として総括することができるように思う。

最後に一言

幽明境を異にする糟谷君に対して伝えたいことは、1969年代からの政治的社会的文化的闘争は、消えたのではなく、形を変え、場を変えながら、あなたが生きていたら参加したであろう活動として続いてきているということである。

プロフィール：はなさきこうへい
1931年東京生まれ。1964年から北海道在住。北海道大学の教員を退職、自由業をして現在に至る。ピープルズ・プラン21世紀の運動に参加し、その後、ピープルズ・プラン研究所のメンバーとなる。

フェミニズムからの「1968」と「現在」

船橋　邦子（フェミニスト活動家）

★「女性差別大国」日本でフェミニズム運動にかかわって

東大全共闘議長だった山本義隆さんの『知性の叛乱』を50年ぶりに読み返していたらこんな一節があった。「東大闘争の総括は活字によってではなく、その後の闘いによって、生き方によって表われるものである。」[i]

私は、大学院院生として「東大闘争」に関わった。その後の私は、性差別撤廃の運動にかかわり、現在までフェミニスト活動家[ii]として生きている。しかし日本の女性の地位は、154カ国中の121位（2019世界経済フォーラム）という「女性差別大国」であり、この事実の前に私は、半世紀一体何をやってきたのか、と自問し、恥ずかしくなることがある。

それでも私は諦めないで、50年前と変わらず、元気に、楽しく活動している。ウソやマヤカシ、不正、腐敗で覆われた「民主主義国」日本の政治、性差別を再生産する制度を含めた構造、性差別や人権意識の低さ、というより男尊女卑の社会・文化、体制批判をしながら性差別はみえない「進歩的」男性に対して怒り続けている。そのエネルギーを私は東大闘争で得たと思っている。

★私にとっての「東大闘争」

1967年、お茶の水女子大学を卒業、東大大学院に進んだ私は、東大ベトナム反戦会議のメンバーとして1968年6月15日、ベトナム戦争の抗議行動に加わり、アメリカ大使館前の1万人集会に参加し座り込んだ。この日、東大では医学部全学闘争委員会が時計台を占拠した。翌々日に機動隊が導入された。この結果、医学部の処分撤回闘争は、医学部の枠を超え、いわゆる東大闘争、全共闘運動が始まった。

7月2日、私は、大学院の全共闘組織である全学闘争連合（全闘連）のメンバーとして他のグループと共に大学管理の中枢機能の本部がある安田講堂を再占拠した。そして夏休みの間、その解放された空間で過ごした。赤絨(じゅう)緞(たん)が敷き詰められた部屋での深夜まで議論の様子を山本義隆さんは次のように描いている。「一人ひとりが主体性をもって参加し、闘いの方針を提起し、徹底した討論を踏まえて情況を把握し、自ら実践していくなかで自己変革をかちとり、闘いの輪を広げていく。方針を提起する者と実践する者の分離はない」iii

私には、この議論の場を含め、ジャズ評論家、相倉久人を招いてのジャズコンサートの開催など「解放講堂」は、自分の利害しか考えない卑しい人でなく、「魂の純度」の高い人たちの集まりだったせいか、ジェンダーを超えた空間に思えた。今でも最高に楽しい時間だったように思う。また、あらゆる権威や権力に対して怖れないという「東大解体」や「造反有理」のスローガンは、私を元気にさせてくれた。

この他、私が東大闘争から学んだことは多い。

その一つは、国家という権力構造を捨象した抽象的な「学問とは何か」「研究とは何か」の議論ではなく「誰のための、何のための学問・研究なのか」が問われたこと。この問いかけは1970年後半に客観的、中立的とされた近代の知の体系の欺瞞、近代の概念である「人権」や「自由」には、権力関係、ジェンダーがあることを解明した「女性学」との出会いにつながった。二つ目は「肥った豚になるより痩せたソクラテスになれ」という名言（迷言）を残した当時の大河内一男総長をはじめ丸山真男などの進歩的知識人といわれる教授会メンバーが語る「民主主義」の欺瞞性について学んだこと。これもまた「現在」の左翼活動家、人権派、自称「ヒューマニスト」の男性の大半が自己の内部にある無意識の性差別に気づいていない、「反体制・体制」人間とつながっている。

三つ目は「東大解体」というスローガンは、戦前から現在に至るまでの国家権力と癒着した「東大」ではない新たな大学、科学至上主義や競争原理、生産性の論理に基づく近代社会及び、それが優先した価値観自体を「解体」し、生命の尊重を最優先し、自然との共生など新たな社会の構築をめざす運動であったこと。また私のフェミニズム運動も男性の公的権利を女性も獲得し、既存の男性社会の意志決定に女性が参画を進めることを目的とするものではない。市場原理、カネが優先されてきた近代のパラダイムの変革を、「ジェンダーの視点」と「周縁化された人たちの多様な視点」から目指す運動である。

とは言え、私が描いた「東大闘争」は、１９６９年1月18日、19日の安田講堂徹底抗戦に至るまでのある期間のことであり、全共闘運動の光の部分のみといえるかもしれない。それは、いつ頃まで続いたのだろうか。

その境目を10／21国際反戦デーだと考えている。私は新宿デモに参加し機動隊との衝突で数メートル引きずられた。そのとき私は妊娠６ヶ月で流産しなかったのは不思議な気がする。３月８日国際女性デーに第1子の女児を産んだ。１／18・19を闘えなかった負い目で、乳児を24時間保育の乳児園に預け救援活動に私は復帰した。その後70年6月23日、夫が安保自動延長に抗議して逮捕され1年間未決勾留で東京拘置所にいたため私はリブ運動には、共感しつつも参加出来なかった。私のフェミニズム運動は、３人の子育てと仕事と共に１９７７年発足のアジアの女たちの会への参加から始まる。

★ポストコロナの社会の鍵を握るのは「女性の力」

２０２０年世界を襲ったコロナウイルス・パンデミックは、社会のさまざまな矛盾を浮き彫りにした。災害時は平常時の差別や人権侵害が、より鮮明に可視化される。コロナ災害が男女に与える影響には違いがあり、女性を取り巻く現状は厳しい。

ＤＶや児童虐待の急増、コロナによる経済的打撃は、女性の雇用、女性が7割を占める非正規労働者に重大な衝撃を与えている。なかでもシングルマザーの困窮は酷く、虐待同然である。さらにコロナ禍の「ステイホーム」は、育児・介護など無償のケア労働の9割を担う女性の負担を大きくした。また高いリスクにさらされる医療・介護は7割を女性が占めている。

しかしアメリカや世界各地の被害状況を見ると男女の違いだけでなく、人種、階級、国籍、年齢、障がいの有無、住んでいる地域などで異なることが明らかになった。その意味ではフェミニズム運動は、ジェンダーの視点だけでなく、差別構造は多層的で複合的という複合差別[iv]の視点が重要である。

ポストコロナの社会は、以前とは同じ社会ではあり得ない。それでは、どんな社会を望むのか。今こそ私が半世紀求めてきたジェンダー平等の社会が求められる。私は「女性学」の講義で40年以上、女性の扱いを見れば、その社会の質が分かると学生に語ってきた。

今回のコロナ災害政策では、コロナ対応で成功した7カ国[v]の共通点が女性リーダー（もちろん韓国の例もある）だということである。いずれも早い決断力と率直さ、フレンドリーで反権威的、何よりも徹底した国民への記者会見などを含めた丁寧な説明責任で信頼関係を築いていることだ。誤解されると困るので私は女性だからリーダーとして優れていると言っているのではない。注目すべきは、これらの国のジェンダーギャップ指数は日本の121位に対して上位10位に位置し、女性の意志決定過程への参画が3割以上というだけでなく多様な人々の意見が反映されている国であり、国連の調査によると国民の幸福度がトップクラスの国である。つまりジェンダー格差が少ない国の女性リーダーだからこそ「ジェンダー平等と多様性を尊重の視点」は確かであり、高齢者、障がい者、移民、性的マイノリティ、先住民族など多様な人々に生きやすい社会なのだ。

ポストコロナに向けて、誰もが差別されることなく、尊厳ある生活ができる、暴力のない持続可能な平和な社会を築くのは、ジェンダーと周縁化された多様な人々の視点をもったフェミニスト運動をはじめとする市民の力にかかっている。

ⅰ前衛社、1969、198ページ
ⅱ1977年発足のアジアの女たちの会、それを継承して1995年にスタートしたアジア女性資料センター理事、1995年第4回世界女性会議で発足した「北京JAC」代表および2011年から災害政策にジェンダーの視点を入れるための「男女共同参画と災害復興ネットワーク」でロビー活動の他、地域でDV被害女性のためのシェルターの運営などの支援活動をしている
ⅲ前掲書、73〜74ページ、
ⅳ一九九五年 北京女性会議では、日本から先住女性アイヌ、被差別部落、在日女性、障がい者女性が発言し、自ら実態調査を行った。なお、国際的には性差別が人種差別など他の差別を交差するという意味で「インターセクショナリティー」という用語が用いられている
ⅴアイスランド・ノルウエー・フィンランド・デンマーク・ドイツ・ニュージーランド・台湾

プロフィール：ふなばし くにこ
北京JAC代表、NPO法人女性と子どものスペース・ニコ代表
大阪女子大学、和光大学教員を歴任

糟谷君の志を継ぐということ

（子ども脱被ばく裁判・共同代表、コロナ下で原発トメヨ仮訴訟申立人、
１９６９年当時の救援連絡センター事務局長）

水戸　喜世子

11月13日糟谷君虐殺の悲しい知らせを聞いたのは、関西救援連絡センターからの電話をうけてのことで、体が震えるような衝撃だった。東京は東京で10・21国際反戦デー決起への大弾圧に、文字通り不眠不休、警察や救援会からの電話や関係者との対応にてんてこ舞いの真最中だった。その上、この日東京も佐藤訪米スト、都庁前のデモが組まれていて、大量逮捕、けが人が予想され、救援連絡センターは緊張で張り詰めていた。

10月国際反戦デーと11月佐藤訪米阻止闘争で全国の逮捕者３８００人、うち10・21逮捕者に弁護士接見をしてもらって分かった事だが、逮捕時の負傷者数は３８９名に上っていたのである。（「裁判闘争と救援活動」より）。東京女子医大病院に収容され、手術によって危うく一命をとりとめた北川四郎氏は九死に一生だったが、多くは警察病院で治療されているため、治療の実情は掴めていない。糟谷君同様に生死をさまよった若者は少なくなかったと思われる。

私たち東京の救援関係者が、糟谷君に向き合うことができたのは、申し訳ないことに、死後１か月も過ぎた１９６９年12月14日、日比谷野外音楽堂で行われた「糟谷君虐殺抗議　人民葬」においてであった。

良き明日を自らの手で切り開こうとした青年が、初々しい学生服姿のまま、窮屈な写真の中に納められていた。この世にこれ以上の残虐さはないと思った。豊かな人生の入り口に立ったところだというのに。当時まだ小学校に入ったばかりの我が家の三人の子どもたちの、たかだか十数年後の姿と重なって、いっそう涙があふれた。民主主義も、基本的人権も何と嘘っぱちの土台の上のきれいごとか。悪が肥大化したこんないびつな社会に我が子を送り出さねばならなかったご両親の嘆きを想った。自分の子どもが成人するまでに、いびつな社会構造を　突き崩すまではいかなくても、せめて暴虐な権力の手足を縛るくらいのことはできるはずだね、と夫と集会場の袖でひそひそと語りあった場面を思い出す。憲法で思想・表現の自由を謳っているものの、人民と権力者は五分五分のフェアな条件下にはない。片や絶対的権力に守られ、鉄のような靴、鉄のようなこん棒で武装した訓練された治安部隊、片や生身の五体をさらし、多数だけを頼みに、示威行動をする。もともと公平ではないのだ。

糟谷君の場合は、デモ現場での常軌を逸した機動隊の暴力だけでなく、連行の過程、治療を受けさせないままの取り調べ、不正・不当な医療行為など、民主主義を標榜する国なら、絶対にあるまじき違法な人権侵害が幾重にも重ねられた。糟谷君の仲間を中心に、救援運動・関西の司法界総力挙げて反撃に出たのは当然である。しかし7年にわたる司法の場での闘いに対して、検察・裁判所は露骨な権力犯罪の隠ぺいに終始した。

『救援』1976年12月10日号は「糟谷君追悼　7周年集会」を取り上げ、水戸巌の次のように発言を載せている。《権力の「大阪高裁への抗告棄却決定」に強く抗議する。この7年間の粘り強い権力告発の闘いは、反弾圧・救援運動にとっても貴重な経験となった。最近の労働運動に対する刑事弾圧の激化、過激派狩りと銘打った弾圧はとどまるところを知らないが　人民の側の反撃は決してこの弾圧に屈することなく、前進し続けるに違いない》と。更に、水戸は関係者の7年の労をねぎらい、自分自身も請求人の一人として、糟谷君の霊前に、〝権力犯罪もみ消し裁判〟を弾劾し続けると語っている。彼の無念さを引き継いで歩み続けたい。

50年の歳月が流れた。自民党政権による政治は、呆れるほど『知性』を欠き、汚職、利権にまみれた倫理なき政治がまかり通った。人民の側も民主的権利に対する感性が鈍り、権力側の支配強化をいっそう容易にしているようにさえ思える。関西生コン労組への戦後最大といわれる刑事弾圧に象徴されるように、ファシズムは露骨化して、糟谷君の無念を晴らす環境はますます遠のいているように見えるが、私は希望を捨てない。変革を誓い合った夫も、糟谷君を尊敬した二人の息子もすでにいないが、過酷な原発災害を跳ね除け、声を上げる福島の若者たちと共にある。個人的にも幸せなことに、ひ孫にまで恵まれた。私が志を曲げないかぎり、その意思を次世代が引き継いでくれる。二代、三代とかかってもいい。Black Lives Matter はいったい何代がかりの闘いか。そうやって前進し、深化するしかないのだろう。変革の意思を持ち続けることだ。糟谷君の無念を忘れない。

（2020・7・10）

◇救援連絡センターは羽田10・8闘争を契機に生まれた市民による救援組織である。ベトナム反戦運動への共感から北は北海道から南は沖縄まで地域に根差した市民救援会が続々と誕生した。地元の警察に逮捕された青年に差し入れや、家族との対応、党派のない人には裁判闘争の支援を行った。山田真医師を中心とする医療グループの活躍も目覚ましかった。救援活動の二大原則①思想信条のいかんを問わず，②一人への弾圧は全人民への弾圧として受け止める、を基盤とした。どんぶり勘定にならないよう正式な会計帳簿を作成し続けた石川柾子さんは全共闘の息子を持つお母さん、差し入れの下着やタオルを問屋に買い出しに行くのは、反戦青年委員会の息子を持つ郡山吉江さん、婦人民主クラブの協力など、女たちの力が非常に大きかった。関西救援連絡センターは阪大の先生たちが世話人になって立ち上げられ、糟谷君権力犯罪究明に尽力された。

〈山﨑から糟谷〉街頭の奪還と民衆の運動圏

武藤　一羊（ピープルズ・プラン研究所）

糟谷孝幸君は「…ぜひ、11・13に、何か佐藤訪米阻止に向けての起爆剤が必要なのだ。犠牲になれというのか。犠牲ではないのだ。それが僕が人間として生きることが可能な唯一の道なのだ。…」と日記に残して、11月13日大阪扇町の闘いに参加し、果敢に闘い、機動隊の暴力により虐殺されたのでした。

（糟谷孝幸50周年プロジェクトの呼びかけ文より）

あれから半世紀が経った。歴史の舞台の回転の速さに信じられない想いである。

１９６５年から70年代初めにかけての日本は、今からは想像できない騒然たる、活気に満ちた社会、政治や思想の言論が日常生活で飛び交う社会だった。そこでは、物事の正邪、社会と国家の現状が、人びとの日常の話題になり、現状はやはりおかしい、変えることが正しい、ならばわれわれの行動で変えよう、変えるべきだ、いや変えられる、という考えが、列島を貫いて広がった。糟谷君の日記は、この考え、それに基づく生き方が一人一人の活動者のなかに原理として保持されていたことを証している。

この考えを根本で支えたのは、巨大帝国の侵略に、対等で立ち向かい、侵略軍を内部崩壊させせつつ闘い続けるベトナム人民の姿であった。その闘いは、歴史的資本主義近代の抑圧構造への批判・反乱・抵抗を呼び起こした。それらについて語り始めればきりがないので、やめておこう。ここで取り出しておきたいのは、この時期、ひとつの運動圏が国境を越えて出現した、ということである。

運動圏は、韓国の民主化運動のなかでつくられた用語だが、ぼくはそれを借用し、自分流に使うことにしている。運動圏とは、行為者たちが、テーマや担い手が違う他人の行動であっても、それを自分たちの行動と感じ、その勝利を喜び、敗北を悔しがり、批判をし合う、そういう関係でつながり合うとき、歴史的に形成されてくる「われら」のことである。それは固い団結とは違い、性格も基盤も多様なものたちの間に構成されるダイナミックな関係である。１９６５年からの10年ほどの社会・政治運動は個々の運動に解消できない運動圏を構成していたと見ることが不可欠だし、さらに未来にかけて、この資本主義社会の変革を目指そうとするなら、新たな運動圏の構成が基礎になるとぼくは考えている。

１９５５年ごろから１９６０年の安保闘争までの日本国には、保守と革新という政治的対抗関係、いわゆる55年体制が存在し、そこでは〈革新勢力〉という運動圏が形成されていた。その組織的中核は最大労組「総評」であり、政治的表現は日本社会党、共産党で運動的にはこの勢力の行動的一部であり、学生運動は運動全体の行動的突破力だった。そこに共有されていた価値は「平和と民主主義」だった。しかし60年安保闘争の敗北の後この運動圏は支配体制に吸収されていき、平和は現状維持の別名に、民主主義は選挙制度の別名に切り縮められていった。運動圏は大きく体制の内部に移動し、体制そのものへの対峙関係は失われていった。ベトナム戦争にたいしては「ベトナム人民支持」という外部者の立場から関わるだけで、その戦争に加担・協力している日本の関わり・仕組みを自らの課題として崩していく活動を展開することはなかった。

65年からの時代に、世界的に一つの新しい運動圏が出現し、日本においてもそれと関連しつつ新しい運動圏が生まれた。生まれたというより、生み出した。それは、新しいだけでなく、体制への根底的批判と自己反省的な角度をもつ運動圏として、戦後革新の現状擁護と自己肯定の運動圏とははっきり区別される運動圏であった。１９６８年が社会変革の運動にとって分水嶺とする見方を広めるのに大きい影響力を持ったイマニュエル・ウォラーステインたちの文章では、68年は革命であると主張されているとともに、世界的な革命的変革のリハーサルであるとも言われている。この運動史理解は、その後しばらく、社会や運動の歴史理解のキーワードとなったと言えよう。日本ではズバリ「１９６８年」という表題の大部の著作をものし、かの時代の運動を戦後運動圏の基準で裁断するという見当違いを冒す論者も出現した。

それに比べれば、２０１７年、国立歴史民俗博物館で3か月にわたって開かれた〈企画展示「１９６８年」無数の問の噴出の時代〉は、はるかに優れた時代へのアプローチであった。安倍政権の下で、しかも国立の施設で、このような展示が行われたことは画期的で、それを可能にした企画者と博物館には感謝と敬意を捧げたい。とはいえ、あえてこの制約を外して展示を概観すると、何か欠けているものがある。「無数の問の噴出」が、相互に関係しあいつつ､全体として何をいかにして形成していったか､それが見えてこないのである。展示物全体がひとつの「運動圏」として示されていないのである。そこでは平和運動から農民・三里塚、全共闘と運動と闘争の領域はまずまずカバーされているように見える。（とはいえウーマンズ・リブの扱いは全共闘との関係で付けたり的に出現するだけだが）。しかし、それらが相互に影響し合い、いかに新しい運動圏を構成していったか、ということはこの展示からは読み取れなかった。

街頭を権力の私物化から公共に取り返す

この展示はベトナム反戦運動を主としてべ平連の活動として描いている。べ平連は、個人原理と組織でなく運動である、という自己規定で、従来の運動とは違う広がりと結集力を示した画期的運動だったことは間違いない。しかし、この時期の新しい運動圏の出現の引き金の一つが「10・8羽田闘争」だったことも同様に重要ではないか。ここでは、しかし、10・8羽田闘争は、「羽田10・8救援会から救援連絡センターへ」という文脈で短く言及されるだけである。1967年10月8日、佐藤首相がアメリカのベトナム戦争にテコ入れするため南ベトナムに飛び立つことを阻止するため学生を中心とする新左翼諸党派の部隊が、羽田空港への路上で、空港接近への阻止線を張った機動隊と角材を武器に闘い、それまで思うままに路上を支配してきた警察権力に大打撃を与えた。この衝突で、京大生山﨑博昭が警察の暴力によって殺された。翌日のマスコミはこの行動を学生による許されざる暴力として一斉に非難した。しかしこの行動は、山﨑の死とともに、多くの人びと、とくに若者に、大きい衝撃を与え、日本社会とベトナムの関わりを正面に据えて考える少なからぬ人々を生み出した。「べ平連ニュース」では、この「事件」をそう受け取った若者の反応を読むことができる。〈10・8羽田〉とそれに続くべ平連による米脱走兵の国外脱出援助の発表は、明らかに戦後運動圏を越える何か、そして新しい運動圏のダイナミックな形成を先駆けるなにかが起こりつつあることを告知していたのだ。

〈10・8〉の持った意味は複数の文脈—ポジティブとネガティブ—で語られるべきだが、ここでは最も一般的な一つの文脈に置いて振り返って見よう。民衆による街頭の奪還という文脈である。10・8羽田と山﨑の死がもたらした衝撃は、角材を手にした学生たちのデモ隊が、戦後革新の〈運動圏〉では考えられぬ仕方で機動隊の支配を突き破り、実力で街頭を権力から奪い返したことにあった。60年安保でも、巨大デモで都心部を埋め尽くし、岸政権を追い詰めるところまで行った。しかしその後の時期、街頭は権力に再占拠された。左翼のデモは機動隊の「併進規制」によって視界から遮断され、通行人には機動隊の行進としか見えないものに貶(おとし)められていた。10・8羽田は、佐藤の訪ベト阻止という政治目標に向かって、その壁を対抗暴力でぶち破った。この方式のその後の評価はここでは語らない。しかし、〈68年〉を語るとき、そこでの〈運動圏〉の形成が、権力の支配からの街頭、公共空間の奪還という契機を抜きにはありえなかったことを見逃すことはできない。10・8羽田は、その意味でこの時代の口火を切ったと位置づけることができる。

ベ平連は非暴力、無定形の運動、組織でなく運動と自己定義した。それは戦後革新の運動圏とははっきりと区別される運動、戦後革新の「ベトナム支援」を越えて、日本政府・企業・社会のベトナム戦争加担を、足元で崩すという活動方向を明確にした運動だった。そして、そのなかで警察権力によって私物化された街頭を公共空間として取り戻す、という原理を貫徹しようとした。デモの先頭の警察車両は「ただいまデモ行進が行われています、ご迷惑でしょうが、しばらくお待ちください」などと大音声で通行人への宣伝を行い、デモ隊に対しては「4列縦隊をまもりなさい！」と偉そうな指示を出した。ベ平連の先頭車両の上からは福富節男さんが、「公道は市民のものです。警察は勝手に隊列を切るな！」と警察を叱った。道路を権力の私有空間とみなし、デモ隊は、そこに滞在を一時許されている存在、としたい警察との、街頭の権利をめぐる思想闘争が繰り広げられるのだった。ベ平連デモは数が多ければ道一杯に広がり、自分で交通規制をした。

街頭を典型とする公的空間を権力の私的な占有から奪い、民衆の公的空間に変えることは、この運動圏にとって基礎的な要素だった。全共闘運動による学園占拠、大地と風景を権力に明け渡さない三里塚闘争、そしてベ平連のフォークゲリラによる新宿駅西口広場、新宿、王子の空間の運動者と群衆による騒乱と支配。それらはあの10年間の運動圏の土台であったと言っていい。糟谷の死はそこに不動の位置を持つ。

新しい運動圏は、コロナ禍・地球環境の破壊の環境の中で、形成の前段階にある。1968年が革命のリハーサルだったとすれば、本番は、大きい歴史的うねりの形でいま始まりかけていると見える。そのなかで、68年リハーサルの獲得物が新しい運動圏の中に生かされることをぼくは疑わない。

人間として生きる社会を目指して

山口　幸夫

1968年の10月8日、佐藤首相のベトナム訪問を阻止しようとした羽田弁天橋のデモ隊は、機動隊と激しく衝突し、山﨑博昭さん（大学1年生）がいのちを失った。「人間として生きることが可能な唯一の道なのだ」と書き遺してデモに参加し、権力の手で虐殺された糟谷孝幸さん（大学2年生）は、1969年の11月13日、佐藤訪米阻止闘争の大阪扇町での闘いの場だった。その9年前の6月15日、国会に押し寄せた60年安保反対闘争の大デモの中で、樺美智子さん（大学4年生）が殺された。樺さんではなく、近くにいた私（修士1年）であってもおかしくはなかった。

I

いま、新型コロナウイルスが猛威を振るっている。発生から6カ月、世界で1千万人が感染し、50万人が亡くなった。その勢いは止まる気配がない。科学技術の進歩がもたらした、との警告に耳を傾けたい。

これまでに、何度も世界的に流行したウイルス禍は、あるがままの自然が開発でかき乱され、都市化が進められた結果、人類社会とウイルスとの共生が壊されたのであろうと解される。

人間は自然界を征服しようと努力を重ねてきた。利便性の向上と経済成長のために、ひたすらに科学技術を発展させてきた。ウイルス禍は、その必然の帰結のひとつと考えられる。かつて気候変動と呼ばれ、現在は気候危機と認識される現象の非可逆的な進行もまた、その一例である。

２０１１年3月11日の東北地方太平洋沖地震がもたらした東京電力福島第一原発の過酷事故からは丸9年が過ぎて、依然、収束の目処が立たない。東京電力と国とは、当事者責任を果たそうとはせず、被災者にきわめて冷淡である。御用学者を重用して、放射線被ばくは軽微であり、さして心配することはないと言う。そして、資源のない日本において、原発は安価で、国のベースロード電源として必要だと喧伝し続ける。六ヶ所核燃料サイクル施設は24回も工事完成を延期し、着工から27年たって、未だ完成していない。しかし、国は破綻したと認めない。

この国の、とりわけ第二次安倍内閣において、政治状況はかつて見なかったほど、劣化が進んだ。民主主義という言葉が空疎にひびく日々が続く。情報は公開する、政策決定のもとになる公文書は残す、責任をとる。これらは、主権者たる国民に対する基本的な義務であるにもかかわらず、政府はなおざりにし続ける。

Ⅱ

60年安保のころから70年代初めにかけて、科学技術が礼賛され、〝黄金の60年代〟という見方が広く受け入れられていた。具体的にあげれば、人工衛星の打ち上げと月面到着によって宇宙開発の道が開かれ、地球物理学ではプレートテクトニクス説が受容され、クオーク理論やワインバーグ・サラム理論が素粒子論を展開させた。また、レーザーの登場、東海道新幹線開通、高速増殖炉と原子力発電への取り組み、高速大容量のコンピュータ開発が加速し、テレビが普及し、通信技術が格段に進歩した。そして、生物物理学が誕生した。

これら科学技術を支える根底には、〝20世紀は電気の世紀〟という思想があった。電気は、市民の生活の便利さと工業化社会に不可欠だ、と見なされた。今日に至るも、電気の魔力が社会の隅々にまで浸透し、市民生活を縛っているように思われる。フクシマの核惨事を経て、なお、電気の魔力は衰えてはいない。

だが60年代には、もう一つの顔があった。生命系の安定的な持続を脅かすような事実が次々に明らかになってきたことである。最初は公害と呼ばれ、今日では環境破壊と総称されるさまざまな現象である。レイチェル・カーソンの『沈黙の春』が著されたのが１９６０年である。ここで、化学薬品が農薬に使われたときの公害問題の深刻さが浮かびあがった。その眼で見ると、すでに日本列島の各地の農家で農薬禍が顕れていた。日本は高度経済成長を迎えようとしており、農薬と化学肥料、そして機械化と大規模化によって農業が工業化しつつあった。日本の食料自給率（カロリーベース）は１９６５年度の73％から下がり続け、２０１８年度は37％になった。食料は輸入に頼らざるを得なくなった。土は死に、大気は汚染し、海は汚れ、森林が枯死し、新しい病気が流行するようになった。科学技術の進展に瞠目（どうもく）して共鳴するか、化学物質の脅威に目を向けるか。「人間として生きる」ことを第一と考えるなら、科学技術の底知れぬ陥穽に気がつかないではいられない。68～69年の大学闘争で「学問とは何か」が鋭く問われたとき、物性物理学の研究者の道を歩み始めていた身からすると、これはなかなかの難問だった。ベトナム戦争反対運動、水俣病の顕在化、三里塚空港建設反対運動、そして大学闘争と、いずれもゆるがせにできない問題だった。

Ⅲ

１９７２年の５月、住まいの近くにあった米陸軍相模補給廠（神奈川県相模原市）で事件が起きた。ベトナムへ向かう戦車を阻止しようと、社会党は補給廠の監視を始め、横浜線の線路をよぎって補給廠から出てくるＭ48重戦車を運ぶトラックを、ピケを張って阻止したという事件である。ベトナムの戦場で破損した米陸軍の戦車を修理して、再びベトナムへ送り返す仕事に補給廠が大きな役割を果たしていることが報道されたのである。チリ紙から戦車まで、と謳われた極東最大の米陸軍の補給基地の実状が、平和であるはずの相模原市で姿をあらわしたのであった。

相模原市民の口を借りれば――、

「朝鮮戦争が終わったと思ったら、ベトナム戦争が始まって、アメリカが本格的に介入を始めた1965年頃、戦車の修理は最高潮となり、解体修理中に不発弾やもぎ取られた手足が出てきたり、貨物のコンテナから怪しげな熱帯産とみられる昆虫が出てきたりした。夜ごとに、米軍戦車は補給廠の正門から出て、周辺の人々の平和な暮らしを脅かしながら、横浜埠頭まで国道16号線を突っ走っていたのである。」

ベトナム戦争を遂行した米軍には、現代物理学の成立に大きな貢献をした7人のノーベル賞受賞者をふくむ大勢の第一級の科学者たちが深く関わっていた。かれらはJASON機関と呼ばれる米国防総省のお抱えシンクタンクに所属していた。科学の研究で業績をあげながら、他方で、ベトナムに電子戦場を実現させることに大きな貢献をしていたわけである。糟谷孝幸さんの言う「人間として生きる」ことと、かれらの生き方との間には、あまりにも大きな距離があった。かれらの論文や著書を読みなれて親しんでいたので、尊敬の念を抱いていた科学者たちが幾人も見いだされることに、私はうろたえた。

決心して私たち夫婦と親しい友人夫婦との4人で、1972年の8月、戦車を補給廠に閉じ込めてベトナムへ向かわせないことを目的とした「ただの市民が戦車を止める」会を、立ち上げた。ただの市民とは、小田実さんの表現を借りたもので、何の特権も持たない、普通の市民という意味である。補給廠前の市道のグリーンベルトにできた補給廠監視テント村の人たちの仲間に入り、「毎日デモ」を繰り返し、集会と情宣と座り込みに全力を傾けた。研究に没頭する生活は遠くなった。

非暴力の座り込みが百日も続いたころ、国家権力は機動隊を動員し、市民の前に分厚い壁をつくり、補給廠からM48重戦車をベトナムへ運び出した。この闘争は、その後、2年間に及ぶ相模補給廠の徹夜監視行動に引き継がれた。

全国から、相模原の座り込みに駆けつけた多くの人たちの中に、三里塚の青年行動隊の人たちもいた。それが一つのきっかけで、1976年9月から無農薬・有機農法によるワンパック野菜運動が三里塚と相模原の「ただの市民が戦車を止める」会との間で始まった。たたかう者同士が連帯したこの運動は、いまも続いており、首都圏だけではなく、たたかう全国の人たちとつながっている。

Ⅳ

「連帯」という言葉は、いい言葉だと思う。いろいろな深さの連帯があり得るだろうが、私の経験では、くらしのありよう、とりわけ「食」を基礎にした連帯は「人間として生きる」ことに、強く、深く結びついている。連帯が現場での闘いの中だけに限られると、男女の役割の分担や差別の構造を解消することは難しい。生命系の危機がよそ事になってしまう恐れもある。人間が生きることにおいて、食こそが基本であり、何よりも重要だと考えるのである。これからの世代に期待する所以である。

プロフィール：やまぐち　ゆきお
1937年新潟県出身。1960年東京大学物理工学科卒、1965年東京大学数物系大学院博士課程修了、物性物理学専攻、工学博士。米ノースウエスタン大学博士研究員を経て、東京大学工学部講師。1973年辞職し実践に取り組む。法政大学、青山学院大学、中央大学、和光大学で、科学史、科学哲学、技術論、環境科学などを講義。1998年よりNPO法人原子力資料情報室・共同代表。

君が生き、死んだことを忘れない

山﨑　建夫（10・8 山﨑博昭プロジェクト）

１９６７年10月8日の羽田闘争での弟の死は、私たち家族にとって正に晴天の霹靂。そのうえ暴力学生の大キャンペーン。「学生が装甲車を奪って学生をひき殺した。犯人を追跡中」の記事が大きな活字で繰り返される。監察医務医は死体検案書に「死因頭部挫滅」と書き、首から下には何も問題はないと弁護士小長井良浩氏に語っている。「機動隊の警棒による撲殺に抗議する」という当時の全学連委員長秋山勝行の記事も小さく報じられている。しかし圧倒的な宣伝活動、警察発表をそのまま垂れ流すマスコミの報道によって、弟は仲間によって殺されたことにされてしまう。遺体解剖以前の「装甲車による轢殺」という警察発表は「遺体の右肩から左腹にかけてのタイヤ痕」がまるで証拠のように語られたが、解剖室で全裸の遺体に対面した私に見覚えはないし、解剖後の医師の発言にも「はっきりしたタイヤ痕はなかった」とある。運転していたという学生の逮捕の記事は大きかったが、不起訴となったという記事は小さかった。

なぜこんなことが起こるのか。真実を明らかにする、という立場からは程遠い政治的判断が優先するからだ。「権力犯罪」なのだ。70年安保改定を前に機動隊が警棒で学生を殺した、となると大衆的な怒りの爆発は目に見えている。「暴力学生」を叩く材料にもなる。

それでも11・12の第2次羽田闘争には３０００人の学生、労働者が参加した。

60年安保の樺美智子さんの死因も、屈強な警察官による扼殺を、御用医師によって集団の中での圧死にしてしまう。

吉展ちゃん誘拐事件の失敗を繰り返すわけにはいかない警察は、生きた犯人を捕らえることを至上命令に、自殺した疑わしい人物の捜査は捨て、部落差別を利用して石川さんを犯人にでっちあげる。警察検察の描いた筋書き通りに証拠が出てくるが、その矛盾が裁判闘争の中で明らかにされ、今日も科学的に新たな証拠が提出されている。権力犯罪である。警察・検察・政権は面子の為に見えない鎖を外そうとはしない。

糟谷孝幸さんの死もまた権力による犯罪だ。告発しても取り上げない。やっと取り上げても訴えられた当時の警察官は出廷を拒否する。それが許され棄却される。

糟谷さんが殺された扇町公園に私もいた。

10・8後、大事な問題だとは思うが、私が積極的にやらなくても、と避けていた問題に取り組みだした。沖縄の問題からだ。生徒たちの前に立つ自分は口舌の徒であってはならない。勤めだした69年の4・28が最初のデモ。11・13、反戦の隊列はいつもに比べなかなか出発しない。何か混乱があったようだ。このとき糟谷さんたちの隊列が機動隊に向かっていたのだ。

10・8直後は両親共に退院直後で心労は計り知れない。私もつらく混乱しているが大学生だ。私が対外的には表に立たねばと思うが社会的、人間的に未成熟。裁判を起こすことは経済的に不可能だと判断した。小長井弁護士は信頼できる弁護士のようだがとにかく多忙と聞いている。救援会を組織された水戸巌・喜世子ご夫妻には救援ニュースや私信で励まされた。救援の訴えやマスコミ報道への抗議の署名者を見て「ああこの人たちは信頼できる人達なのだ」と考えた。「暴力学生！」「トロッキスト！」と切り捨て敵対する人たちではないと。

10・8後、励ましてくれる手紙と共に、殴り書きで差出人住所もない嫌がらせの葉書も舞い込んだ。「非国民！」

「死んで良かった！」「葬式なんかさせないぞ！」。だがこれらの嫌がらせは母を強くした。一周年の集会で「博昭のしたことは間違っていなかった」と語った。

　1973年、病を多く抱えた母は48歳で亡くなった。

　紆余曲折あり、50年近く経って水戸喜世子さんが大阪におられることを知り2012年原発学習会でお会いした。

「50周年には何かやろうよ、毎年10月になると何かできないかと話し合ってるのよ」の声に押された。

　記念誌の発刊、記念碑の建立を目的に弟の高校の同期生に声をかけた。詩人佐々木幹郎、小説家三田誠広、弁護士北本修二。新聞などで10・8を語り学生運動を経験されている歌人道浦母都子、東大教授上野千鶴子さんたち。元衆議院議員で弁護士の辻恵は高校の同期生だが佐々木とそれまでは会ったこともなかったというが「俺がやらんで誰がやる」と参加してくれた。以後佐々木と辻が山﨑プロジェクトを牽引してくれている。「ベトナムへ行こう！」「山本義隆さんに入ってもらって最初の講演会をやろう！」という話になったのも会議後の懇親会での二人の活発な会話の中からだ。上記の人々の人脈で呼びかけ人も増え賛同人も増えた。

　正直なところ、高校時代や大学時代の弟についてはほとんど知らなかった。自身の学生生活で精一杯だった。弟の友人や仲間たちから多くを教えられた。羽田での様子も。

　年に二回の講演会を東京、大阪で開き続けてきた。記念碑は墓碑の形をとったけれど理解あるご住職との出会いで墓誌に「反戦の志」を記せた。ベトナムでの反戦展示は61名の参加で実現した。弟の遺影は今ベトナムの戦死者たちと同じ空気を吸っている。記念誌は二巻の大部になったが完成した。

　この書を手にされた方は『かつて羽田闘争があった』（合同フォレスト）も是非お手元に。

糟谷プロジェクトが、私たちの運動を参考に発足したことも嬉しい。

志半ばにして斃れた若者たちの名は記録され記憶されねばならない。

50年60年前のあの時代の死者たちを丁寧に追悼する書物がある。高橋和巳編『明日への葬列』（合同出版）。絶版だがネットで手に入る。高橋さんの前書きが素晴らしい。糟谷孝幸の項を書かれた長沼節夫さんとはベトナムでご一緒し彼の部屋で楽しいひと時を過ごした。

糟谷プロジェクト発足前に連絡を取ったが入院されていた。内藤秀之さんと話された後に亡くなられた。白血病だった。ご冥福を祈る。

あの時代、学園の片隅に潜んでいた新自由主義者が、ナチス信奉者が政権の座にいる。壁は厚いが随所に綻びが見えている。死せる若者たちの無念を一刻も早く晴らさねば。

プロフィール：やまさきたてお

羽田闘争で亡くなった山﨑博昭の兄。1945年淡路島生まれ。3歳年上。69年から05年まで高校教員。弟の没後50年を目指して弟の友人たちと「10・8山﨑博昭プロジェクト」を結成。記念碑建立、記念誌『かつて10・8羽田闘争があった』刊行、ベトナム展示をやり遂げ、現在も講演、展示の活動を継続。代島治彦監督映画『きみが死んだあとで』制作上映協力。

糟谷君の死に思う　時代を語り継ぐこと

山本　義隆（予備校講師・元東大全共闘代表）

今から51年前、１９６９年11月14日、岡山大生・糟谷孝幸君が死亡した。救援連絡センターの機関紙『救援』第8号（１９６９年12月10号）によると、前日の佐藤首相訪米阻止の反戦デモのさいに大阪の扇町公園の出口で機動隊に逮捕されて、その後、機動隊員から警棒で頭部を殴られて後、梅田の曽根崎署まで約1キロ歩かされ、警察署で気分が悪いといって頭を抱えこんだにもかかわらず1時間あまり取り調べを続けられ、その後、大阪府警直属の脳外科もなく脳外科医もいない自民党系の病院に運ばれ、まともな治療を施されないまま翌日死亡したとある。

その当時常態化していた逮捕直後の機動隊員によるリンチ、警察署内および移送された病院での適切な治療のサボタージュが重なって糟谷君は殺されたのである。（詳しくは『救援』第8号）

そして警察は、その後、糟谷君の死因を、彼を「奪い返しに来た」デモ隊側の学生に押しつける発表をしている。それは、１９６７年10月8日の佐藤首相南ベトナム訪問阻止のデモのさいに羽田弁天橋で殺された山﨑博昭君の場合の、機動隊の警棒による撲殺を学生の奪った放水車による轢殺に押しつけようとしたのと同一の責任逃れの構造である。実際、糟谷君の場合も警察は「（学生側の）犯人を傷害致死で追及する」と発表したが、それで逮捕された学生はいない。ちなみに、山﨑君殺害の場合では、「奪った放水車で山﨑君を轢殺した犯人」として二人の学生を逮捕したが、起訴はできなかった。目撃者もいなかった。放水車を運転したことは確認できても、山﨑君を轢いたということはどのようにも立証できなかったのである。いずれのケースでも警察権力による殺害と、その責任を学生に押し付ける発表という権力の二重の犯罪であり、けっして忘れてはならない。

高橋和巳氏は書いておられる。「私たちが反戦運動の途上の死者たちの葬られざる死にこだわるのは、動かしえない死の真実の前には一見些細なことに見える死因の隠蔽が、実はこの社会の支配の構造の隠蔽にストレートにつらなっているからである。」(「死者の視野にあるもの」10・8山﨑博昭プロジェクト編『かつて10・8羽田闘争があった 記録資料編』p.388.)

実は、私は糟谷君が殺されたその年の9月5日に逮捕され、約一か月間の警視庁での留置の後、起訴後、10月初めに池袋の東京拘置所の独房に移送された。拘置所ではどういうわけか読売新聞に限って購読が許可されていたので、10月半ばから読売新聞を読んでいた。そして当時「11月決戦」と言われていた佐藤訪米阻止を中心とする闘いには、もちろん注目していた。しかし、正直に言うと、糟谷君が殺された直後にそのことを新聞で読んだ記憶がない。糟谷君の死については、のちに差し入れられた救援ニュースか、政治党派の機関紙かで知ったのだと思う。

読売新聞だからといって、まったく記事にしなかったというのは考えにくい。思うに、当時拘置所内で配達される新聞には、とくに安保闘争・反戦運動関係の記事について、当局が都合悪いと判断した記事を黒塗りで抹消し読めなくしていることがしばしばあったので、糟谷君死亡の記事も塗りつぶされていたのではないかと、推察される。この点に関連して、実は思い出すことがひとつある。

私は、先にも言ったようにその年の9月、警視庁の留置場に入れられ、毎日取り調べを受けていた。9月ということで警視庁の地下の蒸し暑い留置場の雑居房の居住条件の劣悪さにうんざりしていたが、それ以上に、接見禁止ということで、私信はもとより市販の書籍や雑誌の差し入れも拒否され、それは居住条件よりも数段きついことで、さすがに活字に飢えた状態になっていた。

取り調べそのものは、私はほとんど対応しなかったから、警察から見れば、進展のない膠着状態だったのだろう。

その状態で、ある日、9月半ばだったと思うが、取調室までのいつもの経路の途中で、何故か付き添っていた刑事が私から離れて、私は一人にされた。そして、これも珍しいことに目の前の机の上に新聞が広げて置かれていた。そしてその新聞の真ん中あたりに、正確なことはもちろん覚えていないが、内ゲバで殺人と言うような見出しの記事があった。保釈後に新聞の縮刷版を見る機会があって知ったが、それはブントの望月君がブントの内部対立による乱闘のなかで死亡したことを伝える記事であったことを知った。内ゲバでの初めての死者であった。

この出来事は、今までほとんど人に語ったことはなかったのだが、前から気になっていた。なぜあのとき、活字に飢えていた私に「読め」と言わんばかりに取調室までの経路の途中に新聞が開かれて置かれていたのか、そして私をその新聞の前において刑事が一瞬離れて私を一人にしたのか。明らかにそれはすべて意図的なもので、私にその新聞を読ませるためであったとしか思えない。つまり内ゲバによる死亡を知って私が動揺する、私が運動から離脱する、そういったことを期待していたのであろう。

権力は、彼らにとって都合の悪い事は隠すが、逆の場合には、否応なく見せつけるのである。それがグロテスクなまでに顕著になったのが、浅間山荘事件後の、連合赤軍についての猟奇的な警察発表とそれにもとづくマスコミ報道であった。

なぜ、こういうことを今になって書くのか。

高齢になった私たちが半世紀も前の闘争について語るのは、単に過去を懐かしんでいるからではない。第一には闘いの過程での権力の弾圧による犠牲者の追悼であるが、それとともに、若い人たち、これからの世代に対して、闘争の真実を伝承し、闘争の教訓を語り継ぐためである。

60年代末からの数年間のベトナム反戦闘争と70年安保・沖縄闘争は、日本の民衆運動の歴史において希有なる時代であった。多くの大学でバリケード・ストが闘われたが、学生だけが闘ったのではない。中学生・高校生が反戦を訴え、労働者や農民が戦列に加わり、米軍のジェット燃料の輸送を阻止するために学生と戦闘的な大衆が新宿駅を占拠し、米軍の野戦病院建設阻止にむけて地元の住民が立ち上がり、自衛隊員の中から反戦・反安保の声が挙げられ、米軍基地内で反戦のビラがまかれ、各地に救援会が作られ、普通のサラリーマンが自宅に脱走米兵を匿い、沖縄では基地労働者がストライキに立ち上がったのである。その多面的で重層的な闘いは正しく語り継がれなければならない。しかし、それだけではない。

私は10・8山﨑博昭プロジェクトの発起人の一人として、10・8羽田闘争の真相究明の作業にかかわり、その成果物として同プロジェクトは『かつて10・8羽田闘争があった』（寄稿編、記録資料編）を出版した。そしてその書物について私は『社会運動史研究2』に「闘争を記憶し記録すること」という一文を載せた。そしてそこに、1960年代末から70年代初頭にかけての日本の新左翼運動の歴史的な高揚の端緒となった10・8闘争の意義を書くとともに、その前日10月7日の夜、結成されたばかりの三派全学連内部での党派間の主導権争いでのリンチが法政大学構内で行われていたことに触れて「若い人たち、これからの人たちに残すものとしては、私たちは、負の過去を隠してはいけない」と書いた。

そう、権力による弾圧だけを語って内ゲバによる殺人に目を瞑(つむ)るのであれば、それは、一方で自分たちによる殺人を隠蔽し、他方で内ゲバ殺人を大々的に宣伝した権力の裏返しでしかないであろう。

1960年の樺美智子さん、67年の山﨑博昭君、69年の糟谷孝幸君と続く反戦・反安保闘争の死者——権力による殺人——のことは決して忘れてはならないが、それとともに、それと同列には語れないにせよ、内ゲバによる殺人に目をふさぐことはやはり許されないことだと思う。

（2020年6月1日）

60年代の私

米澤　鐵志（原子爆弾被爆体験証言者）

１９４５年、広島で爆心から７５０ｍの場所で原爆の洗礼を受け、０・１％以下の確率で奇蹟的に生還した私は、中学生時代から平和運動に参加した。

新制中学時、世界平和評議会が出した原爆禁止〈ストックホルムアピール〉の署名運動では、学内で生徒や教師の3分の1近くの署名を集め、県下中学校弁論大会で、被爆体験とともに（当時戦争責任は総懺悔論が流行っていたが）、天皇（大元帥）に最も責任があると発表し、何と県の教育委員会から優勝の楯をもらった。今なら想像もできないことだった。

高校時代には、学校長が戦時中に、「お国のため特攻隊を志願せよ」と、半ば強制的に広島県立第二中学校の多くの中学生を死地に赴かせた行為を摘発し、校内でビラまきして校長を指弾した。退学になったため、民主商工会を経て日本共産党広島地区アカハタ分局の専従になり、半非合法下で活動していた。55年党が極左冒険主義を自己批判したことを契機に大学で勉強しようと考えたが、市の教育長と私を放校した校長が結託して私の復学を拒否したので、止むなく大検の単位を取るため他の人より5年遅れて、立命館大学に58年入学した。

入学早々から核実験反対、教師の勤務評定反対、警職法粉砕から安保反対の激動の年が続き、必然的に学生運動に取り組まざるをえず、当時日本共産党党員であった私は全学連主流に対峙するいわゆる全自連に参加して60年安保闘争を闘った。しかし当時の日本共産党は国民に理解される闘争をと定義して、ジグザグデモは止めろ等と、我々には理解できない指導だった。

全自連に参加した大学自治会の中心である早稲田、中大、慶応、東京教育大、立命、神戸大はいずれも三桁の党員数を誇っており、日本共産党の民族民主革命路線は日本革命の放棄だとして、グループ内で多数を取って、日本共産党幹部の内、社会主義革命を目指す優れた幹部等と合流して全学連、代々木を変えるという浅はかな考えで闘っていたが、結局第八回党大会で社会主義革命を主張した党員は大会代議員から排除され、優れた？幹部も離党せざるを得ないことになった。

中央の決定は非民主的であり承服できないとした党員はケネディー・ライシャワーの手先だと規定され、反党分子として除名されたが、私も党中央の決定には従えないと公言し除名された。全自連の地方を除く幹部活動家は構造改革派、もしくは真の党を再建する党建設派など雑多な人々だった。除名後は5千人の党員の組織を目指したが、タガが外れると元はスターリン主義者で千差万別の意見がでて、新左翼に行く者、無党派、市民運動家などに別れた。新しい運動では反原発の流れや、環境問題に取り組んだりしたが、3・11までは大衆的広がりは見えなかった。新左翼や武装闘争には否定的側面も多かったが、60年後半の世界の流れや日大全共闘の闘いや多様化した闘いに固唾をのんで声援していた。私は潰れかけていた150床の病院の再建を任されて昼夜もなく仕事をしつつ、それでも立命館の大学本部のある中川会館封鎖を支援し、病院の公用車を民青の投石で壊されたりしつつ、京大の学生課封鎖闘争も支援していた。東大安田講堂の攻防や浅間山荘銃撃戦も国家権力の横暴に対する実力闘争だと同調していたが、内ゲバや仲間のリンチ殺人で大衆の支持を失ってしまった。

私は日本共産党除名後、社会主義革新運動や共産主義労働者党に加盟していたが、共労党の大転換には多忙な公務で分裂の討議や分裂大会に参加出来ず　そのまま共労党と縁が切れた。

今回、権力に殺された糟谷君の50周年追悼集会を開催するので呼びかけ人になってほしいと要望された。私は糟谷君と面識がないと断ったが、60年安保闘争と70年闘争は継続した闘いだからと北川氏に説得された。糟谷君がプロ学同の隊列の中で殺されたと聞き、元共労の一員であった私とは無縁ではないと思い集会にも参加したが、そこで明らかになったのは扇町の闘争で無党派だった糟谷君がプロ学同の隊列で警官の殴打により殺害されたようである。当時の権力は正に世論を無視して佐藤訪米を強行しており、多くの大衆が、特に若者が怒りを持ちヘルメット・ゲバ棒、火炎びんを所持したのは当然であり闘う者は皆同志だった。

三浦俊一氏の近刊『追想にあらず』を読んだが、ブント系の若者が時の暴政に反発し極めて単純に極左に参加し、指導部の誤りを見抜けなかったのは、スターリン主義に反対しながら同様に、自らその道を歩んだのはある意味では当然の帰結だったと思う。

私の後輩である知人は体力抜群で中核派になり行動隊長になったが、新宿騒乱の時散々警察に打ちのめされ、何とか逮捕を免れたが翌日の「前進」に大勝利と書いてあるのを見て、この党じゃダメと見極めて、その後は食糧・環境問題に取り組み、大衆的支持を得ていた。こうした見極めが大切だと思う。

それに運動経験のない高校生や、大学入学したての一回生がオルグされ、セクトに加入後幹部が逮捕され、見る間に大幹部に抜擢され、行動隊になった例も多々あるようだ。

私は勿論これを否定するのではないが、実際刑務所に長く入ったり、国外で諸外国の運動に参加した人たちは、重信房子さんのように自らの運動総括できた人が多い。

私は86歳になるが、被爆体験の「語り」を続け、京都の反原発では関電京都支局前の「キンカン行動」に毎週参加している。可能な限りこれらの運動の一人でありたいと思っている。

＊著書『ぼくは満員電車で原爆を浴びた』（小学館）、『原爆の世紀を生きて―爆心地からの出発』（アジェンダ・プロジェクト）

同じ時代をかけぬけて

「決死の覚悟」の時代

天野　恵一（反天皇制運動連絡会）

白川真澄さんから「糟谷プロジェクト」の呼びかけ人にと誘われた時、正直とまどった。大学も運動組織も全く別で、もちろん個人的交流もゼロの人間の「公的記録」作りである。それでもこの間、いろいろな活動を共にしてきている白川の依頼である。断るわけにもいかず引き受けてしまった。

糟谷孝幸という人物の闘いと死については、全く知らないわけではもちろんなかった。岡山大学生で「プロレタリア学生同盟」の糟谷という青年が、あの日、機動隊によって虐殺されたという話が、69年11月佐藤訪米阻止闘争を東京で闘っていた私たちの耳にも届いていた。その後、１９７０年7月には、『明日への葬列』という、60年安保闘争の中での死者樺美智子から始まる、権力との闘いの中での「死者」たち十人の一人一人の軌跡のレポートを集めた本が、高橋和巳編の著作として刊行された。私は、合同出版から刊行されたその本をすぐ手にしていた。そこには長沼節夫による「糟谷孝幸享年21歳」についてのレポートも収められており、それで、少し細かく、彼の闘いと権力による暴行と虐殺について事実関係の知識を持った。彼についての知識はそれ以上のものではなかった。

白川らとの交流が始まったのは80年代に入ってからである。私は分裂後、小さく残った「共産主義労働者党」の飯田橋の事務所（工人社）を何度か訪ねたことがある。コンクリートだらけの冷々とした部屋には、メガネをかけた学生服の若い男の写真が、少し斜めになったままいつもブラ下げられていた。『明日への葬列』にも顔写真が収められていたので、これは殺された糟谷の写真だろうなと思って、いつもながめた。

私と彼との関係（彼についての知識）は、全くこれだけである。

私は呼びかけ人の一人に名を連ねた直後、あわてて『明日への葬列』をまとめて読み直し、特にほとんど忘れていた糟谷についてのレポートはキチンと読み直した。
そこには糟谷の最後のノートの言葉がラストに収められている。その後半を引く。

「10・21の大阪は
静かな葬式行列ではなかったか。
参加したもの、あるいは
秘かに期待を寄せていたものの
全てを ― 裏切った。
消耗しない方がおかしいではないか。
僕は ― 政治的人間になる ― ことはできない。
でも、僕を含めて消耗した人達を
その苦悩から救ってやるには
ぜひ11・13に
何か佐藤訪米阻止に向けての
起爆剤が必要なのだ。
犠牲になれというのか。
犠牲ではないのだ。
それが、僕が人間として

生きることが可能な　唯一の道なのだ。
抑圧する者―全てに―災いあれ！
（69年11月8日）

私はこれを読み直して、あまりの〈純情〉さにかなりとまどった。「起爆剤」という政治効果への期待も、「人間として生きる…唯一の道」という、ウルトラな正義感も。こういうものは俺にはなかったなと、まず思った。

ただ、私も、この決死の「11月決戦」に向かう日の前夜、大学の寮の近くの喫茶店で遺書めいた文章をノートに書き連ねたことを思い出した。内容は正確には覚えていない。願望のみあって何の展望なき行動へのすこぶる虚無的な言葉を書きなぐったが、渡す相手のことを思って、すぐ破り捨ててしまったはずだ。『明日への葬列』の序章として、「死者の視野にあるもの」という忘れがたい文章を高橋和巳は書いている。そこには、こうある。

「…ただもう一つ、注意をうながしておくべきことがある。それは、この10人の伝記のうち、その死が現在に近い人ほど、日記やメモの中に、死についての省察の占める比重が大きくなり、デモへの参加が謂わば決死の覚悟のもとになされるようになっている事実である。69年9月、京大闘争に参加し、大学近くの街路に幻想の砦を築こうとする闘争のさなか、火炎瓶の焔をあびて死んだ関大生津本忠雄は、そのノートの中にこう記している。

『私には許されない、最後に人知れずほほえむことを
〈私はどこで死ぬのだろうか？〉どこで…病院のベット　道路の上　戦場のザンゴウの中…
私は恐ろしい　死が、死のもたらすものが
〈私は自分の道を行く〉
私は…』

こうした、後になってみれば自分の運命を予見したような死にまつわる想念の述懐は、青年らしい思念の極限化

や、個人的な感受性の繊細さにのみ帰せられるべきものではない。本当に、一つの労学蹶起集会、一つの反戦デモに参加することすらが、その参加者に決死の覚悟を要請する状態になっているのであり、また覚悟しての参加者でなくても、一九六八年四月、王子の野戦病院設置反対闘争の際にまきこまれて死んだ榎本重之の場合が象徴するように、傍観者すらが容赦なく殺されているのである」(傍線引用者)。

「決死の覚悟」、これは間違いなく、この時代の参加者に広く共有されていた。それは私の中にも、あった。糟谷と私は同じ年(1948年)に生まれている。〈戦争体験〉無しという意味の〈戦無派〉である。戦無派の〈決死の覚悟〉の闘い。考えてみれば、この時代の「十一月決戦」なるものへなだれこんでいく長い運動プロセスは決死の街頭闘争の連続であった。私たちは、そういう闘いの時間をすこぶる生真面目にかつ熱心に生き続けた。しかし、私は闘いがつくりだす未来への希望など、ほとんど持っていなかった。

あらためて思い出したが、羽田空港へ向かう闘いは、蒲田駅から線路上を走った。車がひっくり返り火炎瓶が飛び交う状況の中で、私たちは権力に包囲され動けなくなった。深夜なんとか大学の寮まで逃げ帰ってきた私たちは翌朝また決死の覚悟で出かけ、「六号土手」のまわりを泥だらけになって機動隊に小突き回されていた。その早朝からの行動の時、5、6人の一年生がまとまって寝たままでいる部屋には声をかけず、起こさずに、私たちは出発した。(後で一年生たちには抗議されることになったのだが)。

私は、あるサークルの闘争委員長であったが、大学の中のノン・セクトで活動しているメンバーが、そこに広く結集するようになってきており、八派共闘の枠組みが呼びかけた政治闘争への合流には、そのグループのリーダー格の一人として参加していた。各セクトを中心に実力闘争の「軍事化」への志向が、かなり公然化しだしている状況であった(ノンセクトで、それに呼応しようという動きも強まっていた)。

一年生をそのままにして私たちが出発したことには、軍事志向に振り回される自分たちの行動のバカバカしさへの自覚が示されていたと、思う。

私たちは、自分たちで「武器」のたぐいを準備することは一切しなかった。私は、そうすることには反対の意思を明確に持っていた。運動の社会的孤立を加速するだけだという状況判断からだけではなく、私個人の〈倫理〉として政治的殺傷（特に殺人）は、自分で正当化できる思想的根拠はなかった。やれば自分を待っているのは人格崩壊であることは、十分に予測できた。そういうブレーキが間違いなくあった。ただ〈非暴力直接行動〉的な思想を、当時私はもっていたわけではない。〈非暴力〉の原理を組み込んで問題を考えだすのは、80年代の運動に入ってからである。

当時の「プロ学同」のメンバーなどを中心に持たれた「糟谷プロジェクト」の東京での集まりに私も参加した。そこで私は、糟谷が、実はノンセクトで活動していた人物であり、公園で初めて武器として「鉄板棒」（幅2ミリ、厚さ6ミリ、長さ130センチ）を手渡され、それで突撃していった事実を知らされた。

「あれ、あのすごい『鉄板』、いったい誰が準備したんだ」「わかんネエナー」というような会話が私の耳に残った。どういうレベルの武器を手にするかも自分自身が決定できなかった「闘い」…。合法的暴力を独占した集団である国家との闘いには抵抗の暴力は不可避だという前提に立っていた私に、軍事化（武器のエスカレーション）へのブレーキをかけさせたものは、なんだったのだろう。「死者の視野にあるもの」の中で高橋和巳は、「九十余にのぼる主要都市が廃墟に帰し、何百万人の将兵の死傷」をもたらした、あの侵略戦争への反省が、「国民の胸裡に、生命の尊重という反戦平和の基盤」をつくりだした。そう述べている。この「基盤」が戦後社会に生きており、その「基盤」に支えられて、その〈戦後〉の時間を生きてきた私たち〈戦無派〉には、それなりの内的なブレーキがつくられてきたのだろうか。無理して、筋違いともいえる「呼びかけ人」を引き受けた結果、あれこれ、当時の運動を振り返ってみる機会が持てた。やっぱり、引き受けてよかった、ということになるのかな、白川さん。

職場の多数派を目指して

飯嶋　博光（元都労連組織共闘部長）

追悼集に寄せて、自分史としても都職の反戦青年委員会運動を振り返り、糟谷さんを追悼する。

1　私が都に採用されたのは、66年10月主税局の大田税務事務所であった。１９４８年1月生まれ、団塊の世代である。中央大学の夜間部に通っていたが当時の大学はマスプロ授業、照明が悪く眼鏡をかけないと黒板が見えない状況だった。そんな中で大学に通う意味が分からなくなった。その時、唯一信頼できた英語の先生に「大学で勉強するとはどういうことですか」と尋ねた。先生は「勉強するということは知的野次馬になることだ。大学の教室だけでなく自分の身の回りで起きることが『何故なんだ？』と思うこと。それが学問のスタートだと思う」と教えてくれた。そのころ「組合役員にならないか」と誘いがあり、全く組合に関心のなかった私が知的野次馬の第一歩として労働組合に係わった。そして、19歳で執行委員、20歳で分会書記長になった。

2　学生運動には参加はしなかったが、中央大学では、私が一年目（66年）常置委員会の撤廃。二年目、学費値上げ撤回。三年目、学生会館の管理運営権を獲得した。

一方、職場では、67年の知事選で美濃部氏が当選、革新都政がスタートした。社会的にも、65年2月にアメリカによる「北爆」が始まり、反戦運動が世界的に高揚していった。わが国でも65年4月に「ベトナムに平和を！市民連合」が結成された。「来る者は拒まず、去る者は追わず」の新たな運営方針で大きな結集軸となった。労働運動でも、総評が66年10月21日にベトナム反戦を掲げて統一ストを実施した。

「何かが変わる、何かを変えられる」そんな時代背景があった。

そして最も私に衝撃を与えたのは、67年10月8日の羽田闘争における山﨑博昭氏の死であった。「学生が死んだのに、自分は何をしているのか！何をやるのか！」が突き付けられた。

その後も68年1月の佐世保のエンプラ入港阻止、王子野戦病院、4・28沖縄デー、10・21国際反戦デー、米タン輸送阻止闘争等々、街頭政治闘争は高揚し続けた。

時期ははっきりしないがこうした中で私の職場でも税務反戦青年委員会が結成された。都の多くの職場でも同様の経過であったと思う。

さらに69年2月12日から14日まで、都職労本部の主催による「安保粉砕政治討論集会」が箱根観光会館で三日間に亘って開催された。青年労働者を中心に社会党、共産党、反戦の三つ巴で300名を超える参加。大いに盛り上がった。この集会が契機になり支部ごとの反戦を束ねる形で都職反戦青年委員会が、69年3月に結成された。6・15では、都職反戦で400の部隊を結集したほどであった。
3　沖縄返還協定、日米安保の改定期を迎え、11月の訪米が予定されたことから、4年目を迎えた10・21国際反戦統一行動の中央集会には、8万人が結集した。しかし、こうした高揚を無視し佐藤首相は11月17日の訪米を決めた。総評は、公務員共闘の人勧完全実施と安保・沖縄・反合理化の闘いを結合し、11・13の統一抗議ストを闘った。全国で63単産400万組合員がストに参加した。沖縄では、復帰協を中心に「佐藤首相の訪米に反対し基地撤去と安保廃棄を要求する全県民抗議スト」を実施、本土と沖縄が一体となった闘いが展開された。都職労は、公務員共闘の一員として、一時間半の時限ストを実施した。
4　都職反戦では、69秋の闘いに向け職場か街頭かで二極化が生まれ、党派による街頭実力闘争部隊の編制と運動は先鋭化していった。私にも党派からオルグはあったが。「実力部隊の編制で、本当に佐藤訪米阻止ができるのか」

確信が持ちえず、参加を断った。

党派部隊に参加しない税務をはじめとする職場反戦は、11月16日、反安保全国実行委員会が主催した代々木公園の集会、17日、反安保現地実行委員会が主催した多摩川河川敷の集会に二日間連続で参加した。

17日、区民広場での集会後デモ行進で羽田を目指した。機動隊は第一京浜国道の六郷橋前に阻止ラインを張った。激突は3回あった。3回目の衝突では、私は前から3列目となった。機動隊は、デモ隊に対し警棒で滅多打ちにした。隊列が崩れ、逃げた。私は、かろうじて逮捕を免れたが税務反戦では4名が逮捕された。

ずぶ濡れになって、蓮沼の大田税務事務所に2人の仲間と共に帰った。5階建ての事務所周りのドライエリアには、20個ぐらいヘルメットが投げ捨てられ激闘の後がうかがえた。蓮沼地区では、通りはシャッターが下ろされ、町内会による自警団が組織された。税務事務所でも通常2名の宿直者が若手を中心に10名ほど増員され、玄関前には火炎瓶対策として、消火ホースが準備されていた。

5 都職反戦全体では、69秋の闘いでの逮捕者は三桁を超えたと記憶している。都当局は、逮捕者に対する呼び出し調査を始めた。これに対し、70年2月19日、都庁内で抗議集会を行い知事室前で座り込んだ。官憲が導入され、私を含め26名が逮捕された。

6 六郷土手の闘いに敗れたが休息はなかった。69年秋は第十次賃闘（翌年から年号表記で70賃闘となる）の確定闘争の時期でもあった。11・13ストに続き、11・21都職労1割、11・24都労連2割動員と続いた。
美濃部知事は12月23日、都労連と都職労の代表を招き、労使関係に新しいルールを確立するとして「人事委員会勧告の5月完全実施」を回答した。政府自治省は、「五月実施は法律上問題がある」と露骨に干渉してきた。

政治闘争の高揚を背景として全国で初めて勧告の完全実施を獲得したことは積極的に評価されるものである。しかし、都は11・13ストに対して不当処分をしてきた。「ストは違法だ」とする美濃部知事の姿勢は、革新都政の限界を示したものであった。

7 これ以降も都職反戦の運動は、三里塚、裁判闘争などで続くが、街頭での敗北により運動は、職場課題に向かうこととなる。東京都では、差別撤廃闘争であった。

私が都に採用された１９６６年当時の職場では、人事委員会の採用試験に合格すると雇員となる。大卒1年、高卒5年で吏員昇任試験の受験資格ができ、合格すると吏員になり、管理職試験への道も開かれた。しかし、局採用などの現業関係やアルバイトからの切替である業務員などは傭員であった。戦後の中途採用者も多く、賃金格差は大きく、吏雇庸員制度による身分差別の撤廃が求められていた。

この運動の主体は青年部であった。67年の都職労臨時大会で青年部独自要求として「任用制度を改善し、自動昇任方式にすること」と決定し闘いは始まった。

69年11月25日の都労連団交で都は、「吏雇庸員制度については廃止する」と回答した。以降、回答は70年10月29日の最終まで5次にわたった。闘いが長期化したことにより反戦派は再結集した。当時この問題での左派フラクションは、差別撤回共闘会議であった。職場派はもとより街頭派もここに結集したのである。

課題は労働者の差別にかかわる任用問題であるがゆえに都職労としての対応方針は中々まとまらず、闘いは長期化した。10月30日、一時間ストを打ち抜く中で最終回答が示された。本部の妥結方針に対し、職場討議集約も一度延期された。11月13日、職場討議の再集約の中央委員会が全電通会館で開かれた。引続き賛否両論が闘わされた。午後三時過ぎ議長が採決に入ると宣言したことから中央委員、傍聴者から猛然と抗議が出され、議場は騒然となり演壇占拠する事態となった。中央委員会は、休会となり、翌日の支部長会議で本部の責任執行で妥結を決めた。

8 66年6月、ＩＬＯ87号条約批准に伴い地公法が改悪された。都職労が単組として登録要件に抵触するという問題が生まれ、組織整備問題が任用問題と並行して議論となっていた。非登録となった場合には、当局の交渉義務、在籍専従、組合としての法人格など労働組合活動を直撃するものであった。当時の都職労は、知事部局と区役所で、10万人になろうとする規模に拡大していた。組織の単一性を担保しつつ攻撃にいかに対応するかが問われていた。しかし、都職労本部は任用問題を契機にした傍聴規制を強め、71年12月3日の北区公会堂での都職労臨時大会は傍聴排除の完全ロックアウト状態で開催された。差共闘部隊は「法定内組合化反対、組織整備案粉砕」を掲げ物理的に突破を試みたが、官憲が導入され3名の逮捕者を出した。

都職労の反戦派としての組織的対応は、三里塚での闘いが「実力闘争」の色合いを深め、党派レベルの対応となったこともあり、この北区公会堂をもって終了することとなる。

9 差別撤廃闘争は、職場の怒りに依拠した反戦派の行動抜きに要求の前進はなかった。機関会議への傍聴行動は、野次による突き上げが中心であった。職場の怒りを体現し、組織としての安易な妥結を阻止し、結果として当局の譲歩を引き出したものである。しかし、任用闘争の過程で大田中執のけが、江東公会堂の大会中止、全電通会館での演壇占拠は、北区公会堂の完全ロックアウトによる傍聴排除という事態をもたらした。本部は、「傍聴者は支部名と氏名を明らかにすること」としてきた。今考えると組織防衛として当然のことである。しかし、当時の反戦派は「傍聴は組合員の権利であり、規制は不当である」として応ぜずに、物理的に突破を試みたのである。思考の短絡化、行動の単純先鋭化といえる。傍聴の目的は、傍聴を通じて本部を突き上げることであり、安易な妥結や決定がされたならば、不当性を明らかにし、職場から反撃の闘いを組織すること。そのためには支部名、氏名を明らかにしても傍聴を実現することであり、冷静な対応が必要であった。

反戦派運動を今振り返ると忸怩たる思いもする。しかし、労働運動の悲惨な現状を見るにつけ、良さも悪さも次世代に語り継がなければならないと考える。

最後に、私は「反戦派」として職場の多数派を目指し闘ってきたことを糟谷さんに報告し追悼とする。

私のゼネ石70年闘争

石田　俊幸（大阪全労協顧問）

糟谷さんとは面識はありませんが、69年11月13日は佐藤訪米阻止・ベトナム反戦闘争を訴える多くの労働者・市民で扇町公園は一杯だった。デモの出発前に機動隊の阻止線を突破する部隊が先陣を切り、その後のデモ隊は解放区となったような御堂筋をフランスデモで難波まで行ったように記憶している。

田舎から東京を目指してゼネラル石油精製に就職したが、配属先は70年7月から運転の新しい堺製油所だった。若い労働者のほとんどは地方の工業高校を卒業した者たちで、堺の平均年齢は28歳くらいだった。しかし配属されたのは動力係という職場で三井鉱山離職者が多く、30～40代くらいの人が多かった。やっと仕事も覚えたなという1年後に製油所の中心である製油係へ配転。要員が少なく、先輩たちは早く増員してくれと管理職に事あるごとに言っていた職場だった。ほとんどの労働者が20代で若く、自らも望んだ職場だった。12時間の2交代勤務で仕事は加熱炉やポンプなどのチェック。運転がうまくいっているときは待機時間で、先輩たちは日曜日や夜勤では毎日カードをやっていた。もちろん仕事ができるようになった頃から私も加わった。3年くらいたつとこんな仕事を一生やるのかと思うようになってきた。

新しい間接脱硫装置（VGO）の建設が決まり、既存職場（精油係）からの要員のひねり出しに対して新規採用して補充するよう要求する。中途採用するが人数が少なく、しかも配転を強行。組合は配転拒否で応えた。この頃、事故・火災と言えばゼネラル石油と言われたほど事故も多かった。みんな怒っていた。

68年春闘では要員増と賃上げ要求で、48時間のストライキ。初めて製油所を停めた。組合事務所から装置を見るとフアスタックから大きな炎と煙が出て、「ああ、停めに入ったんだな」と感激、すがすがしい気分になったことを忘れない。その頃から、誘われてベ平連のデモに参加するようになった。次第に警察の規制が厳しくなり、デモの解散地点の難波では警察とぶつかることも何度かあった。

69年ころからは独身寮に党派のオルグが入るようになってきた（共産党、共労党、革共同）。そのオルグの人から臨海反戦を作ろうとの話があり、何人かに声をかけた。秋になり、寮の入り口に立て看を立てようと提案され、あまり乗り気ではなかったが、結局「佐藤訪米阻止！　安保粉砕！」のベニヤ板3枚の看板を立てた。組合では有志が集まり、取り組もうと話し合って「反安保を訴える会」をつくった。そして「ジャケットにスローガンを書き、通勤時に着よう」と決めた。朱色のジャケットにマジックで佐藤訪米阻止の文字は目立ったし恥ずかしさもあったが、慣れた頃に11・13を迎えた。

当日朝、浜寺公園で集会を開き会社まで歩いていき、本館前で時間内食い込み集会を開催することを決め、組合員に参加を呼びかけた。組合の中央執行委員会も取り組むことを決め当日は１３０名が集まり集会、「佐藤訪米」に対する抗議文を採択。この行動に対して会社は4名にけん責処分と賃金カットをしてきた。夕方の扇町公園での集会に多くの組合員が参加した。その後の反戦集集会には驚くほど組合員の参加が増えていった。

70年春闘のさ中、会社は『反戦グループの活動について』という反戦パージビラを出してきた。いろんな集会への参加人数の他、「組合活動が一部の過激な反戦グループの人たちの特定の運動に利用され、職場が破壊される恐れがあるような事態は黙視することができません」と書かれていた。もちろん組合も「資本の思想弾圧を跳ね返そう、反戦パージは会社の組合つぶし・分断策動の口実だ」というビラを出して対抗した。

70年春闘は三波150時間に及ぶ火止めストライキで戦った。VGO配転拒否闘争で処分された怒りも重なり、プラント内デモを敢行し、事務所の玄関や窓はステッカーで一杯だった。ゼネ石・ス労共闘（スタンダードヴァキューム石油）にシェル労組が加わり、カタカナ3共闘と呼ばれるようになった。

春闘が終わった後の5月29日、突然横山好夫川崎支部長が懲戒解雇された。20日から定期整備が始まり、交代勤務者はほとんど日勤だった。職場で帰り支度をしていた5時頃職場委員から聞き非常に驚いた。そして本館前で抗議集会があることも聞かされた。本館事務部に行き事務部長に説明を求めたが、「君らのような烏合の衆に説明する必要はない」と答え、みんなから罵声を浴びせられた。室内に組合員が入りきれなくなり本館前に連れ出して追及。マイクも準備され、組合員が次々と不当解雇を追及した。8時頃集会所に移動し、11時過ぎまで続いたが、処分理由は「2月、川崎製油所でガソリンへの四エチル鉛混入作業現場で火災が起きた。会社が作業再開の条件である安全教育を時間外に行うことに反対し、扇動指示して受講を拒否させた」だった。

翌30日も朝から勤労課への追及が始まり12時まで続いた。6月1日、堺製油所所長から組合に「横山支部長の解雇理由をみんなに説明したい」と申し入れがあり、各職場には数人ずつ残して組合員のほとんどが参加した。所長は追及にまともに答えられないまま1時間半で席を立って出て行った。翌日から職場で管理職に説明を求めたが答えられず、そのうち管理職は職場に来なくなった。この頃から有志が集まって「職場共闘」を作り構内デモやステッカー貼りなど抗議行動を続けた。

6月7日、組合の臨時大会が開かれることになり、川崎支部へのオルグと傍聴を呼びかけ、堺から約130人が参加、300名を超える大会となった（なお、この後も何度か川崎にオルグ団を派遣している）。組合分裂を狙う「勉強会」という名の組織が活動していたことも傍聴人数が増えた要因だった。8日は川崎製油所本館前で早朝集会を行うということで堺からは70名が残って参加し、集会途中に出勤してきた管理職を追及する中で午後からの大衆団交を約束させた。大衆団交は答弁につまる人事部長に怒号とヤジが飛びまくった。

大会後スト権投票が行われ87・5％で確立されて、6月10日から末日までの時間外労働拒否闘争に入った。6月27日。会社は乱闘服姿のガードマン90名を入れ、堺支部の4名解雇と10名の出勤停止処分（うち川崎1名）を出してきた。川崎、堺製油所で暴力行為を働いたというのが理由だ。組合は直ちにストライキと就労闘争を行い、波状的にストライキを続けた。その後は大阪府警による9名の不当逮捕、全面ストライキ、そしてロックアウト、組合分裂、就労協定と、闘争は敗北に向けて進んでいった。逮捕された組合員は全員完全黙秘を貫いたが、「苦しいときは仲間の顔を思い浮かべて頑張った」という言葉が忘れられない。

和解により全員復職を果たし、また第二組合から移ってくる組合員もいて粘り強く戦い続けたが、資本の合併が相次ぐ中、2018年4月、ゼネ石労組は組合結成から53年間の闘いの幕を閉じた。

綱　領

われらは、つぎの合言葉で、組合の旗のもとに団結する。

1.「能力」による労働者管理に反対し、互いに競争しない。一人ひとり、すべての仲間のためになるかどうかを、職場で常に判断しながら行動する。

2.労働者の連帯を強め、農民、漁民などの戦いにも触れて、支援に努める。より多くの人たちと知り合い、そのきずなを世界に押し広げていく。

3.あらゆる差別を生み出す風土を憎み、その変革を被差別者とともに目指す。質素ななかに、健康で、創造的な生活を打ち立てる。

4.国家及び資本の名による一切の侵略と抑圧に反対し、労働者人民が主体となる社会編成を追求する。

糟谷さんを悼む

岩木　要（元プロ学同委員長）

私は１９６７年入学です。入学直後に京大の自衛官入学反対闘争があり、同じ年に10・8羽田闘争がありました。毎月のように大きな闘争がありました。入学というよりは、入隊と言った方がいいような年でした。

田舎から政治のせの字も知らずに出てきた若者でしたが、アメリカ軍がベトナムの民衆を虫けらのように集落ごと皆殺しにする「ジェノサイド」があると知らされ、世の中にこんな不条理なことがあるのかと思いました。その時すでに先輩の人たちが先駆的な理論でそこで起こっている現象が何を背景にしているのか。さらに日本政府がそこにどうかかわっているのかを分析的に分かりやすく説明してくれました。

不条理への義憤と、新鮮で深い理論への傾倒で私を含む多くの若者が立ち上がりました。帝国主義公民としての自己否定を含む覚悟の上での決起でもありました。

今振り返っても、純粋すぎる感性と、熱い情熱が私たちの体内にたぎっていた時代でした。あれから50年経てもその時代に迫る時を感じたことはありません。

69年の秋の決戦、その前夜に別れの盃を交わしたこともありました。

そんなたぎる時代に、山﨑君、そして糟谷君は亡くなりました。

糟谷君の遺書となったメモに「11・13に何か佐藤訪米阻止に向けての起爆剤が必要なのだ。犠牲になれというのか。犠牲ではないのだ。それが僕が人間として生きることが可能な唯一の道なのだ」と記されています。当時の多くの若者の気持ちもそうだったと思います。

この時代を糟谷君と共に生きたことを今でも誇りに思っています。

69決戦の後、あれから私は三里塚、沖縄、山谷、川崎と活動の場を変遷する中でも何か自分の人生にゆらぎがあった時は必ずと言っていいほどその当時に亡くなった同志のことを思い出してきました。命のやり取りを目的にした闘いだったわけではないと思いますが、結果として命を落とした、もしかしたら自分がそうなっていたかもしれないことに、どうしても後ろ向きになれなかった。それが自分が選んだ人生なんだと思い続けてきました。後悔しない人生。後悔してはいけない人生にいつも糟谷君がいました。

いま、私は草の根で、その当時に比べれば牧歌的で軟弱なことをしているにすぎないかもしれませんが、人が人らしく尊重される社会をめざして愚直に活動しています。

今日ここに是非とも参加させてもらおうと思ったのは、この会を主宰された岡山・日本原の内藤さんがおられたからです。内藤さんのことは1年前に紙芝居を見せてもらって知りました。農業、とりわけ酪農は大変、旅行にも行けないそんな境遇を引き受けながら反戦の意志を貫いて生きてこられた。そこに何の気負いもない。これはアフガニスタンで亡くなられた中村哲さんにも通じる尊い生き方と感銘を受けました。尊い精神と志が日常の生活や行いの中にある。そこに本当のラジカリズムがあると感じました。

家族のことを少し話します。

ぼんやり育っていたと思っていた娘たちですが3・11東日本大震災以降、家族で被災地にボランティアに行ってから、急に目覚めて反原発の運動に若手アーティストとして加わったり、反安保法制のシールズなどの輪の中に参加するようになりました。

この正月に、昔の活動記録を見せた折に、お父さんたちすごいことやったんだね。もっと発信したらいいよと励まされました。

「終活」という言葉は好きではないです。ですが、まぬがれないのも確かなことです。平和を願って戦争体験を伝えてこられた先達に見習って、反戦、全共闘のあの時代のこと、誠実に生きた若者の思いを次の世代に語り継ぐことも私たちの大切な務めかなと感じ始めました。「語り部」としての話のなかに山﨑君、糟谷君のことを伝えていきたいと思っています。

最後に、「私たちにも未来があります」と言いたいです。まだ少しはかもしれませんが。

どうか皆さん、未来への希望をもって糟谷君の分まで生きていきましょう。

当時のプロ学同委員長としての発言としてはあんまり勇ましくなくて、期待外れだったかもしれませんが、これをもって私の発言とさせていただきます。

（2020年1月13日）

69年秋、鳥取神鋼機器労働者かく戦えり！

―「少数派から再び多数派へ」のスタート―

浦木　敏正（鳥取県倉吉市）

◆戦う企業内組合から戦う全国組織組合加入へ

１９６０年代半ば鳥取県倉吉市を中心とする地域（中部地区）では神鋼機器に働く若者たちが中軸となって青年同盟を結成し、鳥取大・島根大・岡山大の学生との交流を深めていった。

当時の神鋼機器（神戸製鋼所上井工場／従業員は社外工含め約１５００人）は地域で巨大な権力を有し労働現場はまさに「ドレイ工場」であった。続発する労災や職業病から労働者を守るために会社と対決するには、強固な労働組合が必要だった。神鋼機器にある企業内組合では限界があり、産業別全国組織である全国金属労働組合（全金）への加入を模索していた。資本・悪質職制の数々の妨害攻撃を受けながらも１９６９年1月に全金加盟を勝ちとった。

◆沖縄現地闘争派遣から反戦・反安保・佐藤訪米阻止闘争へ

全金加盟後、資本は加盟の中心的役割を果たした青年婦人部への攻撃を一層強めてきた。１９６９年5月青年婦人部長の沖縄現地闘争派遣を組合が決めたが、会社は「政治活動」との言いがかりをつけ「組合業務休暇」を認めなかった。これに対し青年の怒りは爆発し青年婦人部は「残業拒否」を敢行した。会社は「山猫スト首謀者」として活動家6名に対し懲戒処分に付してきた。並行して会社は「会社の秩序を維持する」として「労働者党一派を始末してやる」「26名の活動家を解雇してやる」と神鋼の親会社・神戸製鋼所と一体となった徹底的な弾圧に乗り出してきた。

一方青年労働者は会社の入門所に座り込みハンガーストライキをはじめ日常的に経営者への現場抗議行動、糾弾ビラを毎日欠かさず門前で全従業員に手渡していった。それらの大衆的抗議行動と並行して裁判闘争を展開した。

この闘いは県中部地区の活動家とともに地域闘争として反戦・反安保の闘いの輪を広げていった。〝神鋼の不当弾圧を許すな！〟〝70年安保・反合理化闘争勝利〟〝佐藤訪米阻止〟のスローガンを掲げたステッカーが工場周辺の街頭に貼りめぐらされていった。

◆組合破壊攻撃に全面勝利！　少数派から再び多数派へ

1969年秋の新左翼を中心とする全国的政治闘争が後退していく政治情勢の中で、神鋼資本・悪質職制は1970年春闘の最中に御用組合（第二組合）をでっち上げた。そして会社・御用組合は、全金組合員一人ひとりに対し解雇をちらつかせたり、全金脱退届のための印鑑盗用等あらゆる方法で脅迫・懐柔工作を仕掛けてきた。その結果最盛時1000名の全金組合員は1970年年末には、本社工場（倉吉）で700名中180名まで落ち込み追い詰められていた。

状況を打開するためにどうするのか？「闘争を継続すれば更に脱落者が出るのではないか」といった不安を抱えながらも1971年春闘では少数派ストライキを断続的に決行、門前では御用組合員（悪徳首謀者等）の入門を阻止するための門前ピケを敢行。また地域において御用組合幹部の住居付近でのビラ配布・立て看板等により追い詰めていった。御用組合幹部・会社は成すすべもなく門前でウロウロするばかりであった。少数派ストライキ決行後においても脱落者を一人も出さなかった。

1972年を迎えても全金組合員はますます強固な闘志で行動し、悪徳御用組合幹部と良心的な一般組合員を明確に区別する対応をとっていた。このような状況を見ていた御用組合員の大多数は中立的立場をとり御用組合幹部・会社に対する闘いは輪を広げていった。

そして1972年春闘においても〝御用組合解体・反動職制追放〟を掲げて激しい実力闘争を展開した。ストライキ・ピケ・集団交渉を決行する一方で地労委に対して申立を実行。

地労委は、5月25日に、不当労働行為救済命令。これをうけて会社は5月29日に「不当労働行為」を認め、処分を撤回、全金は全面勝利を勝ち取った。これを契機に第二組合員は全金に復帰し第一組合は多数派に転化し3年間におよぶ御用組合解体・反動職制追放の戦いは勝利することとなった。

1970年〜72年に至る神鋼機器の激闘の前史は1969年秋にあり、組合青婦部長の沖縄現地闘争派遣に対する会社の不当弾圧に対する戦いであった。この戦いがそれ以降の激闘のスタートであったと今改めて思っている。

プロフィール：うらきとしまさ
1945年5月、鳥取県米子市に生まれる。終戦後鳥取県東伯郡羽合（はわい）町に帰郷。

1961年伯耆振興工業（現・神鋼機器）に訓練生として入社。

1964年3年間の勉学終了後、現場に配属される。同時に労働組合に加入。

1966年神鋼機器労働組合青年婦人部の役員（教育宣伝部）、鳥取県中部地区反戦青年委員会に参加。

1969年青婦部長沖縄派遣に関する一連の闘争に参加。以降、資本との熾烈な闘争に組合執行部（半専従）として参画。1978年全国金属神鋼機器支部副委員長、山陰地区金属共闘議長に就任。1981年神鋼機器を退職。現在は弱電関係の設備設計・製作の仕事（自営業）に従事している。趣味は絵画・読書。

69ベトナム反戦闘争を共にたたかった者として

鈴木　哲男（元自治労都職労委員長）

糟谷君の虐殺、そして彼の未来を永遠に断ち切った権力への怒りを胸に、同じ時期を闘った者として、69年秋を振りかえり貴君への追悼の言葉とします。

当時私は東京都に就職し、江戸川区役所に福祉事務所のケースワーカーとして勤務していました。私の所属していた組合支部（都職労江戸川支部、後に江戸川区職労）は職場からの動員は消化するものの職場での闘いもなく、最初のストライキが設定されると（１９６５・６６年）、「出勤簿」を汚したくないとの理由でストに反対する者が続出するような状況でした。

こんな状況を変えたのが67年の10・８羽田闘争でした。江戸川からも青年数人で参加、その後「江戸川区職反戦青年委員会」を組織し、組合反対派＝反戦派として登場し、支部内青年部に影響力を持つようになりました。10・8羽田闘争後はまた、多くの都職労内の青年活動家の交流も進み、併せてベトナム反戦闘争の高揚の中で、新左翼系諸党派の活動家を中心に「都職労反戦青年委員会」が結成されました。（資料散逸してしまい、私は結成の時期については正確に覚えていません）

都職労親組織の左翼良心派の人たちを動かし、「ベトナム反戦活動家集会」を３００名強の参加者を得て２日間にわたって成功させ、佐世保・王子・成田（三里塚）闘争等に、結成間もなくの「都職反戦」が主導的な役割をはたして「都職労」の中で注目を集める存在となってきました。そうした中で、一番記憶に残っているのは68年10月21日の新宿駅構内へなだれ込んだ米タン輸送阻止闘争で、まさに解放区の出現のような爽快な気分でした。

しかし「都職反戦」もご多聞に漏れず、党派間の路線対立（職場か街頭か）が目立つようになり、「プロ青同」の仲間は「職場からのストライキでの反撃」を主張し、解放派や無党派青年労働者と共に中核派や第4インターなどと分岐し始めました。

69年に年が変わっても、ベトナム革命の勝利、日本憲法下への沖縄復帰、日米安保粉砕、佐藤訪米阻止の闘争が引き続き連日のように展開され、江戸川からも青年労働者を中心に20～30人が参加し、反戦派の会議・学習会等も組織しました。「プロ青同」は10・21国際反戦デーをストライキで闘おうと提起し、都庁拠点ストライキ実行委員会の組織化を進めましたが、当局の休暇拒否により組合員への広がりを果たせず、各党派の活動家を軸に都庁前での時間内集会―これも当局・警察権力の封鎖にあい結局東水労の集会に合流し、独自の都庁拠点政治集会は開けませんでした。この総括を巡って意見がわかれましたが、私たち「プロ青同」は公務員共闘の「第10次賃金闘争」での11・13一時間半ストを「ストライキ実行委員会」を組織し、「平日の政治ストとして打ちぬけ」と再度主張し、「拠点スト」に全力を傾けました。1時間半のストライキを何とか2時間まで引き延ばそうと努力しましたが、親組合の切り崩し等にあって、江戸川では反戦派の抵抗で十数分引き延ばしただけでした。その後、都庁にかけつけ、都庁第一庁舎前集会を貫徹しました。しかし、デモ参加者は少なく、圧倒的な警察権力に遮断された集会でした。この日、大阪での集会で「糟谷孝幸君」が機動隊員により暴行され、翌14日に亡くなられたことを後で聞きました。11・13は糟谷さんが機動隊に虐殺された日として東京の私たちにも長く記憶された日となりました。

都職反戦の仲間は全国反戦の15日の日比谷野外音楽堂での集会、16日の社会党の「佐藤訪米反対集会」に積極的に介入、翌朝蒲田六郷土手に結集、「佐藤訪米阻止、安保粉砕」の抗議の声をあげましたが、私は残念ながら警察の阻止により六郷土手にたどり着けず、現地の闘いに参加できませんでした。その後も闘いは続き、70年6月23日の社会党・総評ブロックの「安保条約廃止宣言全国統一行動」に、71年11月19日には沖縄現地での返還協定批准反対の24時間ゼネスト、本土での沖縄返還協定強行採決に反対する抗議行動等―70年安保闘争に「都職反戦」は積極的な役割を果たすも、「職場か街頭か」の路線対立はいっそう激しくなり、まとまっていくことが難しくなってきました。

私たち「プロ青同」の仲間は職場での活動、組合員からの信頼を第一に頑張っていたので活動家の少なくなった社会党ブロックからも信頼され、都職労代議員に選出されるようになり、支部・分会の中心的な役員へとなっていきました。

その後のプロ青同はご承知のように3分解し、私たちの仲間も各々が違った道を歩みましたが、皆、組合運動に関わり社会変革に携わってきました。今日の暗澹たる政治状況を予想する人はいなかったと思います。「糟谷孝幸君」の夢見た状況とは違いすぎる現実です。でも、私たちは君の断ち切られた人生を時機に思いながら懸命に闘ってきたつもりです。わずかな余生ですが、これからも青年だった時のように、君が夢見た社会に向けて微力ながら頑張っていこうと思います。

思い出の香港の戦いに、糟谷君を見た

田中　幸也（元1969・11・13扇町闘争被告）

7月1日記。昨日6月30日夜、ついに【香港国家安全維持法】が香港に施行された。5月28日全人代で採択され、昨日午前の全人代常務委員会で可決、習近平主席が署名、そしてその日深夜に施行。異例の速さで実施した。翌日7月1日は、香港返還23周年記念日であり、毎年「民主派」と呼ばれる香港市民が街頭をデモで埋め尽くし、「自由と民主主義」を叫ぶ日である。

しかし、今年はデモのニュースは今のところ、伝わって来ない。昨年、多くの市民の支持を受け、先頭に立って武装警察と実力で戦った戦闘的な若者の姿も見られない。それどころか、香港独立を主張する若者が逮捕されている。今日は、香港の自治を守る「民主化運動」にとって、いよいよ習近平・共産党中国政府と正面戦の次元に入る、きわめて困難な時代の幕開けである。

私が、糟谷追悼本の一隅に、この香港の民主化運動を書きたいと思ったのは、二つの理由がある。それは、ちょうど1年前の今日、デモ隊が立法会に突入・占拠した時の、彼らの覚悟だ。「もう後戻りできない」、武装警官は、室内なので催涙弾ではなく、実弾を使うと覚悟したようだ。「我々は命の危険を顧みず、ついに立法会に突入した」「もう引き返す事は出来ない」これはその時の闘争宣言の趣旨だ。1969年11月13日佐藤訪米阻止に向け、大阪扇町の街頭に立ち、私たち仲間とともに機動隊に戦いを挑んだ、糟谷君の最後の日記。「犠牲になれと言うのか。犠牲ではないのだ。それが僕が人間として生きることが可能な唯一の道なのだ。・・・」の一文。私には、香港で戦う多くの人達の気持ちと、糟谷君の気持ちが、時代を越えて、全く同じに思えたこと。その時の我々そのものにみえたからです。毎日ニュースを見ながら、必然的に戦いに共鳴して行きました。

理由の二つ目は、私事です。戦いの後、敗北感と挫折感で、ともかく働き、賃金で暮らせる生活を目指しました。しかし、全共闘運動の過激派では？でなかなか仕事につけませんでした。

それで50歳過ぎ、知合いから、香港ー中国広州で工場を立ち上げたいが、まかせるので、一緒にやってほしい！の誘いがあり、中国に非常に興味があったこともあって、転職し一人香港へむかいました。そこで香港九龍地区に事務所を借り、香港人の仲間と仕事を始めました。

電車通勤し、昔の香港空港をビルの窓から眺め、みんなで昼食弁当、又、全員で焼肉会をしたり、社員の家族・親・子どもたちと食事したり、心気一転、それはそれは充実した新しい生活、香港の生活でした。思い出深い香港、ここでの戦いとデモ、気にならないはずはありませんでした。香港は実に自由で、大声で激論を交わす、元気な、楽しい所でした。

その香港に、中国公安が直接、公然と出て来て、独立（分裂）・政府転覆・テロ（実力デモ）・外国との連携などを今回の法律で、独自に裁く体制になり、実際逮捕されれば中国へ護送され、ご存じの通り、非公開で処分される、多くの香港市民が恐怖と、強い憤りを感じたのは当然です。

7月2日記。夕方から、1万を超える人が、モール街に集まり、抗議しているとのニュースが流れました。その憤りが相当なもので「戦うしかない」と覚悟したのでしょう。香港独立の旗を見せただけで逮捕された人はさらに増えたとのこと。今回の略称「国安法」の最高刑は、終身刑であり、中国での一切非公開での処分となる可能性は大です。彼らの恐怖はいかばかりかと推察します。

しかし、今後も、いろいろ形を変え抵抗していくものと思っています。それは、彼らは若くデジタル・国際社会の申し子ですから、我々が思いつかないような戦術を駆使するからです。

香港闘争の戦術のすばらしさ

私は実際に香港で見たり聞いたりしているわけではありません。彼らのユーチューブや、新聞などを見て応援しているだけですが、すばらしいな！と思う戦術を編み出して、常に改善していることに、感心しています。

①昨年の6月100万人デモから続く戦いは、市民の多くの支持を得ていたこと。市民の海の中で、臨機応変にゲリラ的に戦っていたこと。そして武装警察の弾圧がひどくなればなるほど、支持が広まったこと。ついに「逃亡犯条例」を撤回させることになる。2014年の雨傘運動の反省（市民からの孤立化）もあったと聞く。【戦いの大衆化】これは医療者労働組合などの組織化にも結実し、コロナ対策批判のストライキに発展した。

②集会・デモを呼びかける方法である。一般的なSNS（例：フェィスブックなど）を使わず、特定の少人数で通信しあう、テレグラムと言う暗号化技術を使っていたと聞く。権力側は読めない時期がしばらく続くこととなる。【連絡のデジタル暗号化とスマホ】

③私にはわからないが、「指導組織が無く、リーダーもいない」戦術。でも、立法会占拠の時、武装警察の出動が伝わると「みんなで行って、みんなで帰る」と籠城組も説き伏せ、ものの見事に完全撤退をしたのである。「これからの運動は、分断されてはいけない」強固な連帯感だ。これは「勇武派」と呼ばれるグループの記録であり、同じようにデモ参加の皆も、強い連帯感で、古典的な指導者などいなくても、連携して力を発揮したものと思われる。【分裂・分断を避ける努力を最大限に実施】

④勝利するや、自信もついたのか、11月区議会の選挙戦に打って出る。街頭で武装警官と実力で戦った若者がで

ある。これも、大きな政党ではなく、数人規模のグループが、ゲリラの様に、助けあって戦ったことが、日本のテレビでも紹介された。親中派の妨害があれば、全員が現場に集結、論争で追い返す、市民はそれを聞き、見ている。結果は、想像を超えて圧勝であった。この圧勝から今年9月立法会選挙戦の準備に入るが、これまた新しい戦術を実施している。半分の35議席は職能団体から選出だが、具体的には、飲食業や小売り業などから代表を出す、昨年のデモへの支援があったお店などは黄色でマークされ、その中から店の経営者を立候補させる。今までは、立法会の普通選挙を訴えていたが、選挙の仕組みを逆手に取る戦術を編み出したのだ。

上記を見ると、香港政府は完敗だ。だから今回の中国政府の「国安法」による介入を急いだのであろう。

⑤7月1日、香港衆志で、日本にも知られている、黄之鋒・周庭の両氏がテレビに映り、香港衆志からの脱退を表明した。「生きていれば希望はある」と、周庭氏は苦渋の判断と覚悟を表明した様に思えた。しかも「国安法」に触れないよう、言葉を選んでと思えた。多くの民主派組織は解散し、目をつけられたリーダーたちは海外へ避難した。

私は最初、解散?え!と思った。しかしこのことも戦い方であることをすぐ察知した。勿論、戦いのフェーズが、中国共産党との闘いに移ったのだから、恐怖は間違いない。そんな中の柔軟な思考がすごいと思う。

いろいろ私見を書いてきたが、この新たな戦いは、当面表舞台からはおとなしくなるかも知れないが、周庭氏の覚悟の顔と発言から、強い決意を感じたのは、私だけであろうか。中国政府直轄の【香港国家安全維持公署】が動き出した。これは秘密警察そのものである。

今の中国と同じ密告社会を作り出す（もう進めていたのだろうが）手先である。昨年からの逮捕者も、1万人は超えたとの事、昨日も350人超え、すでにブラックリストが出来ているのだろう。そして中国同様、カメラによる顔認証での追跡、謎の失踪など、香港の高度な自治、表現の自由、公明な法治、民主主義はどうなるのであろうか。今糟谷追悼とともに、注視したいと思っている。

（2020年7月記）

「五地区反戦」の闘いと「されど我らが日々」

出口　史郎（東大阪地区反戦）

(1) 私の「同時代＝一九六八」（１９６７～71）は毎日、どこかで集会やデモが行われていた。夜は夜で会議やポスター張り・ビラづくり。勝手気ままな「反戦年休」や昼間の「寝不足仕事」で、通常の会社勤めであれば「職務専念義務違反」の懲戒モノだった。親戚のおじさんから「お前の顔、狐憑きがついてるで」と言われたこともある。それでも、私が反戦派として闘い始めたのは遅い方で、67年10・8羽田闘争の山﨑博昭君虐殺糾弾集会（中之島・中央公会堂）に参加して何か「啓示」を受けて以降だ。当時、私は社青同内にあって、「主体と変革派」とか「第四インター」の加入戦術派と近く、協会派とは対抗関係にあった。大阪の社会党・社青同では協会派の版図は小さく、「太田派」がシャープなどにいた。協会派は「改憲阻止・反合理化」を掲げ、「反戦派は職場で闘わず、街頭でハネているだけだ」と批判していたが、半分は至当だった。

社青同に入って、最初にベトナム反戦運動にかかわったのが、ベ平連の行っていた脱走米兵支援の機関（ジャテック）だった。67年10月始め、横須賀寄港中の空母・イントレピッド号から4水兵が脱走、ベ平連に保護・援助を求めてきた。ベ平連の武藤一羊氏から大阪軍縮協へ大阪での受け入れ要請があり、私と同志の中江晃君（故人、当時国労書記、生涯の友人となる）が黒人米兵テリー・ホイットモアを数日間匿（かくま）い、次の逃走先へと引き渡すのが仕事だった。隠れ家は中江君の八尾の市営住宅、夜半に食料などを運び込んだが、テリーの体臭がひどく大変だった。

その後に分かったことだが、「（2名増えて）彼ら6名は68年4月22日深夜に根室港から密航し、23日に国後島に着き、ハバロフスクから空路モスクワに飛んだ。28日、全員がテレビ出演してアメリカ批判の声明を発し、亡命した」（東方出版、小山帥人『我が家に来た脱走兵』に詳しい）。

⑵ 65年2月に開始された米軍の北ベトナム爆撃、米原潜の佐世保入港が相次ぎ、日韓条約締結と同時に韓国はベトナムに派兵するに至った。これを機に、反戦青年委員会（「ベトナム戦争反対・日韓条約批准阻止のための青年委員会」）が中央では8月、大阪では9月に結成された。この組織は若年労働者のエネルギーを集めることに成功し、総評・社会党がもてあますほど、そのエネルギーの放出場となった。67年、反代々木系全学連各派を中心とした新左翼のなかに過激な行動が拡がりはじめ、この傾向が反戦青年委員会にも入ってきた。東京では過激派集団を排除して、社共の「一日共闘」が実現したが、大阪では新左翼各団体の参加を拒否しなかった。67年10・8佐藤訪ベト阻止行動で京大生山﨑博昭君が死亡するという「羽田事件」が起こり、次いで10・21国際反戦統一行動が漸く大きく盛り上がり、以降、70年安保に向けて運動が高揚し、反戦青年委員会も拡大する。

職場反戦と違い、地区反戦は有志が一定数集まれば市町村ごとに結成できる。中小企業でも仕事は単純作業で空虚感に悩み、職場で自由に意見を言えない疎外感、民主教育を受けた世代には「自分が主役になれる」個人加盟の地区反戦に共鳴し、未組織の中小企業労働者、労働組合が右派的であきたらない労働者が加わってきた。また、個人加盟の運動体だったから、セクトは活動家を送り込め、少人数でも作れたから、「3人寄れば地区反戦」とも言われた。地区反戦と職場反戦は合わせて、69年の時点で約600組織、約2万人が大方の見方だった。以上が全国的な反戦青年委員会の生成から発展の概観だ。

⑶ 大阪では、すでに社青同（非党派というかノンセクト・ラジカル）の支部組織が地域に存在していたから、豊能・東淀川・東大阪・大東・枚方に五つの地区反戦、「五地区反戦」が作られ、外形的には水色ヘルメットで梯団を組み、

一つのセクトのように有機的に展開した。中核やブントの地区反戦に伍す動員力を持っていた。わが「五地区反戦」がプロモートし、主体的に担った闘争は、❶69年10月5日、「八尾自衛隊基地撤去・自衛隊ページェント粉砕・全大阪労学総決起集会」、国鉄・志紀駅前広場に結集し、八尾空港まで往復デモを行ったこと、❷69年10・21「拠点政治スト」を、近畿車輛青年部を先頭に100余名が国鉄徳庵駅前に結集し、近畿車輛前で渦巻デモと集会を行ったこと、❸70年10月8日、東大阪地区反戦を中心に40人で、朝鮮人の国籍書き換え問題に抗議すべく東大阪市議会突入・占拠闘争を行ったこと。

決意主義とないまぜの楽観主義でやり過ごしてきたが、一番、感激した出来事は日新高校（東大阪市）の在日学生ら20〜30名ほどがハングル文字で「反戦」と書いた水色ヘルメットで登場し一緒にデモしたことだ。大阪では、高校生の反戦デモ参加を禁圧する「府教委通達」（68年9・18）が発出されたが、これに反発する生徒が逆に増え、9・18通達後に発生した高校紛争36校、ほとんどが公立高だった(朝日新聞集計)。デモの部隊が増えることはいいが困ったことは、デモ解散後、家出同然の高校生がアジトまで付いてきて居つかれたことだ。一人は広島・倉橋島（日大全共闘議長・秋田明大氏の故郷）からの女子高生、茨木市の高校生、半居候の辻井勝君（近畿車輛）との4〜5人の奇妙な共同生活が何か月か続いた。親からは「未成年者誘拐罪」で訴えると脅かされた。

(4) 騒乱罪が適用された68年10・21国際反戦統一行動の直後、10月24日に開催された日経連臨時総会はその『労働情勢報告』において、「労働運動において非常に寒心に堪えないのは反戦青年委員会の動きである。今日では全都道府県に1万5000人の会員を抱えていて、全学連が何か事を起こすと、全国から数百・数千の会員を動員してこれを援助する。この連中の動きが将来、労学提携の線にもってゆく危険性がある。道は近きにあり、企業内の労使が固く手を握り団結する。言うまでもなく、企業別労働組合を通してやる以外に方法はない。70年闘争を切り抜けるための大きな要因である」。政・労・使をあげた展開はこの『報告』のとおりに進んでいった。組合事務所で組合員が警備警察と鉢合せすることもあったくらいだから、会社・組合を通じて常時、情報収集を行っていることは容易に推察できた。労働局の相談員の友人が、同僚相談員の住友金属の元会社役員から聞いた話だが、当時、民青や社青同（住金は協会派）のスパイを使嗾（しそう）として使い、資料やビラ等をもらっていたそうだ。

(5) 69年8月に大学運営臨時措置法が施行されて以降、強化された官憲の介入によって、反代々木系学生による学園闘争は鎮静化されてきたのと逆に、新左翼諸党派は官憲の弾圧で窒息化する過程で、セクト間の「内ゲバ」抗争が激しくなったこと、また、全大阪反戦青年委員会が分裂し（行動では10・21、正式には70年2月）、全国反戦も再開することもならず、民間単産や公労協が職場反戦を認めなくなったこと、などが重なって学生に次いで反戦労働者の運動も勢いを失い始める。後付けの話になるが、公安警察という情報操縦機関の役割発揮もあって、本当に日経連の『労働情勢報告』のシナリオ通りになっていった。

悲しいことに、私らの周辺でも凄惨な内ゲバ事件が三件起きる。内ゲバ事件の真相を知っている者は黙して語らず、私のように悔しい思いの「第三者」が究明にこだわるとかえって意図を疑われる。犯罪白書によれば内ゲバ事件（1968年〜2000年）は件数2020件、死者97名、負傷者5429名だが、2004年迄の死者3名を加えると死者100名である。内ゲバの巻き添え、あるいは攻撃側の誤認によって死傷したノンセクトや一般人も少なくない。これらは「誤爆」と言われた。しかし誤爆について、実行した党派が謝罪したケースはほとんどない。大衆運動、学生運動の全盛期には、それらを内部分裂から自滅へ導くため、公安警察が各セクトにその敵対者の所在情報を巧みにリークするなどし、内ゲバを裏で手引きすることもしばしばあった。敵対党派を互いに「警察の手先」と非難するのはこのためであるが、実際に内ゲバで殺された中には、スパイとして潜入していた警察官もいたという。こうした学生運動の変遷は社会主義や共産主義に対する幻滅を生み、彼ら新左翼が忌み嫌っていたはずのスターリン主義の思想とも重なり、運動の衰退を決定づけてゆくこととなった。

それにもまして経営側の姿勢も厳しかった。デモに行くときは、クビを覚悟で行かねばならなかった。会社の反戦パージもひどく、デモで逮捕されると必ず解雇された。私らの関わった案件も少なくない。榎本恭一郎君（植田歯車➡他の全金支部へ）、北方龍二君（ダイハツ➡全金オルグへ）、そして東大阪・八尾市役所の反戦メンバー3名は、所属労組が日共系だったので復帰は叶わなかった。解雇撤回を勝ち取ったのは小林大三君（内外電器）ただ一人だけだった。私らは、新左翼の何派だろうと反戦パージには無条件支援してきた。

(6)「同時代」が終わって以後、私の関わってきた「五地区反戦」のメンバーは、三里塚闘争、障がい者運動、生協運動、水俣闘争、釜ケ崎支援、労働運動、そして労働と実業（自営業）の世界へとそれぞれ散っていった。「五地区反戦」の創立メンバー、浜辺章太郎・中江晃・河野秀忠・辻井勝・大石安良君らは鬼籍に入っている。ただ、近畿車輛の辻井勝君のことには触れておかなければならない。彼は私らのアジトに四六時中寝泊まりし、ヘルメットを保守・調達し、二人組で夜半のポスター張りをした。彼は、❸70年10・8東大阪市議会突入・占拠闘争の後、彼特有の義侠心も働いて共労党に加入する。同志と結婚した後、41歳の若さで早世する。最も長い時間を共有した同志だったし、今だ忸怩たる思いだ。

（2020・7・21）

プロフィール：でぐち　しろう
「五地区反戦」の東大阪地区反戦メンバー、木工業自営

糟谷孝幸さん追悼に寄せて

前原　英文（元1969年4・28沖縄闘争統一被告団）

糟谷さんが参加した69年秋季政治闘争を振り返る時、60年代後半の闘いと世界的な状況での民衆の状況、雰囲気を抜きには語れないと思う。

そして個々の闘いにおいて、どれだけ闘いの全体像を把握し、共有していただろうか？

私に関していえば69年4・28沖縄闘争の前段の集会として京都の円山公園での集会に参加して、夜行列車で反戦派の労働者たちと東京に向かった。そして当日の闘いの全体のイメージや闘争の形態などほとんど解からなかった。ただただ沖縄の米軍支配の現状を変革していく闘いに参加しなくてはという想いであった。現在の視点で考えるとなんとも無謀なものであった。国鉄東京駅構内（プラットホーム）での長い、高揚した結集と集会、東大全共闘を始めいろんな部隊が歓呼の中で結集してきて電車はストップ。支給されるままに角材をもった。新橋方向へ向かったデモ隊を待っていたのは警察機動隊による催涙弾水平射ちと高架上での挟み撃ちであり、有楽町駅を通って国会議事堂にはたどりつけなかった。私には長期拘留、懲戒解雇が待っていた。事後的に聞いたところではそれまで暗黙の了解としてあった鉄道に入れば警察機動隊は追ってこないという前提が覆されたというところらしい。

上京した人々も、それぞれの党派別に参加形態を選んだようであるが、私はそういった事情はほとんど解からなかった。糟谷さんも同じような状況ではなかっただろうか？　ただただアメリカ帝国主義の戦争に加担していく日本政府、資本の動きを阻止していこうと熱く思ったのではないだろうか？　それにしても救えた命を奪った警察機動隊に強い怒りを覚えた。

糟谷孝幸さん、山﨑博昭さん、東山薫さんなど多くの闘いの中で倒れた人々を追悼し、民衆の記憶の中に残していくことは非常に重要だと思う。

もし、糟谷孝幸さんが生きていたらどうだっただろうと想いをはせる。三里塚闘争や日本原現地闘争でともに闘っただろう。瀬戸内海を守り、原発に反対していく活動、２０１１年３・11東北大地震以後の反原発闘争も、もし労働運動に参加していたらユニオン運動でともに闘っていたのではと想いをはせる。

現在まで生きている私たちがそれらの人々の思いの一部だけでも引継ぎ、次の世代に渡していきたいと願わざるを得ない。

樺美智子さんの「人知れず微笑まん」を引き継ぎ、「人知れず人民の一人として人民に奉仕せん」との想いで社会変革に参加し続けたい。


追悼50周年集会と扇町公園での献花で多くの方に再会できました。深く感謝しています。

三菱電機の活動家４名が参加されたことは何よりの喜びでしたし、三菱電機によって小菅刑務所に住所を移された私に住所を提供してくださった生島猛さん、支援活動を担ってくださった山本久司さん等々、感動の再会でした。

糟谷さんと皆さんのおかげです。

※前原さんの不当解雇撤回・就労闘争は、尼崎反戦の労働者を中心に１９６9年12月末の保釈直後から7年間にわたって闘われた。闘いの序盤は雑誌『根拠地』70・2—3合併号に詳しく、糟谷プロジェクトＨＰでご覧いただけます。（編集部）

「記憶する人であれ」——コロナ禍のなかで、韓国民主化運動から学びうること

真鍋　祐子（東京大学東洋文化研究所）

◇「記憶する人であれ」

本稿の執筆にとりかかろうとした日の朝、偶然開いたネットニュースで心震える一本の記事に出合った。朝日新聞・吉岡桂子編集委員のコラム「コロナ禍の記憶　覚えていよう、歴史は私たちのもの」（朝日新聞デジタル、2020年4月25日）が、北京在住の作家・閻連科の言葉を取り上げていた。閻は2月下旬、文章創作を学ぶ香港科技大学の学生たちに、「この厄災を記憶する人であれ」と題したオンライン講義で「自らの記憶を持つ偽りのない人間でいてほしい」と、次のように呼びかけた。

〝(当局の発表前に新しい感染症を知人らに伝えた武漢の医師）李文亮のように警鐘を鳴らす人になれなくても、その声を聞き取れる人になろう。大声で話せないなら、耳元でささやく人になろう。ささやくことすらできないなら、黙っていてもいいからおぼえている人になろう。〟

早々にコロナウイルスを封じ込め、「コロナ後」をにらんで国際社会でも存在感を増しつつある中国政府は、新

型コロナとの戦いに勝利したと、けたたましく「ドラや太鼓」を響かせるだろう。コロナ禍がもたらす悲しみと苦しみに疲弊した人々はそんな「空っぽな歌」を一緒に歌うことで、自身の感覚を麻痺させ、感情にかたくなに蓋をして、同時に自分たちの外側に悪者＝「売国奴」を求めたくなる。闇は吉岡にあてたメールで、「新しいウイルスが中国の人々の心をここまで引き裂いているとは想像を超えていた」と書き綴る。それを受けて、「こうした構図は、中国のような権威主義国家だけの話ではないはずだ」と吉岡が記すのは、日本の読者たちに向けた暗黙の意図があるからだろう。

記憶する人であれ。たとえ大声で話せなくとも、耳元でささやくことすらできなくとも、とにかく、「黙っていてもいいからおぼえている人」であれ。

なぜ「記憶」という問題が、こんなにも切実なのか。権威主義的な国家権力を前にしたとき、真実を告げる偽りのない言葉はいともたやすく封殺されてしまう。吉岡がいうように、「歴史」とはそこで地を這って生きる一人一人、かけがえのない「私たちのもの」なのに、国家や組織が打ち鳴らす「ドラや太鼓」に幻惑され、自ら分断を煽られていくうちに、いつしか私たちの手からかすめ取られてしまう。その日はきっと、盗人のようにやって来るだろう。行きつく先は独裁主義、歴史修正主義にもとづく全体主義国家である。

そのとき、非力な私たち一人一人にできる最も弱く、しかし最も強い抵抗の武器が「おぼえている」ということだ。それは出来事の名称や死者数で一括される没個性的な事項としてではなく、出来事にまつわる一人一人について、「なぜ？」を問いつづけることである。

◇記憶、哀悼、「グリーフ・ワーク共同体」

その先例を私たちは韓国の民主化と、ろうそく革命を経た民主主義の成熟過程のなかに見出すことができる。4

月15日の総選挙は民主化勢力である与党が圧勝をおさめた。勝因はたしかに文在寅大統領のコロナ禍対策の成功にあったが、私たちはそうした表層の現象の根底にある為政者のモチベーションにこそ心を留める必要がある。在韓のフリージャーナリスト・徐台教（ソデギョ）は、韓国外交部の康京和（カンギョンファ）長官がフランス公営放送のインタビューで「韓国の新型コロナ対応はセウォル号事故を省察した結果」と述べたことを取り上げ、これは「死者を生き返らせる発言ではないでしょうか」とツイートしている（4月13日、@DaegyoSeo）。徐はまた、その2日後に行われた総選挙結果をふり返る記事の中で、「政治家を選ぶことは生命に関わることだ」という有権者の意識が高投票率をもたらしたと分析した（Yahoo! ニュース、4月16日付）。

そうした意識の根底に、セウォル号の惨事をめぐる集団的なトラウマ体験があった点は言を俟（ま）たない。セウォル号が人命を軽視した過積載の船だった事実に加え、朴槿恵大統領の狼狽ぶりと無策、責任所在の曖昧さ、組織間の責任のなすり合い。そうして手をこまねいているうちに、救えたはずの若い３００人の命は人々が固唾をのんで見守るテレビ中継の画面のなかで、巨大な船体とともに生きながら水葬されてしまったのだ。その一部始終を脳裏に焼き付けた人々の多くが、「政治家を選ぶことは生命に関わることだ」と思い知らされたのではないだろうか。選挙翌日（4月16日）はセウォル号惨事の6周忌にあたる日だった。ＳＮＳを眺めていると、選挙に関する情報戦のあいまに、セウォル号惨事を追悼する記事や画像、動画などが次々と流れてきた。つまり選挙戦は、セウォル号惨事の記憶の蘇りとともに、これを追体験するかのようなコロナ禍のさなかで展開されたのだ。

しかしながら、生命の観点から政治を動かそうとする意識は、なにもセウォル号の惨事をきっかけに、急ごしらえで生まれたものではない。〈図〉はＳＮＳで収集したセウォル号惨事にまつわる数多い図象の一つだが、このデザインに込め

られた深い意味を受けとめなくてはならない。

「名前を呼びます」というタイトルのもと、「決して忘れない、その日・・・一人一人の名前を呼びます」と書かれている。中央にセウォル号惨事を象徴する黄色いリボンが描かれた正方形は、犠牲となった高校生たち一人一人の名前で構成されている。同時期に流された同タイトルのYouTube動画は、死者たち一人一人の名を延々と呼ぶ内容で、ただそれだけで10分以上にもわたるものだった。これは闇連科がいう「自らの記憶を持つ偽りのない人間」にしかなしえない悼み方だろう。そこには、人の心を伴わない「空っぽな歌」など、どこにもないのだ。

そうした記憶と哀悼の様式の背後には、韓国現代史を貫く壮大な「グリーフ・ワーク共同体」が横たわっている。その原点が１９８０年5月の光州事件だった。「アカ」「暴徒」として尊厳を封殺された死者たちの名誉を回復するための闘いが、新たな民主化運動の在り方として立ち上げられた。活動家たちの運動の主語は「私」ではなく、「死者」である。権力の不義と暴力に憤り、異議を申し立てるのは「私」ではなく、それによって殺された一人一人の「死者」なのである。

やがて「死者の名前を呼ぶ」ことで死者を記憶し、哀悼するという方法は、１９８０年よりも前の時代、もっと遡っては大韓民国政府樹立（１９４８年）に前後したイデオロギー内戦の時代にまで及んだ。歴史の闇に埋もれてきたさまざまな出来事を掘り起こしては一人一人の死者を突き止め、その名を記録し、追悼する営みが時代と空間を超えて敷衍(ふえん)された。ここ数年来の、目にもまぶしい韓国の民主主義の成熟ぶりは、だしぬけに生じたものではない。歴史を学びながら死者たちが「なぜ殺されなくてはならなかったか」を問い続ける作業は、既存の国家構造に対抗する歴史意識の定立をもたらし、それを軸とした分厚い「グリーフ・ワーク共同体」を生成してきたのである。

つまり民主主義を勝ち取った真の勝利者は、分断以降の国家暴力事件の数々、それによる無数の死者たちの名前とその「声」を「おぼえていること」に倦まなかった人々である。個々によって生きられたさまざまな「記憶」の伏流水が、気の遠くなるような歳月をかけて合流をくりかえし、やがて大きな波濤となり、ろうそく革命によって、日本帝国主義の負の遺産である権威主義的国家体制を根底から突き破ったとみるべきだろう。先の総選挙の結果は、そうした歴史的背景の延長上に見極める必要があるのだ。

◇運動資源としての死者

こうした息の長い韓国民主化運動の歴史に照らせば、今これから50年前の国家暴力事件の真相を掘り起こし、糟谷孝幸という死者の「声」を記憶し、追悼しようとする取り組みは、決して遅すぎることはない。ただし「おぼえていること」とはどういうことなのかを、まず私たちは韓国民主化運動の歴史から虚心に学ぶ必要がある。

韓国にあって現在の日本の運動に希薄なのは、一筋の確たる歴史意識であり、またそれにもとづく「グリーフ・ワーク共同体」の意識ではないかと考えている。２０１５年にSEALDs（Students Emergency Action for Liberal Democracy：自由と民主主義のための学生緊急行動）という学生団体が結成され、国会前のデモに多くの人を動員したことは記憶に新しい。だが、その様子を眺めながら、私がいつも歯がゆく感じていたのは、運動することの意味における歴史的再帰性の乏しさ、それゆえの運動理念の脆弱さと、運動する主語が常に「私」であったことだ。これでは広範に人々の心に訴えかけ、糾合し、動員しうる普遍的な運動へと成長のしようがない。戦争反対を叫んで「私」の命の尊厳は訴えるが、隣り合う見知らぬ他者たちが何ゆえに命を脅かされているか（戦争よりも、それは日ごとの糧の問題かもしれないし、いわゆる「ブラック企業」による労働搾取かもしれない）には想像が及ばず、関心もない。ペンライトをもつなどと韓国のろうそくデモの形式は学ぶが、そこに流れる無念に死んだ死者たちに寄せる記憶と哀悼のエートスには関心を寄せない。他者に共苦する動機をもたず、「死者」を主語としない運動には、高橋和巳の『明日への葬列』（１９７０年）も、真継伸彦の『青春の遺書』（１９７３年）も、全くもって無意味であろう。だが、そうした過去への軽視と、自身が属する「いま・ここ」にある社会構造の自明視（たとえば、日本は「民主主義の国」と信じ込まされてはいないだろうか？）と、社会の歪みに押し込められた見えない他者への無関心とが、この国の運動を先細らせ、民主化を阻害してきた一因だったのではないか。

私はこの原稿を、韓国民主化運動を対象とする一韓国研究者の立場で書いている。世代的にも（１９６３年生まれ）、糟谷孝幸氏の事件を直接知る立場とはいえない。韓国民主化運動を研究してきた視座から言えることを、あえて岡目八目と称して提起しているのである。韓国の民主化運動は、死者を「資源」として突き動かされてきた。それは目的合理性という目先の意味では全くない。むしろ逆だ。運動する者たち一人一人が「死者」の目で世の中をまなざす。そして、彼はなぜ死ななければならなかったか、一体どのように殺されていったかを、死者になりかわって考える。そのためにひたすら学び、真相究明に取り組み、横との連帯を通して情報交換し、議論する。運動によって社会をどう変えるべきかを、命をかけてまで「死者」が願った理想の社会の在り方を軸にして考える。またまた、そのための学びと議論を重ねていく。いってみれば、己に死に死者を生かすという価値合理性を生きるのである。そこに私心が入り込む隙はない。

10・8山﨑博昭プロジェクトのＨＰに、次のような一節がある。

〝糟谷孝幸君は「…ぜひ、11・13に何か佐藤訪米阻止に向けての起爆剤が必要なのだ。犠牲になれというのか。犠牲ではないのだ。それが僕が人間として生きることが可能な唯一の道なのだ。…」と日記に残して、11月13日大阪扇町の闘いに参加し、果敢に闘い、機動隊の暴力により虐殺されたのでした。〟

これを読んで、私たちは糟谷孝幸という死者を私的領域での死者にとどめおくことなく、その死の意味とともに社会化させるべきだと、強く思った。それは死者自身が望むところでもあるだろう。彼は生きるために死んだのであり、彼が思い描く理想社会を実現するために命をかけたのである。あれから50年以上の時が流れても、日米同盟に依拠したポストコロニアル状況も、機動隊の暴力も、また〈岸─佐藤─安倍〉という権力者の筋も、実は何一つ変わっていない。そう、日本は民主主義の国なんかではないのだ。私たちはそろそろ、主語を「死者」とした運動に立ち上がるべきである。死者を記憶し、死者を学び、その生を愛し死を悲しみ、死者のまなざしをもち、死者になりかわって考え抜く運動に。

冒頭に紹介した吉岡のコラムは、次のように結ばれている。

〝社会の記憶力の乏しさこそ、権力に同じ過ちを許す。だからこそ、国家が都合良く再構成した歴史ではなく、ささやかでも消せない個人の記憶が大切なのだ。

おぼえていよう。目の前で起きていることを。コロナ禍の中で編まれつつある歴史の手綱を、握りしめておくために。〟

まずは、糟谷孝幸という「消せない個人の記憶」から始めよう。それは狡猾な国家権力に簒奪されない「私たちのもの」として、歴史の手綱を握りしめることの第一歩である。

50年目の復唱「斥候(ものみ)よ、夜はなお長きや」

吉田　智弥（枝葉通信発行人）

１９７０年の前後、ほぼ同じ時期に勇名を轟かせた吉本隆明氏の全集は鳴り物入りで続刊されていますが、「我らが」いいだももさんの全集は出ていませんね。

当て推量でいえば、「いいだ全集」出版の企画は色んな人たちから何度も出されたのではないか。なにしろ、一時は論壇を席巻したような傑物ですし、新左翼党派の内外、周辺には、刺激や影響を受けたり、文学・思想運動（新日本文学会）や大衆運動（ベ平連）の分野でも「いいだ理論」に傾倒していた人たちは少なくなかった筈ですから。

では、なぜ「いいだ全集」の企画が実現しなかったのかと言えば、答えは単純明快で、吉本全集のような売れ行きが見込めないからでしょう。

50年たった今日から見て、政治的・思想的な面で、吉本といいださんを比べた場合、どちらの方が誠実で、原則的な立場において一貫していたかといえば、これは言うまでもなくいいださんの方です。吉本の場合、比較的初期の花田清輝氏との論争一つとっても、晩年における原発支持の態度表明に照らしても、すでに歴史的な決着はついている、と私は考えます（↓前者の吉本批判については、好村冨士彦『真昼の決闘』晶文社が明快）。

にもかかわらず、吉本全集の方は「商品として」売れる見込みがあり、内容において格段に優れていると思われるいいだ全集の方は商売として成り立たない（と見られている）。その両者の今日的な市場評価の相違にこそ、私たちがいま問題にしようとしている「糟谷プロジェクト」の意味を掘り下げる大きなヒントがあるのではないか。

吉本全集が売り出されるとき、何人もの有名人たちが推薦人として名前を連ねていました。上野千鶴子、糸井重里さんなど、60年代の半ば以降、大学入学の当初にうけた吉本理論からの衝撃を引きずっている人たちですが、彼らは今日の文脈で「原発支持」を表明した吉本についての弁護や弁明を引き受けるわけではない。その点に関する限り、不誠実な人たちです。同じ世代の浅田彰さんが某雑誌の対談で吉本の主観主義を難じていましたが、全くその通り、詩人としての恣意的なイメージなら幾ら拡大しても「カラスの勝手」で済むが、政治思想や社会批評の分野で議論する「言語」の場合には、自分の個人（主義）的な「美」的解釈を絶対化するのは百害あって一利なしです。

が、それよりも、いま私たちが問題にすべきは、なぜ「いいだもも」が70年代に獲得した読者からソッポを向かれているか、ということでしょう。ソッポを向かれないまでも、いいださんが向きあった問題の中心的なテーマを検証したり、その視野の全体性や先駆性を再評価したり、逆に原理的な批判を加えたりするための「読み直し」がどこからも提起されないのは、なぜなのか。何よりもそうした議論のないことが残念です。当時、部分的に同伴した大学のセンセイ方も多くいた筈ですが、彼らがそうした仕事に着手しようとしない、としても、これは仕方がない。いいださんが対象とした歴史的・思想的な世界が膨大すぎて、細部にこだわることが好きなアカデミックな研究テーマに収まりきらないからであり、へたに首をつっこむと火傷をするからです。利口な人はそんなことはしない。

むろん、そもそも読解力の及ばない私などは割って入るのも不遜ですが、それでも当時から現在に至るまで「いいだもも」はずっと気になる存在でした。が、その「気になる」中身には最初から或る違和感がついてまわっていた、そのことはここで言っておかねばならない。端的に言えば、１９６９年の11月13日の大阪・扇町公園にいた時も、その数日後に、東京・羽田の周辺で右往左往していた時も、そうした現場へ私を引き寄せた共労党の機関紙『統一』主張のカゲキなスローガンと、本来の「いいだ理論」はどこまで一体のモノとして受けとめられるのか、ずっと悩んできたのでした。

いいださんが専ら文筆の世界で活躍する評論家であれば、私はもっと気軽にその著作物に親しんで活字の表現に興奮するだけの関係で十分に満足しただろう。ところがあの人はあちこちの集会の場で、あの独特の掠れ声で実際にアジ演説も行い、自らもデモの隊列に身を投じておられた。とすれば、その主張に憧憬した者としては、自分独りが安全地帯にいてデモ隊に拍手をしてオシマイ、ですますわけにはいかない。ましていいださんは、どういう政治的な思惑があってかは知らないが、私のような者にまで何冊も出版されたばかりの本を送って下さった。中にはサイン入りのモノもあって、これにはマイッタ。礼儀としても読まないわけにはいかず、間違っても古本屋に売りとばすわけにもいかない。理解できた範囲での感想文を礼状としてお送りしたことも何度かあるが、最後の方には、ご自身が「枕本」と名付けるような大部の本まで送られてきて、その時には本当に往生した。正直、地域活動家たる私の力量ではとても読めなかったからである。

だが、同時に私が自分を卑下しないためにも書いておかねばならないが、開高健がどこかで絶賛していた小説『斥候よ夜はなお長きや』や、大衆向けのデビュー作『モダン日本の原思想』、ポスト70年の方向を見失いかけた者らに再学習を促した『日本文化の方位転換』、その附録の『昭和史再考』、奈良で部落史を学んでいる最中に出会った『日本」の原型』、鶴見俊輔さんらとの共著『転向再論』など。それらはいずれも長く私の座右の書であった。残念ながら「いいださんからマルクス主義を学んだ」覚えはないが、歴史観については私の見方を大きく揺さぶる読書体験をさせてくれた。この学恩は忘れない。

あの軽めの文体にも拘わらず、いいださんは冷徹なリアリストであった。私が信頼できる先輩や友人たちに届けてきた個人紙「蛇行社通信」の中で、向井孝さんの「闘いというのは負けるものや。一時的・部分的にでも勝てたら、それは儲けもんや」という発言を紹介したら、日をおかずに「同感です」という感想文がいいださんから送られてきた。その時に腑に落ちたのだ。国鉄蒲田の駅前で、自警団の薄暗い視線をあびながらデモともいえない隊列の中に身をおいていた時、果たして同じ時刻に、いいださんはこの近辺にいるのやろか。いいださんはこういう「東京決戦」の延長線上に活路を開くことが出来ると本気で考えているのやろか、という疑問を抱きつづけたのだが、百戦錬磨のいいださんがそうした楽観主義に身を委ねていたわけはないのだ。

おそらくいいださんは目の前の現実が持っている（現状変革への）可能性がコンマ以下の、更にその下にゼロが続くことを見抜いていただろう。が、それが私たちが生きる現実であるとすれば、それに向きあう者たちが実体験として敗北を重ねる以外には、どこにも「道」はないのだ。共労党を結成する以前、消去法であれ何であれ、いいださんは「日本のこえ」に同伴していたことは誰でも知っているが、その首魁である志賀義雄氏は、晩年のいつ頃か、自分の寿命を目安にして革命の日程を考えるべきではない、と言ったとか言わなかったとか。ましていいださんは、革命というのはイコール永久（永続）革命と考えていたはずだから、仮に羽田空港につづく道の全てを新左翼諸党派のヘルメット部隊で埋めることができたとしても、そういう「決戦」で、革命を手許に引き寄せることができると考えていたとは思えない。その意味では、理屈は別にして、その時の状況の本質を理解する点では、たぶん私はいいださんと思いを共有していたのである。何よりも、同年11月17日の早朝、再び蒲田駅前に結集した私（たち）は、そこで待ち受けていた機動隊の或る隊員のジュラルミンの楯一面にプロ顔負けのミッキーマウスの漫画が描かれているのを見て、「なるほど」と全てを「了解」したのだった。自分たちが獲得している歴史的限界が見えていた者にとっては、勝ち負けは始めから論外だったのである。

その点では、贔屓の引き倒しになることを承知で言うが、クループスカヤ女史が、自分の夫は、文学に耽溺する点においては度しがたいナショナリストであったと書いているのと同じく、いいださんは日本の民衆の度しがたい弱さを知り抜いていただろう。

それにも拘わらず、絶望することを自らに禁じて、ニヒリストにもならずに、わずかでも可能性があればそこへ赴き、その場で独自の活動を模索する者たちを励まし、それらの未熟な活動家たちの連携を最大限に追求したいと考えたのだろう。それが共産主義者なのだと。それが自分の役目なのだと。

その後の、共労党内での「党派闘争」については私は事実関係をまったく知らない。

同じ大学の先輩である戸田徹さんからは何度か「学習会」への参加を呼びかけられたし、一部の業界雑誌（?）によれば戸田さんが「マルクス葬送派」を名乗っていたことも知っていたが、たぶん私の理解能力を慮って、そうした立場からのいいだ批判を一度も聞かされたことはなかった。

その意味でも、とりわけ思想的なレベルでは、私の「70年闘争」は1969年11月から全く前に進んでいない。個人的なことをいえば、数年後、私は精神的にも身体的にもパンクして広告コピーライターを廃業し、半年間の闘病ののちに公務員労働組合の書記として（活動家としての）現場に復帰した。いや正確に言えば、「現場に復帰」しようとして、戸村一作選挙の時にいろいろと教えてもらった大阪中電の前田裕晤さんに連絡をとって奈良自治労内での機関紙『労働情報』の読者拡大を担当したり、いいだももさんの意欲に挑発されて『季刊クライシス』誌の読書会を呼びかけたりしたのだった。

以後、周辺に私の名前が記憶されるような「闘い」の成果など何一つないまま40数年が過ぎる。無理にでも「自慢できる」ことを吹聴するとすれば、この50年間、少なくとも主観的にはサヨクとして生きたということだろう。その結果として、信頼できる旧友の（一定の距離をとりつつ、同じ50年の私を批評的に見てきた）M君から、こうした原稿を依頼される程度には、傍目にも「志」を持続させてきたのである。

糟谷孝幸さんには一面識もないので、彼の死にかかわる私の想像力には自ずと限界はありますが、いま79歳になった私が21歳のままの彼を記憶していることを示すために、この原稿を「糟谷プロジェクト事務局」のＭ君に届けたい。

（２０２０年5月27日）

コラム

糟谷の眠る菩提寺・加古川称名寺（しょうみょうじ）

墓守＠加古川

糟谷の地元の後輩として、その「墓守役」を仰せつかっている者ですが、毎年の11／13に合わせて、「秀さん」他ゆかりの面々の墓参りをお手伝いさせて頂く程度のことしか出来ておらず、お許しください。とは言え、それが50年目まで続けられてきたこと、また、その「遺志」が地元でも受け継がれていることは、彼の行動が如何に重く大きかったかを示しています。

実は、彼の眠る菩提寺である称名寺は、それ以上に糟谷一族の長い歴史を見守ってきた、巨大なイチョウの木で有名な加古川の名刹です。

正確な建立の年代は不詳ながら、鎌倉時代に当地の領主であった糟谷有数がこの地に加古川城を築いた時からの一族の菩提寺として存在していたらしく、加古川の氾濫で流失したりしたものの、その都度一族の手で再建されたとのこと。

室町南北朝時代に、足利尊氏に都を追われた塩冶高貞の家来七騎がここで追手を食い止め憤死したとの頼山陽の筆といわれる記念碑も残っています。

しかし、加古川の名を歴史にとどめるのは、秀吉の西国攻めの起点となったことでしょう。天正5(1577)年、加古川城糟谷の館に入った秀吉は、ここで諸将を集めた「加古川評定」を行い、西国の雄・毛利勢との戦いの軍略を練りました。反旗を翻した三木城攻めでは、渦中に戦死した兄に代わり城主となった糟谷武則は一旦三木別所勢に加担も、あの黒田官兵衛の説得で秀吉側となり、その推挙で、秀吉の小姓に抜擢され、天正11(1583)年の柴田勝家との戦いで活躍、「賤ヶ岳の七本槍」と有名を馳せました。

こうして、加古川一万石の所領を得た糟谷武則も、やがて関ヶ原では、「七本」の中で唯一西軍に与することで敗軍、徳川により廃城とされ、武則の墓所として称名寺は残ったのです。

時代の荒波の先端のところで、その生死を賭けてきた糟谷一族の歴史を、孝幸がどこまで知っていたのか、大イチョウは今日も見守っています。

第4章

糟谷孝幸とともにたたかった日々

69年のたたかいに参加した人びとの回想

今も続く敵討ちの旅

石塚　健（兵庫県西宮市）

糟谷くんが亡くなった同じとき扇町公園の集会に一反戦派労働者として参加していた。当日のあの光景は今もはっきりと憶えている。扇町公園の南側の車道は火炎瓶で一面に燃え上がっていた。炎の向こう側に機動隊の黒い壁ができていた。その黒い壁にむかって数十人の学生の一団が炎の河を渡って突入していった。その中に糟谷くんもいたという。糟谷くんは逮捕された後、警察署で「黙秘します」と一言だけいって意識を失いそのまま亡くなったと聞いた。その後糟谷くんの死因について権力犯罪を立証するべく裁判が行われたが、敗訴した。

あれから50年、市井の人となった私たちは日常生活を送りながら年を重ねてきたが、糟谷くんだけは忘れないようにしようと面倒見の良いHくんの呼びかけと骨折りで毎年一回命日に加古川の寺を訪ねて墓参りを続けてきて、一昨年50回忌の法要を行った。お墓の前で時々岡山大生のOBとお会いしたが、糟谷くんを忘れない人がここにもいると知ってうれしかった。そしていま記念誌がつくられようとしている。

私の個人史でいえば、60年安保闘争で樺美智子さんが亡くなったとき、私は高校を卒業して働き始めた時だった。樺さんの死を知って最初に思ったのは「樺さんの敵は俺が討つぞ」という大それた思いだった。その時たぶん日本中で同じ思いを持った若者は私一人でなく、何十人、何百人もいたと思う。その気持ちは心の深いところで続いていて、山﨑博昭くんのときも糟谷くんのときもくりかえされている。しかし80才を目前にしたいまも、私の敵討ちの旅は果たされていない。

糟谷君と同時代を生きて

大石　和昭（弁護士・岡山大ＯＢ）

１９６９年東大安田講堂事件が起こり、東大入試が中止となった。私は入試の前日、静岡から東海道と山陽線を乗り継いで岡山駅に降り立った。受験会場は岡山大学ではなく朝日高校であった。高校の正門前にはヘルメットにタオルで覆面をし、入試粉砕を訴える学生がいた。同年4月はじめ、大学校舎はバリケードで封鎖されていた。私は、法文学部の大講堂に足を踏み入れた。そこでは全共闘主催の新入生歓迎式が開かれていた。私の大学生活の第一歩は、大学の入学式ではなく、全共闘主催の歓迎会で始まった。同月16日、大学構内で投石事件が起き、警官1名が死亡した。学生会館辺りは騒然とし、歩道には石の塊が散乱していた。異様な雰囲気に気後れし立ち尽くし、遠くから様子を窺っている私がいた。

その後、私はセツルメントに入部し、大阪市大、慶応大、駒場のセツル全国大会に参加した。この頃に、青井さん（現在の内藤秀之）に会った。同年9月初め、「70年安保粉砕」の市内デモがあり、私は初めてヘルメットを被った。デモ隊はジグザクデモをした。機動隊の指揮者が「ヘルメット全員検挙」と号令を掛けた。私は機動隊員に逮捕され岡山東署に留置された。19歳の私は岡山家裁に送致され審判不開始とされた。両手錠を掛けられて自由を拘束され、顔写真や指紋を取られた。弁護士（奥津弁護士）の接見を受けた。このことは、私の人生に大きな影響を与えた。

大学は、同年9月後半機動隊を導入して封鎖を解除し授業を再開した。私は授業再開反対デモなどに参加し、同年10月21日新宿、11月13日扇町公園の街頭闘争に参加した。糟谷孝幸さんが同じ学科の先輩であることは当時知らなかった。思い出すに、岡山からの参加者は赤穂線経由で普通列車を乗り継ぎ大阪まで行った。桃山学院大学に一泊して準備をし、実力グループとデモ隊グループに別れた。私はデモ隊グループの最前列付近で隊列を組むことになった。集会が終わり、デモが始まった。デモ隊は何度もジグザグを繰り返した。その何回かのジグザグの瞬間、実力部隊が機動隊と衝突した。その衝突のさなか、糟谷さんは機動隊員により虐殺された。大学に戻るまで糟谷さんの虐殺の事実を知らなかった。虐殺を伝えられ怒りに震えながら、大学事務局を封鎖した。

その後、私は大学に戻り、1974年秋に司法試験に合格した。「逮捕歴」のため、翌年2月最高裁判所に呼び出されて、面接、誓約書の提出を求められた。この時、数人の合格者が呼び出されていた。彼らとは研修所で再開し、「反戦法律家連合」として活動することになった。1977年4月、岡山弁護士会に入会した。事務所は「岡山法律センター」。入会当時、既に大学闘争はなく、新左翼党派は奈義町の日本原自衛隊基地撤去の運動をしていた。私は農民として基地撤去の運動を続けている内藤さんと再会し、運動に関与するようになった。当初は不当逮捕された活動家の刑事弁護活動をし、その後、土地明け渡し訴訟（所謂「自主耕作裁判」）の農民側代理人として、自主耕作の正当性と自衛隊の違法性を裁判で訴えた。10年に及ぶ裁判（最高裁で敗訴）の間、現地農民や憲法学の小林教授、農業経済学の五味教授などの多くの協力者と訴訟準備を含めて貴重な時間を共有することが出来た。

1994年4月、日弁連は「日本の戦後補償—戦争における人権侵害の回復を求めて—」のテーマで京都人権大会を開催した。委員の一人として韓国の調査に行った。現在も韓国との間でこじれている従軍慰安婦問題、強制連行問題の調査であった。韓国では、挺身隊問題対策協議会や外務省の人と協議をした。また、独立記念館の見学もした。日本による朝鮮侵略の歴史を肌で感じることができた。

２００１年９月11日、米国で同時多発テロが起こり、イラク戦争が始まった。政府はイラク特別措置法を成立させ自衛隊を派兵した。この時、矢山（元衆議院議員）さんの呼びかけで自衛隊イラク派兵阻止のため原告団、弁護団を結成し、イラク派兵違憲訴訟を岡山地裁に提訴した。多数の市民が原告として参加できたのは、日本原の運動が現地農民と地域の労働者・市民との連帯により、粘り強く行われていたことにあると思う。２０１４年７月１日、集団自衛権を認める閣議決定が出た。県平和センターから「戦争をさせない１０００人委員会岡山」を作りたいと要請され参加した。委員会は同月21日設立され、市民団体、労組とともに街頭に出て、法案反対の運動をした。しかし、２０１５年９月19日、参議院で「戦争法」が強行採決された。この闘いは今も継続中であり、安保法制違憲訴訟は岡山地裁にて審理中である。私はその他に、スモン被害者側代理人、医療過誤事件の患者側代理人、苫田ダム反対運動・訴訟の住民側代理人などをしてきた。

私の弁護士人生を振り返れば、運動・訴訟では敗北の連続であった。しかし、人間の尊厳と自由を守るために闘っている人、そのひとりひとりと時間を共有できたこと、そして今も同じ思いを共有する人たちと運動できていることをうれしく思っている。糟谷さんも同じ思いで１９６９年の時代を生きようとしていたのではないかと想像する。権力に虐殺された事実を私は決して忘れない。

激動の日々を回想して

大塩　剛（弁理士）

1　1969年前後の激動の時代をリアルタイム体験した世代に共通しているのは、当時のことを語らないことである。特に、少しでも政治運動または学生運動にコミットした者は、頑なに語らない。その理由は何であろうか。もともと、私たちは職場や家庭などで政治に関する議論をする習慣を持たない。通常の生活空間で、学生運動の経験を語っても、否定的な反応が返ってくるだけである。それは、政治的またはイデオロギー的な反感というより、学生運動に熱中したことに対するある種の妬み、軽蔑を感じるのである。私自身は、学生運動にも政治運動にも熱中したというほどではないが、当時のことを殆ど語ったことがない。

最近、各種の勉強会や会合に出席し、自己紹介を行う機会が増えている。そこでは否応なしに、自身の政治的立場又は思想的な立場を表明することとなる。それは同時に、私の半生を振り返る機会ともなっている。人はそれぞれ、生活を積み重ね、様々な人生を生きてきた。その間に、生活上の知恵を覚え、生きる手段を見つけてきた。思想的に転向または妥協をした者も、興味の対象を変更した人もいるであろう。私は、学生時代の思想的な体験を殊更重要視しているわけではないが、決して否定的には考えていない。

2　私は、1947年生まれ、所謂、団塊の世代である。日本国憲法の制定と同年である。同級生には男女とも憲を含む名前が多い。60年安保は中学2年のときである。1965年4月に大阪市立大学工学部に入学した。ベトナム戦争が激化し、米軍による北爆が始まっていた。全学連は、三派系、革マル派系、日共系に分かれていたが、それでも学生運動の先導的役割を担っていた。私の大学の自治会も、ベトナム反戦闘争と日韓条約反対闘争を最大の課題として取り組んでいた。私は、理系の学生としては、自治会が主催する政治集会、講演会等に積極的に参加したほうである。但し、特定の党派に属さない無党派を通した。やがて、１９６７年の10・8羽田闘争を嚆矢とする激動の時代が始まる。日大闘争及び東大闘争を頂点とする全国学園闘争が広がる。私の大学でも、各学部共闘会議、闘争委員会、全学共闘会議が結成され、大学封鎖、本部占拠が行われる。１９６９年10月初め、機動隊が大学本部に導入され、徹底抗戦を叫んで時計塔に籠城した学生が排除される。

新左翼各党派は、１９６９年11月佐藤訪米阻止闘争を所謂70年安保決戦として組織を賭けた戦いの準備をしていた。私は11・17佐藤訪米阻止闘争のときには東京にいたが、直前の11・13大阪扇町公園の集会には参加していたと思う。そのとき糟谷孝幸君が死亡したことは後で知った。１９６７年10月8日の山﨑博昭の死と１９６９年11月13日の糟谷孝幸の死は私にとっては同志の死だと思っている。山﨑博昭君も糟谷孝幸君も、個人的に面識があるわけでもないし、高校や大学等の同窓生でもない。

大学には、学部に5年、大学院に2年、合計7年在籍したことになる。私は、大学を出たあと就職しないでヨーロッパに行くことにした。１９７２年9月に横浜港からナホトカ行きの船に乗った。当初、数か月の予定でいたが、日本に帰ったときは、出発から3年経過していた。

3　１９６７年～１９６９年の学生運動が回顧的に報道されることがある。そこでは、若者が社会を変えることを目指して闘ったとのコメントが付される。この種の取り上げ方には、何時もながら、違和感、反感を覚える。少なくとも私の場合、政治に関心を持ち、それに参加した理由を考えると、理想や理念を実現したいとの切実な思いはなかった。むしろ、私自身の個人的に内面的なもの内発的なものである。それは、「自分がそうしたい」という原初的な感情であり、敢えて言えば、「自分のため」である。私にとっては、それが原点であり、大切にしたいと思う。勿論、義務感や正義感ではない。むしろ、義務感や正義感に基づいた行動に対しては拒否感がある。政治運動でも市民運動でも、目標を掲げスローガンを唱えることは必要であろう。しかしながら、そのような運動に参加する契機は、目標の正しさよりも個人的、内面的のものである。私たちは、国のため、天皇のためという目標を掲げて帝国主義侵略戦争を翼賛してきた歴史を有する。国や天皇に代わって、民主主義、人権、平和、正義と言い換えても同じである。自己以外のものを上位に置く如何なる契機も、個人の内発的な動機を無化する如何なる運動も、私は拒否する。要するに、国家のため、祖国のため等の共同幻想を目的とする場合も、革命のため、民主主義のため、平和のため、正義のため、等の理念を掲げる場合も、実際に、個人が運動に参加する契機は、個人的なものでなければならないし、そうでない思想も運動も必ず思想的退廃を生み出すということである。これは、私の認識というよりも、私たち戦後民主主義教育を受けた全共闘世代の共通の認識だと思う。私たちにとって革命とは、自分自身を変革することであり、それ以上でもそれ以下でもない。

4　「能力に応じて働き、働きに応じて分配される」ことを社会主義と呼び、「能力に応じて働き、必要に応じて分配される」ことを共産主義と呼ぶ。私はこれを中学の社会科の先生から教わった。社会主義と共産主義は並列的な概念ではなく弁証法的な概念である。先ず「働きに応じて分配される」ことが実現され、それから「必要に応じて分配される」ことが目指されるべきであろう。社会主義をこのように解釈し、共産主義をこのように理解するかぎりにおいて、私は社会主義者であり、また、共産主義者である。また、社会主義の理念も共産主義の理想も、現在においても現実性を失っていないと思う。

一般に、社会主義というとき、凡（およ）そ2つの意味合いで使用される。一つは理念でありもう一つは政治である。社会主義を肯定的に捉える人は理念を語り、社会主義を否定的に考える人は政治を取り上げる。私は前者であるが、世間一般は後者である。理念を実現するのが政治なら、政治は様々であろう。屡々（しばしば）、社会主義＝計画経済、共産主義＝国家統制と解釈されることがあるが、私は理念に拘り、そのように考えない。

社会主義は資本主義から生まれる。社会主義は革命であり、本来、孤立的であり、周囲の資本主義から攻撃の対象となる運命を有する。時には全世界を敵に回す覚悟が必要である。社会主義の困難性は、内在的であるより、外在的である。それは革命の困難性といってもよい。1991年のソ連の崩壊により社会主義の否定が盛んに論じられてきた。「社会主義」国家の消滅が理念の敗北を意味するとは思わない。

プロフィール：おおしお　つよし
昭和22年3月14日東京生まれ。昭和40年（1965年）大阪市立大学工学部機械工学科入学。昭和45年（1970年）同卒業。昭和47年（1972年）大阪市立大学大学院工学研究科修士課程修了（機械工学専攻）。昭和57年（1982年）東京都立大学理学部地理学科卒業。

糟谷さんのことは、何も知らないけれど…

大杉　美千子（京都市）

69年の春に、九州の筑豊から私は京都に出てきました。

京都女子大学の学生としての上洛でありましたが、その年、私の周りには、すべり止めとして受けたこの学校に、やむなく入学してきた人々がたくさんいて、その多くは高校生の時に、すでに「学生運動」とやらを経験していたらしい。世の中のことなど何も考えずに生きてきた田舎者には、結構刺激が強すぎました。

この人々に誘われて、いろいろなサークルの話を聞きに行くということに付き合わされてプロ青同のお姉様方と私は出会ったのでした。資本主義社会の成り立ちと構造のこと、大学生であることは、それだけでこの社会を支えているのだ。というような、ちょっと乱暴な話であったように記憶しているのですが、故郷の筑豊で、中学を卒業したばかりの友人たちが、「金の卵」と呼ばれて、貸し切りバスに乗せられて、集団就職をしていくのも見送った私としては妙に落ち着かない気持ちになりました。

また当時、ベトナムの人々の闘いを押し潰すために、日々、沖縄から米軍機が飛び立っているのだと聞かされると、何かしなくては、と思えてくる。集会や学習会に出てみたり、ビラを配ったり、立て看板を作ったりしているうちに、すぐに秋がやってきました。

秋には、「佐藤訪米阻止」という大きな政治課題があるという。京女でも、それに合わせて、バリケード封鎖をするのだという話があって、何だかんだ、私もその当事者として動いている。

今、このようにして書いてみれば、ものすごく「他人事」のようですが、やっぱり、時代の雰囲気、その時代の熱、みたいなものがあって、参加するのが当然という気分が溢れていたように思います。

だけど、この大学に、バリケードを築いて封鎖する。その一員に私がいるということは、やっぱりひどく恐ろしいことでもあったのです。一人になると親のことで、胸が一杯になって、不安で仕方ない。匿名で、こんなことが準備されていると、学校に知らせれば、実行しなくてもよくなるだろうか――。などと本気で毎日考えていました。もちろん、仲間や友人のことを考えると、そんな事できる筈もなく、当日はやっぱりやってきて、私はやっぱり逮捕されたのでした。

その後もいろんな事がありましたが、私はいつでも迷いながら、こちら側で生きてきました。

三里塚の闘いは、大きかったと思います。それはやはり、エネルギー革命とかいわれて、その生きる土台から無残につぶされてきた筑豊に生を享けたことが大きかったのかもしれません。

三里塚闘争の中で、いろんな矛盾や弱さを抱えながら、それでもこれだけは許せない。ここからだけは退けないと、足を踏ん張って生きている人々をたくさん見てきました。

運動が先細りしていく時には、思い出したくない、つらい経験もしますが、それでも、どんな時でも、自分の選んできた生き方に向き合い、一歩一歩、進んでいる人々を見ながら、私もこの人達と同じ所に立っていたい。あちら側には行きたくないという、それだけの思いで、今までやってきたように思います。

私は、糟谷さんのことは〈あの秋〉に権力に殺された人、という以外、ほとんど何も知りません。

ですが何故か、糟谷さんのことは放っておけない、という心の動きがあります。これが何なのか、自分でもわかりません。

けれど、あの秋に殺されることなく、糟谷さんがその生を全うすることができていれば、彼はきっと、ひとつひとつ、ていねいに選択を重ねて、今を生きているに違いないと思うのです。

そんな当たり前のことを、無惨にも断ち切られた仲間がいるということが、私に、安易に生きることをためらわせているのかもしれません。

これからも、心して妥協のない選択をしながら、残りの生を生きていこうと思っております。

古希を迎えた年に

糟谷さんの死がもたらしたもの

岡田　勝（愛媛県・岡山大ＯＢ）

私は69年に岡大に入学した。４・12事件のあとで、がんばっている岡大全共闘を見て応援したいと思った。新入生の全共闘支持は少数派で、同じクラスでは全共闘に参加したのはS君と私だけだった。S君とはすぐに親しくなった。ある日彼の下宿にいたとき、先輩が訪ねてきた。部屋の中に私がいるのを見て帰って行った。すぐに小鍋をさげて戻ってきた。「これからS君を借りたいので、あなたはこの部屋でこれでも食べていてください」そう言ってその人はS君を連れて行った。小鍋のなかにはすき焼きが入っていた。こんな親切ははじめてで、すきやきを食べるのは、本当に久しぶりだった。あとでS君に聞いたら、この先輩が糟谷さんだった。糟谷さんはS君と同じ下宿だった。私は糟谷さんとはいちどもキチンと話をしたことがない。

だから、彼がどういった思想信条で11・13の闘いに参加したのかは詳しく知らない。機動隊による虐殺が、不当であることはいうまでもない。ヘルメットが脱げた糟谷さんの頭部を機動隊員が激しく殴打したために、彼は死亡したのだ。だが糟谷さんは、11・13を武装闘争で闘うと宣言している党派の隊列に、みずからの意思で参加したのだと思う。

クラスメイトのS君は、彼の死を知って号泣した。何日も泣き続けたそうだ。岡大生のなかでもっとも涙を流したのはSくんだった。糟谷さんの死に突き動かされたかのように、S君はＢＵＮＤを岡山で結成すると言い始めた。糟谷さんはＢＵＮＤ志向だったというのが、S君の見解だった。69年から70年にかけて岡大の全共闘は終息させられつつあったが、糟谷さんの死をばねにして、本気で革命運動をやってやると考えた人が何人かいた。

BUNDはその当時、ややこしかった。赤軍派が生まれていて、分派闘争が激しかった。

BUNDは、分派がおおく指導者もたくさんいて、機関誌出版物も多かった。それで岡山でも、いわばBUND圏の人々が模索しているともいえる状況があった。岡山には岩田弘の弟子を自称する人もいたし、関西BUND（倉敷反戦）、赤軍派を評価する人、その他。

私は、BUND圏のさまざまな人たちと交流し、BUND各派の機関紙、理論誌を読み漁り始めた。ただ、S君は、BUNDが分裂、対立することに批判的だった。とくに暴力的な分派闘争に反対だった。S君が敬愛した糟谷さんの理念とは、たぶん違っているのだろう。

「昏い死の告知に答えよ」（糟谷孝幸追悼集表題）

みずからに『答え』を強要した人たちがいた。その人たちが中心になって岡山の赤軍派が結成された。S君は、赤軍派には批判的だった。それに対して、私は赤軍派には大きな影響を受けた。尊敬していたし、協力もしたいと思っていた。ただ赤軍派に加入するのは怖かった。勇気がなかった。


この後の文章は、70年春に結成された岡山赤軍派のメンバーのうち、私がどうしても書きたい二人の革命家についての章です。ひとりは、城崎さんです。彼はいまだに獄中にいて、たぶん生涯を獄中で終えそうです。彼とは直接話したことがありません。倉敷反戦の仲間や、下津井病院の同僚だった人の話を聞いただけです。彼は本当に信頼されていました。

もうひとりは、もちろん行方さんです。私は赤軍派には加わらないで、関西BUNDに加入しました。BUNDについては離合集散を繰り返してややこしいので、大雑把に関西BUND圏に属していたのです。

行方さんとは、71年の夏に東京で会いました。彼が私たちに言ったこと。「このままでは、日本の労働者はファシズムに負けるよ」。彼は予言めいたことをポツンと言いました。私は行方さんの言葉がぴんとこなくて、戸惑いました。私たちの討論は、すれ違ったままで終わった。行方さんは、政治路線をこそ話をしたかったのかもしれない。だが私たちは彼の問題意識が理解できなかった。夏には、連合赤軍が結成された。

冬になって、岡山のBUNDの事務所に行方さんからハガキが届いた。私たちにたいして、「同じ隊列に加わってほしいという要請はもうしない」、と書かれていた。

コタツがほしい。あついコーヒーが飲みたい。

ハガキの最後の言葉がこれだった。彼は、厳しい寒さのなかにいた。

浅間山荘事件のあとで、行方さんの死体が掘り出された。

行方さんの死については、納得できないことが多い。映画を見ても、いろいろな手記を読んでも彼の死についてはほとんど描かれていない。行方さんを知る人の間でも、彼の死はまったく納得されていない。

疾風怒涛時代を想う

北川　靖一郎

「10・8山﨑博昭プロジェクト」の発起人の一人である北本修二弁護士から、講演会等のお誘いの手紙を頂いた。2016年10月21日、会場の京都精華大学に赴き、山本義隆さん監修のパネル写真で見る「ベトナム反戦闘争の時代」展(その収集力の質の高さに驚嘆)と同人の講演を聞く機会を得た。山本さんの発題は、後に本(「近代日本一五〇年、科学技術総力戦体制の破綻」)になったが、明治革命以来の「日本」を巨視的に捉え返すもので、大いに啓発された。その一方、〝糟谷虐殺から50年〟を強く意識する機会にもなった。

この会合等をきっかけに、その年11月の糟谷孝幸さんの墓参(加古川)に参加し、内藤秀之さんらに「何とかしようよ」と持ちかけた。これが、私の中では、今年一月の集いー「権力犯罪を許さない　忘れない、糟谷孝幸君追悼50周年集会」につながっていく。

この集いの準備過程は、自らの軌跡を振り返る契機ともなった。

果敢なベトナム人民の闘いは、世界的な連帯支援行動を多様な形で具現化していった。とりわけ、世界大的な若者の闘いのうねりは、新たな時代の到来を予見させた。

日本でも、〝疾風怒涛時代〟の到来と受け止められ、かってない時代の幕開けだ、と意識した。どういう時代であったか、年表を繰ってみる。すると、大概の闘争現場にいる自分を見つけ出すことが出来た。

67年から69年にかけて、やれることはやりきったという充実感と当時の想いをその後充分果たしえたのかという様々な想念が走馬灯の如く甦る。

1968年3月、民学同（左派）を結成、左に舵を切り、新情勢に対応する道を選択した。事態は急速に展開し、それまでの理屈では間尺に合わず、暗中模索状況が続いた。私の記憶が正しければ、私もその一員であった同盟全国委員会は、約一年間、「方針」（とりわけ大学論）を出し切れず、同盟各支部又は同盟員に進路選択をゆだねる事態に陥っていた。一人一人が覚悟を決め、自ら信ずる道、「これだ」と思う道を歩み始めた。このことが、「一人でもやる、一人でもやめる」、「言い出しっぺが責任を取る」ことにつながり、ひいてはそれが、当時の「孤立を恐れず、連帯を求めて」、に通じていたのだと思う。

しかしながら、自らの出処進退に追われ、仲間の苦悩や葛藤と交錯しないまま、個人的な判断に終始する結果になったのではないか、という思いも消し去ることは出来ない。

一方で、いつ何が起こっても不思議ではない、との思いを強くした時代でもあった。

闘いが死と隣り合わせであることを実感した最初が、山本光昭の死である。同人は私より1歳半年下の同級生であったが、私の羅針盤で全幅の信頼を置いていた。新たな組織作りの若いリーダーとして、疲れを知らぬ活動を行っていたが、65年の6月末、過労を訴えて寝込み、二、三日後、肺炎で、20歳6カ月の若さで息を引き取った。結果、一兵卒として、「ついて行けばよい」と高を括（くく）っていた私に、試される機会もなく、突然指導部に放り上げられるという、とんでもない試練が課せられることになった。逃げ出せば良かったかもしれないけれども、根が鈍なせいか、資質や才能が無いことを充分知りながら、どんな批判も甘んじて受けてもよい、光昭の遺志を少しでも引き継げたら、との思いから、精一杯誠意をこめて自分の出来ることをやるまでだ、と開き直って、自分に与えられた任務に挑戦していった。

67年、羽田で虐殺された山﨑博昭さんは、その年の4月に入学し、京大吉田グラウンド西に在った、通称「ハーモニカＢＯＸ」の「マルクス主義研究会」に出入りしていたから、その三つ隣の「統一会議」ＢＯＸに毎日通っていた私は彼とは顔を合わせていたはずである。

さらに、「50周年追悼集会」を準備する過程で、内藤さんから、糟谷さんは68年入学で、〝岡大新聞会〟などに出入りしていたこと、69年11月13日の前日には来阪していた、と聞いた。事情があって、68年の秋口、岡山大学に私は派遣され、「自衛隊車両構内通過問題」を発端に大学校門バリケード封鎖を提案し、その実施に関わっているので、彼に会っていたかも知れず、また、69年扇町闘争の前日の決起集会や当日の扇町公園で、会っていたかもしれない。

同じ時代を生きて来たのだと、ただならぬ因縁を感じている。

糟谷孝幸さんなど闘う仲間の命を奪った権力犯罪を決して許すことは出来ない。その後の私がまっとうに生きるように、山本光昭や糟谷さん・山﨑さんなどから叱咤激励され、今日に至ったのではないか、また、多くの人々との出会いがあり自らを絶えず再生させて今の私がある、と思える今日この頃である。

最後に、海老坂さんが、糟谷付審判請求裁判での告発人を引きうけていたことを一月の集いで初めて知った。「市民の意見30・関西」や「小田実を読む」で、何度か提起者をお願いした海老坂さんの生きざまを知る機会ともなり、良い方に発題をお願い出来たなあ、と同人に改めて感謝の意を述べておきたい。

糟谷孝幸とともにたたかった日々

小山　弘（京都市）

頭を割られ引きずられて曽根崎署に入った糟谷君が、「黙秘します。」と言ったまま翌日に亡くなった。21歳だった。私は彼よりひとつ上の22歳。ほぼ同時期に大学に入り、彼は岡山大学で、私は京都大学で、共に全国的に吹き荒れた学園紛争の激動の波の中で生き闘う日々を送った。

彼はノンセクトだったと聞くが、私は、特に政治的でもない普通の体育会系（中・高と6年間バスケットボール部に所属）の学生であったが、縁あって、のちのプロ学同につながる民主主義学生同盟に一回生の夏に加盟している。原水爆禁止広島大会（8・6）にむけ、京都駅前で署名とカンパ集めに誘われ、広島までついて行ったことがきっかけだ。

その後は、一年間は教室とプロ学同のボックス（現代マルクス主義研究会）を行ったり来たりをしたが、それまでだった。ベトナムでアメリカの北爆が激化し、その出撃拠点となった日本でのベトナム反戦の闘いの高まり、そして1968年、日大・東大を起点に全国のほぼすべての大学で、一部には高校や中学でさえも吹き荒れた学園紛争の激化。授業に出たり、バイトに行く暇さえなくなっていった。

糟谷君も私も、場所は違えど、同じ政治の渦にもまれ、同時代の匂いを嗅ぎながら日々生きていたに違いない。1969年11月13日当日のデモ隊列の中に私は居なかった。糟谷君たちがいたプロ学同の部隊を会場の扇町公園の出口近くでレポートする任務に就いていた。69年5月23日の京大学生部封鎖・占拠の闘いで逮捕され、裁判中であったために、当日は安全な場所に居たのだった。

しかし、出口近くは、大勢の市民やサラリーマン達がデモ隊と機動隊のぶつかりあいを期待して興奮状態であったし、その中にいる私も興奮して、とても冷静に戦況をレポートできる心境ではなかった。ふりかえっても、部隊の動きがどうであったか、まるで覚えていない。唯ひとつ覚えているのが、公園出口の対角にある狭い路上で、激しく警棒を乱打し靴で蹴り続ける数名の機動隊員に囲まれうずくまる糟谷君らしい人が、ぐったりした後に隊員2人に担がれて曽根崎署方向につれていかれる姿だ。反対側の歩道から追ったがあたり一帯は騒然としており、その内に見失った。

私と糟谷君とは、その時点まで多分、接点はなかったと思う。糟谷君らしい人物というのも、あとで思い返してのことだ。糟谷君とのつき合いは彼の死ののちのことである。私はその後、様々な場面で彼（学生服姿の遺影）と出会い語りかけた。一人の時は彼の写真を前に心情を吐露したこともある。

私は彼の死を一つの転機として大学を中退し、その年の暮れに40年近く在籍することになる職場に就職した。満足に授業や実験室に出ずにプロ学同のボックスに入り浸っていた私は卒業できる見通しをなくしていた。学生証を返しに学部の事務局の窓口に出向いた時「休学も出来るのだから」と職員の人から親切にさとされたが、イヤ、自分はうしろを振り向かない生き方をするんだとその時以来、自分に言い聞かせてきた。

「黙秘します」と言ったきり、一人で死んでいった糟谷君の姿を思い起こす時、それが一番自分に素直で、彼に恥じない生き方であったと今でも思っている。

私の人生の方向転換を決定づけた「11・13」

里見　柊二（元1969・11・13扇町闘争被告）

糟谷孝幸さんが生まれたのは1948年8月、私が生まれたのは同じ年の11月。ともに成長し、糟谷さんは岡山大学へ、私は京都大学へと進みました。そして1969年11月13日、巡り合わせて、大阪の扇町公園においてともに機動隊とたたかうことになりました。このたたかいで、私は逮捕され、そして糟谷さんは亡くなりました。

現場で見たこととして、公園前の道路の南側歩道を、自分では歩かず両わきを機動隊員にかかえられて引きずられていく人を見たこと、そして、私が逮捕されて連れて行かれた曾根崎警察署の道場で、床に寝かされムシロをかけられた人がいたことが、50年以上たった今もはっきりと記憶に残っています。それが糟谷さんであったどうか今となっては確かめようもありませんが、扇町でのたたかいはこのように激しいものでした。

私はその後起訴され、11・13被告団の一員としてたたかい続けることになりましたが、この11・13闘争は私の人生の方向転換を決定づけるものになったと思います。

私は小学校のころから成績がよく、阪神間の中高一貫の進学校に進み、そして京大に合格しました。大学で学業に励もうという志を持って入学したのですが、しかしすぐに、世の中にさまざまな問題があることを知り、不正をたださなければならないと思うようになりました。

当時、京大では、大学が企業の利益追求のための研究をおこなう「産学協同」の問題や自衛官入学問題などがあり、これらに反対する集会を関心をもって見ていました。そのようなとき、1967年10・8羽田闘争で文学部の山﨑博昭さんが亡くなりました。大学は騒然となり、私も大きな衝撃を受けました。そして政治行動にも参加するようになり、11・13扇町闘争へと到りました。

これらのたたかいなかで、私は京大での学業の道ではなく、政治行動の道を進むようになりました。それは悩んだ末の選択ではなく、淡々としたものでした。時代の力が働いたのでしょう。しかし今でも、大学の単位を取るため授業に出なければと焦る夢を見ることがあります。少し未練が残っているのかもしれません。

その後、私は三里塚闘争などにも参加し、多少は人の役に立つ人生を送ることができたのではないかと思っていますが、両親にはつらい思いをさせたと思っています。私が京大での学業を放棄したことを両親はたいへん残念に思っていました。母が京都にやってきてウナギを食べさせてくれたことや父が授業料をずっと払い続けてくれたことを思うと、今でも切なくなります。

私の人生も残りわずかですが、糟谷さんが21年の短い人生で果たせなかったことを少しでも引き継ぐことができればと思っています。

また、糟谷さんが亡くなったあと20年後に私たちはベルリンの壁の崩後を見ることになり、いま先の見えない状況を生きていますが、そこから抜け出るためにはどうすればよいかという、糟谷さんが生きていればいっしょに考えるであろう問題を考えながら残りの人生を過ごそうと思っています。

（2020年6月18日）

糟谷孝幸さんが呼んでいるような気がして

椎野　和枝（川崎市）

新幹線を新大阪で降りて、慣れないローカルに乗り換え案内を頼りに会場に向かった。ＰＬＰ会館を探しかねていると、近くの会社に行くという50代半ばくらいの男性が親切なことにこっちの方向だとともに歩いてくれる。道中、私の行く目的は「50年前、首相の訪米にたいする抗議集会の中で機動隊とぶつかって連打され亡くなった糟谷孝幸という若者を追悼する会に出るのだと」と言う。すると男性は、そういう若者がいたのですか、とすんなり聞く耳を持っている人だった。礼を云って会場に向かう。

会場はすでに異様な熱気に包まれていた。声高く談笑する男性たちの様子は同窓会さながら。小田実の生前から〝市民の意見30関西〟に入っている私は、北川靖一郎、美紀さんから追悼会の案内をうけた。

話者の海老坂武さんも到着して開会されると、司会者は田中幸也世話人と高村幸子さん（ふぇみん岡山）の二人で進められる。当時、糟谷と行動をともにしたという内藤秀之さんの話の始まりは、初めて訪れた者にとっては生々しい現場の様子がよく解り、息をのむ思いであった。追悼の深い思いが伝わってきた。海老坂さんの「69年とは何であったか」の話は、67、68年の世界の動向を踏まえ、佐藤訪米阻止闘争という日本の社会運動の中で命を亡くした糟谷孝幸の生きてきた激しい時代背景と世界の状況を話した。ジャテック（JATEC : Japan Technical Committee to Aid Anti War GIs—反戦脱走米兵援助日本技術委員会）など同時代に活動した人の若者への想いと政治への怒りをそのまま、今日の米軍基地建設、原発輸出問題に立ち向かおうとの示唆。続いての同級生らのスピーチは、当時の現場を思い出して胸詰まる人も。想いの重圧が激しい人の様子は、50年後も消えない暴力の爪痕を想像させられた。追悼会のスピーチは女性からも続いた。山﨑博昭プロジェクトの水戸喜世子さんの救援最中のお話など、極めて冷静な伝え方であった。溝辺節子さん、松井裕子さんら女性の登壇もあり、カメラを撮る人も司会者も女性というこの会の企画はノーマルだと思った。

連帯の挨拶、特別報告など収まりきれない。その思いは本の出版に繋がるのであろう。糟谷さんの誠実に生きた日々と、扇町での事件は詳細に記録されなければならない。白川真澄さんの市民運動の総括的な閉会の話は、日帰りで来た甲斐があったと感じさせた。献花には同行できなかった。

桁違いの大きな活動をした糟谷さんに出逢うと、私はどんな活動をしてきたのかと自問する。終戦を迎えたときは小学校5年生だった。新憲法に勇気づけられて歩んだ。女性が社会参画できるための学習活動に始まり、憲法を学ぶ市民活動、有事法制の際には鶴見俊輔さんを囲んでの会開催、小田実を読む会に通う、さよなら原発署名活動、鹿野政直さん、堀場清子さんとの日米地位協定を読む会、沖縄の女性とも繋がったもろさわようこの志縁の会。澤地久枝さんらと毎月3日〝安倍政治を許さない〟国会正門前のスタンディング。

これらの会で自らの考えを耕してきた。生活者が身の丈に合うくらいの活動をしてきた、これを活動などと云えるのかと思うのだが。私の日常の活動は市民館で会う人に話しかけることを方法とし、人々とともに歴史を学び、いまにつなげて考える機会をつくるちいさなグループを基礎にしている。

追悼会に出てから私には糟谷孝幸さんの声が聞こえる。孝幸さんのことを伝えたい。〝社会を変えたい〟と思っている仲間たちに。

プロフィール：しいのかずえ
共著『山陽路の女たち』（一九八五）『ヒロシマの女たち』（一九八七）ともに広島女性史研究会編、ドメス出版
共著『テキスト現代女性読本』（一九八七）神田道子と女性の学習情報をつなぐ会編、三省堂。
共著『みんなの憲法二四条』（二〇〇五）福島みずほ編、明石書店。

「70年闘争」を振り返って

高原　浩之（元共産同・元赤軍派）

糟谷君とは面識はありません。しかし、共労党とブンドは、68年10・21前後から「八派共闘」を組んだ。私も、深くかかわり、69年1月東大安田と4・28まで現場を共にして闘った。糟谷君が闘争に決起し闘争の中で倒れた69年11・13当時は、赤軍派に参加し大衆闘争の現場から離れていた。別の持ち場だが、もちろん同じ「70年闘争」であった。

「闘った！」感が普通かも知れない。しかし、赤軍派の指導部であった身では、「後悔と贖罪」の感で振り返らざるをえない。それを教訓としてもらうのが責務であると思う。

・反省

赤軍派は、69年4・28「中央権力闘争」の後、闘争の飛躍的な発展を期し、武装蜂起を追求した。11・5大菩薩峠大量逮捕の後、総括し転換すべきであったが、できなかった。その後も、革命戦争を追求した。しかし、大きな誤りを犯した。70年のよど号ハイジャックは日本人民から遊離した国外逃亡であり、朝鮮人民利用主義であった。72年、とうとう連合赤軍事件を起こしてしまった。日本の革命運動と人民闘争の全体に壊滅的な損害となった。なぜこんなことになったのか？

どうしても68年のブンド第7回大会に返って総括しなくてはならない。ブンドにとって、ベトナム反戦闘争と「70年闘争」の源泉であったが、大きな誤りの原因もあった。

第1。関西ブンドが指導権を奪取したが、その際、「内ゲバ」と「リンチ」を実行した。その後、それを反省せず、逆に大衆闘争の高揚の中で居直り肯定した。それで赤軍派が7・6事件を起こした。それをまたも反省せずごまかした。それで連合赤軍事件を起こした。「粛清」、共産主義運動に常に存在した悪い「体質」は必ず清算しなくてはならない。

第2。赤軍派は、突き詰めれば、「世界武装プロレタリアート」「国際根拠地建設」に基づく武装蜂起・革命戦争方針であった。この観念論と主観主義はどこからきたのか?

帝国主義から社会主義への過渡期という歴史認識、その一本調子であった(「過渡期世界論」)。資本主義の帝国主義段階の継続を分析せず、日本帝国主義の内在的矛盾を分析しなかった。日本革命を、ベトナム民族解放闘争に連帯する国際主義だけの一本道で展望した。全共闘運動に依拠し、沖縄闘争や三里塚闘争を闘った。しかし、闘争の根本にある民族問題や農業問題や大学問題などを分析する志向、それに対する民主主義的要求と社会主義的解決を方針提起する志向はなかった。反戦闘争へ動員する、この一本調子であった。

マルクス主義に基づくと、社会主義革命は資本主義に内在する矛盾が発展して起きる。革命の原動力はプロレタリア階級の階級闘争である。この思想と理論は身についていなかった。学生運動を基盤に革命をやろうとし、小ブルジョア急進主義であった。

・21世紀

新左翼全体が、70年代に解体又は後退した。しかし、80・90年代、多種多様な分野、とりわけ民族・女性・部落など差別の問題や労働者階級「下層」の問題で、闘争を継続した。そこで、人民大衆と結合し、良い「体質」=実力闘争・自己決定権を堅持し、悪い「体質」＝小ブルジョア急進主義を清算した。「偉大な努力」であったと思う。21世紀に入って、「3・11」を経て2015年反安保法闘争、人民闘争は立ち直り始めた。

20世紀は資本主義化に終わった。中心はアジア。一方は中国やベトナムの官僚制国家資本主義。他方は韓国・台湾やASEANの開発独裁と権威主義（韓台はさらに人民の民主化闘争）。グローバリズムは、上部構造はアメリカ、そして中国の帝国主義と覇権主義だが、土台は「世界の資本主義化」＝「資本主義の世界化」である。中心は金融化し産業的に空洞化し、工業は周辺に拡散して発展する。貧困と格差が拡大して社会が破壊され、自然も破壊される。「腐朽性」と「寄生性」の極である。

その対極に、プロレタリア階級の社会革命は、内容が広がり深まると思う。農業と工業、それに第三次産業の関係を再編し、社会を再建し、自然と共生する。マルクス・レーニン主義は、ブルジョア革命を社会主義革命へ発展させ転化するという歴史性があった（国有化・集団化＋生産力主義→官僚制国家資本主義）。それを乗り越える社会主義の「ルネサンス」で、21世紀は社会主義革命の時代になると思う。

（2020・6・21）

「自治会」から「全共闘」へ　私的な記憶

田中　一昭（岡山大ＯＢ）

自分も岡山大学生であった。けれども糟谷君と話したこともなく、名前も知らなかった。彼の名前を知ったのは、扇町闘争で権力に虐殺された、ということを知らされた時が初めてであった。彼は四歳若く、学部も法文学部で、自分は医学部、キャンパスもバスで乗り継がなくては行けないので、顔を合わせる機会もなかった。また、扇町闘争にも自分は参加できなかった。９月に医学部のバリケードも警察権力によって破壊され、逮捕もされたりして、あわただしかったのである。

60年代後半の闘いの意義は、言葉にするのはむつかしい。民衆自身が起ち上がる力を示すことができたのは厳然たる事実である。でも一歩踏みこんで、「戦後民主主義を超える闘い」を軸に議論しているとき、「暴力」の課題が降りかかってくる。社会の枠に縛りこまれていた「個」からの「解放」をテーマにすると、その「欲求」を資本主義が取り込んでしまう、の課題となる。「民衆が起ちあがった事実」という我々の経験は、まだまだ語り継がなければならないのだろう。その「語り継ぐ」場を作ってくれた糟谷君に、深く感謝する。

自分が大阪に住んでいた高校一年生の時に60年安保闘争。大阪の中之島公園にデモに出かけたこともあった。岡山大学に入学したのは１９６２年。各学部に学生自治会があり、また、各学部の連合会（自治会連合）もあった。

しかし、60年安保闘争の「敗北」の中で、「形」だけで沈滞していた。その雰囲気は、新入生の自分でもわかった。でも、社会に目を向ける学生たちは、新聞部やセツルメント、社研などのサークル活動に取り組んでいた。

それが、日韓条約反対闘争（65年）を契機に、「自治会」も勢いをつけてきた。自治会自身の議論（クラス会など）だけではなく、授業が始まる前に、教師に「何々問題で議論する時間をくれ」と折衝し、教師も承諾、などが出来てきた。各学部でも教授会などとの「交渉」が取り組まれ、医学部では、全国的に「インターン制度廃止」を契機に、「青年医師連合」も結成されていた。医学部を卒業しても、1年間の「実地研修」を受けなければ国家試験の資格はない、という、義務化された「無給労働」に対する抗議であり、東大闘争の一つの源流でもあった（1968年には撤廃されている）。それが岡山でも取り組まれ、卒業試験、国家試験ボイコットとなっていった。これをきっかけにマルクスの「賃労働と資本」を読んだ友人もいる。

この各学部の「自治会」運動が、独自性を保ちながら「岡山大学自治会連合」とつながり、それが「全共闘運動」に生まれ変わってゆく。

一番大きな要素は、大学当局の理不尽さに対する怒り、である。68年、県警が大学内の道路に大学の許可もなく踏み込み、学生を検挙した。それは、大学当局も言う「大学の自治」に背くと、団体交渉などを通じて追及する。大学も一度は県警への抗議を約束する。しかし、のちにそれを翻す。当然、学生の怒りが一つになる。「全学自治会連合大会」が、何年振りかに成立し、市内にも数百人でデモにも繰り出した。その「自治会連合」の大会で、「全共闘」も立ち上げることが可決された。それは二つの意味があったと思い出される。一つは、「自治会」が持つ組織形態（執行委員会、クラス代表など）のありかたを変えて、闘う意思のある者はだれでも参加できる、という意味。今一つは、学部によっては、その「全学自治会」の方針に従わない（共産党系の影響が強い）学部でも、意志ある者で「全共闘」を立ち上げることができる、という意味であった。

思い出すのは、その自治会連合の決定を受けた医学部学生大会である。午後から夜まで、延々と議論が続く。決定に賛成、反対、保留、と、どれも過半数を取れない。賛成（学部占拠、バリケード封鎖含む）派は、学生大会で否決されても「バリケード」をするぞ、の気持ちは固まっている。どうなるのだろうか、と思っていたところ、「保留派」の一人が発言する。「このまま結論が出なかったら、バリケードしたいものはやるだろう。それでは止めることができない。だから、ここは賛成して、学生大会で闘うことを決めた、としよう。そうすれば、もうやめる、が多数になったら、学生大会でやめることができる」と。

その発言を契機に「賛成」が多数派になった、という経過である。学生大会で全共闘、バリケードが可決された。「戦後民主主義を超える（つまり全共闘、医闘委）、が、戦後民主主義（つまり自治会=学生会）で可決される」不思議な経験であった。妙に忘れられない経験として覚えている。

それまで、「学生会」には振り向きもしなかった学生が、「医闘委」には多く参加してきた。覚えているエピソードは、会館の屋上から垂れ幕をたらしたい、といった時、山岳部のメンバーが「俺に任せろ」と、するすると屋上まで登ってくれたことである。

もちろん（と言う言い方はおかしいが）、権力によってバリケードは破壊され、我々、多くの学生が逮捕され、拘置所に閉じ込められている中で「学生大会」は開かれ、闘いの終わりが「可決」されたのである。

岡山の学生時代には、いろいろなことを学んだ。

一番のショックは、医者は役に立たないことを痛感したことであった。例えば三池炭鉱に「実習」で行く。そこには落盤事故などで苦しむ人たちがいる。瀬戸内海に浮かぶ小島には長島愛生園があり、「ハンセン病」への無理解と差別・偏見の中で「隔離」に閉ざされた人たちが生きている。バイト先の結核療養所では、耳から採血しかできない小生に「また吸血鬼が来た」と、笑いながら迎えてくれる人たち。また、部落解放同盟との出会いも大きかった。差別社会の中での暮らしの苦しさ。その苦しさを「苦しい」と発せない二重三重の苦しさがあり、そして、その中で「名乗ること」「声」を上げた人たちの力強さ、を学ばせてもらった。

でも、実は、1968年末ごろ、自分はもう、医者になるしかないかな、と思っていた。長年の課題でもあったインターン制度廃止も一応「勝ち取った」のであるし、卒業試験、国家試験のボイコットを続ける根拠も「ない」。医者になったら、水島（公害をもたらすコンビナート開発に向けての瀬戸内海埋め立てがすすむ）という地域で働き、労災・職業病・公害にとりくもうと、アパートも借りていた。そして69年の正月明け、そのアパートの近くの大衆食堂で、昼飯を食っていたら東大安田講堂の攻防がテレビに映っていた。思わず、「こりゃ大変じゃ」と、大学に戻った次第である。

その経験の後の、「ベトナム連帯・70年反安保」と「岡大闘争」の両輪の闘いの中での「糟谷孝幸虐殺」であった。それが、それ以降の自分の生き方・・・失敗、挫折、至らなさだらけであるが・・・の中の、一つの軸となっていることは間違いない。

改めて、糟谷君と仲間たちに感謝の意を述べたい。

デモに参加する彼女たち

寺井　律（神戸市）

1969年の11月13日の扇町公園のデモに参加、女子寮廃止の反対闘争、自主上映「沖縄列島」を担当と活躍していた三菱電機（尼崎）の彼女たちがいた。

尼崎の高校生グループは軍需生産反対の三菱電機工場包囲デモを自分たちで実施した。

当時、東京のデモで三菱電機の前原君が逮捕され、解雇された。その不当解雇撤回闘争が地域で、また多くの人々で取り組まれていた。
○○さん、デモに行こうよという彼女たちと今は心の中でしか会えません。扇町公園の闘いは糟谷君と彼女たちの結びと思えます。

「黙秘します」

中川　憲一（1978・3・26 三里塚管制塔占拠闘争元被告）

私にとっての糟谷同志とは、この同志が最後に発したと伝えられている一言につきると思います。

1969年に糟谷同志が警棒の乱打で虐殺されて50 年が経ちました。当時私は愛知県の私立大学の4年で、昭和寮という学生寮の寮生でした。空手部や合気道部等の体育会系の学寮でたいていの人は1年で退寮を選択しました。そこに私は4年もいました。朝夕の二食付きで1カ月9000円で、まあ、強くなったのは麻雀と酒ぐらいでした。（あのままだったら・・・私はこの場に来てないし、話してないだろうな・・・不思議な感じがします）

人は偶然知り合った友によって、人生が左右されるのではないでしょうか?

高校時代の親友がたまたま法大全共闘副議長だったおかげで、東京に学ランを来て遊びに行くとその親友に無理矢理ヘルメットをかぶらされデモの隊列に入れられました。最初は黄色だったか白のヘルメットで、そのあと緑のヘルメットでした。

そして・・・1969年11・13扇町戦闘以後ヘルメットの色を赤に変えたのです。

その48歳で病死した親友は、11・17佐藤訪米阻止・蒲田決戦で逮捕されました。糟谷同志につづけ!と一歩も引かずに闘い逮捕されました。麻雀と酒に明け暮れていた私は友人の逮捕にショックを受けたのを覚えております。

1970年に、一人っ子の私ですが、ふるさとの金沢に戻らず、親友がいる東京にて一旗揚げるべく名古屋から上京しました。しかし、一旗ではなく赤旗を掲げていました。１９７０年11月25日三島自決の前日、初ストライキを貫徹しました。手作りの組合旗を社長宅の物干竿にくくりつけ立てました。当時社長宅に住み込みで神田のヤッチャ場で働きながら手探りで組織づくりをしていました。

糟谷同志と会ったことはありませんが、三里塚のプロ青同横堀団結小屋の逮捕直後の写真は忘れられません。

糟谷同志の闘いは、１９７１年９・16東峰十字路戦闘、78年３・26三里塚空港包囲突入管制塔占拠のたたかいに継承されてきたと思っています。

私は管制塔16階で逮捕され、佐倉署で検事と２名の刑事の23日間の取り調べを強いられました。

「命を賭けた闘いは命を賭けて守る」

「黙秘します」

長い一日が始まった。

毎朝、朝食後1番に半地下の留置場の独房から引き出され、一番後に（午後11時過ぎのこともありました）戻された。というのは、報復的取り調べの前、私は糟谷同志に恥じない完黙の闘いを固く誓いました。毎朝23日間独房で目覚めると同時に誓いました。

そして糟谷同志のおかげで、起訴2・3日前に身元がバレたが完黙を貫徹することができました。（『1978・3・26管制塔を占拠し開港を阻止したオヤジたちの証言』82ページの共同通信社の写真に前田隊長は写ってないのに、「管制塔から連行される前田隊長」と説明文にありました）

あれから42年、あの時の気持を忘れることなく、糟谷同志に恥じない生き方を続けたいと思っております。

（２０２０年１月13日）

時代は変わる……21世紀は？

中野　貞弘（元1969・11・13扇町闘争被告）

糟谷孝幸と共に生きたとき

1969・11・13「僕らは神戸からだけど君たちは。」「僕らは岡山からだ、一緒に頑張ろう。」顔見知りでないメンバーとこのようなやり取りをしたという程度の記憶しかない。緑ヘルメットの学生グループが同じ隊列を組み、ほんの片言の言葉を交わしただけで、すでに夕闇に包まれた大阪扇町公園からデモ行進を始めようとしていた。

新聞報道で3万人（大阪府警調べ2万人）を超える総評系労働者、べ平連、反戦労働者などの大集団の行進を待つ間に鉄棒と火炎瓶が配られた。そして機動隊との衝突。その中で糟谷は逮捕され全身を警棒で殴打され、ヘルメットを剥がされ側頭部を強打されたことが致命傷になり、翌14日の夜病院で死亡した。

10・21佐藤首相訪米阻止中央闘争で関西の学生部隊の多くの仲間も逮捕され、追い詰められ、後戻りできないぎりぎりの状況での戦いだった。6・15両手を広げてつなぎ御堂筋を幅いっぱい埋め尽くして前進したフランス式デモの高揚感とは異なる張り詰めた思いで参加した。

「特別公務員暴行陵虐致死」罪で3人の警察官を告発・付審判請求する7年余りの闘いも実を結ぶことなく終わった。今の時代ならどうだろうかとふと考える。

2020年のいま、香港やアメリカでデモ隊との衝突の一部始終をテレビで見る。警察官の過剰警備は半世紀を経た今も変わらない。催涙銃を水平撃ちし、逮捕し無抵抗になった者を力に任せて警棒で打ちすえするのだ。

糟谷に導かれるように――不思議な縁――

糟谷が高校まで過ごした町は加古川だ。その加古川で暮らし働くことになった。大学を何とか卒業した後の僕は、これといった人生の目標がないまま生活するための収入があればどんな仕事でもいいということで転職を繰り返していた。４つ目の仕事の場所が加古川市となったとき、糟谷が育った町で暮らすのだと気づき、称名寺にお参りにいき糟谷の墓前に報告をした。住居は市北部農村部の神野町で、近くに学習塾もなかったことから、頼まれて7人の中学生の勉強を週末に見ることになった。このことが結果として、自分の人生の目標をようやく見つけることにつながった。

その土地には縁のないよそ者であり学校関係者でもない僕に、彼らは何でも話してくれた。そして知らされた。教師という存在が生徒にとって（良くも悪くも）いかに大きな存在であるかということを。そして、しっかりした授業計画をたて、適切な過程を経たものであれば（たとえ7人の理解力に差があっても）全員が終了時、満足げな表情を見せ、僕も嬉しいと感じること。

2年半が経ち全員がそれぞれ第一志望の高校に進学していった時、高校教師になろうと思った。家族も同意し背中を押してくれたので、高校英語教員免許状を取るため再び大学に通うことになった。幼児二人を抱えて共稼ぎで、大学は2部（夜間部）に通った。

長男が生まれたのも加古川の地だ。その頃、加古川駅前のレコード楽器店でレコードジャケットをめくっていると、エルヴィス・プレスリーの『マイ・ボーイ』（"My Boy"）が流れてきた。なぜか長男と糟谷とエルヴィスの娘リサ・

マリーの姿が浮かび、教師になろうとより強く心に誓った。

3年で免許状を取得し、運良く30歳で英語教師としての人生を歩み始めた。2年目からは思いもかけず県立高校で新設された中国語の授業も担当した。それ以降30年、生徒たちと過ごした歳月は、終始楽しく充実したものであった。


そして60歳の定年を前にした最後の2年の勤務校は、加古川西高校であった。なんと糟谷の眠る称名寺の前を通って高校に向かうのだ。糟谷の墓に向かって思わず「糟谷、君が僕を呼んだのか。」と問いかけた。そして毎朝自転車を降り、糟谷に手を合わせて仕事に向かったのだった。

教師になるきっかけを得た町、締めくくりの日々を過ごした町が糟谷の眠る町であったことに不思議な縁を感じざるを得ない。人生の節目で現れた糟谷孝幸が亡くなってすでに50年の月日が経った。

「時代と共に歩む」意識を持って生き続けたいと思うが、確たるものを持ち得ていない今の自分がここにいる。

次の『時代は変わる』は大学時代、フォークソング同好会を立ち上げ、大学祭にて部員全員で演奏したうたであった。

The Times They Are A-Changin’（時代は変わる）

Bob Dylan（ボブ・ディラン）

Come gather ' round people, wherever you roam
And admit that the waters around you have grown
And accept it that soon you' ll be drenched to the bone

If your time to you is worth saving
Then you better start swimmin' or you'll sink like a stone
For the times they are a-changin'

ここかしこにちらばっているひとよ
あつまって まわりの水かさが増しているのをごらん
まもなく骨までずぶぬれになってしまうのがおわかりだろう
あんたの時間が貴重だとおもったら
およぎはじめたほうがよい　さもなくば　石のようにしずんでしまう
とにかく時代はかわりつつあるんだから　（以降略）
訳詞：片桐ユズル＊
片桐ユズル：詩人、京都精華大学名誉教授。氏が企画された「関西フォーク」の集いや英語教授法GDM（Graded Direct Method：段階的直接法）研修会で幾度かお会いした。

プロフィール：なかの　さだひろ
１９４７年愛知県生まれ、民間企業を経て、高校教師（英語・中国語）。現在中国語非常勤講師、高校中国語教育研究会関西支部顧問、神戸市外国語大学同窓会副会長。

E・プレスリーに深く影響を受け、大学時代はフォークソング同好会（現在は部）を結成。

兵庫県立芸術文化センターオープニング記念第九合唱団に参加、オペラ「トスカ」「椿姫」にも 出演。

現在大阪フィルハーモニー合唱団員。東日本大震災後、釜石にてボランティアやコンサートを行い、今も交流を続ける。

恐れ入りますが、切手をお張り下さい。

〒113－0033

東京都文京区本郷

2－3－10

お茶の水ビル内

（株）社会評論社　行

おなまえ　　　　　　　　　　　　　　　　　様

（　　　　才）

ご住所

メールアドレス

購入をご希望の本がございましたらお知らせ下さい。
（送料小社負担。請求書同封）

書名

メールでも承ります。　book@shahyo.com

今回お読みになった感想、ご意見お寄せ下さい。

書名

メールでも承ります。　book@shahyo.com

１９６７・10・８と１９６９・11・13

西川　哲（岡山大ＯＢ）

糟谷さんとは面識はないのですが、
１９６７年は高校1年生でした、１９６９年は3年生、私にとって、山﨑さん、糟谷さんはこれまでの人生（今69歳）に多大な影響を受けました。
山﨑さんの死は、これでいいのか、何かしないと、と、糟谷さんの死はやはり、何かしないとと思って、でも、今まで何が出来たのか…、余生はお二人の意思を継承すべく、大事に過ごします！

プロフィール：にしかわ　てつ
１９７３年岡山大学入学、その後、民間会社、大学、行政法人を経て、３年前に退職、以降、地域活動等の毎日です。

69年の若者も怒っていた！

林　敏秋（京都府）

１９６９年11月、私も東京で佐藤訪米阻止のデモの中にいた。糟谷さんが大阪の扇町公園で殺されたという情報はデモ隊の中にも流れていた。当時は糟谷さんがどこの学生で、どのような思いでデモに参加していたのか知ることはできなかった。大学を卒業し、京都に就職して三里塚の闘いに参加した時出会った仲間たちから再び糟谷さんの名前を聞いたのである。

実は今回の追悼50周年集会に参加するまでは、糟谷さんをあまり身近に感じてはいなかった。11月の墓前祭が毎年呼びかけられていたが、一度も参加していない。同時代に同じ目的のために闘った仲間なのにという後ろ髪を引かれる思いはあったが、一歩前に足が出なかったのだ。

しかし、50周年集会で糟谷さんが「実はノンセクトで悩みながら内藤さんに説得されて現場に行った」という話を聞いて急に親近感がわいてきたのである。１９６９年当時、私はノンセクトというよりもノンポリに近く、どこの集団にも属せず、ふらふらと個人でデモに参加していた悩める学生だった。あの時、内藤さんのような人が強く誘ってくれたら、きっと糟谷さんのようについて行っただろうと思う。１９６９年11月13日の糟谷さんは、私自身だったのだと急に身につまされたのだった。

私が全共闘運動に共鳴し、佐藤訪米阻止の闘いや三里塚闘争に参加したのは、公害問題がきっかけである。東京のマンモス私大の理工学部に籍を置いていた私は、当時大きな社会問題となっていた水俣病などに興味を持った。

卒業後、技術者として生きていくのだが、その技術が公害を産み出し、自然や生き物、人間を苦しめる。近代科学工業文明に大きな疑問を持たざるを得なかった。大学の仲間たちと技術論の星野芳郎さんを呼んで講演会を開いたり、東大で行われていた宇井純さんの「公害原論」を聞きに出かけた。こうした中で大量生産、大量消費、大量廃棄をする現代の文明は根本からシステムを変える必要があるとの確信を深めていった。

現在、気候危機が深まり、コロナ禍で現代資本主義文明の行き詰まりがますます顕著になってきた。グレタ・トゥーンベリさんは「あなたたちは、自分の子どもたちを何よりも愛していると言いながら、実際には子どもたちの未来を奪っているのです。」と告発する。私たちは気候危機を止められず、気候正義も実現できなかった。ベルリンの壁崩壊後の30年間、ただ惰眠をむさぼってきただけだ。否、むしろ気候危機を更に深めたのだ。

世界の若者は怒っている。私たちの未来を勝手に奪うなと。糟谷さんが生きた1969年、同じように私たちにも怒りがあった。大人たちの勝手にはさせないという強い意志があった。にもかかわらずそれからの50年、惰眠をむさぼっていたわけではないが、こんな社会しかつくれなかった。

残りの人生が見える年代になり、パワーも落ちてきたが、歩みを止めるわけにはいかない。あの世とやらで糟谷さんに会った時に、下を向かず背筋を伸して話ができるように努力を続けていくしかないだろう。

プロフィール：はやし　としあき
1949年滋賀県生まれ。69年大学入学。74年公害計測器メーカー入社。78年三里塚開港阻止闘争で不当逮捕。82年不当解雇。84年復職。86年8名の仲間と二度目の解雇。94年和解解決。94年～2017年ワーカーズコープ（労働者生産協同組合）エコテックで勤務、自然エネルギー機器の販売施工に関わる。現在認定NPO法人きょうと　グリーンファンドで電気の販売等を担当。

糟谷君を記憶する

松井　裕子（沖縄）

還暦の60年も過ぎると節目ごとに自分の歩いて来た道を回想することがある。昨2019年は1969年から50年！と思い返している処に糟谷プロジェクトの情報が届いた。一挙に日比谷野音のステージに掲げられた「糟谷君虐殺糾弾！」の文字が蘇る。前後の記憶も曖昧なのに、このシーンが鮮やかに残っていた。今年の2月は「即位・大嘗祭違憲訴訟」もあり随分迷った末、あの時を闘った人々に会ってみようと大阪の集いに参加した。糟谷君がどんな想いで起ち上がったかを初めて知らされた。

69年は記念すべき年である。生まれ育った家を巣立ち静岡へ。テレビで観た東大安田攻防戦には血を湧かせるものがあった。学生寮では当然、先輩から影響を受ける。小田実の〝何でも見てやろう〟精神で好奇心の塊であったが、秋には「安保粉砕・訪米阻止」行動に導かれる。

当時を追ってみる。11月13日・静岡での集会を経て15日は約10名で東京へ。二手に分かれて私たちは羽田空港へいきなり行ってしまった！不当にも警察署へ連行され〝完黙〟している間に集会の時刻が過ぎていく。氏名を明かして釈放される時、刑事は、静岡へ帰れ！と脅した。野音に参加組から「革命が起こるかも知れない」と聞かされ羨ましかった。16日・代々木公園から蒲田に向けてデモ。夜になり、まだウブな一年生同士は無事に帰りたいと思うが先輩からはビビルな！と活を入れられる。最後は機動隊に追われて目蒲線の下丸子駅へ逃れる。17日・訪米の日、羽田へ一歩でも近づこうと電車内も駅も騒然としていた。一般乗客とデモ隊が混然一体と見えたあの情景は後から考えても不思議で得難いものに思える。六郷土手に沢山集まっていると耳にしつつ雑色駅ホームで誰ともなくスクラムを組み頭上を行くヘリに向かって叫んでいた。デモ隊列のまま改札をフリーパス、第2京浜国道へ走り出したが機動隊の壁に蹴散らされて小路へ逃げ込む。ある家の軒下に据わっている私たちに少年が中に入れと言う。一帯の学校に休校処置がとられていたのだろう。ためらう私たちに、家の人は居ないから大丈夫だと。暫くの間、匿ってもらった。時代の空気が、或いは親の背中がその様なものだったのか、自らの判断で行動できる少年がいたことに希望を見た。

後日、11月闘争の余韻をかみしめながら、自分の歩いていく道を予感した。この時点での認識は非常に浅く沖縄問題の何であるかも理解していなかった。それよりも眼前に立ち塞がる機動隊に表される国家権力にどう対峙するかを心に強く刻んだ。諸先輩にとっては最終戦・総力戦であったと後に聞くところであるが、自分にとってはスタート地点であった。糟谷君と同じ歴史のとば口に立っていたと思える。樺美智子姉や山﨑博昭兄を記憶することは死を悼むに止まらず怒りに繋がるものでなければならない。彼らを死に導いた権力の姿が今に続いていることを思うなら安らかに眠ってくださいとはいえない。共に立ち上がり闘って下さいと呼びかけたい。

ここ数か月のコロナ対策で家に隠る時間が極端に増え、手元の本の再読やＤＶＤの再観に費やした。エイゼンシュティンの「戦艦ポチョムキン」に、虐殺された水兵の死を悲しみ、怒る場面で流れる〝一人はみんなのために、みんなは一人のために〟という耳慣れたフレーズ。現在進行形の米国における黒人への構造的差別を見直し、取り除いていこうとする人々の意識・行動に重ならないか。沖縄県知事が米軍基地問題の解決を全国に問いかける時に掲げる〝自分ごととして考える〟とも通じてはいないか。

糟谷君が〝みんなのための一人〟であるなら、彼を記憶する私たちは〝一人のためのみんな〟である。歴史の中で共に生きて来て、これからも生き続ける。

プロフィール：まつい　ゆうこ

1951年、新潟県高田市（現上越市）生まれ。1969年静岡女子大学へ。1970年安保闘争や狭山裁判闘争に関わる。卒業後、地元書店で働く。1976年より大阪へ。釜ヶ崎で仕事の後、東京へ。1995年一坪反戦地主会関東ブロックに加わる。2000年に沖縄へ移動、地元の琉球絣織りを仕事としながら「南風原九条の会」「島ぐるみ会議・南風原」で活動。2001年から小泉靖国参拝違憲訴訟及び、2008年から靖国合祀取り消し訴訟に関わる。昨秋より南部のガマ案内始める。

糟谷孝幸君の死から50年

松本　宣崇（岡山大学法文学部・当時　岡大文科闘争委員会委員長）

1969・10・21　そして11・13

１９６９年11月13日、私は東京都内の警察署の留置場（どこだったか忘れた）に拘留されていた。直前の10月21日、「70年安保粉砕首都政治決戦」に参加し逮捕・拘留されていた。

シャバの情報が遮断された留置場では、大阪で闘いが続けられていたことは知らなかった。糟谷の死を知ったのは数日後、警察の尋問中に刑事から告げられたのが最初だった。ぼそっと「岡大生が大阪のデモで死んだ、名前は糟谷」と。

私は、67年６月の岡山でのベトナム反戦デモで、68年３月の東京米軍王子野戦病院反対デモでは、血まみれのまま逮捕された。そのため私が岡大生とわかっていたのだろう。大阪市内扇町公園からのデモに参加した糟谷が機動隊の暴力を受け、翌14日に収容された病院で亡くなったと、知ったのはさらに後日だった。

どんな時代だったのか

65年２月、アメリカが北ベトナムを爆撃（北爆）し、世界中から抗議の声が上がっていた。そんな中、４月には小田実氏らの呼びかけで「ベトナムに平和を!市民連合(ベ平連)」の最初のデモが行われた。以降、全国各地でベ平連が立ち上げられていった。

65年秋、中国では「文化大革命」が始まり、「紅衛兵」運動が全土を席巻していた。政治的社会的矛盾を糊塗し、アメリカによるベトナム侵略戦争の拡大に反対し、66年10・21国際ベトナム反戦デーを契機にベトナム反戦運動が拡大していった。世界的にスチューデントパワーが爆発し、ドイツやフランスでは街頭で叛乱していた。日本の派兵なき参戦・侵略加担に反対し、日本でも全国でベトナム反戦集会・デモが展開され、「反戦フォーク」が街にあふれるようになった。そして労働運動の中にあっても、全国各地そして職場に「反戦青年委員会」が結成されていった。加えて、66年には「三里塚芝山連合空港反対同盟」が結成され、全国から学生らが支援に駆け付け、強制収用に反対し熾烈な闘いが展開されていた。

67年10月8日、羽田「佐藤南ベトナム訪問阻止闘争」、そこでは、京都大生・山﨑博昭さんが、機動隊の暴力により命を落としていた。同年11月12日羽田で佐藤訪米阻止闘争。以後、68年1月佐世保・原子力空母エンタープライズ寄港阻止闘争、3月には米軍王子野戦病院反対闘争。そして、68年10月に新宿「騒乱」。69年6月にはベ平連による新宿西口広場反戦フォーク集会と。

68年11月、初の琉球政府主席公選で革新統一候補を当選させた沖縄から、全軍労の闘いも報道され、沖縄での祖国復帰運動と連動し、ベトナム反戦運動と沖縄「返還」が一体化していった。

全共闘運動とは

早稲田大学で66年、授業料値上げ反対闘争で全学共闘会議の結成に始まり、68年秋以降、東大・日大に全共闘が組織され、全国の大学で全共闘運動が組織されていった。

全共闘運動とは何だったのか。全共闘に参加する学生の「自明の信頼」の中で、熱い議論が繰り返され、大学の社会的役割・存在意義、大学自治、社会的存在としての学生を根源的に問い直し、市民社会の政治的社会的文化的構造を見直していくことを提起した運動であった。戦後民主主義と、その中で形成された価値観が根源的に問い直され、「大学解体」「自己否定」をキーワードに、「ポツダム自治会」と称された自治会運動も問い直されていった。そして69年9月の全国全共闘結成として結実、運動論的には全面開花し終焉を迎えたと思っている。

私にとって岡大全共闘はわずか一年足らず、しかし極めて濃密な凝縮した時空間であった。とはいえ市民社会のトータルな実態と矛盾を見据えていたわけではない。私も天皇制・差別・原発・公害・環境など幾多の問題が視野の外にあったと言わざるを得ない。

同時に「70年安保粉砕首都政治決戦」は、全共闘運動の延長線にはなりえないと思っていた。新左翼諸党派はこぞって首都決戦を掲げ東京全力動員が組織方針だった。各派がまるで勇ましさを競うかのような言説を並べ、闘われたと思えてならない。

糟谷孝幸の死を忘れない

糟谷が岡大に在籍したのは、そんな時代であった。彼は学生生活を送る中、学友と議論を積み重ね葛藤を繰り返しながら、69年11月自らの信念で扇町公園に出向いたのであろう。

私の思い浮かべる糟谷は、ノンセクトのうわべ上はひょうきんな学生であった。表向きにはラディカルには見えなかった。69年秋の政治的には極めて厳しい状況の中、あの場にいたことは自らの信念を貫こうと強く意思を固めていたに違いない。しかし、糟谷は警察の無差別な暴力の中で理不尽な「死」を強いられた。この歴史的事実は決して忘れまい。そして可能な限り伝え続けたいと思う。

大学を卒業して以来、公害・環境問題、天皇制、原発、最近では辺野古問題と権力の横暴に抗する市民・住民運動に深く関わってきたが、些かでも糟谷の死に報いているだろうか。

岡山の女たちは喪服デモで追悼の意を市民に訴えた

溝辺　節子（ふぇみん・婦人民主クラブ）

私は1969年には岡山にいました。今は横浜市に住んでいます。糟谷君が亡くなった時、岡山の女たちが糟谷君の死をどう受け止めて何をしたかということを知ってほしくて、今日大阪の集会に参加しました。もう50年過ぎてしまいました。記憶も定かでないところもあります。間違いがあればお許しください。

「婦人民主新聞」という全国紙があります。岡山でもその新聞を発行している婦人民主クラブ（以下婦民と略します）があることを知って岡山支部の例会に参加しました。平和の問題とか市の行政の事とかいろいろと議題がありました。採決となると10対1で、いつも簡単に決まります。1人の意見は無視です。それがいつものパターンでした。どうしてそんなことになるのか。

婦民は、どこの組織にも依存しない自立した団体です。それがある時期、共産党系といわれる人たちが、自分たちの意のままになる組織にしようと急に会員を増やしてきたのです。岡山支部にもその動きがあり、結論ありきの会議の状態でそれで少数の人の意見はいつも無視されたのです。私はそんな集まりに気が乗らず半年くらい欠席していました。10対1でいつも否決されていた方から熱心に出席のお誘いのはがきをいただき、また参加するようになりました。

そういう中で大阪の扇町公園の集会で、地元の岡山大学の学生が亡くなったと報道がありました。警察の暴行、手当は十分になされたのか。聞くごとに何とも言えない悔しさが沸いてきました。私は糟谷孝幸君をこのニュースで初めて知りました。

そして、岡山支部はこのことをどう受け止めたか。多数を占めていた人たちから「あれは過激派だからほおっておけばいい」そんな言葉が返ってきたのです。権力に抗した人の死をそんな一言で済ませるんだろうか。今まで支部の運営に抗議してきた10対1の1の人好並かおるさんが、もう我慢できない、権力に抗した学生を過激派と言って無視するなんて、こんな人たちとはもう一緒にやれない、自分たちの運動をやろうと立ち上がりました。支部も分かれて岡山中央支部を作りました。運動の中心は私たちにあると中央と名乗ったのです。

名前も知らない、会ったこともない岡大生の死に私たちがどう向き合っていったか。好並さんが呼びかけたのが、糟谷君を悼む市民葬でした。

知り合いの方に呼び掛け、市内のお寺で葬儀を営み、喪服姿の女たちが市内を歩きました。葬儀の場で隣り合わせた男性の方は、砂川闘争をやっていたと言っておられました。参列者の方は糟谷君に直接会った人はほとんどいなかったと思うのですが、権力に抗した仲間として、友人として、息子と同年代の若者として、一人ひとりが糟谷君と自分とのつながりを思って、身近な人として悼み、葬儀に参列されたのではないかと今思います。その思いを歌に詠んだ方もいらっしゃいました。

この市民葬の様子は、婦民新聞に好並さんの投稿記事で詳しく報告されています。その記事のコピーを掲載します。詳しく書かれています。残されていたこの記事で少しずつ思い出すことができました。記録を残すことの大事さも教えられました。

それからしばらくして婦民は、会員を増やして役員の席を増やそうとする共産党系の会員の行為を規約違反として支部の解散や会員の除名という厳しい処分をしました。自立した団体という大事な柱を守りました。当時の岡山支部も解散です。今ある岡山支部は新しくできた支部で一人一人を大事にしている集まりの支部です。今は婦民は「ふぇみん」と名乗っています。

権力とは何か。権力にどう抗っていくのかをこの時に一生懸命に考えました。その思いは今も岡山や全国のふぇみんの中に続いています。これからもこの思いを持って進んでいきたいと思います。

見ず知らずだった糟谷君に対する思い、権力に抗うことを市民葬という形であらわした岡山のおんなたちがいたことを広く知っていただける機会をくださったことを糟谷プロジェクトの皆様にお礼申し上げます。

婦人民主新聞　1969年12月25日（金）第1173号から

"喪の女たち"の葬列

岡大 糟谷孝幸君の市民葬

十四日、糟谷孝幸君一か月忌に岡山で婦民岡山中央支部（準）の有志の呼びかけで、心をこめた市民の葬儀が営まれました。

肌を切る寒風の中、[illegible]本堂に、黒っぽい衣服の婦人たちが、年配の男の方も交えて六十余人集まり、十時半からしめやかに式はじめられました。

関西救対から今井和夫さんが参加・詳細に事実経過、十三日告発にふみ切ったことなど報告されました。弔詞朗読、弔花、焼香、弔電ひろう、コーラス。

一回あまりにも暴虐な権力の姿に怒り、その手中に奪われた清純な若者の命を深く惜しみました。

経壇に飾られた菊花を手に喪服の女たちの葬列は、黒いベールに喪の気持ちをあらわして、十一時半から約一時間、糟谷君の遺影を先頭に、市中行進をしました。

午後二時から五時まで駅頭で「糟谷君市民葬、私たちは権力のごまかしを絶対許さない」という立て看板を立てて、四千余部のカードをまきました。

デモなどしたことのない大勢のお母さんが、母としていま怒っているのは再び戦争につながる権力の専横を許すことになる、共犯にはなるまいと、寄せられたお香典、送られて来たカンパは四万円を越し、五千枚のカードの実費その他を引き、加古川の糟谷君のお宅に心ばかりのお香典を市民葬としてお届けしました。婦人民主クラブも中央はじめ各支部から弔電、東広島支部からは、小西さん、小島さんが遠路参加、行進にも加わられました。

式後、今井和夫氏と学友三名、菊花など持って糟谷君の加古川の生家を訪れ、霊前に弔詞を朗読しました。いままで学友に会うことをことわりつづけて来られたご両親も、はじめて心を開き、事実の経過も聞いて下さり、学友とともに涙を流されました。（岡山中央支部（準）・好並かおる）

訂正＝十二月十二日版に岡山支部となっていましたのは岡山中央支部（準）の誤りです。

市民葬行進に参加して

伊月眞佐枝

岡大生死すとの記事を読む朝に秋雨細く庭に降りおり

学友の鎮魂歌にいま読経の列しずしずと動きはじむる

年ごろの同じ子を持つ親として怒りて歩む寒風の中を

虐殺をみとめずつのる権力にささやかなれどあらがいてゆく

私にとっての1969年

山口　研一郎（大阪高槻・やまぐちクリニック・現代医療を考える会代表）

1　1969年までの私

被爆4年後に長崎にて生を受けた私は、県立高校3年生の1967年10月「羽田闘争、山﨑博昭君の死」のニュースを耳にした。年が明けて1968年1月には、長崎の佐世保に原子力空母エンタープライズが寄港し、回りの教師の多くが「エンプラ闘争」に参加した。

高校卒業後の4月より京都にて浪人生活を始めた私は、9月に入り在籍していた大学受験予備校・関西文理学院（カンブリ）で生じた「不正経理」の真相究明のための、受験生自身による「ストライキ闘争」に遭遇した。それまで受験勉強一辺倒だった私の生活は大きく変わった。

カンブリでの昼間の討論会、間借りしていた寮（私以外の5名は京大生）での夜のヘーゲルやマルクスに関する勉強会。そして10月8日「山﨑君虐殺抗議一周年」や21日「国際反戦デー」には、「京都反戦浪人連合」の旗の下、京都・河原町や大阪・御堂筋でのデモにも参加した。

翌年1月頃までカンブリの「スト」は続き、講義再開後、学生たちは志望校の受験へと流れていった。私も受験はしたものの、合格できず、2年目の浪人生活を博多にて送った。

2　1969年秋の闘いと予備校退学処分

4月より再度の受験生活を始めた私は、福岡市内の受験予備校・水域学園に籍を置き、田島寮にて共同生活を送った。学園では、授業の終了後、クラスの仲間に社会問題（ベトナム戦争）についての討論を呼びかけ、多くの学生が教室に残った。学園から戻った寮では、寮生と共に生活改善（朝食・夕食の内容、外出の自由など）のための活動にも取り組んだ。

夏になり、英数学館に移籍し、共に闘う2名の仲間を得た。3名で「福岡反戦浪連」を組織し、大阪城公園で開催されたべ平連主催の「万博に反対する〝反博集会〟」に参加した。朝から夜までのフォーク集会や討論会、小田実、鶴見俊輔氏ら知識人・文化人による講演会など、刺激的な3日間だった。

「10・8」や「10・21」が近づくと、「受験生討論会」（学館内での「会」は厳禁で、近くの公園を利用）を呼びかけた。また、博多・警固公園で開催された労働者・学生・市民主催の政治集会にも、「反戦浪連」の旗や灰色ヘルメットを持参して駆けつけた。10数名の受験生が必ず集会に参加した。

糟谷孝幸君が参加した11月13日の「佐藤訪米阻止闘争」の際も、博多・天神通りでのデモに参加していたと思う。「虐殺」の報に接し、12月のある日「沖縄問題に関する受験生討論集会」を学館近くの公園で開催することを計画した。

当時、学館の事務職員の一部には、関連する大学の体育系の学生たちが雇われており、常に館内の不穏な動きを見張っていた。「集会」前日夜の学館周辺の電柱への決死の案内ポスター張りは、何とか無事実現した。当日早朝、学館に向かう学生たちにビラを配っていたところ、10名ほどの大柄な事務職員たちが近付いてきて、ビラを取り上げ、3名が事務長室へ連行された。

すぐに郷里より親が呼ばれ、事務長より説明があり、その場で始末書を書かされた。「不祥事の責任を取り、自ら退学する」旨の書類を作成し、親による署名・捺印が行われた。私たち3名は、夕方予定していた集会場所へ赴き、集まっていた仲間に事情を説明し、集会は中止した。数日後、荷物をまとめ2年ぶりの郷里・長崎へ戻った。

3　1969年以降の私

１９７０年春、長崎大学へ身を置いた私は、入学式当日より「70年安保粉砕全学ストライキ」へ向け、新入生へ呼びかけた。教養部自治会の執行委員として活動し、6月23日の「教養部、教育学部、医学部ストライキ」、教養部前での１０００名全学集会、その後長船労組、日放労（ＮＨＫ）、べ平連など５０００名による労働者・学生・市民集会や市内デモを実現した。

専門課程に進んでからの１９７４年には、学生運動圧殺のために60年代に制定され、医学部生だけでも30名余りの退学者を出した「1学年2年制」（1学年に2年以上在籍すると退学になる制度）を、約8か月間の医学部長期ストライキによって撤廃するという闘争を担った。30数名の退学者は多くが復学した。

１９７９年に臨床の道に進んだ後、医療（学）と社会との関わり、医学によってもたらされる生命倫理問題（生殖医療、遺伝子診断・操作、脳死・尊厳死、臓器移植）、医学の歴史的犯罪（ナチスの医学、７３１部隊）などに関心を持つ過程で、１９９２年４月「現代医療を考える会」を結成した。その後28年の長きにわたり、活動を続行している。

こうして、50年前に糟谷君が尊い命を犠牲にしてまで訴えたことは、当時の人々にそれぞれ違った形で受け継がれている。本書が、各人のエネルギーを一つにまとめて今後も受け継いでいく「礫（つぶて）」になることを、心より願っている。

プロフィール：やまぐち けんいちろう
結成以来20年余りになる「現代医療を考える会」の活動の集大成として、2014年11月、『国策と犠牲―原爆・原発 そして現代医療のゆくえ』（社会評論社、増補改訂版・2016年2月）を、編集・出版。2019年10月、「原発事故による内部被曝」「科学技術の戦争への利用」「新型出生前診断、ゲノム編集」「終末期医療」をテーマに、「現代（いま）いのちを問う」（高槻）を開催。
第二弾として、2021年3月「再びいのちを問う―〝コロナの時代〟を体験して」（京都）、第三弾として、2022年「いのちと平和」（沖縄）を開催予定。

石垣島からの報告

山崎　雅毅（石垣島・アンパルの自然を守る会・岡山大ＯＢ）

糟谷孝幸君追悼集会にお集まりのみなさん。沖縄・石垣島から報告をさせていただきます。

私は縁あって現在石垣島にいます。12年間石垣島で自然保護活動をしています。

私も、岡山大学で１９６３年から6年間、学生運動の渦中にいました。

糟谷君とは直接の面識はありません。彼が虐殺されたとき、すでに大学を去った後のことでした。

今日参加したのは、自分の持ち場で責任を果たすことと、若者に期待できるということを糟谷君に報告したかったからです。

話は変わりますが、昨年（２０１９年）、首里城正殿が全焼しました。沖縄戦では、首里城地下に日本軍司令部があったので、米軍に完全に破壊されました（１９４５年）。あれから75年、やっと完全修復が完了したばかりの出来事でした。

首里城は沖縄の支配者であった尚氏一族の城でした（１４２９年〜１８７９年）。今、沖縄の人々は首里城を失った強い「喪失感」を持っています。首里城は支配者の城でしたが、沖縄人の心の文化的象徴になっていたのです。沖縄の人々の「再建願望」は非常に強く、すでに20億円余の寄付が集まっています（２０１９年12月末）。必ず再建されるでしょう。ちなみに辺野古基金は7億円余が集まっています（２０１９年12月末現在）。

これに対して、「現在の首里城の所有者である日本国」は、再建の主導権を取ることによって、沖縄政治にくさびを打ち込もうとしています。菅官房長官が知事と会い、国主導で再建することを宣言しています（2019年12月）。沖縄の人々はこうした動きにも敏感に反応しています。石垣島の詩人・八重洋一郎氏は、「辺野古に見向きもしてこなかった企業が、数百万円単位の寄付をしている姿を見て、島津による侵略以来の沖縄の苦難の歴史を、学びなおす過程を抜きにした再建は、意味がないどころか、危険ですらある」と（月刊『やいま』1・2月合併号、要約・山崎）。

オキナワ苦難の歴史は、島津藩による琉球侵略（1609年）から始まり、明治の廃藩置県（1871年）、琉球処分（1879年）で、明治政府は「独立国琉球」を強制的に併合しました。その後、琉球で学んだ植民地化を台湾、朝鮮、中国など東アジアで次々と実行してきました。そしてアジア太平洋戦争で、地上戦（1945年）を強いられ住民の4人に一人が殺された沖縄戦があり、戦後27年間米軍支配下に置かれました（1945〜1972年）。祖国復帰運動が高揚し「復帰」（1972年）しましたが、結果は日米の2つの国家に支配される2重植民地状態に現在も置かれたままです。

こうした沖縄の歴史を内地の人の99%は全く知りません。知らないことが、現在の沖縄差別を可能にしています。ということは、沖縄自身が沖縄の運命を切り開くこと抜きに、現状から逃れる方法はないということです。沖縄の自己決定権の行使です。

では、現状はどうでしょうか。たとえば国連の人種差別撤廃委員会による「沖縄民族は先住民族である」という勧告（2008年）に「反対する決議」をあげた議会が石垣市議会をはじめ沖縄にも3市町村あります。「沖縄を植民地状態」に押し込めておくためです。これは「イデオロギーよりアイデンテティー」という翁長前知事時代にできた政治的枠組みを壊そうとする企てでもあります。辺野古埋めたてを承認した仲井眞元知事に代表される沖縄保守（時の支配者にすり寄り甘い汁を吸う人々）の願望でもあります。

石垣島の状況もこうした現実を踏まえて理解する必要があります。

自衛隊の南西シフトは、10年以上前から準備されていました。アメリカは、中国封じ込めを、琉球列島（奄美から与那国島まで）に自衛隊ミサイル基地を並べることによって可能だとするアメリカの戦略・「オフショアー作戦」を実行しています。アメリカは中国と交戦せず、自衛隊に対中国戦をさせるという戦略です。

奄美、宮古、石垣で着々とミサイル基地建設を進めています。石垣島では基地建設に反対する「市民連絡会」が結成され､すでに5年以上抵抗しています。市長も市議会も自公に握られていますから､先行きは明るくありません。地元の4公民館（自治会）と市民の連携で頑張っています。若者たちが「住民投票を実現しよう」という呼びかけをして、14000筆余(有権者の3分の1以上)の署名を集めることに成功しました。これを市長､市議会が拒否し､現在裁判になっています。さらに住民の直接投票を義務付ける石垣市自治基本条例そのものを廃止する提案を、自民党が議会提案をしました。さすがこれには与党公明党も反対に回り、維新の1名も反対し、10対11の僅差で否決されました（2019年12月)。2020年2月議会では「市有地の処分」も提案され、3月議会で与党賛成多数で可決しました。

住民側で、次の手について議論が起きています。次の市長選挙、議会選挙で逆転するのを待つのか、市長リコールに打って出るのかということです。辺野古の県民投票で70％以上の辺野古新基地拒否であったことを考えれば、勝つ見込みはゼロではありません。

但し条件があります。勝てる市長候補を擁立ができるかどうかです。自公の得票数を上回るには5000票差を逆転しなければなりません（公明票は3000)。それを可能にするには、相手を3000減らし、こちらを3000増やした時です。カギは住民投票、県民投票を担った若者たちです。

昨年末、山本太郎氏が来島した時、ネットの呼びかけだけでしたが、普段集会に来ない若者が200人以上来ていました。石垣の人口は約5万人です。若者たちは、立ち上がろうかどうしようか迷っているのではないでしょうか。勝機が見えれば、彼らが立ち上がる可能性はあるのではないかと感じています。

戦争体験のない若者たちが「石垣島をミサイル戦争の戦場」にしないことを「自分事」として捉えられるかどうかは、分かりません。沖縄戦を語れる体験者はもう80才以上ですから。しかし若者たちが「閉塞した現代社会、先の見えない自分の将来」に風穴を開ける「新しい風・力」を求めていることは確実です。

山本氏を歓迎する若者たちの気持ちが、石垣島でも伝わってきます。低賃金、劣悪な労働環境、年金の不安、将来が見えないすべての若者、特に貧困の中に置かれている女性のこころを捉えたとき、日本の政治は変わるのではないでしょうか。そういう意味では、沖縄も日本経済と一体ですから、沖縄の政治状況と日本の政治状況は、連動しています。香港に続く東アジアの若者たちの躍動する将来を見たいものです。

新型コロナウイルスは世界史の進行を早めるようです。これは行き過ぎたグローバリゼーションと自然破壊による動物たちに寄生するウイルスと人間の距離の縮小がもたらした災禍です。ウイルスとの闘いは長期にわたります。その結果が連帯と民主主義か、孤立と独裁の世界に向かうのかの分岐点にあります。難民問題も同じテーマです。石垣島の尖閣問題もその根にあるものは同じです。排外主義・武装強化による知恵のない古臭い政治外交を選択するのか、弱者を支援する連帯・支援外交を選択するのかが問われています。

自分の持ち場で、ともに闘いましょう。若き頃の糟谷君の魂にこたえるために！


（2020年1月13日）

私にとっての１９６９年と糟谷君のこと

山中　健史（明大土曜会）

私は１９６９年明治大学入学。糟谷君とは面識はない。それでも糟谷プロジェクトの賛同人になったのは、「山崎プロジェクト」の事務局にいたということもあるが、１９６９年という時代を共に過ごしたということ、そして69年12月14日に東京・日比谷野外音楽堂で開催された「糟谷君虐殺抗議人民葬」に参加したことからである。

１９６８年は東大・日大闘争を始め全国で学園闘争が燃え広がり、10・21国際反戦デーなど大きな闘争があったことから注目されているが、１９６９年はあまり注目されていない。68年と70年の狭間だったからだろうか。でも、私にとっては１９６９年は「その後の人生を変えた」ともいうべき年であった。

明治大学に入学した4月14日の最初の授業の日が駿河台本校学館への機動隊乱入の抗議のため全学休講で、授業はない。授業がないので、駿河台の記念館で開催された学長団交にいき、その熱気と雰囲気に圧倒された。団交後は、記念館前の明大通りに2千人近くの学生が出てジグザグデモ。高校までノンポリの学生にとってはカルチャーショックのような体験だった。

ノンポリ高校生が大学に入学して、いきなり大衆団交などを体験したことから、それがきっかけとなってその後の6・15反安保集会やいくつかの集会・デモに参加するようになるが、この69年4月から70年までの期間は、何も分からずに時代の流れに流されて、あっという間に過ぎたような気がする。でも、この期間の出来事や経験したことは、それまでの物の考え方や生き方を根本的に変えるようなものだった。

明大では69年6月に全共闘が結成されバリケードストに突入。私も全共闘に参加はしたが、ちょっと政治意識のある一般学生のようなもので、いわゆる活動家ではなかった。バリストが続く中で10月の新学期を迎え、10月4日に大学側がスト解除に向けて全学集会を開催したが、全共闘の阻止行動で流会となった。10月9日には機動隊が導入され、大学院に立てこもった決死隊が抵抗したが排除され、その後、全学ロックアウト体制が続くことになる。

そんな状況の中で、11月の大阪での佐藤訪米阻止闘争で岡山大の糟谷君が闘争の中で死亡したという新聞記事を読んだ。60年安保闘争での樺美智子さん、67年10・8羽田闘争での山﨑博昭君と、闘争の中で犠牲になった方たちのことは知ってはいても、その時代に闘争に関わっていた訳ではないので、ある意味で私の中では遠い出来事のように感じられていた。しかし、実際に69年の同時代に、場所は大阪で離れていても、闘争の中で犠牲になった人がいたという事実は、対権力闘争の激しさ、厳しさを改めて実感させられた出来事であった。

69年12月。60年代最後の月は東京・新宿歌舞伎町でフーテンの若者たちと一緒にチラシ配りのアルバイトをしていた。歌舞伎町の街角には藤圭子の歌が流れ、様々な男女が通り過ぎていく。新宿という街は69年という時代を体現しているような気がした。そんな日々を送っていた69年12月14日、「糟谷君虐殺抗議人民葬」が東京・日比谷野外音楽堂で開催された。

私は明大全共闘の部隊ではなく、高校時代の仲間の黒ヘルグループで参加した。当日は集会に革マル派が参加するということで、他の党派がそれを阻止しようと公園内で待ち構えていた。革マル派が公園内に入ってくると、反帝学評やブントなどとのゲバルトになった。しかし、各党派の寄せ集め的な集団と単一組織である革マル派とは、組織的にも戦術的にも差があり、革マル派が日比谷野外音楽堂に迫る勢いになってきた。その時、野音の入口付近に待機していたＭＬ派の部隊が一気に飛び出し、あっという間に革マル派の部隊が崩れた。それを機に各党派や集会参加の学生も革マル派を追撃し、公園から革マル派を退去させそうになった時、機動隊が公園内に入り多くの学生が逮捕された。私は松本楼に逃げ込んで無事だったが、私たちのグループの仲間1名が逮捕された。

1969年は明治大学の学内闘争や大学立法粉砕の集会やデモ、全国全共闘結成大会など、思い出せば多くの出来事があったが、糟谷君のことは、この時代の記憶の中に深く刻まれている。

プロフィール：やまなか　たけし
1969年明治大学入学。4年間、ノンセクトで主に学生会館管理運営問題や文化部連合会の活動を続ける。
現在は明大OBを中心とする「明大土曜会」世話人。2018年まで「10・8山﨑博昭プロジェクト」事務局を務める。その後、「続・全共闘白書」編纂に関わる。
また、ホームページとブログで当時の資料や証言などを公開し、歴史の記録として残して次世代に伝えていく作業を行っている。

糟谷レポート

山中　四郎（岡山市）

60年代末の若者の反乱は突然のできごとに見えた。しかし前史がある。父母や兄や姉たちは戦火のなかをくぐりぬけた。あるものは生きのび、あるものは斃れた。戦後の教育の標語は平和と民主主義、戦争の反省。

在日朝鮮人と戦災孤児への強烈な差別があった。その差別の口で語る戦争の反省などウソだ。前の一連の戦争の事実上の始まりは韓国併合である。

身のまわりの伝統文化は本来原始的で美しく柔軟なもののはずだが、あせた国粋主義の色をまとっていた。科学の進歩は魅力的だった。しかし原爆という暗黒を背負っていた。

まわりは「競争」のかけ声ばかり、若者は人格形成の道をさがしあぐねた。「協働」や「連帯」についてはひとかけらもなかった。

我々の少年時代、日本は薄氷の上にのっていた。戦線が半島を2度往復した朝鮮戦争、その後の１９６０年から激化するベトナム戦争、ともに数百万人が死んだ戦争である。日本は米軍の重要な基地だった。その戦争の特需が日本経済の高度成長のバネになった。大人たちは見て見ぬふりをした。平和な日常の裏は卑怯な悪行の社会である。

「核軍縮」「ベトナム」「アウシュヴィッツ」、学校で口にすれば忌みきらわれた。それは出世の道を閉ざすおそれのあることばだったからだ。

若者は隠された対決を表に引きずりだす必要があった。まきおこったベトナム反戦運動、全共闘運動がそれである。前代からの伝承や叡智の継承はほとんどなく、我々は手さぐりで国家に立ちむかわなければならなかった。

米国は沖縄を占領下においていた。B52爆撃機は沖縄から飛びたちベトナムに爆弾を降らせていた。佐藤政権は基地を維持したまま、祖国復帰の勢いに乗じる形で返還を策した。

左翼側は核兵器と米軍基地の撤去を要求したが、有効な決め手を欠いた。69年夏、徐々に押される形勢で秋を迎え、69年10月21日、11月13日、11月16日、4千人の逮捕者を出す衝突に至る。

「それが僕が人間として生きることが可能な唯一の道なのだ」、糟谷の最後の日記は同時代の若者のヒューマニズムの「極北」を示したのである。

私は11月16日、糟谷の遺影をかかげた隊列にいた。羽田に向かう途中、蒲田の手前で機動隊と衝突し地面にたたきつけられた。黙秘したために府中刑務所に10カ月未決拘留された。その後沖縄で我々がみた米帝国主義の影は大きくなり、政治対立は先鋭化した。我々は縮小を余儀なくされた陣営できびしい闘いを続け、70年代後半に三里塚闘争、韓国民主化に連帯する運動の高揚へつないだ。

60年代闘争の勢力は敗北したように見える。だが69年を境に多くのものが元のままではなくなっていった。公害の防止、公共性への疑念と批判、産業廃棄物の問題、種々の差別との闘い、温暖化と環境、原発廃止の要求、そして日本のアジア侵略史への照明、今日我々が目にするのは、敗者の綱領の一部が実現されていることである。つまり社会を変容させる主体の範囲は想像をこえているのである。

ソ連、東欧の社会主義独裁が次々に消滅していった2000年前後、次に来た資本主義の新しい収奪、グローバリズムの時代。ステファン・エセルやトニー・ジャットはこの収奪と格差の構造に怒り、社会民主主義の綱領を再び提唱した。しかし彼らは60年代の諸運動について辛く、その分析の弱さは彼らの提唱の現代的な有効性をにぶらせている。

確かに我々の運動では共通の目標、社会像を定める力、つまり綱領をまとめる力が弱かった。狭い範囲の共感で満足する傾向も見られた。ただしそれは問題の膨大さに打ちかえされたものの逃げ場所ともいえる。

他方で我々は書物と歴史的教訓で世界を説明し行動指針を語る訳知り顔の連中にうんざりしていた。ベトナム戦争、米国の公民権運動、社会主義の激動、科学文明への根本的な疑問、世界はこれと闘ってみないと分からない構造をしている。行為は投機的で実験的であり、それを通してでなければ手がかりはつかめない。ただし行為には命がかかる。後知恵で語るのでなければ闘いに模索の側面は避けられない。歴史学や文化人類学の新しい探求もこのルツボに放り込まれた。

そして現在、我々は資本主義の収奪構造の変容を相手にしている。資本側は利潤を作り出すために周辺を形成し、労働を非正規化し、既に事実上社会的な共同財産になっている生産手段の独占を進めている。核兵器と核廃棄物のおそるべき蓄積、温暖化、産業廃棄物の問題。

これらに対して民主主義的な決定を実行するすべを形成しなければならない。それは経済にとどまらず政治的文化的な大変革となるだろう。プランの追求が急がれる。

日本は依然として米国の従属下にある。ベトナム戦争、湾岸戦争を経てアメリカの威厳は地に墜ちた。大帝国が没落する時の凶暴さを知るべきである。日本は米国と心中するコースに乗っている。

今、対決の焦点は再び沖縄、辺野古になった。糟谷の影が立ちあがる。米軍基地撤去、日米同盟の廃棄の課題。

これほど変わっていなかったのか。

我々は69年の宿題に直面している。外国軍基地の撤去、日米同盟破棄の道程、日本の自立と国際社会の中での平和的な立ち位置を確保するための行動計画である。タブーなしの徹底した討論が求められている。

我々は三里塚闘争で原勲を失った。また69年とその後の闘いを担った闘士たちで鬼籍に入った者は多い。闘いのきびしさは彼らの命を縮めたと思う。糟谷追悼の列に彼らがいないことを惜しむ。名前を記す。喜多正司、岡確、妹尾湊介、飯田博夫、小山田康二。もし生きていれば彼らはここに糟谷の追悼文を書いたであろう。

糟谷君の50周忌を迎えて

山本　久司（石川県金沢市）

～はじめに～

あれから50年が経ちました。この50年の間に、大きく時代は変化しました。

高度成長期からバブル崩壊を経てデフレ30年の社会へ。

アナログの時代からパソコン、スマホのデジタルの時代へ生活様式はがらりと変わりました。

そして、今年に入ってコロナ禍に翻弄され、リモートビジネス、ネット会議など、生活の仕方がまたまた大きく変化し、今後どうなるのだろうかと不安な状態が続いています。

そして何より、思考主体である私は、20代の若造から70代の爺になり、その間に大きな病も体験しました。50年という年月は人一生分に値する長さです。

蛇は脱皮を繰り返すように、私も50年の間に何回か脱皮しました。

～当時のこと～

1969年11月13日当日、関西の学生、労働者は南大阪に集結し、数人単位で扇町公園へ向かいました。そして、御堂筋の一角に出撃しましたがあっという間に蹴散らされました。

この隊列の中に糟谷君がいた事を後で知りました。ヘルメットを叩き割られ血を流した高校生のM君が、糟谷君の近くにいたことをM君の後日談として知りました。

当時、私は学生ではなく労働者として尼崎反戦青年委員会で活動していました。その後検挙され、知人の紹介で小さな鉄工所で生活費を稼ぎながら、数年の裁判闘争を経て判決を迎えました。仕事も転々としながら執行猶予がついて一時は市民社会にひっそりと暮らしていました。今と違い当時は高度成長期で、仕事はいくらでもありました。その後、関西で最後に勤めていた西宮の鉄工所がつぶれ、元請けである北陸の会社から誘われて、金沢で就職しました。その後、その会社で30年間勤めあげ、60歳で定年退職し、畑を借りて農業を始めました。

～環境保護活動へ～

1995年、地球村の高木善之氏の講演を聞いて環境問題の深刻さを知り、本格的に環境保護活動に入りました。高木氏も私と同世代の学生運動の活動家でした。彼の講演内容はその後の私の活動の根幹をなしていきました。

2007年6月、元お笑い芸人【てんつくまん】達が『30秒で世界を変えちゃう豪快な号外』を日本国中の4500万世帯に配布し、キャンドルナイトで過ごそう！」というとんでもないスケールの大きい呼びかけをしました。これに呼応し号外配布に参加、石川県の仲間で40万部撒きました。この時知り合った主要メンバーで環境保護の『NPO法人39アース』を設立しました。現在もこの法人で、高齢化に悩む中山間地に寄り添う活動を続けています。

この中山間地に十数年関わってきましたが、たった10軒だったこの集落は、今や7軒となり高齢化が進んで住民は80歳代半ばになり、畔の草刈りもままならず、我々が草刈りを手伝うと大変喜んでくれます。また、猿が出没するようになり、畑の作物に被害が出るに及び、農業に意欲をなくす人も出ています。草刈りと放置竹林の間伐、獣害対策が当面の課題です。

今となっては草刈り活動がこの村の実益のある支援と言うことが分かり、仲間のモチベーションアップの因となっています。

先日、この地区で草刈りイベントを開催しました。参加者を10人募集したところ、20人が応募し、スタッフを入れて40人で大草刈り大会になりました。

～まとめ～糟谷君の思いを一緒に携えて～

自然保護活動は生存の原点に還り、自然の摂理に従って生きようとすることです。大量生産・大量消費の社会構造から、真の意味での永続可能な社会への転換。実は都会の真ん中にではなく、里山の中にこそ、その生き方はあったのです。コロナ禍の中で食料の自給は緊急の課題です。そのことに気付いた若者が田舎へ移り始めています。

この活動は、不自然な原発ではなく自然エネルギーへの転換、弱者切り捨て効率一辺倒の新自由主義ではなく、すべての人々の生存権を守る活動、基本的人権を守る憲法順守の活動、更に、辺野古基地建設に反対する平和思想につながります。

50年前の反安保闘争から何度も脱皮を繰り返した結果、より深いところですべての人々の本当の幸せを願う活動に至りました。あの時の糟谷君の思いを一緒に携えて、いつまでも見果てぬ夢を追い続けます。合掌

1969年秋は闘い続ける人生の転機になった

吉岡　正教（岡山市）

糟谷孝幸さんの名前を知ったのは、11月15日の早朝、中央線の東京行き深夜普通列車の中で、「11・13扇町闘争で岡山大学の学生が負傷し病院で死亡した」との電話での情報でした。11・13扇町闘争を現場で闘い、11・16―17の佐藤訪米阻止現地闘争に友人と二人で向かう途中でした。

当時24歳の私は、大学を卒業し製造業に就職して現場事務所で作業研修の最中で、機械の操作に習熟することでした。そして、同時に「都島反戦グループ」の組織化が任務でした。大阪市の京橋駅を中心に、「ベトナムに平和を市民連合」に近い20歳前後の若者たち（夜間高校生、夜間大学生、製造業の若手労働者等）で、商店街の集会所を拠点に、討論・学習会、街頭宣伝、デモ参加等を定期的に行い。30～50名の参加者で熱気あふれる集団に拡大中に、69秋を迎えました。政治的話と人生の悩みの話がごっちゃまぜな毎日を送っていました。

10・21大阪の闘いが不発に終わり、佐藤訪米阻止闘争をめぐり、悲壮感が蔓延する中11・13扇町闘争を準備することが加わりました。徹夜をして始発電車で会社の寮にかえり、仮眠して仕事に向かい、昼休みにも仮眠する（時には同僚に起こしてもらい）。夜には都島反戦グループの活動をする。身体が三つほど欲しい状態で11・13へ向かいました。私は11・13を最初は突撃グループの予定で、2週間の休暇を取っていました。しかし、前日にデモ部隊の指揮を行えと言われ、大慌てしました。反戦グループとは当分会えないことを伝えていたからです。11・13扇町闘争に関しては多くの人たちが触れられているので詳しく触れません。

私は11・13扇町では逮捕されませんでした。そして、11・16―17羽田現地闘争に向かったのでした。11・15日比谷集会から羽田現地闘争に。ここでも圧倒的な機動隊、住民自警団等に蒲田現地で、蹴散らされ、すんでのところで逮捕を免れ、翌日の佐藤の飛行機を見送りました。大阪に帰り、救援対策を手伝い、友人宅で過ごしていました。11・13扇町闘争の事後弾圧に備え、人手は不足していました。私は11月末で会社を離職し、当分は活動に専念することにしました。

12・14糟谷孝幸君虐殺弾劾人民葬が日比谷野音で開かれ、参加しました。鮮血を流す糟谷君の顔写真は衝撃的でした。1969年の秋は、人民の敗北で終焉しました。しかし、この闘いの経験は必ず後世の糧にしなければならないと心に秘めました。まさに人生の転機でした。余談ですが、私の政治経験の歴史で、ヘルメットの色の変転があります。〈白ヘル〉自治会共闘―〈緑ヘル〉全共闘・反戦委―〈赤ヘル〉プロ学同・プロ青同。激動の60年代後半での変遷です。とりわけ、12・14糟谷孝幸人民葬から、糟谷の鮮血から赤色に変えたのでした。

1970年年明けと共に事後逮捕攻撃が激化します。救援対策からは「あなたの写真が取り調べで出てきている」と警告されてきました。生活資金も尽きて来て新たな職場に就職し、職場研修で房総半島に缶詰めとなる日々が続きました。長い研修が終わり大阪に帰って来た時には、11・13扇町闘争裁判が始まろうとしていました。生活環境も、政治環境も、人的環境も一変していました。取りあえず「都島反戦グループ」の関係で新活動組織を立ち上げ「五地区反戦」「東部反戦（中核系）」等と地域共闘関係ができました。職場の環境が厳しい中での政治活動は困難そのものでした。しかし、幾多の鮮血を染み込ませてきた人生を諦めずに生き続けることが1960年代の激動期の人生訓です。

糟谷孝幸墓参、11・13扇町闘争裁判・告発付審判等には不連続ながらかかわり続けてきました。そして〈糟谷プロジェクト〉に繋がってきたと思います。

我々の共通する二つの「こだわり」　加害者と統一戦線

若槻　武行（岡山大OB、食と農・環境市民団体役員）

東京で就職して1年目の69年秋、職場では山猫ストの「勝手」「わがまま」を通し、孤立しながら仲間数名と休暇を取って都庁へも行った。これから先、何が起こるかわからない。逮捕・起訴、そうなると解雇……、「就業規則」などを何回か読み返していた。その緊張した日々が、ついこの前のことだったような気がする。

この時期、糟谷君は我々が岡山大で築いてきた集団に参加していたのだ。学部は同じだが、ほんのちょっとのタイムラグで接触が全くなかった。

＊　＊　＊

大学では「ベトナム戦争の侵略加担を拒否する」「大学をベトナム反戦闘争の拠点にする」「加害者であることを、どう拒否するか……」など熱く語り合った。その後、大学そのものが侵略者・支配者の側にあると規定するが、それは職場も基本的に同じだった。職場でも「加害者」「自己否定」を自らに問い、街頭へ出て気を紛らわし、孤立を続けていた。

沖縄返還協定や入管法の反対闘争で、加害者の位置に居る自分自身が鮮明になった気がする。かつて日本の植民地支配、侵略者・抑圧者としての自己責任を自問自答した。一切の差別に反対する時も、自らが差別している側に居ることから逃れず、その反省・謝罪の気持ちを忘れず行動する。今日でも「格差」と黒人差別に対する世界中の戦禍を、同じ視点で捉えている。

自らを「差別する側」に置く発想は、今も全身に浸み込んでいる。そういえば、我々はこの「こだわり」を早くから自覚してきた。気づいたら、共通した習性のようになった。それは理念とか思想などという高度?なものではなく、我が集団のかけがえのない、変わることのない共通点だ。

＊　＊　＊

もう一つ、昔から変わらない共通点がある。それは、共に闘っている人・集団を少々の見解の相違で「敵」として決めつけない点だ。我々は共に闘った仲間集団の行動、別集団が犯してきた誤り、我々には直接の責任はない問題、それらをみんな自分たちの責任として捉えている。

元「左翼」の人たちは「過激派の運動で迷惑した」「好き勝手にやるだけやって、後始末をしないで逃げた」と非難する。「自分たちとは関係のないことだ」と言って逃げたり、切り捨てる。古くからの「革新」勢力は国会周辺などで、今でも排除しようとする。しかし、我々は共に闘う仲間として、彼らを引き入れる。

これは統一戦線から来ているのだろう。我々は昔から、「平和」とか「民主主義」とか「反帝反独占」の「統一戦線」を無条件に尊重してきた。「統一」は大好きな言葉だった。岡山大では「統一」を旗印にした「統一会議」が全ての学生自治会で多数派となったが、それは糟谷君が入る2年前のことだった。

でも「統一」は暴力には弱かった。我々を「敵」とみなしている相手でも、こちらは「味方だ」という気持ちが少しでもある限り、ゲバで勝てる訳がない。そんな軟弱な体質を露呈させ、自治会多数派から転落しそうだったころ、私は5年目で卒論だけを残して岡山から離れた。糟谷君はそのころ語学のクラスの中心メンバーとして頭角を現したのだろう。

＊　＊　＊

いろんな闘いを経験したが、自分が加害者であることを忘れないことと、統一戦線の仲間は「敵」ではないと思う考え方は今も同じだ。

糟谷君の七回忌に当たる1976年1月26日「糟谷君虐殺抗議／付審判請求を推進する集会」が東京品川労政会館で開かれた。この時、我々の集団は三つに分解していた。別の名門の集団は分裂を巡って激しい抗争を広げている。しかし、我々の集団は「糟谷君虐殺糾弾」で一致していた。何もなかったかのように、実に友好的だった。集会後、自然に集まった懇親会では、あちこちで「糟谷君が我々を再び集めてくれた」「この集まりを大切にしたい」と、我々の信頼関係を確認するような雰囲気があった。それが今も忘れられない。

我々はここから隊列を再び組んで行けそうだ。一緒に闘った者同士の友情、体を張って築きあげた信頼関係を、私は何時までも守りたい。その中心に糟谷君がいる。糟谷君や先に逝ってしまった仲間に恥じることのないよう、生きて行きたい。

私は、69秋期に東京での闘いに臨み、元に戻れない闘いの道を選んだ

脇　義重（69年当時の一反戦派労働者）

1　糟谷孝幸君の名前を知ったのは、1969年11月15日夜、日比谷野外音楽堂で開かれた佐藤訪米阻止決起集会で「糟谷君が権力によって虐殺された」と抗議の黙とうを呼びかけられた時だった。以降、彼の名前は、その時刻から翌17日早朝にかけての闘いとともに、私の胸に刻まれた。

2　1960年代後半、米国が一方的にベトナムを侵略し、生活基盤の生態系を破壊し、住民を殺し続けていた。その米軍は、沖縄や各地の米軍基地からベトナムに派兵されていた。1969年4月、私は東京の大手町に本所がある全国販売農業協同組合連合会（全販連）に採用され、福岡支所に赴任した。その福岡市内には米軍板付基地があり、ファントムやトムキャットなどの米軍艦載機がタッチ・アンド・ゴーの訓練を繰り返していた。板付は、1972年に返還されるまで、ベトナムに出撃する米軍の基地だった。否、今でも福岡空港は民間空港としては唯一の治外法権の米軍専用地があり、滑走路を含め敷地の14・4％が日米共同使用である有事駐留の「米軍板付飛行場」であり続ける。

3　1969年秋期の佐藤訪米阻止闘争は、日米会談によって日本が米国のベトナム侵略戦争に協力・加担してい

くことと、首相訪米を契機に日本が戦争国家化することを阻止することだった。そして、ベトナム人民への連帯意識がベトナム反戦運動の核心だった。この運動は、社会変革と自己変革の双方を参加者に求めた。ベトナム反戦の思想で政治社会変革を求める反戦派労働運動の誕生である。街でのデモで、それまで見知らぬ者同士が「ベトナム反戦」を訴えるだけでつながっていった。やがて、デモでつながった人たちと職場の問題を話し合うことになった。

4 福岡でも同様に、街頭で知り合った人々によって反戦の意識を持っての地域労働者運動を提起し、「労働者が政治を語る」形で、地区と職場で反戦派労働運動を担った。こうした運動のきっかけは、1971年秋の東京での沖縄返還協定粉砕の闘いだったが、大手広告代理店での配転拒否闘争での勝利、もう一つの広告代理店での闘争支援を経験し、私の職場での闘いに広がっていった。

1972年の全販連と全購連との合併と全農の設立は、1970年の富士製鉄と八幡製鉄の合併と新日鉄の設立と同様、69年会談以降の日米共同声明路線と71年の返還協定に基づく日本政府による沖縄統合という日本の帝国主義的再編統合の一端を成すと理解された。そうした帝国主義的統合と闘う主体になることを選択して、労働者を企業に包摂し統合する配転に対して拒否する闘争に立ち上がった。この時得た感慨は「合理化とは、人間をつくり変える」というものだった。この闘いには地域の仲間や全国各地の農協労働者の励ましと支援をいただいた。

5 69年秋に何処にいたのか、そしてそこで何をしたのかは、かなり重要だ。そのことは同世代の生き方を分けた。私は東京・羽田に向かい、その後、帝国主義的統合に対する闘いに生きる道を選んだ。東京に行かなかった職場の先輩は配転され続けた。

糟谷君は「犠牲になれというのか」と自問した後、「これが自分ができる唯一の道なのだ」と大阪の闘いに臨んだ。私は、69秋期に、東京での闘いに臨み、元には戻れない闘いの道を選んだ。

第5章

私にとっての糟谷孝幸さん
70年代以降の運動に参加してきた人びとから

想いのつまった運動のバトンをうまく渡せるか

井奥　雅樹（兵庫県高砂市議・緑の党所属）

毎年のお墓まいりが縁

1965年生まれ、一浪して1984年に岡山大学に入った私は糟谷さんとは全く面識がありません。ただ、岡山大学の先輩や地域の市民運動で出会った方から「運動で亡くなった方がいる」という話は聞いていました。また内藤秀之さんが出荷している「山の牛乳」共同購入の会で配達アルバイトをした関係で内藤さんの思いを聞く機会も幾度かありました。

世界的に「68世代」という言葉があります。1968年前後のベトナム反戦運動、フランス5月革命や東大紛争など世界的に「同じ時代に同じ空気を吸って生きてきた」世代を指します。日本では「全共闘世代」でしょうか。

私が入学した岡山大学はその時代の熱気が完全に薄れ、ヘルメットをかぶった学生数人がたまに学生食堂あたりで演説をし､立て看板が数枚出ているくらいでした。「バブル真っ最中」の私たち学生は好景気のおこぼれを楽しみ、個人生活を重視して社会問題への関心は低い「新人類」と呼ばれていました。

なんとなくそんな風潮についていけず、大学にずるずると在籍しながら過ごした8年間の学生生活でした。それでも学生新聞の取材から地域の市民運動につながり、その縁で「ピースボート」スタッフの仕事にありつき東京へ。

そこで出会った辻元清美の選挙を手伝って国会議員秘書、地元に戻って市議会議員に32歳の時に初当選しました。

当選直後になつかしい岡山のメンバーから「内藤さんと一緒に秋に隣の加古川市に墓まいりに行くから」と話がありました。それが糟谷さんのお墓で、毎年できる限り受け入れを手伝うのが私の糟谷さんとのつながりでした。

糟谷さんの影と遺産を追いかけて

今回50周年のさまざまなプロジェクトを手伝う中で、改めて糟谷さんとの縁と遺産を感じました。一つは地域の縁。ご実家は隣の加古川市といっても、高砂市に一番近いエリアで私が10代の頃によく自転車で動き回っていたエリアでした。そして糟谷さんが通った中学校は当時は珍しい「組合立」で高砂市と加古川市が共同で運営していた宝殿中学校（現在、高砂市立宝殿中学校）。さらに高校は地元でも名門の「加古川東高」で、私の友人・知人がたくさんいる学校でした。

高砂市は憲法学者の美濃部達吉さんの出身地であり、戦後はじめての参議院選挙では労農党出身の河合義一（元高砂町議）さんを当選させました。高砂・加古川は全体的には保守的な地域ですが、近代には「革新」の伝統がある地域でもありました。そんな影響が糟谷さんの運動参加への「ためらい」と「決意」にもつながったのでしょうか。

もう一つは運動の遺産。兵庫県に帰ってきて、市民運動の手法やネットワークの幅広さが岡山や大阪と大きく違う感覚を持っていました。学生時代の岡山、辻元秘書時代の大阪で市民運動の豊富なネットワークにしばしば助けられてきました。兵庫では個別の運動は盛んですが、垣根を超えた結びつきが岡山や大阪ほどではない。そんな疑問が50周年の集会に参加している顔ぶれを見て納得しました。糟谷さんの死やその後の弾圧が衝撃となって垣根を超えて「結びつき」、その運動の遺産があったのだなと。

運動のバトンを手渡せるか

糟谷さんの毎年の墓参りが続く中、節目のイベントとして2002年頃加古川市で大きめの交流会をもった時がありました。白川真澄さんの60歳還暦お祝いも兼ねて、ということでした。各地域からさまざまな参加者が集まりました。

見上げるような大先輩たちに囲まれて緊張している30代の私でしたが、いつの間にか今年2020年は55歳で当時の白川さんの年に近づいてきています。ヘイトスピーチをするような極右が台頭し、そのボスのような首相が歴代最長政権となるような時代。68世代とその後の運動が作り上げた成果と遺産を食い潰しながら縮小再生産となっていないか自省しています。しかし、ささやかに私たちの世代でもつくりあげた運動のバトンを次の若い世代にどうつなげるかがこれからの自分自身の大きな宿題だと感じています。

ちなみに加古川市での交流会の年、ちょうど辻元清美が秘書給与疑惑で取り調べを受けているというニュースが全国を駆け巡っていました。参加しているメンバーから「井奥くん、もし君が取り調べを受けても完全黙秘(カンモク)だぞ、それが仲間を守るんだ」と言われました。

よくわからぬ迫力にうなづき、その後辻元清美関連の取り調べや自分自身の公職選挙法関連でも警察や検察に立ち向かう時にその言葉に支えられてきました。そんなアドバイスも実は糟谷さんの最期の言葉があったんだと今となってはわかります。

そんな「覚悟」や「運動の知恵」のバトンも次の世代に渡せればいいなと感じています。

山村の中学三年生が体験した「11月13日」

五十嵐　守（京都市）

呼びかけ人の一人です。当時、私は新潟県の山村に住む中学三年生でした。糟谷さんの死についてもリアルタイムでの記憶はありません。そんな私が何故このプロジェクトの呼びかけ人になったかと言うと、１９６９年11月13日という日が、私の人生にとっても大きなターニングポイントだったからです。

この日、私が通っていた中学校の担任の先生が、給食の時間に「ストライキ宣言」をして、午後から授業がなくなりました。これってどういうこと？　私は先生の行動の意味が知りたくて図書室で新聞を広げると「総評がストライキ」という大きな見出しが踊っていました。

それまで新聞を読むという習慣がありませんでしたから「総評」の意味がわかりません。さらに調べると「総評」とは先生の組合などを含む労働組合の大きな集まりだとわかりました。そして、その総評が「佐藤首相の訪米」に反対してストライキをしたこと、労働組合だけではなく学生や市民も反対の行動を起こしたこと、などもわかりました。

それまでの私は走ることが好きなスポーツ少年でした。中学三年生の時には、東頸城郡（ひがしくびきぐん）という平成の大合併で消滅した小さな郡の陸上大会で一五〇〇メートルと三〇〇〇メートルで優勝し、駅伝大会でも区間賞を取るなど、けっこう速い長距離ランナーでした。

この走るのは得意だけれども世間には疎い少年ランナーの目に、11月13日を境にして、突然「社会」というものが飛び込んで来たのです。

私は「社会」をもっと知りたくて自由国民社の「現代用語の基礎知識」を買ってきて、知らない言葉を調べ始めました。「ベトナム戦争」「安保条約」「沖縄返還」「三派全学連」「総評」「ブルジョアジー」「プロレタリアート」などなど。そして社会について、社会の見方について、色々調べ、考えた末に出した一つの結論は、「世の中は二つの対立物で成り立っている」というものでした。

いや、こんなふうに書くと私一人が突出していたと思われるかも知れませんが、そうではありません。友達の中には私より早く「目覚めた」人もいました。文化祭の企画で「大学紛争」を取り上げて「全共闘」と書かれた白いヘルメットを展示したクラスがあったり、また、朝日ソノラマの「新宿西口広場」の特集が面白いと話している秀才(後に京大医学部)がいたり。彼らが「中学生共闘準備会」を作ろうとしているという噂も耳にしました。

こうした友人らの言動は気になり、その意味するところを知りたいとは思いましたが、私は理解できませんでした。それが、11月13日の出来事をきっかけに、自分の中で、パッと、全部つながったのでした。糟谷さんが扇町のデモでたおれたこの日、まったく離れた場所ではありますが、一人の少年が生きる指針を見つけたのです。

「記憶の暗殺」との闘い

繁山　達郎（研究所テオリア）

糟谷孝幸さんと初めて「会った」のは1983年。当時、東京・飯田橋にあった工人社だった。汚れた工人社の壁に原勲さん（管制塔闘争元被告）とならんで遺影がかけられていた。

初めて工人社に来た人は遺影を見て誰の写真なのかとたずねるのが常だった。私も同じようにたずねて、1969年11月13日の大阪での佐藤訪米阻止の闘いで警察機動隊に殺された岡山大生という説明を受けた。最後に「黙秘します」といってたおれた糟谷さんは「活動家の鑑」というような説明だったと思う。

ただ、11・13集会が首都圏で開かれていたのは80年代初めまで。『明日への葬列』や「統一」のバックナンバーを読んだり、11・13に黙祷したりもしたが、それも80年代の話。その後は「11・13」30年墓参に参加した記憶があるだけで、糟谷さんについてまとめて聞いたり、考えたりする機会は長い間なかった。（その間も、内藤秀之さんたちが加古川での11・13墓参を毎年続けていたわけだが。）

ヨーロッパなどでは、「ユダヤ人虐殺はなかった」というような歴史修正主義を「記憶の暗殺」、歴史修正主義との闘いを「記憶の内戦」というそうだ。

日本では、90年代以降、日本軍性奴隷制（「慰安婦」）、「南京虐殺」など植民地支配・戦争加害の歴史を歪曲しようとする右派の動きが強まった。歴史修正主義者の政権が長く続く状況になっている。歴史歪曲は、政権の数々の疑惑で「不都合な真実」を隠すために公文書を捨てる、作らないという形で現在とつながっている。

戦争、三里塚空港など巨大開発、公害など国家犯罪・企業犯罪の歴史を見れば、国家犯罪・企業犯罪の加害を消し、同時に民衆の闘いが持っていた鋭さを希薄化し、抵抗の歴史を消そうとする動きは一貫して続いている。

2018年末、内藤秀之さんに東京での糟谷50年の講演（19年1月に開催）をお願いしたときは、小なりとも「糟谷50年」を企画し、「忘却」に抗わなければと考えたものだった。その時は、糟谷孝幸プロジェクトが立ち上がって、これほどの広がりを見せ、出版にこぎつけるとは想像していなかった。

これも、長年取り組んできた人たちの継続の力と共に、「糟谷孝幸」が代表する闘いの記録を残し、警官によるデモ隊虐殺の歴史をなかったことにする「記憶の暗殺」を許してはならないという共に闘った仲間と共感する人々の思いがあったからだ。何より時代の要請があったということなのだろう。

最後に、今後の目標として、当時生まれていない世代に「糟谷孝幸」と闘争の意味を知ってもらうために、次は「バーチャル闘争記念館アプリ」を目指さないといけないのではないだろうか。現場で掲げたボード（あるいはチラシやパンフレット）を見た人がＱＲコードをスマホで読みこんで、当時の説明、証言、映像などが見られるイメージだ。

私たちの力量を超えた構想だが、１９６９年から60年、70年に向けて、継続した取り組みが求められるのではないだろうか。

糟谷の後を追って

杉本　正（元プロ青同三里塚現闘団）

初めて糟谷君を知ったのは、彼と共に闘った人たちの「11・13公判」闘争への参加です。共労党分裂後、大阪の高校生が20名ほど組織され、公判の度に裁判所前でミニ集会をやってました。被告から内藤、田中、Ｙの各氏が交代で発言していたのを覚えています。

69年の秋季闘争時私は中学2年生で、兄に連れられ「野次馬」として「参加」していました。しかし、糟谷君が暴行・虐殺されたことを知ったのはずっと後のことでした。

中学3年生の時（70年）学校でカンパを集め、布とマジック、竹竿を買い同級生と共に6・15集会デモに参加し、帰りに私服刑事に「補導」されました。完黙の意味も弁護士への依頼もわからず、家に連れ戻されました。高校2年生（72年）北熊本での「自衛隊の沖縄派兵阻止」闘争で逮捕。

この頃には「糟谷のように！」の気持ちで拘留、また鑑別所も完黙を貫徹。糟谷君の逮捕時の左顔面を伝う血を脳裏に浮かべながら、「権力には髪の毛1本渡さない。」気持ちでした。それは、組織を守るや、自分を守る、ではなく世の中を変える闘いを守る、という考えからきています。糟谷君の最後の「日記」にあるように「我々にとってではなく、自分にとって、」この闘いの意味・それに参加する意義を肚に据えながら、決して「起爆剤」になることはできないと自覚しつつ、闘いを続けていきました。

その後も何度か逮捕されましたが、他人や組織のせいにすることなく、己の考えで行動した結果であり、糟谷君に恥じない態度を貫きたいと思っていました。

4回目に捕まったのが76年の「天皇在位50年式典」粉砕闘争（確か11月10日）のデモ解散地点。当時三里塚現闘団の任についており「今日は絶対パクられるなよ！」ときつく言い渡され、横断幕を持たされた上に、たくさんの腕時計やメガネを預けられました。解散地点の公園に入って振り向くと、スクラム部隊の指揮者（大阪時代にオルグした人）が機動隊に殴られており、咄嗟に旗竿を捨てて彼を救出に行きました。気が付いたら公園わきの交番に放り込まれ、その後都内の留置所へ。

その3日後の13日糟谷君虐殺の7年目、この日で虐殺への「法」を持っての闘いが「時効」という壁に阻まれて終わりを迎えました。その悔しさと怒りを込めて、留置所での闘いを準備しました。その留置所の別の房にはのちに三里塚管制塔を占拠破壊した中川さんも入っていて、昼間の運動時間に打ち合わせをし、各房の房長（留置場の先輩格）にも断りを入れ夜を迎えました。

最初に私が「大阪府警荒木・赤松・杉山三警官の断罪と、付審判請求の時効による終焉への抗議、糟谷君に続いて不屈に闘う」旨のアジテーションを行い、シュプレヒコールの後、「同志は斃れぬ」を3番まで歌い終わった時に、応援の警官が突っ込んできました。

私たちは諸闘争、とりわけ三里塚闘争で多くの逮捕者を出しましたが、他派のように自白によって組織の中枢まで権力の手が届くことはありませんでした。ある友人からその理由を聞かれたとき「僕たちには糟谷がいるから」と答えました。別にかっこつけているわけではありません。今まで失敗や誤りをたくさんしてきましたが、私のすぐ後ろには糟谷君が横たわっています。もう一人三里塚横堀墓地に眠る管制塔戦士原君がいます。私は彼らを踏み越えて進んできたんです。

最後に糟谷君を思いながら、何百回も歌った「同志は斃れぬ」の歌詞を書いて終わります。

1
正義に燃ゆる闘いに　雄々しき君は斃れぬ
地に汚れたる敵の手に　君は闘い斃れぬ
プロレタリアの旗のため　プロレタリアの旗のため
踏みにじられし民衆に　命を君は捧げぬ

2
冷たき石の牢獄に　生ける日君は囚われ
恐れず君は白刃の　嵐を尽きて進みぬ
プロレタリアの旗のため　プロレタリアの旗のため
重き鎖をひびかせて　同志は今や去りゆきぬ

3
真黒き夜の闇は明け　勝利の　朝(あした)　今や来ぬ
斃れし君の屍を　われらは踏みてすすみなん
時は来ぬいざ復讐へ　時は来ぬいざ復讐へ
わが旗赤く空に燃え　勝利の朝今や来ぬ

3番の歌詞を私たちは歌うときが来るのだろうか？

反戦・人権のために闘うということ

藤井　悦子（アジェンダ・プロジェクト、京都）

『アジェンダ―未来への課題』という社会問題を考える季刊雑誌を発行しています。雑誌では、反戦・反基地・憲法・脱原発・気候危機・ジェンダー・民族差別・労働・社会保障ほか、様々なテーマを扱っているのですが、私自身は主に脱原発や９条改憲反対の運動に参加しています。

１９６９年当時のベトナム反戦・反安保闘争の中で、糟谷さんが国家権力に殺されたということは、今回初めて知りました。反戦の闘いの中で、日本中で、そして世界中で、多くの若者の命が権力に奪われていったことに、改めて思いを馳せました。

私は１９６４年生まれで、大学入学は１９８３年、69年の闘争は直接体験していません。高校までは社会への関心も強くはなく、70年代の「過激派」キャンペーンの影響を受けて「学生運動にかかわるのはやめておこう」と思いながら、日本社会がバブルに向かう時期に、始まったばかりの「共通一次試験（のちのセンター試験）」を受け、「しらけ世代」と言われながら大学に入りました。

しかしその大学ではまだ比較的多くの学生や党派の活動が行われていて、結局、私は女性差別問題を考える政治サークルに入って、いろんな社会問題を勉強するようになりました。当時は四年制大学の女子学生の割合は25％程度で、ようやく「男女雇用平等法（均等法）」が俎上に上がった時期でした。高校では教員が平気で「女の人は大学に行かなくても結婚したらいいから楽だよね」と公言するような状況で、何かにつけて、女性は社会で何かをする主体ではないと教え込まれ、女性の進路や職業がひどく制限されていることに絶望感を持っていたのです。また当時は中曽根首相が急激な軍拡を進めようとしていて、空襲や疎開を体験してきた両親から「憲法9条は重要だ、日本は戦争しない国になったんだ」と聞かされ続けてきた私は、それにも強い危機感を持っていました。

こうしてサークルで勉強し始めると、どうも自分がこれまで「なぜあのような行動をするのか」と漠然とマイナスイメージを持っていた学生運動の意味が徐々に分かるようになり、イメージが一変しました。女性差別問題でも、女性たちが命をもかけた解放運動で、参政権や財産処分の権利など女性の自由と平等を勝ち取って積み上げてきてくれたのだと理解するようになりました。否定的に感じていた「命をかけた過激な」行動が、実は歴史的に私たちの人権を守ってきてくれていた。そして糟谷孝幸さんをはじめ、ほかにも直接名前は知らないかもしれないけれども多くの人々が、命がけで日本の軍事国家化を止めてきてくれたのだと思うのです。これは原発や民族差別ほか様々な社会運動でも同じで、名もなき個々人の運動が、今の私たちの人権を守ってきてくれた。そう考えると、私も、私たちもまた、将来の人々のためにも、しんどくても「ここで頑張らないとなあ」と思うのです。

69年前後の運動の中で醸成されていった、支配階級に与しない、社会主義、女性差別、民族差別、障害者差別、部落差別、反戦、日本の侵略戦争の告発と責任追及などの運動と議論は、十数年後の大学でそれらに触れた私にとっては、まさに価値観を一変させるものでした。そして市民運動や労働運動では、何はともあれ、これらの議論を前提に運動が行われ、発展させられてきたと感じています。

他方で、国の政策を動かすほどの大きな大衆運動を、私たち以降の世代では残念ながら経験できておらず、実力行動が社会的に否定的価値観を伴って流布されてしまったと思います。また69年当時行動していたはずの多くの若者が、経済成長を求める「企業戦士」になったことは、その後の世代に無力感をもたらしたと思います。そして当時の党派の、ある種の軍隊に近い活動スタイルは、せっかく議論されてきた民主主義の内容に反していたと思います。そもそも軍事に価値を置く社会は、他民族を敵視すると同時に、女性を軽んじる傾向にあると思うのです。

ソ連・東欧「社会主義」体制が崩壊した90年代以降は、資本主義の新自由主義化が急速に進み、それまで日本でも世界でも徐々に発展してきた平等・人権意識が著しく後退し、「格差社会」を容認したり、民族差別ヘイトを公言するような状況に逆戻りしてきている感があります。さらに経済成長主義の果てに私たちは深刻な福島原発事故を起こし、そのうえ急速な地球温暖化によって破滅的な気候危機を引き起こしつつあります。この時期以降に青年期を迎えた人々は、「社会は良くなっていく」という感覚を持てないでいるのではないでしょうか。

かつての戦争で、学生は学徒出陣を強いられて命を奪われましたが、糟谷さんは国家が二度と人々を戦争に駆り立てることのないように闘う中で国家権力に虐殺されてしまった。今に生きる私たちは、国に戦争を起こさせず、すべての人々にとってより良い社会を実現するために、やはりできる限りの行動をすべきだと改めて思います。

糟谷の机

光吉　準（岡山県鏡野町議会議員・岡山大ＯＢ）

私は１９７５年に、糟谷さんと同じ岡山大学法文学部法学科に入学しました。実に殺伐とした春でした。

５月25日、マルクス主義青年同盟を名乗る集団が学生寮を「革命の拠点」としようと襲撃し、多くの寮生に暴行を加え、その中で、私と同じ新入生の大沢真君が殺されました。マスコミは「内ゲバ」と報道し、共産党も「暴力反対」キャンペーンに利用しました。暴力で人を支配することも、それを政治的に利用することも許さないと強く誓いましたが、一年生の私にとって簡単には整理できない事件でしたし、これからもそうでしょう。

75年の夏は母校の中学校でプール番をして過ごしました。毎日、子どもたちやプールの水と青空を見て過ごす、たぶんリハビリのようなものだったのだと思います。（誘ってくれた同級生には密かに感謝しています）

その後、地域問題研究会というサークルで活動を始めました。大学闘争の余波で（？）誰もいなくなっていたセツルメントのボックスに入り込んだサークルです。主に公害問題（今でいう環境問題）に取り組んでいました。

学生寮から下宿に私は移りましたが、大学から遠いこともあり、全然授業に行かない日々でした。そんな私を心配して、サークルの先輩が、大学裏にある下宿の、自分の住んでいる隣の部屋に、半ば強制的に私を住まわせたのです。

全共闘運動に参加していた先輩が、机を持っていなかった私に「これは糟谷くんが使っていた机だ」と言って木製の机をくれました。その後、何度かの引越しを経ながらも、その机は我が家にあります。落書きがあるわけでもなく、今となっては糟谷さんの使っていた机なのかどうか確かめようもないのですが、私は「糟谷の机」だと思っています。(半分、物置状態ですが)

ほぼ毎年のように11月には墓参りに行きますが、残念ながら糟谷さんについて、パンフレットに書かれていること以上には知りません。あの白黒の写真と、「黙秘します」の言葉は忘れることはできませんが……。76年末から日本原で陸上自衛隊の実弾訓練が再開され、その反対運動に参加するようになります。「日本原はんせん馬天嶺」には、糟谷さんの白黒の写真が掲げられていました。そして誰からか「黙秘します」の言葉の話を聞かされ、相次ぐ抗議行動、自衛隊や機動隊との対峙の中で、その言葉は私の中に入っていったのだと思います。

日本原で酪農を続ける内藤秀之さんは、私の中学校からの先輩になります。墓参りの時には、糟谷のこと、その時のことを聞くこともあります。日頃は優しい内藤さんですが、事を前に進めようとする時にはかなり粘り強いところのある人ですので、当時、糟谷さんと何を話したのだろうか……と勝手な想像をしたりもします。

私の住む鏡野町には、建設まで約40年に及ぶ反対運動があった苫田ダムがあります。その闘いの歴史を公に残そうと資料整理が行われており、少しだけ手伝っています。全く知りませんでしたが、聞けばダムを作った国土交通省の側は、反対運動も含めて資料を整理し既に残しています。政府の側には政府の見方があるでしょうが、人生の大半を反対運動に捧げた人にはまた違った見方があります。それらの多様な考え方や資料を残し、後世の研究に役立たせることは今の世代の責任でもあります。ダムがあっても無くても人口減少は続き、地域の維持が大きな課題となったことは間違いがありません。しかしダムによって分断された人々は、今でも様々な思いを抱いたまま各地で暮らしています。それらを伝えていきたいと思います。

糟谷さんが亡くなって50年が過ぎました。虐殺という権力犯罪弾劾に取り組んできた岡山大の好並隆司先生が亡くなって早くも10年がたち、当時を知る人も少なくなっていきます。糟谷プロジェクトの活動も糟谷とその時代を伝えていく大切な試みと考えています。

大学ではほとんど学ばなかった私ですが、糟谷さん、たぶん、もっと学びたかったのでは、と思っています。

「不条理に対する永遠の反抗」は続く

宮部　彰（緑の党グリーンズジャパン運営委員）

①　糟谷の言葉に出会ったのは1974年

「僕は―政治的人間になる―ことはできない」「犠牲になれというのか　犠牲ではないのだ　僕が人間として生きることが可能な唯一の道なのだ　抑圧する者―全てに―災いあれ」「我々にとってではなく　僕にとっての〝未来〟とは何であるのか　我々にとっての〝未来〟は我々の後に続いてくれる〝誰か〟があるということなのか」。

この糟谷の言葉に出会ったのは熊本大学に入って2年目ごろの1974年だったと思います。私の中に、じわりと浸透していく感覚で読んだのを覚えています。その後も、常に頭の片隅に居座り続けた言葉です。

②　1969年と私

1969年、私は地方都市下関の高校2年生でした。「1967年の10・8羽田」「1969年東大闘争」「1971年三里塚」「1972年あさま山荘」を、テレビで見ていた世代です。とりわけ「大学紛争」と呼ばれた全共闘運動は「大学に行くことの意味」を問い、その影響もあって、進学校で上から10番以内の成績が下から10番以内に下がったことを思い出します。

その時期、私はアルベール・カミュの著作に強い魅力を感じていました。「絶望的な不条理の中で、いかに生きるべきか」ということを模索していた時期でした。「戦争は忘れ去られ、繰り返される」という冷めた感覚の持ち主でした。

最近、新型コロナ感染症の拡大とパニックの中で注目されたカミュの「ペスト」を50年ぶりに読み直しました。

そして思い起こされたのは、カミュの「ペスト」を読んで、「主人公の医者のように誠実に生きよう」と思い、医学部をめざしたのだ、ということでした。私の生きざまの原点のような著作だったのです。そして、同じ実存主義思想といわれるカミュとサルトルの論争では、カミュにシンパシーを持っていました（「カミュ・サルトル論争」新潮社は1969年）。サルトルの、「さまざまな問題があったとしても共産主義を擁護する」という政治主義に対する違和感があったからです。カミュの「不条理に対する永遠の反抗」というメッセージに共感していたのです。

③「政治的になれない」「犠牲ではない」

そのような感覚を持っていた私が、「共産主義」という言葉を冠した共産主義労働者党・プロ青同に参加したのは、いま振り返れば糟谷のこの言葉に出会ったからだと確信できます。

「僕は―政治的人間になる―ことはできない」という言葉は、「政治的ではなくても活動に参加すべきだ」という決断を促しました。常に「政治的とはどういうことか」を問い返しつつ、また「政治的であることをめざしつつ、政治主義に陥らないこと」を自覚しつつ。

「犠牲ではないのだ　僕が人間として生きることが可能な唯一の道なのだ」という言葉を私は、「他者のための活動は、己自身の生きている意味を見出すこと」と受け止めていたのだと思います。言い換えれば、自己は他者との関係性、つまり「連帯・共感・共苦」の中にしか意味と幸福を感じることはできない、という感覚でしょうか。

50年を振り返ってみれば、糟谷の言葉が、今もなお活動を続けられている根っこを支えていると言えるのかもしれません。

④ エコロジーとの親和性

カミュの思想には自然的身体性があり、抽象的理論よりも感情・感性・具体性を大切にする思想だと思います。糟谷の言葉にも、個の具体性（私にとってのを問い続ける姿勢）、感情、身体性があふれているのではないでしょうか。

どういうわけか（たぶん、必然的なものがあったのだとは思いますが）、共産主義労働者党・プロ青同は、新左翼党派の中では例外的に、三里塚闘争の過程で農業・農民・地域的具体性、そして自然環境を重視する視点を深めていきました。そして神学的理論である前衛党論からいち早く脱出しました。

私は、カミュと糟谷の思想と共通する身体性・自然性・具体性・感性が共労党・プロ青同にはあったのではないか、と感じています。私の中では、これらの共通性はエコロジー思想としての可能性を秘めていたのだと思います。

70年前後の運動は、新左翼の政治主義と社会運動の非政治主義へと乖離してしまったと言わざるをえません。その傾向は、残念ながら今もなお続いています。

少し、糟谷の言葉を拡大解釈しすぎているのかもしれません。コロナ危機と気候危機という、人類が未来への分岐点に直面しているという時代の中で、大げさに意味付与してしまっているのかもしれません。しかし、そのように解釈する私がいることは間違いなく、そのことを糟谷に伝えられれば、と思わざるをえません。「あとに続くものがいる」と。「我々にとってではなく　僕にとっての〝未来〟とは何であるのか　我々にとっての〝未来〟は我々の後に続いてくれる“誰か”があるということなのか」という糟谷の問いにたいして、今なら確信をもって言い切ることができます。「我々のあとに続いてくれる誰かがある」と。

⑤ 気候危機・コロナ危機と糟谷

「抑圧する者─全てに─災いあれ」という言葉は、今こそ高く掲げられるべきではないでしょうか。資本主義は気候危機とコロナ危機という人類史的危機を招いています。価値増殖という抽象的貨幣追求が支配する世界は、人々のいのちと暮らしという自然・身体性と地域的具体性の中に、再包摂されるべき時が来ているのではないでしょうか。

気候危機に対抗しようとし「気候正義」を掲げる若者の大規模な運動は、「あとに続くものは永遠にある」ということを示してくれました。「気候正義」とは、途上国も含めた世界との連帯の表明であり、同時に将来世代への連帯のメッセージです。

今こそ、私たちの世代は、若者の連帯のメッセージを共有し、「連帯」という言葉を復権させるべきではないでしょうか。今や「連帯」することの大切さと共感は、世界中にあふれています。その一方で、自国第一主義、権威主義へと向かう力学も働き、両者がせめぎあっています。

欧州緑の党は、「(コロナ) 危機に対するワクチンは1つしかない‥‥それは連帯」と喝破しています。それは「気候危機に対する方法は1つしかない、それは連帯だ」とも言い換えることができるだろうし、「資本主義を封じ込める力は1つしかない、それは連帯だ」とも言い換えることができるのではないでしょうか。

そしてこの「連帯」の精神は、過去の闘った世代との連帯（糟谷との連帯！）であると同時に、将来世代との連帯でもあるという感覚を伴うべきである、と私は思います。

私たちは、「気候危機」と「コロナ危機」という2つの危機を乗り越えるために、そして歴史的かつ文明史的な大転換を実現するために連帯できるのでしょうか。

「状況は悲観的である」と冷めた私は認識しています。しかし他方で、「希望はある、それは行動の中からしか生まれない」という希望を求める感情に突き動かされていることも否定できません。

この感覚は50年前の糟谷が抱いた感覚と共通するものだと感じざるをえません。「不条理に対する永遠の反抗」は続くという感覚は世代を超えると。

叙勲される元警察官　仇討ち志願の若者

元豊田　平（研究所テオリア）

糟谷氏を死に至らしめたと告発された警察官は3名いた。
そのうち1名と同一姓名・同一年齢の人物が、危険業務従事者（大阪府警・元警部補）として叙勲を受けている。
天皇の名において、勲章・勲記が授けられた。

2018年秋の叙勲で発表されたのは瑞宝単光章。受章者の数自体は少なくはない。告発闘争を闘った方のお話では、かつて告発対象の警察官氏の自宅に、扇町公園の警備事案に関する危険業務の表彰状が飾られていたとのことだ。同一人である確度は低くないだろう。はたして勲功の危険業務とは何だったのか。50年の時を経て、糟谷氏を死に至らしめた件も含め、天皇の名において勲記に璽（しるし）をおさせたのか？　勲位の妥当性・決定過程は？　他の二警官氏は今どう考えるのか。そもそも在世なのか。警官人生を全うしたのか。機会があれば、ぜひとも拝聴してみたいところである。

今般、研究所テオリアの事務局が、本叙勲の件について内閣府へ情報公開請求を行った。しかし、返ってきた答えはいわゆる「ノリ弁」。氏名と元官職名のほかは、全面スミ塗り。真相の闇は未だ晴れない。

さて筆者は1967年生れで同時代経験はない。見聞にまつわる敬慕の話となる。

糟谷氏の名前は、ネットもほぼない八五年、プチ全共闘ブームの折に知ったのが初めてだ。翌年さる政治グループの事務所を表敬訪問し、同氏の肖像写真がしっかり掲げられているのを見て、身の引き締まる思いがしたものだ。

次にハッキリと「糟谷孝幸」の名を見たのは、東大闘争の安田講堂防衛隊長だった今井澄氏（2002年逝去）の市民葬であった。会場となった諏訪市民会館のロビー献花台には、ML派のヘルメット（故今井氏の愛蔵）が置かれ、その奥にモノクロの大きな写真パネル。若き今井氏が前のめりに獅子吼するのは日比谷野音の壇上だ。その頭上に掲げられていたのは、まぎれもない大きな「糟谷孝幸君 虐殺抗議人民葬」の看板だった。ちなみに市民葬の最後、没後叙勲の打診があったが故人の遺志で辞退したと司会から報告された。会場にはその時、安堵とも何ともつかない、すがすがしい空気が流れた、ように感じた。（…私なら貰えるモノは貰うかも…まず絶対に話がないが）

ネット上に大判例というサイトがある。開設者や意図は不明だが、現憲法下の20世紀中の裁判例が多くアップされている。「糟谷孝幸」で検索すると思わぬ事案に行き当たる。当時は騒ぎになったのだろうが、扇町の事件直後に寝屋川警察署へ仇討ちを仕掛けた若者二人の話がある。語り継がれるべき話か判らないが触れておく。

安易な道だけは選ぶまい

吉田　和雄（研究所テオリア）

わたしは現在64歳で、糟谷孝幸さんと同時代を生き闘った69世代ではありません。わたしにとって全共闘世代のイメージは、学園闘争と街頭闘争にあこがれつつも、活動家のイメージは暗く、虚無的な印象を抱いていました。そんな折、大阪で卓球男子だった高校3年の時、京都に遊びに行って京都べ平連の流れをくむ市民運動のやっていた南ベトナムの政治犯救援運動に顔を出す中で、プロレタリア青年同盟の人たちに出会いました。それから執拗にというか熱心にというかオルグされ、大阪で「南朝鮮人民連帯運動」などで活動することになりました。

プロ青同に入ったのは1977年ごろかと思いますが、糟谷孝幸さんのことは漠然とした印象しかありませんでした。当時大阪天満の関西工人社に遺影があって、プロ学同に所属していた岡山大生が扇町公園で69年11・13佐藤訪米阻止闘争で国家権力機動隊によって虐殺されたこと、付審判請求の裁判を行なっていたということを「先輩の活動」「我が派の歴史」として知っていたにすぎませんでした。

そんな中で糟谷孝幸さんの生き方を、同志として、自分の生き方として意識するようになったのは、三里塚闘争に参加するようになってからでした。

三里塚闘争、中でも私自身が体験してきた1977年鉄塔決戦から1978年開港阻止決戦の過程は、自身の身体を張った実力闘争によって政府・空港公団の空港建設を阻むのだという決意と、自分は三里塚闘争勝利のために何ができるのかを常に問われたからです。その時「糟谷精神を引き継いで闘う」ということばは、私たちプロレタリア青年同盟、三里塚を闘う青年先鋒隊の合言葉であったと思います。その心は「死んでも黙秘します」「犠牲になれというのか…これが、私にできる唯一の人間らしい道なのだ」という糟谷さんの遺したことばにありました。

糟谷のことばは、強く三里塚闘争の中に溶け込んで、私たちの中に根を張っていたように思います。空港開港という政府に強いられたスケジュールのなかにありながらも、三里塚の開かれた空間のなかで人民の創造力で必ず勝利するという楽観論と、逮捕されても、死んでも完黙を貫くという決意を、わたしだけでなく多くの同志が共有していたに違いありません。

わたしは78年2月、凍てつく大地に建てた横堀要塞の鉄塔に40時間立てこもり逮捕されました。同志2人、熱田一行動隊長、小川源さん、小川むつさんら反対同盟の百姓や、第四インター、戦旗派の仲間ら40名らと共に闘いました。それから50日後の3月横堀要塞戦、3・26管制塔占拠闘争の勝利の道筋をつけられたことは、今日までの生き方を決定づけました。その後、救対の任務につきました。その時、三里塚闘争の逮捕者の中で完黙黙秘の割合はわたしたちの党派が一番であったと聞かされていましたが、この密かな誇りは、わたしたちひとりひとりが糟谷精神を我がものとしていたからに他なりません（いうまでもありませんが黙秘した人も供述を余儀なくされた人も等しく同志、仲間として団結していかなければならないことに一点の曇りもあってはなりません）。

わたしたちの隊列から糟谷さん、原勲くんが国家権力に命を奪われてから50年、40年近く経ちます。香港国家安全維持法が施行された２０２０年7月1日、香港の若者は果敢に街頭に出て抗議行動を展開、10人以上が逮捕されました。

民主化運動のリーダーは「生きぬこう」と呼びかけて姿を消しました。

どのような生き方を選ぶことができるのか、わたしには答えは見つかりませんが、安易な道だけは選ぶまいと思います。

第6章

糟谷君虐殺の真相を究明する

告発・付審判および11・13扇町闘争公判

糟谷孝幸君虐殺の真相を究明する告発・付審判の取り組みおよび11・13扇町闘争公判の経過

荒木　雅弘（糟谷君虐殺事件告発を推進する会元事務局）

◇目次

◇文中における難解な用語等の解説を記載している。記載箇所は下記の通り。

はじめに：　概括

糟谷孝幸君虐殺の真相を究明する闘いは二本柱で構成されている。第一には、虐殺の真相を究明する告発・付審判の取り組みであり、第二には、大阪扇町公園での佐藤訪米阻止集会・デモで逮捕された被告の裁判（11・13扇町闘争公判）である。

（第一）糟谷孝幸君虐殺事件の真相を究明する闘いのゴングは、糟谷君を逮捕した三警官（荒木幸男・赤松昭雄・杉山時夫）を「特別公務員暴行陵虐致死罪」（刑法第195条・第196条）で大阪地方検察庁（大阪地検）に「告発」した1969年12月14日に鳴らされた。

その過程で大阪地裁は「付審判審理を当事者公開で実施する」ことを決定。それに対して大阪府警は異議を申し立ててきた。つまり闘いは、糟谷君虐殺の真相究明に先だって付審判の審理方式を巡る大阪府警との闘いをも舞台となった。時効寸前の1976年10月20日、大阪高裁が付審判審理の抗告棄却決定を下すまでの大阪府警との闘いは6年10か月に及ぶ困難を極める闘いであったが、我々は大阪府警の司法への不当不法な介入を完全に跳ね除けたのである。だが大阪府警の攻撃は糟谷君虐殺の真相究明の取り組みへの重大な妨害となり結果的に真相究明を果し得なかった。

一方、他の付審判事件（北田さん事件）に対する裁判官忌避申し立て「審理方式」への異議申し立てにおいて最高裁判断は、「当事者公開は違法」とした。その結果「付審判制度」を趣旨どおりに運用せんとした大阪地裁の動きが頓挫したことも報告しておかねばならない。

（第二）11・13扇町闘争公判は1970年7月9日糟谷君の遺影を抱いての黙祷を合図に開始。以後1974年

5月29日の第30回判決公判に至るまでの24名の被告による裁判闘争である。

糟谷君は警官によって暴行・逮捕された「曽根崎署4号」であった。撲殺されなければ被告として当然公判廷にいたはずである。被告の黙祷に対して検事は異議を申し立て、認められないと出廷拒否を繰り返す等悪辣な攻撃を繰り返したが、被告団は11・13闘争の正当性を主張し権力の過剰警備の頂点極致としての糟谷君虐殺を弾劾追及した。

公判廷では糟谷君を逮捕した警官荒木幸男を出廷させることに成功し、証人尋問を実行した。追及の結果「自分の警棒に糟谷君と同じ血液型の血痕が付着していた」という証言を引き出すことができた。そして1974年5月29日の第30回で判決が下された。

第一：糟谷君虐殺の真相を究明する告発・付審判の取り組み

◆糟谷君の遺族に替わって「告発」

糟谷君の虐殺に対して糟谷君の遺族は死亡直後の遺体を見て警官の暴行が原因であろうと推測されていた。しかし遺族は父親の職場等の関係上「告訴」を断念されたので我々が替わって逮捕3警官の処罰を求めるために「告発」という手段に訴えた。

> **《告訴・告発とは》** 告訴は被害者または法定代理人や親族等の告訴権者が、警察や検察等の捜査機関に対して犯罪事実を申告し、犯人の処罰を求めるものです。告発は、被害者や告訴権者ではない第三者が行う告訴です。

糟谷君が瀕死の重傷で入院した時点で大阪地検は犯人捜査を行う旨表明していたが、捜査の動きすら見せなかった。関西救援連絡センター呼びかけ人が中心となり、弁護士・医師等19名が告発人となって1969年12月14日に逮捕警官3名を「告発」した。（告発人はその後91名に増加）

その後、大阪地検は告発側の度々の「捜査促進」申入れを無視、サボタージュを繰り返し、告発後1年9か月を経過した1971年9月7日になって「被告発人（三警官）らは学生に対する暴行を否定している、証拠も嫌疑も不充分」として「不起訴処分」を発表した。この決定文書は記者会見時に配布されたのみで、告発人には一片の「不起訴処分通知」が郵送されてきただけであった。

◆地検の不起訴処分に対して大阪地裁に付審判を請求

1971年9月8日告発人55名は地検の不起訴処分に対して付審判を請求、併せて「付審判審理の公開」を要求した。後述するように検察の不起訴処分に対しては検察審査会への申し立て、裁判所への付審判請求の二つの救済手段があるが、我々は糟谷君の両親に替わって付審判を請求する事にした。大阪地検の不起訴処分に際して糟谷君のご遺族は次のようにコメントされた。「私は国に奉仕する公務員ですから国の裁きを信じて今までずっと辛抱してきましたが、これでは孝幸が自分で勝手に死んだということではないですか。私は見ているのです。孝幸の死体に残っていた無数の打撲傷は、何ですか。……。浅沼府警本部長は真相を究明するとおっしゃったが、真相がこれなら、孝幸も私たちもあまりにもみじめです。ヤミにだけは葬りたくない。」（1971・9・8付朝日新聞）

《不起訴処分・付審判請求》 告訴・告発に対して不起訴処分があった場合、検察庁所在地を管轄する検察審査会にその処分の当否の審査の申立てをすることができます。また職権濫用罪や特別公務員暴行陵虐罪等に関する不起訴処分に対しては、準起訴手続（付審判制度：刑訴法262条1項）という制度があり裁判所に対して付審判を請求することができます。審理の結果裁判所が請求を認める時は、裁判所が事件を裁判所の審判に付するもので、この場合、検察官役には、裁判所の指定した弁護士がその任に当たります。

◆大阪地裁が付審判審理の「当事者公開」を決定

告発団は「付審判審理は公開で行うべきだ」との上申書や署名を提出。そして1972年1月22日に大阪地裁第10刑事部児島武雄裁判長は審理を「当事者公開」で行うと発表した。

《**付審判審理方式**》には、「公開」と「非公開」があり、「公開」は「当事者公開」（付審判請求人および請求代理人にのみ公開）と「一般公開」に分かれます。制度制定の趣旨「職権濫用防止」からすれば当事者関与が認められるのが当然だが、実態は1948年以来趣旨通りに運用されておらず、当事者関与は認められてこなかった。

◆大阪府警が担当裁判官の忌避を申し立て

大阪地裁の「審理方式の当事者公開」決定を受け、我々は捜査記録の謄写を終え申請が認められた証人に対する諸準備を整えていた。

ところが大阪府警は、第1回審理の3日前・5月23日に付審判担当大阪地裁第10刑事部裁判長に対して「忌避申し立て」を大阪地裁に行った。この申し立ては、付審判の被疑者・当事者である警察官または代理人たる弁護士ではなくて大阪府警が行った。

当時大阪地裁には糟谷事件をはじめとして5件の付審判事件が係争中であり、そのひとつの「北田さん事件」担当の刑事第7部も糟谷事件担当部の「当事者公開」決定とほぼ同時期に「当事者公開」方式を決定していた。大阪府警は5月23日一括して審理開始直前であった、「当事者公開」審理方式をとった大阪地裁第10刑事部と第7刑事部裁判官の忌避を申し立てた。

加えて警官による人権蹂躙事犯の捜査責任者である三島某は「これ（当事者公開）では予断に基づく不公平なものになるとの判断で、忌避申し立てをした。認められない場合には最高裁まで争うつもりである」と決意を語った。そして大坂府警本部長前田某は「当事者の警察官や弁護士の忌避手続きを承認した」と語った。

◆「忌避申し立て」は、司法への不当介入

大坂府警は異なる2事件の担当刑事部裁判官を、同じ理由で同じ日に一括して「忌避申し立て」を行い、大阪府警要職者が「最高裁まで争う」と発言したのである。

これは単に被疑者個人の申し立てではなく警察権力総体をかけた司法への介入である。しかも総力戦への「宣言」であったことは後述する審理方式への異議申し立てへと続くことからも明らかである。

告発人の付審判請求によって大阪地裁に舞台を移した「権力犯罪の真相究明」だが、大阪府警は簡単に付審判で「棄却」決定が下されると予測していたに違いない。ところが、大阪府警の目論見に反して大阪地裁は「審理を当事者公開」で行うと決定し実行される展開となった。付審判は「非公開」で審理されるのが当時一般的であり、結果として簡単に「棄却」されていた。この流れに対して我々は、付審判制度の制定趣旨に則って真相究明するためには「審理の公開」が必要だと主張し大阪地裁に働きかけた。それが認められて大阪地裁の「当事者公開」決定となったのである。

付審判制度を制定趣旨通りに運用しようとした大阪地裁に対して攻撃を加え、権力犯罪を隠蔽するために大阪府警は権力の総意を受けて我々に立ち向かってきた。

もう一度、付審判制度の制定趣旨および運用実態について以下に確認しておく。

◆付審判制度とは?〜制度の制定趣旨は〜

付審判制度の対象となるのは公務員の「職権濫用罪」（刑法193条ないし196条）及び「特別公務員暴行陵虐致死罪」（刑法第195条・第196条）である。現行憲法は「すべて公務員は全体の奉仕者であって、一部の奉仕者ではない」（第15条2項）と「公務員による拷問および残虐な刑罰は、絶対にこれを禁ずる」（第36条）と規定している。これを受けて公務員の国民に対する人権侵害を根絶するため刑法の職権濫用罪の量刑は1947年刑法改正で著しく引き上げられた。しかしながら公務員の職権濫用罪の刑が厳重となろうとも、これを処罰する手続きが公正でなければ効果を期待できない。従来から警官の人権蹂躙事件について検察官は同僚意識で犯人の警官をかばいだて、公正な捜査をせず被害者が鳴き寝入りすることが多かった。この弊害を除去するために、刑事訴訟法では検察官が行った不起訴処分について裁判所に公正な審判を求める途を開いた。これが付審判制度なのである。

戦後新刑事訴訟法制定にあたって臨時法制調査会および司法法制審議会においての論議を踏まえて「刑事訴訟法改正案要綱」の一つとして掲げられ、「いわゆる人権蹂躙事件について検察官の不起訴処分の当否の審査を裁判所に求める途をひらくこと」という答申に盛り込まれ、制度化されたのが「付審判請求手続」である。

◆付審判の流れと運用実態

付審判制度の運用実態を検証するには、まず制度の流れを確認しておく必要がある。

ここに引用する資料は1972年当時入手できた断片的なものであるが、概括的な状況は把握できると思う。職権濫用罪の発生からの処理の流れは次の通り。

《付審判手続の流れ》

職権濫用が発生⇩①告訴・告発⇩検察庁が受理⇩②起訴

⇩②不起訴⇩検察審査会に訴え

⇩③裁判所に付審判請求⇩④起訴

④不起訴

①職権濫用の発生があった場合、検察庁に告訴・告発が行われて事件となる。その告訴・告発の契機は91・8％が被害者からの告訴・告発となっており、検察官によって捜査の契機がつくられたものは8・4％に過ぎない。《1967年統計》即ち職権濫用は被害者の告訴・告発がなければ明るみにでない。

②検察庁に対してなされた告訴・告発の処理状況はどうなっているのかを少し角度を変えたデータ「人権蹂躪事件の処理《1960年〜1967年統計》」でみると左記のようになっている。捜査された人数4801人のうち、起訴されたのは24人（0・5％）、嫌疑なし・嫌疑不十分・罪とはならず4777人（99・5％）となっている。即ち訴えられた人権蹂躪事件は検察庁によって99・5％が闇から闇に葬られようとしていた。

③検察庁から不起訴処分を受けた前記4777人のうちで、1531人が訴えを取り下げ「泣き寝入り」させられている。付審判請求されたのは3246人。

④付審判請求された前記3246人のうちで付審判決定されたのは1人だけ、残りの3245人は請求却下または取り下げとなっていた。付審判請求された人数は3246分の1、付審判実施率は0・03％となる。捜査された4801人からすれば0・02％である。

付審判制度が1948年に制定されてから1970年までの間で処理件数は不明だが、付審判請求されたのはたった9件というのが付審判決定の実態であった（9件のうち当時審理結果の判明した7件のうち6件は有罪判決）。公務員の職権濫用を告訴・告発しても、不起訴処分を下され、最後の頼みとした付審判請求しても「審理」されず、「裁判」にすら取り上げられないのが現実であった。まさに「仏作って魂入れず」という状況が司法界を覆っていた。「公務員の職権濫用」に対する運用実態は、まさに憲法理念の無視であり職権濫用容認である。

◆画期的な審理の「当事者公開」

付審判制度の運用実態が制度の制定趣旨「検察官が行った不起訴処分について裁判所に公正な審判を求める途を開く」に合致していないのはなぜか？　それは付審判審理の審理方式にあった。付審判の審理方式についての統計はほとんど存在していない。当時大きな影響力をもっていたのは、１９６０年安保闘争大学教授団事件に関する東京高裁の判例であった。曰く「付審判の審理は検察官の捜査に続行する裁判所による捜査」と断じ「当事者関与を排除し密室審理で良し」としていたのである。この判例が一般化し権力犯罪は裁判にすらされることなく経過していたのであった。

ところが、１９７２年1月大阪地裁の二つの刑事部がほぼ同時に審理の「当事者公開」即ち捜査記録の閲覧・謄写、新証拠の申請、請求人の立会いを認める決定を発表。付審判制度の制定趣旨通りに運用せんとする大阪地裁に対して大阪府警が、権力犯罪を暴く付審判審理の「当事者公開」の流れを断ち切るべく全力をあげて猛然と攻撃してきた。

◆付審判審理は捜査ではなく、裁判手続きである

大阪府警は「付審判制度は捜査の性格を持つ、捜査は密行性が原則」と主張しているが、これは全く問題にならない。付審判手続きは捜査ではなく「裁判」であると刑法に明確に規定されている。刑法第２６５条第1項は「請

求についての『審理および裁判』は合議制でこれをしなければならない」と。

審理方式は本来公開の法廷における対審的構造によることを原則とすると理解すべきであり、捜査記録の閲覧・謄写、審理への関与はその前提として当事者に権利として保障されなければならない。

また大阪府警は「当事者公開の審理方式は被疑者（警官）の人権・名誉を侵害する」「不公平な裁判をする恐れがある」と主張しているが、付審判制度の対象は公務員の私行に対してではなくその「職権濫用」が問題となっているのであり、職権濫用の嫌疑を問う審理は公開されてこそ憲法の理念に合致するものである。

大阪府警は請求人側にのみ公開されているのは不公平だといっているが、「当事者公開」の当事者とは請求人、被疑者双方のことであり双方に同等の公開である。

◆大阪府警は審理方式に異議を申し立て

大阪府警の裁判官忌避申し立てに対して大阪地裁第3刑事部は1972年6月5日「忌避申立」を却下。すると大阪府警は大阪高裁に「即時抗告」を申し立てたが、同年7月17日大阪高裁は「即時抗告」を棄却。大阪府警はさらに最高裁に「特別抗告」を申し立て。1972年11月16日に最高裁第1小法廷は「特別抗告」を棄却し担当裁判官の忌避申し立て攻撃は完全に敗北した。

告発団は最高裁の「棄却」を受けて審理再開の準備を整えていた。ところが、1973年2月10日最高裁は「当事者公開による審理」を決定した大阪地裁の付審判担当児島裁判長に転任命令を発令。赴任した裁判長と改めて折衝し直して審理方式・審理期日を協議・決定していたが、最高裁は左陪席裁判官にも転任命令。またもや付審判審理の中断が続き、審理は1973年6月29日に再開実施されることになっていた。

ところが、審理日の6日前・6月23日に大阪府警が今度は「審理方式」に関し付審判担当部に対して「異議を申し立て」、またもや審理実施を妨害してきた。同年7月13日大阪地裁は大阪府警の異議申し立てを棄却するや大阪府警は最高裁に特別抗告を申し立てたが、1974年3月13日最高裁第3小法廷は大阪府警の異議申し立てを棄却。

これで大阪府警の妨害工作は挫折したのだが、この間約2年間を空費してしまった。「特別公務員暴行陵虐致死罪」の時効が7年ということを考えると実に貴重な時日の空費であった。

◆第1回付審判審理が「当事者公開」で実施

1974年6月14日に第1回付審判審理が行われた。告発がなされてから4年6か月後、時効まであと残り2年4か月の時点での審理開始であった。

この審理は、請求人の立ち合い・尋問が認められ、弁護士でない請求人の立ち合いも実現した。警察側証人の不出廷による審理妨害があったが、9月10日・12月17日・3月18日、1976年1月26日と5回の付審判審理を実行した。しかしながら告発団の努力もかなわず、大坂地裁は9月14日付審判の棄却を決定。告発団は大阪高裁に抗告を申し立てたが、10月20日抗告棄却決定が出された。

ここに6年10か月に及ぶ糟谷君虐殺の真相究明を求めた「告発付審判」の取り組みは終焉を迎えた。

《告発付審判の取り組み経過》

年	日付	告発側	裁判所	地検・大阪府警
1969	12／14	告発		
1971	9／7			（検）不起訴処分
	9／8	付審判請求		

年	月日			
1972	1/22		(地裁)「当事者公開」発表	
	5/23			(警)担当裁判官忌避申立
	6/5		(地裁)忌避申立却下	
	6/8			(警)即時抗告申立
	7/17		(高裁)即時抗告棄却	
	7/24			(警)特別抗告申立
	11/16		(最高裁)忌避申立棄却	
1973	2/10		(最高裁)地裁裁判長転任命令	
	4/23		(最高裁)地裁裁判官転任命令	
	6/23			(警)審理方式異議申立
	7/13		(地裁)異議申立却下	
	7/18			(警)特別抗告申立
1974	1/31	公判で警官荒木が証言		
	3/13		(最高裁)異議申立棄却	
	6/14	第1回審理実施		
1976	1/26	第5回審理実施(最終)		
	9/14		(地裁)付審判棄却決定	
	10/1	抗告申立		
	10/20	(時効:1976・11)	(高裁)抗告棄却決定	

◆大阪府警の妨害によって真相究明果たせず

告発団は糟谷君虐殺の真相を究明せんとして、真相究明の障害であった審理方式にまで踏み込んだ。このことが権力の恐怖を呼び起こし警察権力の全面的攻撃を浴びる結果となった。それは戦後憲法の柱―基本的人権―の防御装置である「付審判制度」の存否を巡る政治的戦いにまで発展した。この間の経過で最高裁は「付審判の審理方式」について糟谷事件の特別抗告に際しては判断を明確にしなかった。

この一連の経過の後、法曹界で「付審判制度」を巡る問題がいかように変遷し現在の課題が何なのかは筆者不勉強にて存じていない。

大阪府警の妨害工作によって、我々は「時効7年」という期間枠の中で2年間の空白期間を強いられた。我々は付審判審理の場での究明に集中・注力できず糟谷君虐殺の真相を暴くことはできなかった。告発に携わった関係者に共通の思いはただ一点、虐殺の真相に辿りつけなかった無念である。

第二：　11・13扇町闘争公判の取り組み

◆被告の黙祷に対して検事は異議申し立て、出廷拒否

11・13扇町闘争公判は1970年7月9日糟谷君の遺影を抱いての黙祷を合図に開始された。

1974年5月29日の第30回判決公判に至る過程で大阪府警・大阪地検は不当な攻撃・介入を加えてきた。

糟谷君は警官によって暴行・逮捕された「曽根崎署4号」であった。撲殺されなければ被告として当然公判廷にいたはずである。

被告団は公判開始時点から開廷時に、糟谷君に黙祷を捧げることを常としていた。その状態で審理は回を重ねて

いたが、１９７１年９月22日の第７回公判で検事が被告の黙祷に突然異議を申し立てた。第８回公判では裁判長に「黙祷」への見解を求め、裁判長が「あえて禁止せず」と回答すると黙祷実行時に退廷に及び第９・10回公判時にも同様の行動をとった。第11回公判に際して検事は、「黙祷完了までは入廷せず」との態度をとった。被告は弁護団と協議の上、裁判進行への配慮から第12回公判以降開廷前に黙祷を実施する決断を行い、公判を続行した。

◆逮捕警官荒木は出廷を拒否

公判は地検の「黙祷」妨害をはさみながら被告人意見陳述・弁護人意見陳述と進み、検察側証拠調べを終了。そして弁護側請求証拠として糟谷君を逮捕した警官荒木幸男を申請、認められて１９７３年11月７日第24回公判で証人調べが予定されていた。開廷30分前、開廷を待つ法廷に「荒木不出廷」の報があった。公判廷では「腹痛で出廷できない」旨の電話連絡があったと報告された。被告・弁護団からの抗議に対して「不出廷が不当な理由ならば過料または次回に勾引することも検討してみる」との地裁裁判長の言明を受けて閉廷した。

当日の緊急調査活動によって判明した事実を記載しておく。荒木の自宅で荒木はパジャマ姿で調査団に対応したが、その背後の壁には「賞誉」なる表彰額が飾られていた。

> 賞　　誉
>
> 寝屋川警察署勤務　荒木　幸男　殿
>
> 君は、昭和四四年十一月十三日佐藤首相訪米阻止闘争にともなう警備に従事中、旺盛な熱意と適切な職務執行により公務執行妨害・凶器準備集合犯人を逮捕した功績によりここに金一封を賞誉する。
>
> 昭和四四年十一月二二日
>
> 大阪府警察本部長　浅沼　清太郎

◆証人荒木は証言を拒否

1973年11月7日の公判を「腹痛」を理由に出廷拒否をした警察官荒木の続開公判は同年11月30日に行われた。「有給休暇を取得した」と弁明する私服警官15名の異様な集団も参加していた。糟谷君逮捕時の状況を弁護団が尋問すると、荒木は「糟谷の逮捕行為については供述を拒みたい」「付審判請求されており刑事訴追の恐れがある」と証言を拒否。被告・弁護団の「証言は義務。理由なしに拒否できぬ」との追及にも検察官の助言加勢により証言拒否を続けた。裁判長は「証言拒否は初めてのケースなので検討したい」と引き取り閉廷した。

◆「私の警棒には糟谷君と同じA型の血液が付着」と荒木が証言、「同士討ち学生犯人説」を否定

1974年1月31日第26回公判が続開開始された。「検察官からも話がありましたので今日は証言します」との警官荒木の弁明によって証人尋問は再開された。

糟谷君の逮捕時の状況について荒木は詳細に証言した。大阪府警はこれまで糟谷君は「火炎びんが当たった」「転倒して頭を打った」「奪還グループの鉄板棒が当たった」ことによる頭部打撲が死因という説を流布してきた。そのすべてが逮捕警官の証言によって否定され、糟谷君と体を接触できたのは荒木ら警官以外にないことが証言された。そのあとに続く証言で以下のやり取りがあった。

弁護士「あなたの警棒の握り部に血痕が付着していましたね。」

荒木——はい…。

弁護士「このデモ警備の時に糟谷君を逮捕する前後、そういう血が付くような事柄が起こったということがありますか」

荒木——ないように記憶しています。

弁護士「（この警棒の血は）何型でした？

荒木―A型だと思います。

弁護士「糟谷君は何型ですか？」

荒木―A型のように聞いたんですけど。

このやり取りで糟谷君は警官荒木らの警棒・大楯による殴打・撲殺であることが証明された。糟谷君死亡前の1969年11月13日夜、鈴木貞敏警備部長の言が事実だった。

「怪我の原因は調べてみないとわからないが、仮に警棒によるものだとしても、火炎びんを使って警察官を襲う相手を制圧するために使ったのだったら当然だ」

◆判決主文読み上げ後回し、有罪全員執行猶予刑の判決

11・13大阪扇町闘争公判は、佐藤訪米阻止11・13闘争の正当性、機動隊の過剰警備の歴史的推移、その頂点としての糟谷君虐殺弾劾裁判として3年10カ月をかけて闘われた（弁護団の陳述は302ページ、被告の陳述の一部は329ページ参照）。法廷での黙祷、法廷での逮捕警官荒木の証言拒否を巡って地検の暴虐さを明らかにし、糟谷君虐殺の事実を暴けたと思っている。

被告は24名、そのうち当日現行犯逮捕は8名、事後逮捕が16名であった。これは大阪府警の徹底した捜査さらには厳しい取り調べの結果である。1974年3月12日の検事論告求刑では、凶器準備結集、凶器準備集合、凶器準備結集幇助、公務執行妨害の4つの罪名の組み合わせで求刑され、それぞれ懲役3年1名、2年6カ月2名、2年14名、1年6カ月3名、1年4名であった。

そして1974年5月29日判決。石松裁判長は主文を後に回し、理由から読み上げ始めた。法廷内に一瞬緊張が走った。理由はほぼ検察側主張を取り入れ、糟谷君の死因についても付審判審理中であり、本法廷に提出された証拠では不十分であるとして判断を避けた。

判決主文は、懲役2年1名、1年6カ月2名、1年12名、8カ月4名、不明（判決文散逸）5名であり、全員執行猶予2〜3年の有罪判決であった。被告団としては、憤りを覚える判決であったが付審判の取り組みに全力を尽くすことを誓い判決の受け入れを意思一致した。

おわりに：古稀になった君に

あれから50年になる。君とはじめて会ったのは　行岡病院のベッド……。君は眼を閉じていた。

「重症の学生の身元が判らない。心当たりのある者は面会に行ってくれ。」

救対と病院に行った、顔を見た。私の知る人ではと思い巡らせ君の貌を見たが違った。

はじめて会った君は　ベッドから立ち上がることなく旅立った。

警官荒木の警棒で撲殺された無念を晴らさんと告発・付審判に取り組んだ。

大坂府警の度重なる妨害は跳ね返した。大阪府警の攻撃が執拗だったとはいえ真相は究明できなかった。

11・13闘争の公判廷で荒木から「警棒に君と同型の血液付着」を証言させたが…。無念。

君の遺影を抱きながら、毎回の黙祷が公判闘争の合図だった。

被告24名は、君の虐殺を弾劾し、君の分まで思いを訴えた。

全員が執行猶予の判決だったのは、君の死の重さと　引き換えだったのかもしれない。


君の墓前でたくさんのことを語ってきた　自らの生き様も伝えてきた。息子たちを連れての墓参の帰途加古川の河原で遊んだことも。

生きる事を警棒の殴打で封ぜられた50年。君が古稀を迎えることは叶わなかった。

その無念を想う　古稀の風貌になった君と何を話そうか？　何が話せるだろうか？

君はフツーの学生だったと聞く　今はフツーのお爺さんになっているのだろうか？

古稀の君に会いたい。

独白：〝人は石垣　ひとは城　情けは味方　仇（あだ）は敵〟

1969年当時、糟谷君とは大学が違ったので彼とは面識もなく「全く知らない人」でした。

私は1969・11・13大阪扇町闘争を、そして被告として裁判闘争を、虐殺の真相を究明の運動を糟谷君と同じ隊列で闘ってきました。今、糟谷君は「知らない人」ではなく何かしらの親近感にかられます。

加古川東高時代の同期生の方の話では、糟谷君はごくごくフツーの高校生だったとのこと。これを聞いて私の糟谷君への親近感が増幅されました。私もフツーの高校生だったから。

私は京都の普通高校で「青春」を謳歌し3年生になっても文化祭出演や自前の卒業文集作りを敢行。当然の報いとして卒業後は浪人生活。1年後、大阪の大学に入学。

入学した大学は、学生運動とアルバイトが活発な大学であった。英語クラスを単位とするホームルームで名簿作りに協力を求められ、高校時代からのノリで手を挙げたらクラス運営委員会で活動ということに。クラス代議員として活動するうち、アメリカのベトナム侵略は留まるところを知らず、日本政府はアメリカに加担の度合いを深めていく。大学ではベトナム戦争反対一色の時代であった、初めてデモにも参加した。

私が政治や社会に関心を持つきっかけになったのは、高校時代に映画「スパルタカス」(１９６０年製作アメリカ映画、カーク・ダグラス主演)を見たからかもしれない。共和制ローマ時代、奴隷剣闘士スパルタカスが奴隷の反乱を組織しローマ軍と戦って敗れ、「スパルタカスを差し出せば他は許す」との命に奴隷たち全員が「アイム　スパルタカス」と応えるシーンが印象深かった。

その後ますます自治会活動に積極的に参画し自治会中執に立候補。父親は厳格な公務員であり私との衝突は激烈を極め、父親は心労で体調を崩し職場で倒れることも数度あった。１９６８年には原子力空母エンタープライズ号の佐世保寄港をはじめ日本政府の侵略加担は拡大。私は神戸のデモで逮捕され、前後して大学を退学し活動の場を地域に移した。

１９６９年秋を迎え、私は大阪扇町闘争に参画し逮捕された。父親はショックで倒れ家族や親族との対立は頂点に達した。私は事後逮捕・起訴され裁判闘争を闘い、虐殺の真相究明の運動に参画、関西の戦友達と糟谷君の墓参を続けてきた。

一方では地域労働センター書記として地域労働運動に携わり、その後非正規労働者として転々と職を変わった。１９８５年に友人の紹介で労働組合の書記局に就職を果たし定年は大手の関連会社で迎えることができた。この間小・中学校のＰＴＡ・地域の市民運動に取り組んできて、今は社会福祉施設で嘱託職員として働いている。

私は父親からは世話好き・人好きのＤＮＡを受け継ぎ、高校時代の映画「スパルタカス」で正義感を育てられた。

一生懸命に頑張った大学の自治会活動、その頂点としてあった196年秋の扇町闘争。裁判・告発付審判では戦友の大切さを学び、仕事(就職)・地域では友人の有難さを体感した。そして今、〝人は石垣 ひとは城 情けは味方 仇(あだ)は敵〟の言葉を大事にして生きている後期高齢者の私です。

告発付審判および11・13扇町闘争公判の年表

（1969年～1976年）

年	告発付審判	11・13闘争裁判・集会等
1969年	11月13日　糟谷君暴行を受け逮捕さる 11月14日　糟谷君死亡 12月14日　逮捕3警官を91名で検察庁に告発	12月14日　糟谷君虐殺抗議中央人民葬（日比谷野音）
1970年	1月26日　検察庁に捜査促進申入れ 1月27日　毎日新聞「松倉鑑定書」を報道 4月16日　検察庁に捜査促進申入れ 11月10日　検察庁に捜査促進申入れ	7月9日　第1回公判（実質審理なし） 9月12日　第2回公判（起訴状朗読） 11月14日　糟谷虐殺抗議1周年集会・デモ （市立教員会館～地検～扇町公園） 11月24日　第3回公判（起訴状朗読）
1971年	2月23日　検察庁より証拠提出の要請 5月6日　検察庁に証拠を提出 9月7日　検察庁、不起訴処分を発表 9月8日　大阪地裁に付審判を請求	3月3日　第4回公判（求釈明） 7月2日　第5回公判（被告人意見陳述） 7月14日　第6回公判（被告人意見陳述） 9月22日　第7回公判（検事、黙祷に異議申立て、 裁判長申立てを却下） 9月27日　第8回公判（検事、黙祷時退廷） 裁判長「あえて禁止せず」と言明

11月12日　大阪地裁担当・第10刑事部と初折衝
12月3日　地裁に上申書提出（付審判審理方式）

11月8日　第9回公判（被告人意見陳述）
11月13日　糟谷君虐殺抗議2周年不起訴処分弾劾集会（大阪府労館）、扇町公園で献花
12月3日　第10回公判（被告人意見陳述）

1972年

1月22日　地裁第10刑事部「審理の当事者公開」を示す
1月22日　地裁と折衝
1月26日　全捜査記録の謄写を開始
4月22日　地裁と折衝
5月2日　審理期日決定（5／26・29、6／7・21・29）
5月6日　証人尋問決定①K警察官、②O医師、③松木医師
5月23日　大阪府警、担当裁判官の忌避申立て、第3刑事部に係属（北田さん事件担当の第七刑事部にも）
5月26日　第1回審理中止
5月30日　地裁に意見書を提出
6月3日　地裁に意見補充書を提出
6月5日　地裁第3刑事部、忌避申立てを却下
6月8日　大阪府警、高裁に即時抗告を申立て、第4刑事部に係属
6月14日　高裁に意見書を提出
6月22日　高裁に意見補充書を提出

3月28日　第11回公判（検事、黙祷完了まで入廷拒否）
6月6日　第12回公判（被告人意見陳述・弁護人意見陳述）
被告、黙祷中止を決断。

7月3日 大阪弁護士会、「付審判請求審理方式の当事者公開は当然」との見解を発表
7月18日 大阪高裁、即時抗告を棄却
7月24日 大阪府警、最高裁に特別抗告を申立て
8月31日 最高裁に意見書を提出
11月16日 最高裁第1小法廷、忌避申立てを棄却（北田さん事件も同日棄却）

7月1日 糟谷君虐殺弾劾・忌避申立て糾弾兵庫集会（神戸勤労会館）
7月13日 第13回公判（検察官意見陳述）
8月1日 権力を告発する大集会（告訴・告発闘争連絡会主催。大阪農林会館）
9月7日 第14回公判（検察請求証拠調べ）
11月2日 第15回公判（検察請求証拠調べ）
11月12日 糟谷君追悼3周年墓前祭
11月13日 糟谷君虐殺弾劾・忌避申立て糾弾集会・デモ（中之島公園～扇町公園）
12月5日 第16回公判（検察請求証拠調べ）

1973年

1月24日 大阪地裁、折衝延期
2月10日 大阪地裁第10刑事部裁判長転任
3月2日 地裁と折衝（新裁判長、新審理方式を示す）
4月20日 地裁と折衝（審理期日決定）6／29、7／6
4月23日 大阪地裁第10刑事部左陪席裁判官転任
5月4日 尋問事項書提出
5月6日 上申書提出
6月4日 証拠物検証
6月18日 地裁と折衝

1月17日 第17回公判（検察請求証拠調べ）
2月16日 第18回公判（検察請求証拠調べ）
4月25日 第19回公判（弁護側請求証拠調べ）
6月25日 第20回公判（弁護側請求証拠調べ）

	（1973年、前頁より続く）	1974年
	6月23日　大阪府警、審理方式に関し異議を申立て 6月27日　第1回審理証人警察官K不出廷を連絡、地裁と折衝 6月29日　第1回審理中止（証人K警察官不出廷） 7月5日　第2回審理証人O警察医不出廷を連絡 7月6日　第2回審理中止（証人O警察医不出廷）、地裁と折衝 7月13日　地裁、異議申立てを却下 7月18日　大阪府警、最高裁に特別抗告を申立て 9月12日　第2回証拠物検証	3月13日　最高裁第3小法廷、異議申立てを棄却 （審理方式には判断示さず） （北田さん事件も同日棄却）
	7月18日　第21回公判（弁護側請求証拠調べ） 9月7日　第22回公判（弁護側請求証拠調べ） 10月12日　第23回公判（弁護側請求証拠調べ） 11月7日　第24回公判（弁護側請求証拠調べ） 証人荒木幸男、突如出廷拒否 11月11日　糟谷君追悼墓前祭 11月13日　糟谷君虐殺弾劾・忌避申立て糾弾集会（剣先公園～扇町） 11月30日　第25回公判（弁護側請求証拠調べ） 証人荒木幸男、証言を拒否	1月31日　第26回公判（弁護側請求証拠調べ） 証人荒木幸男が証言 2月22日　第27回公判（被告人質問）

6月14日　第1回審理実施（証人K警察官・O警察医）
請求人立会・尋問による「当事者公開」付審判が実現、弁護士でない請求人も立会
7月10日　第2回審理中止（証人松木医師都合）
9月10日　第2回審理実施（証人松木医師）
9月14日　上申書提出
12月17日　第3回審理実施（松倉豊治）

3月12日　第28回公判（論告求刑）
凶器準備結集、凶器準備集合、凶器準備結集幇助、公務執行妨害
懲役3年1名、2年6カ月2名、2年14名、1年6カ月3名、1年4名
4月4日　第29回公判（最終弁論）
5月29日　第30回公判（判決）
懲役2年1名、1年6カ月2名、1年12名、8カ月4名、不明5名
（全員執行猶予2～3年）
11月13日　糟谷君虐殺を弾劾し告発付審判闘争をやりぬこう集会（大阪労金本店）

1975年

1月31日　上申書提出
3月18日　第4回審理実施（松倉豊治）
4月8日　地裁と折衝
6月13日　第5回審理中止（地裁、松倉鑑定の再鑑定を依頼）
10月15日　地裁と折衝

11月13日　糟谷君虐殺を弾劾し告発付審判闘争をやりぬこう集会（大阪市労館）

1976年	1月26日　第5回審理実施（再鑑定人・U医師） 9月14日　大阪地裁、付審判棄却決定 10月1日　告発団、大阪高裁に抗告申立て 10月20日　大阪高裁、抗告棄却決定 （時効：1976年11月13日）	1月26日　糟谷君虐殺弾劾！告発付審判闘争勝利！東京報告集会 7月2日　許さない！糟谷君虐殺！必ず勝つぞ！告発付審判に！集会（部落解放センター）

（作成者：荒木雅弘）

コラム

〈捨てられる裁判記録〉の保存と公開を!!

[1] 遅れる裁判所の情報管理

急激に進行する情報社会は、現実社会との軋轢を増大させています。その渦中で、安倍政権の腐敗体質は際立ち、検察庁を巡る「黒川スキャンダル」等に言葉を失います。最近頻発する行政での公文書改ざん・廃棄等の問題から、「公文書管理法」の改善が進行中。そして、地方議会からの「開かれた議会」への波が押し寄せ。更に、裁判員制度等の司法改革も始まっています。しかし、「忘れられた現実」である〈捨てられる裁判記録〉は、やっと今年2月19日に、東京地裁によって、新たに明確な保存の基準を「民事裁判記録保存に関する運用要領」として制作し、運用を始めたばかりです。

[2] 捨てられる裁判記録

(a) 刑事裁判記録の保存の仕組み

保管は検察庁。保存期間は3年から100年。閲覧は確定から3年は「誰でも閲覧可能」。重要なものは「刑事参考記録」として保存。ただし、国立公文書館に移す仕組みはなく、ごく一部を除き検察庁に置き続けられる。「関係者以外の第三者の閲覧不許可が多く、法の定め通りに運用すべき」と指摘されています。

(b)民事裁判記録の保存の仕組み

最高裁の規定は保管は裁判所。民事裁判の確定または終了後、記録を原則五年保存してから廃棄する。判決文は別に保存。重要な記録は「特別保存」として事実上永久保存を義務付け、最後に国立公文書館へ移される。判決文と重要な記録は共に基本的に公開可能。

しかし、規定に反して多くの記録が廃棄されていたことが判明。最高裁が昨年廃棄の一時停止を指示していた。ちなみに、全国の裁判所で、昨年度、新たに特別保存に認定されたのはわずかに9件でした。

(c)東京地裁の「民事裁判記録保存に関する運用要領」

(1)最高裁判例集に掲載 (2)主要日刊紙二紙以上に掲載 (3)担当裁判官が所属する部からの申し出のいずれかで地裁所長が保存認定するとの基準を設けた。〈年間100件程度見通し〉外部意見による選定手順 (1)在京の弁護士会 (2)学術研究者 (3)一般からの要望 - があれば裁判官らで構成する選定委員会で検討し、その意見を踏まえ地裁所長が判断する。

[3] 幸運な事例としての1969年11・13扇町闘争裁判の場合

(a)大阪検察(庁)による裁判記録の公的な「保存と公開」

1974年5月29日大阪地裁で、「懲役2年から8カ月」「執行猶予」、後日判決確定。

「刑事確定訴訟記録法」「同執行規則」「記録事務規定」によれば、裁判記録の保管期間は(1)「確定裁判の裁判書」は「50年」。(2)「裁判書以外の保管記録」は「5年」。なんと「裁判書」(判決文)

は〈あと4年〉。「その他の保管記録」は、はるか昔に「廃棄」されていました。

(b) 奇跡的に陽の目を見た、一部の裁判記録

1969年11・13扇町闘争は、刑事裁判と糟谷虐殺告発・付審判として、長期間にわたって続けられました。そして、後日、弁護団の弁護士から被告団事務局に、裁判記録の一部（最終弁論書、被告の陳述書等）が複写記録として渡されました。その後、長期間にわたり「個人的努力」によって保管され続けたのでした。その間に、弁護士（3人）は亡くなり。被告たちも幾人かが亡くなっています。更に、連絡が多くの方と取れないままでした。そして、裁判記録のコピーは劣化が激しくなっていました。

糟谷虐殺50年の記録を残そうと昨年「糟谷プロジェクト」が発足。「糟谷本」の出版計画の一環として裁判記録の掘り起こし、デジタル化等が始まったのでした。

この様な経緯から、この裁判記録が復元・デジタル化され、陽の目を見たのでした。まさに奇跡的ともいえます。公的な裁判記録の保存と公開がほぼ機能しない中、社会から忘れられつつある歴史的記録・財産が復元した意味は必ず存在するものと思います。

裁判記録等の保存と公開には、「公文書等の管理に関する法律」と情報公開法から学ぶことが不可欠です。そのことは「公文書管理法」（略称）の「付則第13条2項」に「国会及び裁判所の地位及び権能等を踏まえ、検討が行われるものとする」とされています。歴史的財産として公的文章としての保存と公開が求められています。

(yasiro)

1969年11・13扇町闘争裁判

弁論要旨・意見陳述(抄)

*

【解説】

*裁判の全体的争点と被告・弁護団の主張は、弁護団の最終弁論にほぼ収められています。とりわけ弁護団の「11・13闘争の政治的正当性」「表現の自由」「過剰警備」等の熱気のこもった弁論は裁判所の判断に大きな影響を与えたと思われます。

*被告たちの意見陳述では、「なぜ11・13扇町闘争に立ち上がったのか」を生い立ち、人生観等を含めて述べられています。掲載している文章は、意見陳述書として提出された18人の被告の中から、9人の陳述書を抜粋して掲載しました。なお18人の「意見陳述書」は、出版の後に、ほぼ全文を「糟谷プロジェクトHP」に掲載する予定です。

*個人情報保護と情報公開の観点から執筆者が特定できないように記号表記にしています。、個人名、住所、大学、職場等は、本人の了解を得ない限り掲載しないことにしました。

1969・11・13扇町闘争裁判弁護団　弁論要旨

公務執行妨害等　　平井 知之　外23名

頭書被告事件についての弁論要旨は左記のとおりである。

昭和49年4月4日

弁護人　松本　健男
藤田　一良
仲田　隆明

大阪地方裁判所　第七刑事部　御中

記

第一、本事件当時の政治状況と本件行為の政治的正当性

一、被告人らの本件行為に対し正しい法的評価を加えるためには、被告人らによる本件行為の動機目的を探求し、本件行為の政治的意義を正しく把握することから出発しなければならない。

本事件はいうまでもなく高度に政治的な事件であるところ、本件起訴被告人らの行為のうち火炎びんの投擲や鉄板棒による殴りかかる行為を全体から切り離して抽出し、これを大会警備の警察官に対する一方的な加害行為にみたてているのであるが、かかる断片的な把握では本事件の本質の理解はもとより、正しい刑法的評価をくわえることは不可能である。当裁判所におかれて、本件公判審理を通じて被告人らが終始訴えてきた正当性に関する主張を充分に汲みとっていただき、本事件が単なる公務執行妨害などではなく、実に当時におけるわが国におけるベトナム反戦、安保破棄の闘争の中で、もっとも自己犠牲的な正義の闘いであったことを理解していただけることを希望するものである。

１９６９年11月13日はこれに引き続く数日間とともに全

国的に佐藤訪米阻止、沖縄奪還闘争がもっとも烈しく燃え上がった日である。ことに大阪においては首都における11月17日の佐藤の訪米出発日における阻止闘争を前にして、すべての自覚した労働者・学生・市民による最大の抗議闘争が予定され且つ決行された日である。被告人らの行動はこの日の全体的な抗議行動の中において、これを警察権力の介入と弾圧から防御し成功させることを目的として実行された。戦術的に被告人らの行動について批判することはたやすいが、被告人らの本件行動全体が当時の全国的に闘われた佐藤訪米阻止闘争の一環をなすものであること、わけても当日の大阪における一大抗議運動の不可分の一部をなすものであることについてこれを見落としてはならないのである。

二、吉川勇一証言、被告人らの意見によって明らかであるように、当時の政治状況のもっとも重要な要素としてベトナムにおけるアメリカ帝国主義の軍事的侵略行動が最高潮に達しており、65年以降の北爆開始、50万人にのぼる地上軍の投入による文字通りのベトナムの解放勢力に対するジェノサイド攻撃の無限のエスカレーションがみられたことを指摘せねばならない。しかもこのベトナム戦争は決して日本国民にとって無縁のものではなく、わが国政府は一貫してアメリカのベトナム侵略行動を積極的に支持しており、北爆開始に際してもこれを自衛権の発動であると宣言するなど、この未曾有の非人道的残虐行為を正当化する態度を堅持したばかりか、実際に沖縄を中心としてわが国の米軍基地は直接にベトナムへの軍事行動の拠点となり、またわが国全体が米軍に対する最大の補給基地の役割を果たしていた。すなわちわが国は軍事的直接行動には参加していなかったけれども実際にはベトナム民主共和国並びに南ベトナム解放民族戦線に対する参戦国の立場にあり、わが国独占資本はさきの朝鮮戦争におけると同様に軍需特需による莫大な利益を手中にしていたのである。わが国の驚異的なGNP大国への高度成長はアメリカのベトナム侵略に大きく依拠していたのであり、まさにわが国の労働者階級学生市民には、かかるベトナム侵略への加担に対していかに対処するかという最も重い課題が突き付けられていたのである。

そしてベトナム反戦という最大の政治課題は、これと密接不可分の関係にある日米安保条約の再改定阻止による安保破棄の闘争、ならびに沖縄の施政権返還の名の下に沖縄における軍事基地をそのままにし、名実ともに安保の日米軍事条約化を実質化しようとする沖縄返還交渉への抗議闘争と結合されていた。そしてその最大の対決点は、沖縄返還交渉を妥結させ、70年に予定されている安保再改定を協議するための佐藤首相の訪米出発時期にあることは、安保支持勢力にも反安保勢力にも等しく明らかであった。

周知のとおり被告人らの本件闘争は特に67年秋の佐藤のベトナム訪問に対する反対闘争以来の反戦・反安保闘争の一環であった。又この間極めて激しく燃え上がっていた既成党派や労働組合運動を乗り越えようとする広範な学生、市民、労働者による大衆的政治行動の一環をなすものでもあった。とくに67年秋以来の大衆的政治行動の中でこれらの新左翼グループもしくは無党派活動家を中心とする大衆的政治行動の持つ比重は著しいものが有り、わが国における反戦闘争がこれらのグループによって担われていた部分は極めて大きいものである。学生組織内の全共闘運動、労働者の中での反戦青年委員会運動、市民の中でのべ平連運動がその代表的な形態であるが、かれらはわが国独占資本主義体制を帝国主義ととらえたうえで、これと明確に対決しない限りベトナム侵略を止めさせることは出来ないし、日本国民は加害者としての戦争責任を免れることが出来ないことを自覚し認識していた点において共通の思想的基盤に立っていた。もっともかれらの反戦反安保の行動形態は千差万別であり、学園を封鎖占拠することも行われたが、もっとも重要でしばしば行われたのは街頭におけるデモンストレーションと集会であった。

三、街頭におけるデモと集会という大衆的政治行動は、もっとも明確な形で国民大衆の反戦反安保の意思表示を行う事であり、政府権力と独占資本が推進している戦争協力政策をもっとも端的に批判し抗議しこれに打撃を与える方法であった。これらの大衆行動に参加した若者たちは、既成の党派や労働組合が自分たちに直接関係のある狭い生活利益の擁護と改善だけを要求し、ベトナム人民との連帯にしても単なるスローガンや市会議決や、国会の演壇での陳腐な意見表明で誤魔化している。その欺瞞性と利己主義性に我慢できなかった。かれらは毎日報道されるベトナムでの許しがたい犯罪行為に対し、又戦後20数年いまだにアメリカの軍事占領に伴う著しい人権侵害と屈辱に耐えさせられている沖縄住民の抑圧に対し、何か自分たちの力でやることが出来る活動を真剣に求めていた。それらの優れた動機に基づく若者を中心とした大衆的政治行動が、数年間、わが国におけるもっとも主要な反戦闘争の歴史を形成するのである。

被告人らの本件行動をも包括するこの大衆的政治行動の動機と目的に対し、これを否定することは反戦運動の立場並びに人間の良心の立場からは出来ないわけである。

我々はこの運動に対する支配権力の側からの暴力的な抑圧が、この運動自身が持っていた未熟さとイデオロギー的非堅固さも手伝って、烈火の様に燃え上がった運動をかなり急速に衰退させてゆくに至る悲劇的経緯をも見るのであるが、これは彼らの運動の弱さの実証ではあっても、彼らの持っていた純粋でひたむきで、常に自己犠牲的な政治的正義感情の価値を低めるものではない。

第二、警察機動隊のデモ弾圧の実態と本件闘争手段の評価

一、警察権力によるデモ弾圧は安保闘争以来常に厳しく続けられてきたのであるが、とくに65年の日韓闘争デモ以後さらに厳しく加えられるようになり、67年秋の佐藤の訪ベトナム反対闘争以来、更に質的にも著しくエスカレートするようになってきた。この経緯については東京のベ平連デモについて吉川勇一証言が、大阪での実態について和田長久証言があるのであるが、吉川証言によれば、ベ平連デモは警察官に対して暴力をふるうようなことは一切していないにもかかわらず68年から69年にかけて逮捕者が増加するようになり、69年4月28日のデモでは機動隊がベ平連デモに催涙弾の水平撃ちをするような暴行を加えており、証人自身6月15日のデモではフランス式デモ、すわり込みを指揮したとの事実無根の理由で不当に逮捕され、全部で74名が当日逮捕されていること、6・15デモに対する弾圧に抗議するデモの許可を得て行った際、届け出をした参加予定人員50名が実際には100名ぐらいになったのを機動隊が50名しかデモを許さず、51人目から全部デモを分断し歩道上に追い上げてしまったこと、69年の大きなデモではデモの両側もしくは片側を機動隊が併進し、デモへの市民の自主的参加を妨害し、新宿駅西口地下広場でのフォーク集会をも追い散らし実施不可能にしたこと、10月10日にはベ平連事務所に対する不当捜索が行われたこと、当時はデモ出

発点である集会場に集まってくる際、入り口を機動隊が固めてしまい、機動隊の人垣の間を通らないと入れないようにし、その際不法な所持品検査を実施、拒否すると暴行されることがあったこと、デモの併進規制の際も手や足や盾などでデモ隊の主として下半身に不法な傷害を負わせることが日常的にあり、抗議に対して機動隊がデモ隊を襲撃するようなことが多かったことなどがうかがわれ、和田証言によれば、大阪においては特に68年6月15日の御堂筋デモに対して機動隊による警棒乱打を中心とする暴行が加えられ、頭部裂傷による重傷者が約50名、軽傷者が一千名に及び、十三病院その他で治療を受けたこと、証人自身についても68年9月21日の伊丹空港の軍事基地化反対デモの際、機動隊員に背を向けてデモの整理をやっている時突然後ろから睾丸を蹴り上げられ失神寸前の状態とさせられたこと、べ平連のデモ隊員らが田に突き落とされる暴行を受けたこと、同年10月21日のデモの際、大阪総評副議長の山口源治郎氏がデモの指揮をしているさい楯で膝の部分を強打され、約三か月入院の重傷を負ったこと、69年10月21日のデモの際には機動隊によるサンドイッチ規制を受け、本来のデモを全く行うことが出来なかったことなどが明らかとされている。またM証人も、デモに出るといつも併進規制され、その際しょっ中機動隊からの暴行を受けたことを述べている。

しかもこれらは機動隊によるデモ規制、即ちデモに対する暴力的干渉のほんの数例にすぎず、本件当時デモに参加すること自体が機動隊による暴行を受けるか、逮捕される高度の蓋然性が存していたことはデモに参加したことのある者には周知の事実であった。それほど警察機動隊によるデモ弾圧の暴力性は顕在化し普遍化していたのである。

二、「デモの暴力化」といわれる現象は、実は警察機動隊によるデモの暴力的弾圧の長い事実経過の結果なのであり、これと切り離して把握することは事の真相を見誤るものである。

「デモの暴力化」現象の一番最初は67年10月、佐藤訪ベトナム反対闘争の際、一部学生が角材をもって警察機動隊に対抗した際に見られ、大阪では68年6月28日アスパック粉砕闘争のさい、一部学生が角材、石塊で機動隊に対抗した際に見られる。その後本件の佐藤訪米阻止闘争に至る間に一部デモ集団には確かに火炎びん、石塊、角材、鉄パイプなどでの「武装」が行われた事実は否定できない。しかし彼らがその様な方向に進んだのはもっぱら警察機動隊の武装した暴力によってデモが一方的に押しつぶされたり、圧倒的に規制されたりしてデモの機能を全く発揮しえなくなることを防止するためにデモを防衛する目的からであった。もっとも一部には機動隊に対する単なる報復の目的からその様な方向を追求していったものがいないとは断言できないが、彼らの「武装」の本質はデモ防衛であり、機動隊の暴力を排除するところにあったといわなければならない。

三、本件において被告人らが機動隊に対抗するために選択した闘争手段としての「武器」は火炎びん、鉄板棒であるが、これが闘争手段として従来の角材などよりも一歩を進めたものであることはあえて否定しない。しかし問題はなぜ被告人らがやや思い切ったこの闘争手段を用いるに至ったのかという点である。この点について、被告人Fは、「この火炎びんや鉄材は、警察機動隊が私達の反体制運動の現れであるデモ行進に対し強い規制をして私達の運動を弾圧するるので、この強力な機動隊の弾圧を打ち破らなければ私達の運動の成果が期待できません。この機動隊を突破するために火炎びんや鉄棒で機動隊を襲う目的で各人に手渡されたものです。」と述べ（44・11・26検察官調書）。被告人Eは、「本事件前に、10・21闘争は敗北であって、この様な敗北は、その一つに街頭闘争の在り方にもある。来るべき11・13闘争では街頭に打って出て、是が非でも機動隊と対決してやり抜き、これをステップにして羽田における11・16または17の闘争をもりあげ、佐藤訪米阻止等の一連の目的をかちとることなどが話し合われた」と供述し（45・7・25司法警察員調書）、Mも「11月12日の○○の集会では佐藤首相訪米を阻止することが非常に重大であること、これまでのデモに対する警察の弾圧的な警備状況に対して、やっぱり我々が機動隊の警備を何とかはねのけて先頭に立ってデモに出て行って、それに続いて集会に結集した大勢の人が本当に自由にデモが出来る様な状況をつくらなければならないというアピールがあった」と証言しているが、ここで被告人らが機動隊の壁を突き破る旨を述べているのは、現実に機動隊を突き破ることが出来ると考えていたものではなく、いわば捨て身で機動隊と対決するという強い選択によって佐藤訪米阻止の政治的闘争の高揚をはかり、デモに対する包囲と規制をほしいままに行っている機動隊からデモを解放し、この取り返しがつかない重大な政治闘争において屈辱的な敗北を甘受させられることのないようにしたいという、いわばぎりぎりのところでの彼らの政治的選択だったのである。

四、吉川勇一証言では、佐藤訪米に出発した11月17日の前日の16日、最終的には佐藤首相の異議申し立てによって禁止されるに至った「佐藤首相訪米反対11・16市民集会」が、禁止にも拘らず集会参加者が自主的に隊列を組んでデモを貫徹したことを述べており、また69年秋の闘争について、「首相が訪米する11月が決定的な山だと、当時安保条約に反対したりベトナム反戦運動に参加していたほとんどの勢力がそういう理解を取ったと思いますが、11月の首相訪米の前後までの瞬間は、67年以降非常に盛り上がってきましたベトナム反戦、反安保、沖縄に関心を持つ勢力の総力を挙げた運動、決戦という主張も随分言われたわけで、最大の対決点という事が言えると思うんですね」「やっぱりその時持っている全力を11月の首相訪米を阻止する抗議するための運動に投入するという事はかなり多くの勢力が考えていたと思います」と述べ、こうした考え方は当時の理解として必要な理解であったと付言している。換言すれば当時の政治状況は極めて異常で緊迫しており、佐藤訪米を阻止しうるか否かを巡って、これ以後の我が国並びにわが国民とアジア諸国民の運命が決定されるという非常な危機感が被告人らを含む広範な市民、労働者、学生の間を支配していたのであり、また逆の意味で佐藤を頂点とする支配体制側、特に警察権力機構をも支配していたのである。寸分の油断も出来ない息づまる様な政治的対決が両者の間に展開された。支配権力側は安保体制を再編強化する方向に敵対する一切の妨害物を容赦なく圧殺し排除する強固な意思の下に、抗議行動の徹底的な弾圧を図った。この経過は今も我々の記憶に明らかに残っている。これらの抗議行動の全面的圧殺に抗して、これを少なくとも一時的かつ一局面においてであろうとも押しとどめ反撃によって粉砕することを考えるものが現れたとしても不思議ではない、ここで強調すべきことは被告人らによる実力闘争手段の選択は、挙げて警察機動隊の圧倒的な物理的圧殺に対する抗議であり、警告であったという事である。被告人らの実力闘争が法律的に正当防衛といえるかどうかは別として、少なくとも歴史的、社会的、政治的に見れば、これは紛れもなく不正な圧迫と暴力に対する精いっぱいの正当防衛であったと断言しうるのである。本件行為の法的評価において、この点を見誤らない事が最も大切であるといわなければならない。

第三、本件における警察機動隊の過剰警備と本件実力闘争の評価

一、本件における警察機動隊の警備行動は全体として警職法の要件を逸脱した違法なものであった。この違法性は当日の扇町公園内での集会が開催される段階から、被告人ら並びに集会参加者、一般市民に対する違法な暴力行使とそれによる糟谷孝幸君の殺害、多数の負傷者の続出という段階までを貫流しているのであり、本件公訴事実に対する刑法的評価を行う際に、本件警備体制及び警察官の職務執行の違法性の問題を看過することは出来ないのである。

検察官は本件公訴事実に対する釈明において、警察官が当時従事していた「道路に火炎びんを投擲するなどの違法行動をなした学生らを規制検挙する任務」について、被告人らの集団に属さない他の集団が火炎瓶を投擲し、道路上で発火炎上させて車両の通行を不可能ならしめたのに対しこれを規制検挙するための任務に従事していたものであると述べている。しかしながら証拠によれば、右の任務に従事していたという第21中隊は、野崎公園で待機中命令を受けて現場に急行したのであるが、その際は既に付近路上には火炎びんの投擲による炎上が見られたというのであるが、その際には火炎びんを投擲したものを具体的に特定しうる状態ではなく、扇町公園南側の歩道上には群衆が密集していたというのであり、その方向から、或いはその公園の植え込みの中あたりから火炎びんや石が投げられてきたというのであるから(小林雄三証言)、この部隊配置はむしろ一部のものによる火炎瓶投擲等を契機として、当日の扇町の集会参加者のデモ出発を規制し、場合によってはデモを禁止状態に追い込んで佐藤訪米阻止闘争の圧殺を図る目的の下になされたことがうかがわれるのである。実際当日の扇町公園からの総評系労働者らのデモ行進は主として西側出口から出発することになっていたようであるが、小林雄三証言にもあるように、同人は西側交差点に配置されてから同交差点をデモ隊が通過するのを見ていないというのであり、あらかじめ機動隊が同交差点を遮断するように配置され、デモ行進が機動隊の壁の間を包囲されて実施しなけれ

ばならない状態がすでに現出していたことが認められるのである。即ち火炎びんの投擲は、かようにデモの進路を遮断するような形で圧倒的に配置されている機動隊（検察官の釈明によれば同交差点には6大隊（17、18中隊）190名、8大隊（21、22、23中隊）340名が現実に配置されていた）に対する抗議の意味で行われているのであり、またそれが機動隊に届いて機動隊に負傷者が出たこともなかったわけであるから、あくまで本質的には抗議行動の域を出なかったものといわねばならない。

二、被告人らによる火炎びんの投擲と鉄板棒による攻撃は、機動隊による道路の物理的遮断に対して、それに抗議してなされたものである。被告人らの攻撃が本質的にはかようなデモンストレーションに対する警察権力の抑圧に抗議するものであったことは、警察側証人の証言からも十分にうかがうことが出来るのである。

21中隊長である小林雄三の証言によれば、鉄板棒による第一回目の攻撃は大楯防御隊形を左防御隊形に移した後で、2・3分間、第二回目の攻撃は検挙のため大楯防護隊形に替わった後2分間位の事であるが（実際はもっと短時間であった）、30人ぐらいの集団がジグザク行進をしながら接近してきて、5、6ｍ手前で隊を乱して気勢を上げながら21中隊の先頭の第1小隊のちょうど角っこに成るあたりに10人ぐらいが鉄棒で襲ってきた、鉄棒を振りかざして大楯につきかかってくる、上から殴りかかってくる、最後にはやり投げのような格好で大楯にめがけて、或いは大楯の間をめがけて鉄棒を投げかけてきたという状況で、自分は2、3ｍ前でやり投げの格好で投げて来たので隊列の中へ入り、検挙前への号令を下し彼らを扇町公園の東側まで追いかけた、鉄棒で攻撃してきたときは、鉄棒を振りかざして大楯を通じて、こちらがかぶっているヘルメットの頭の方に殴りかかってきたのはみた、5、6人はそういう被害を受けているというのであるが、結局鉄棒による攻撃が隊員の身体に直接及んだことは否定されているのである。又公園前東側まで検挙前進をした後、人員、装備の異常の有無を報告受けた時に、若干けがしたとの報告を受けたと述べているが、とにかく全員が集合したことは事実であり、最後に点検した際中隊で3名が欠けていたが、これは逮捕者を護送したことによるもので負傷による落伍者はなく、全員が最後まで規制検挙活動に従事していたことが認められる。

また5大隊15中隊3小隊長である福元好信の証言によれば、鉄棒攻撃してきたものの動作について、自分の小隊(32名)には2、3名が(鉄)棒で大楯、網をつつき、上から殴る様な格好で網を殴っていた、突かれて大楯が揺れていたのを見ているし、網を殴っているものも一人見ているが、隊員の身体には届いていないというのであり、また火炎びんも一番近いもので部隊から1m位手前に投げられたというのであって、全体としての攻撃の仕方にはそれほどの危険性があったことをうかがうに足りない。

もっとも15中隊2小隊3分隊長山田栄一郎の証言では、赤木、中川、大久保、自分の4人で逮捕したMにより、投石されて左手首に当てられ負傷した、また鉄パイプようのもので左肩付近を殴ろうとしたから、自分は避けるべく身をかわした旨の供述が有るが、Mの証言では同人はその際石を投げたことはなく、鉄板棒で殴りかかったこともないというのであって到底措信できない。

これらの証拠、並びに現場写真等によれば、なるほど一部被告人らを含む数十名のものが鉄板棒を所持して攻撃を加えたことは事実であるが、実際に機動隊に近接して棒を振ったものは比較的少数であり、その攻撃の時間も機動隊が検挙前進を始めるまでに路上に転倒したり、機動隊に近接するまでの間に機動隊の検挙前進が始まり逃げ出したり、または近接することを躊躇したりして、結局機動隊に対し何らかの攻撃を加えるに至っていないのである。また攻撃に対する機動隊の反撃体制は極めて敏速であり、被告人らは直ちに反転して逃げる一方であり、踏みとどまって抵抗するごとき行動は一切見受けられない。これらは被告人らによる攻撃の目的が、機動隊員らに現実の被害を与えることにあったのではなく、不法にもデモを圧殺しようとする態度を露骨に示している警察権力に対する警告と抗議に在ったことを示しているものである。

三、この様な被告人らによる攻撃と比較したとき、機動隊が被告人ら並びにデモ群衆に加えた攻撃はきわめて強力であり、同時に見境いのないものであった。このことは逮捕された際に暴行について述べているM証言、デモ群衆が機動隊によって無差別の暴行を受けていたことに関する藤野昭三郎証言、並びに扇町公園南側出入り口から7、80m入ったプール前付近で労働者隊列の整理をしていた際、後頭部に警棒の一撃を受けて負傷した事実に関する和田長久証言、非常に多数のものが頭部裂創等の重傷を負って十三病院で診療を受け、入院したものもいた事実に関する白水彪証言、および糟谷孝幸の死亡に至る受傷事実に関するM、佐藤耕造証言などによって認められる。

これらの違法な職権濫用行為によってデモ集団側が受けた損害は、糟谷孝幸君の取り返しのつかない死亡をはじめ、非常に多数の負傷者、大量の逮捕者等であり、現に多数の被告人たちが起訴せられるに至り、貴重な青春を被告人として重大な社会的制約のもとに送ることを余儀なくさせられているのであるが、機動隊側が受けた損害はこれに比べて問題に成らないほど軽微であったといわねばならない。検察官は火炎びん、鉄板棒の凶器性を云々するが、実際に糟谷君を殺害し、多くの人達の頭部などを打撃して重傷を負わせたのは警棒であり、大楯であり、革靴である。検察官はこれらを凶器ではないというのか。又これらが凶器として用いられたことを否定するのか。糟谷君の傷害致死の結果についてこれを正当化する論拠が有るとでもいうのか。検察官の論理は明らかに偏ったものであり、とうてい何人をも納得させ難い。

被告人らは一方的な加害者として本件につき起訴されている。しかしすでに述べた本事件の政治的本質を抜きにして百歩譲って考えても、本件衝突は機動隊側と被告人ら側との喧嘩行為であり、争闘行為であって決して被告人ら側の一方的加害行為などではない。喧嘩は両成敗されるべきもので、一方だけを罰し、一方を免罪することは正義に反するのである。国家機関である裁判所としては政治的偏見に基づいて一方の当事者だけが訴追され、他方が免罪されているごとき本件の場合にいかに対処すべきか。一方だけを処罰することが著しく司法実現の為の正義に反し公平を欠くと考えられることを理由に無罪の判決を、もしくは控訴棄却の判決を言い渡すべきものである。可罰的違法性の理論、もしくは超法規的違法性阻却理論ないし、「諸般の事情による違法性阻却」論などは、良心的な裁判所が、起訴における不正義性を容認する結果に陥らないために考え抜いた貴重な法理論である。まさに本件においてはこれらの法理論が妥当すべきであり、またこの理論を適用しなければならない。そして裁判所は良心に基づいて無罪の判決が言い渡されるべきであるが、万、やむを得ず有罪を言い渡さざるを得ないと考えられる場合においても、刑の量定には特段の配慮がなされなければならない。この様な一切の事情をお汲み取りいただいたうえ、被告人らに対し公正かつ妥当な判決を下されることを心から希望するものである。

第四、事件の背景と機動隊（本事件の背景と機動隊の役割）

一、本事件は昭和44年11月13日のことであるが、昭和40年の日韓条約反対闘争の頃から警察機動隊のデモ、集会参加者に対する挑発、暴行が質的にも大きく変化し、そのやり方のえげつなさ、徹底ぶりは本事件の昭和44年11月13日にはその頂点に達したきらいがある。

この機動隊のデモ、集会参加者に対する暴行のエスカレートは、日本政府、独占資本の東南アジア諸国に対する政治的、経済的侵略のエスカレートと合致するものである。

昭和45年6月には周知のようにいわゆる日米安保条約の期限切れが到来することになっていた。そして、右安保条約に関して当時の佐藤首相がアメリカのニクソンと会談せんがために訪米しようとしたのが、昭和44年11月であり本事件は右佐藤訪米即ち佐藤、ニクソン会談を阻止せんがために、統一行動が行われた中で発生した。

二、佐藤訪米即ち、その後の佐藤、ニクソン会談の意図するところは、当時の国際国内政治状況の中においてのみ理解されうるのであり、当時の国際国内政治状勢からすれば誰しもが右訪米に反対せざるを得ないはずである。

昭和30年代後半からアメリカ軍によるベトナムに対する地上軍をもってする砲撃が始まり、昭和40年代初頭からはこれに空軍をも加えてベトナム全土の三分の二をもの地域に無差別的ないわゆる北爆が開始されるに至った。

アメリカ政府の言い分は自由主義を守るという誠に手前勝手なものであるが、ベトナムに自らの手によって傀儡政権を樹立し、その政府の命を受けてベトナム人を殺し、その財産を損壊するというものであり、そこにはベトナム人民の自立性を否定する思想しか存せず、何らの正当性をも見出すことが出来ないのは余りにも明らかであった。

この様なアメリカ政府の大量殺人、放火、強盗行為に対し、国際的にもアメリカの国内的にも反対運動が広範囲にかつ極めて力強く行われたこともこれまた当然であった。

アメリカ政府の対ベトナム政策は自由主義を守るという言葉のもとに、東南アジア諸国を植民地とする、また中国をけん制する政策の一環であったことは明らかである。

アメリカ海軍の第七艦隊、沖縄軍事基地の存在は右事実を示すものである。

しかし、アメリカ政府の第二次世界大戦での総使用量よりも多量の爆弾をベトナムの領土に降らせながら、アメリカ政府はその目的をベトナムにおいて実現することが困難となりつつあった。

それは、ベトナム人民によるアメリカ帝国主義の侵略への根強い民族解放のための抵抗が原因であった。

国内においても、遅まきながらベトナム人民のアメリカの侵略に対する闘いを支持せんとして、いわゆるベ平連、反戦青年委員会の組織が形成されていった。

この様な状況の下で佐藤首相はニクソンと会談すべく、昭和44年11月アメリカへ向かおうとしたのである。

即ち、右訪米の意図は安保条約の侵略条約性を十分に見据えたうえで、右条約の有効期限を自動延長して、日本政府とアメリカ政府との間において対ベトナム政策の失敗を踏まえつつ更にベトナム政策を再編せんとし、かつ東南アジア諸国に対してさらに強固な政治、経済侵略を図り、これらの各国の自立を許さず実質的には植民地としていくこと又東南アジアの支配についてはアメリカの傘の中でアメリカに替わり日本がその盟主となることを決定する事であった。

右意図は佐藤、ニクソン会談後になされた日米共同声明でまさに明らかとなった。

国際的にも佐藤政府の右意図は極めて反人民的、犯罪的であるがために、国内だけでなく国際的にも右訪米が問題化された。

そして、佐藤政府のアメリカ政府のベトナム侵略戦争に対する姿勢、すなわち積極的にアメリカ政府を支持したこと（これこそ驚くべきことである。国内では殺人、放火、爆発物製造、所持、使用、建造物損壊を犯罪として厳しく処罰する法を制定、運用している当の本人が、右犯罪とはスケールがあまりにもかけ離れているためか、大犯罪者アメリカ政府のベトナム侵略行為が犯罪とは考えだにつかず、むしろ知っていてほおかぶりをして、そのことを積極的にやむを得ないとして是認したことは、平井君の意見陳述書によればアメリカのベトナムにおける行為の犯罪性はナチス、ヒットラーの比ではないと記載されているが、その規模からすればまさにその通りである）ベトナムでアメリカ軍の使用する兵器、必要品を日本の独占企業が製造、販売して戦争に加担して軍需景気を謳歌することを佐藤政府が公然と認めていること等からすれば佐藤政府打倒が主張されるのもけだし当然である。それ故に被告人らも佐藤訪米阻止と共に佐藤政府打倒をスローガンとしていたのである。

佐藤政府は国外であれば殺人も放火も建造物損壊も許されると考えていたのである。

またアジア人民は人ではないという考えを有していたのである。

近時、商社、大企業の商道徳の退廃ぶりがマスコミをにぎわしており、その中で東南アジア諸国に対する日本企業の社員の蔑視感も挙げられているが、この様な事は今になって始まったことではなく、日本政府の一貫した東南アジア諸国に対する方針であったといわざるを得ない。

平和憲法といわれる現憲法の下でも、佐藤政府のベトナム侵略への加担は到底許されることではないし、憲法が国際協調路線を打ち出していることからしてもアメリカ政府と手を組んだ東南アジア諸国への侵略は強く否定されなければならない。佐藤政府に対する反対行動は、当時の、現在においても変わらないが、国会の形骸化、即ち国会は政府に対するコントロール機関の役割を何ら果たしてはいないこと、政治に国民の生の声を反映しえる機構に成っていないこと、またマスコミは政府の宣伝の道具と堕していることから、必然的に国民による直接行動とならざるを得ない。

しかし、その直接行動の内容は、佐藤政府の行為の余りにも重大な違法性、違憲性、不当性の故に、強力なものでなければならない。

ところで、一国の政府が対外的に侵略を開始した時には、国内的にも強い締め付けが有り、これに対する方法は徹底的弾圧を極めることが多い。

昭和42年ころより、44年にかけて全国の大学といってよいほどの広範囲にわたってそれまでにはない形での学園闘争が勃発し、ベ平連による反戦デモ、その他いわゆる新左翼と呼ばれた人々によるデモ、集会が執拗に繰り返された。

右時期にでも、集会等が執拗に繰り返されたことは、日本政府の対外侵略がその頂点を極めつつあったということとパラレルである。

従って、右デモ、集会に対する世界でも最高の人的、物的能力を備えた警察機動隊の対応はその暴行の方法、程度において苛烈を極めた。

和田証言によれば本事件の前年の昭和43年6月15日のデモの警察機動隊の暴行は、何ら武器を有せずデモ行進をしていたデモ隊員に頭部裂傷50人、軽傷者数千人という酷さである。また和田証人自身も昭和43年9月21日の伊丹空港軍事使用反対デモで失神しそうな暴行を機動隊員より受け、本事件当日にも頭部に機動隊員による警棒での暴行を受けて失神したといった有様であるから、42年ころから44年ころまでにおいて如何に多くのデモ、集会参加者が機動隊により暴行を受けたかがわかろうというものである。

機動隊員も警察官であるから、国民の生命、身体、財産を守る使命があるはずであるが、機動隊が守ろうとしたものは右事実からしても国民ではなく、佐藤政府および一部独占企業に在ったことは明白であり、このことは機動隊が集団公安事件即ち対デモ用に、即ち政治的、思想的弾圧目的で結成されたことからも明らかである。

要するに、機動隊とは如何なる名称を冠せようとも、右一部の者たちの私的ガードマンにすぎない。それゆえに機動隊は国民に対して政治的、思想的弾圧を加え武器を向け、暴行を加えるのである。

従って機動隊の行動とは公務という代物ではないし、公務執行妨害罪という刑罰でもって守るべき対象たる公務たる価値は全くない。

三、本事件での機動隊の行動は被告人らに対する挑発、デモ圧殺以外の何物でもない。

機動隊によるデモ、集会参加者への対応は前記暴行のみならず、デモの併進規制、サンドイッチ規制と呼ばれるデモ隊を囲みこんでデモによる表現を全く認めず、―これは許可されたデモについてである！―、機動隊の行進と化すやり方、集会、デモ参加者に対する何らの令状なくして無法状態ともいえる全く暴力だけによる検問身体検査、所持品検査、そして集会場を機動隊で外から取り囲んで威圧し、挑発する方法等も存する。

機動隊による右対応を一度でも経験されたことが有るものから、気の弱いものはもちろん、そうでないものも恐怖の為に次回からのデモ、集会に参加することをためらってしまう。機動隊もそれを十分に意識してやっていることである。顔に前垂れをつけたような気味の悪いヘルメット、紺色の上下服、長靴、警棒、こて、ジュラルミン製の不気味に光る大楯という機動隊の完全武装のいでたちを見れば誰でも恐ろしくなろうというものである。服装、装備だけでも国民に対する威圧は充分である。

この様な機動隊員に対して、デモ隊員が併進規制してくるのをどけろとその身体を押し出すこと、突きだすことは国民に決められた憲法上の権利行使の為に当然許されるべき行動であろう。到底公務執行妨害と呼ばれる筋合いのものではない。

また本事件の様に、デモ行進が始まる前に機動隊員が集会場周辺をウロウロすることは集会、デモ行進に対する威圧即ちその圧殺を図らんとするものである。又集会参加者に対する挑発でもありうる。

何らかの抗議行動がなされることをあらかじめ設定していたものであって、その様な行動がなされたとしても自ら招いたものである。従って、その機動隊の排除、抗議も許されるべきである。

（過剰違法警備論）

これまで機動隊の役割を述べてきたが本事件の警備の実際について若干評論する。

11月13日の扇町公園を出発地点とするデモ、集会は主催者が適法なる手続きによって許可を得ていたものである。

そもそも適法なデモ、集会に前述の機動隊が出現してくることが問題である。

機動隊の右対応はデモ、集会を頭から犯罪視している思想に裏付けられている。またデモ、集会参加者に対する政治的、思想的弾圧のための出動であることも明らかである。けだし、表現の自由のなかに包摂されるデモ、集会は間接政治のギャップを埋めるものとして持たざる国民個々人にとってはその政治表明をなすための最も重大な場であるから、これを封じることは国民特にその時の政府のやり方に反対する人々に対しての政治的、思想的圧殺に他ならないのである。

従って、この様な意義を有するデモ、集会に対して世界最高の人的物的装備を有する機動隊を出動させることはデモ、集会の否定であり、表現の自由を踏みにじるものとなるのである。

四、本事件において扇町公園周辺に当日出動した機動隊員の数はおよそ500余名である。右機動隊員は、右デモ、集会に参加するために扇町公園に集ってくる人々に対し、いわゆる検問体制を機動隊員の壁でもって作り上げ、そこで右人々の身体検査、所持品検査を強制的に行った。

右検査等は右人々の意思に反し、強制的になされたものであり、これについては何らかの令状も発布されていなかったのであるから違法であることは他に論を持たない。

つぎに、機動隊員500余名が扇町公園周辺に当日集結したことについて考える。このことが、デモ、集会参加者に対する政治的、思想的弾圧であることは前述したとおりであるが、そこに機動隊の行為の公務性、ないしは公務の適法性を全く見出すことが出来ない。

起訴状によれば、機動隊が右集結した目的は大阪総評主催の「佐藤訪米抗議、安保破棄、沖縄奪還11、13統一行動大阪大会」の警備にあたるためであるが、右警備内容については検察官は集団行動に伴う犯罪の予防、警告、制圧、鎮圧、交通の取り締まり、不慮の事態に備えての動員配置、その他公共の安全と秩序維持のための警察活動を言うと釈明する。

しかし、検察官の右釈明の通りの警備内容が集会において適法視されるならば到底表現の自由の「自由」はあり得ない。何故なら表現の自由とは優れて対国家権力の関係で認められるものだからである。

警察権力による監視下では、力による沈黙だけしか存することが出来ない。また検察官が右警備の根拠法として掲げる警察法二条は、その一項で「警察は、個人の生命、身体及び財産の保護に任じ、犯罪の予防、鎮圧および捜査、被疑者の逮捕、交通の取り締まりその他公共の安全と秩序の維持にあたることをもってその責務とする。」と規定しているが、その二項では「警察の活動は、厳格に前項の責務の範囲に限られるべきものであって、その責務の遂行に当たっては、不偏不党かつ公平中立を旨とし、いやしくも日本国憲法の保障する個人の権利及び自由の干渉にあたる等その権限を乱用することが有ってはならない。」と規定し、第一項に規定されている警察の責務について厳しく枠をはめているのである。

検察官の釈明する内容はまさに警察法二条二項に違反する違法なものである。

同項は警察力の行使が、過去特に戦前において特高と呼ばれた警察官が国民の人権を侵害してきたという歴史を踏まえて、この様な事を根絶するためには警察力の行使を厳しく制限しなければならないという事から設けられたものであることは異論があるまい。

本事件での機動隊の扇町公園周辺への集結は佐藤政府即自民党と同一の立場により、同政府に反対するデモ、集会参加者を敵対者とみなすものであり、また最も重大なのは憲法で保障される国民の最も基本的権利である表現の自由の発現形態たるデモ、集会そのものを違法視して集団行動に伴う犯罪を当初より必然的なものとして捉えている事であり、これは表現の自由に対するあからさまな国家権力による挑戦である。右事実は同条二項の不偏不党かつ公平中立に違反し、更に憲法の保障する個人の権利及び自由の干渉にわたるもので、本事件での機動隊の警察力の行使に重大な違法の存することは明白である。

更に検察官は釈明において、右警備の法律上の根拠として、警察官職務執行法五条も掲げる。

しかし、警職法はその一条の目的より明らかなように、主として警察法に規定された警察官の職務の遂行のための必要な手段を定めることにあるのであり、警察法は既述のように警察力の行使に厳しい制限がなされているのであるから警職法の規定も警察法の規定を基礎において解釈しなければならない。

なお警職法自体も一条二項において手段も必要最小限度に用いて、濫用してはならないと定めている。従って、警職法五条は犯罪の予防及び制止について定めた規定であるが、右規定自体が本事件での機動隊のデモ、集会に対する集結の違法性を明らかにするのみならず、警察法の建前からは本事件についての機動隊の配置は到底容認できるものではなく、警察法、警職法に反する違法なものである。そうすると、検察官の主張する前記集会の警備のために出動した機動隊の公務の適法性の根拠は全く存しないことになる。

更に加えて前述のように、機動隊員は証人Ｍの証言にもあるように全く違法な身体検査、所持品検査をしており、証人和田の証言によれば何ら無抵抗で何ら暴行を受けるいわれのないデモ、集会参加者等に対して攻撃的、先制的暴行を加えていること、右暴行による被害者が白水証言によれば本事件によるものだけでなく過去にも日常茶飯事的に存在し、そのほとんどが頭部を狙われ、下手人は機動隊員であることの事情からすれば到底本事件での機動隊員の扇町公園周辺の集結ないしはその後の行為は自ら法を守るべき立場にありながらことさらに法を破っていることからしても、到底適法な警備とは言えず、警備の名の下のデモ、集会参加者に対する暴行、デモ、集会圧殺以下の何物でもない。

そうであれば、本事件での機動隊員はデモ、集会参加者からの反発、怒りに会う事を前提として、その挑発の為に終結したものといえるのであり、仮にこれら機動隊員に対して凶器を準備して結集集合したところで、その目的はそれよりも強く保護されるべき表現の自由で保障されたデモ、集会を憲法に規定されたようにその権利の行使をする為になされたとしても、警察官自身の違法な行為によって引き起こしたものであって犯罪として立件することは不当極まりない。

さらに、その様に挑発したことによって、公務の執行を妨害されたという事は許されないし、そもそも刑罰の威嚇によって守るべき公務も存しない。

いずれにしても、本事件では昭和40年ころをはじめとする機動隊員によるデモ、集会への憲法にも反する違法な暴力的干渉がまず糾弾されなければならない。

第五、糟谷孝幸君の死に象徴される警察の過剰・違法警備について

一、本件公判では、被告人とされた24人の諸君以外に、生きていれば当然被告人らと共に元気に公判闘争を闘い抜いたであろう一人の青年、それは言うまでもなく１９６９年11月13日の機動隊員らに集中的に暴行を受け、その結果前途洋々たる人生を不慮の死によって中断させられた糟谷孝幸君についての思念が本件公判の全過程を通じて我々の心を去ることはなかった。

ここに糟谷君の死が、その一つの象徴として端的に示した当夜の警察側の過剰・違法な警備・規制の状況を明らかにして、これらの事実を十分に考慮しないままで、被告人らに対する判決が下されたならば、それは極めて公平を欠く不当なものになるであろうことをあらかじめ指摘して裁判所の注意を促しておく次第である。

二、糟谷君の死因についての警察の発表は種々変転した。

11月13日の夜、鈴木貞敏警備部長は行岡病院に同君が収容された時点（死に至っていない）で「けがの原因は調べてみないとわからないが、仮に警棒によるものだとしても、火炎びんを使って警察官を襲う相手を制圧するために警棒を使ったのだったら当然だ」と警棒による殴打を暗に認めながら開き直った談話を発表している（共同通信）。ところが11月14日午後9時、同君の死亡が明らかに成るや、大阪府警は「逮捕した時の状況から警官が警棒を使用した結果によるものではない」（浅沼府警本部長）との見解を取り始め、自らの責任を回避するため虚偽の変転する諸説を故意に報道機関を通じて市民に振りまき始めた。

「被疑者（糟谷君）を逮捕した時学生風の数人が火炎びんや鉄棒をもって被疑者を奪還しようと攻撃してきた。その際倒れている被疑者に火炎びんが当たったが、被疑者が逃げる際、何かにぶつかって自分で倒れたという状況が有り…」（浅沼府警本部長談11月15日神戸新聞朝刊）とか、「糟谷君を逮捕した時、そばにいた学生4、5名が鉄パイプを振りかざし、警官たちに襲い掛かかり、火炎瓶を投げたと聞いている」（鈴木警備部長談、前同日サンケイ朝刊）等々のいわゆる火炎ビン説・転倒説・鉄パイプ説の発表がそれである。

そして、この様に各説を変転したのち、大阪府警は糟谷君死亡に関する捜査の結果として、次のごとき結論に達したとして発表した。それによれば、糟谷君の死亡原因は、「混乱による路面衝突説、火炎ビン説は捜査から除かれ「警官の警棒・防御の盾による打撃」と「デモ隊の鉄棒、鉄板による打撃」の二つに絞られた。捜査本部は糟谷君を逮捕した時の状況として、荒木巡査ら三警官が同君の右側頭部を下にして路上にねじ伏せた際、赤松巡査はタテ（警棒は抜いていない）杉山、荒木両巡査は警棒を抜いて糟谷君の逮捕を妨害しようとして鉄棒・鉄板を振り回していたデモ隊の数人に応戦するのに精一杯だったと説明している。捜査本部はこの状況から警官が糟谷君に警棒・タテで暴行を加えたという事実を認定できないとした。」（昭和45年1月27日毎日朝刊）そして糟谷君の死因については、同君の司法解剖の執刀者松倉豊治阪大教授の鑑定書を基礎として死因となった頭部骨折等は「デモ隊が振った鉄棒が誤って糟谷君の頭に当たったとするのが適当」との判断を下していわゆる同士討説を最終結論としたのである。

三、松倉教授の鑑定は前記新聞およびそれに基づく本件公判廷における佐藤耕造証人の証言によれば、要約は次のとおりである。

糟谷君の死因は「頭部打撃で硬膜外にできた血腫で脳の圧迫が起こり、また各所の出血、脳腫脹、脳挫傷により脳中枢機能に障害がおこり、死亡した」と述べている。そして脳機能障害の原因となった頭腔内血腫や脳表面の損傷は(1)左側頭部前部の挫傷(2)左側頭骨上部および頭頂骨下部の骨折が合わさって起こったとしており、この二つの傷は「幅のある打撃面を持ち、しかも角のある堅い鈍体が左側部頭頂部を中心に作用したと推定するのが妥当である」とし、しかも「一回の打撃作用で両方の傷が同時に生ずることも可能である。」

右の松倉鑑定に言う「平たんな打撃面があり、かつ角がある鈍体」とはデモ隊が使用した長さ1・3mで、3・2cm×0・6cmの切断面を持つ鉄板棒を示唆するものであるとして、捜査本部が同士討説をとったとされているものである。

しかし、右の結論の根拠となった松倉教授の鑑定書なるものは、医学的見地からは全く妥当性を欠き、真実を歪曲・隠蔽して警備当局に迎合した不公正なものであることが、佐藤証言によって明らかに成った。

四、佐藤証人は、当時京都大学医学部脳神経外科勤務の専門医として、糟谷君の司法解剖に立ち会い、その経過を直接注意深く観察した結果、これを医学的に分析して、極めて客観的かつ納得的な証言をなしたものであり、その証言内容は、前記の松倉鑑定の問題性を余すところなく剔抉した。

すなわち、松倉鑑定は、

1、死因となった左側頭前部の挫傷、左側頭骨上部および頭頂骨下部の骨折を、糟谷君の全身に残された他の数多い傷から恣意的に分離・独立させて、これらの傷のみから凶器を推定しているが、これは明らかに不当である。

同君の身体には、前記の頭部受傷のほかに、頭頂部皮下出血、頭頂部縫合離開、鼻根部皮下出血、及び頭部以外の身体各部（手・腕・両下肢）等に20カ所にのぼる打撲による皮下出血などの損傷などがあり、佐藤証人はこれらを現認し、又松倉教授にも解剖時に直接その存在を確認しているところであるが、少なくとも身体各部の打撲は転倒して生じるものではなく、警官による逮捕時の集中的なリンチの酷さを物語る痕跡であることは、誰の目にも明らかである。

とくに右手、右腕の打撲による皮下出血は伸側のみに在り、しかも手関節を中心とする部分に最も多く、これらは警官の暴行を防ごうとした際生じたものと考えるのが最も常識的であるのにもかかわらず、死因となった骨折等のみをことさら他の傷と無関係に取り出して凶器を推定している。

頭部の打撃をとってみても、前述のとおり死因とされている傷のほか、鼻根部皮下出血、頭頂部皮下出血、頭頂部冠状縫合離開等があり、これらは少なくとも頭部に数回の打撃が加えられた明らかな痕跡と考えられるにもかかわらず、これを無視して、ことさら(1)左側頭部前部の挫傷、(2)左側頭骨上部及び頭頂骨下部の骨折の各傷が、一回の打撃作用で同時に生じることが可能であると記載して、単にごくまれに起こるかもしれない可能性のみを取り上げて、死因となった前記各傷について、通常考えられる、各傷はそれぞれ一個（一回）の打撃によって生じたものではないという、高度の蓋然性を有する推定について全く考慮していないことは、現場でデモ隊が所持していた鉄板棒による打撃が同君に死をもたらしたという事を、無理に結論付けるための強度のこじつけとしか考えられない。

2、致命的な打撃が加えられたとされる左側頭部には表面前部に長さ1・2cmか3cmで深さは骨膜に達していない浅い挫傷が有るだけであり、その下層に頭蓋骨折等があるが、警察側の言うようなデモ隊が所持していた鉄板棒が頭蓋骨折、脳挫傷、硬膜外血腫を生じるだけの打撃力を以て頭部にあたった場合に、少なくとも右の程度の挫傷ではすまず、鉄板棒がよほど特殊な当たり方をしない限り、数センチの裂創あるいはもっとはっきりしたかどが付くか、みみず腫れの様な長い条痕が付くのが通常であるにもかかわらず、これが存在しないのは鉄板棒が凶器でない事の明白な証拠である。なお頭部には右傷以外にも鉄板棒によると考えられる傷は何ら存在しないことは前述のとおりである。また前述のような身体の全所見によっても、凶器が松倉教授の言う角稜のある、又平べったく幅が有る物体である根拠はどこからも出てこないにもかかわらず、敢えてこの様な結論となっているのは理解できないところである。

3、糟谷君の左頭前部の小さな挫創は、どの様なところにぶつけても起こり得るような傷であり、警察の発表の様にデモ隊の鉄板棒に拠る受傷であることを特定するに足る微表が何らない事は前述のとおりである。

また骨折に関していえば、頭部には左側頭部の頭蓋骨折と頭頂部の冠状縫合離開とその延長線上に骨折が有るが、この骨折が松倉鑑定の言う様に一回の打撃で起こるとするならば、その可能性は頭部が固定された状態で左側頭部から打撃を受けた場合が考えられるだけである。

もし頭部が可動性のある場合（糟谷君が立ったままの状態で殴られた場合など）は頭部が打撃によって反対側に動くため、その衝撃が吸収されて縫合離開というものは起こり得ないことは確実であり、このことは佐藤証人が昭和45年3月下旬、松倉教授と話し合ったがなんら右の考えを変更するに足るだけの説明は得られなかった。従ってこの点からもデモ隊との同士討ちは誤りであることは明らかである。

佐藤証人は以上のとおり松倉鑑定がいかに不合理かつ到底医学的批判に堪え得るものでない事を具体的に指摘したのち、糟谷君を死に至らしめた傷は(1)棒状のもので頭頂部及び左側頭部を複数回（二回以上）殴打されたものか(2)右の殴打と左側頭部を地面へ打ち付けたものとの複合によるものか、いずれかによると考えるのが妥当である。そしてその凶器の推定に当たっては既に述べた如く、身体に加わったすべての傷害との関係に於いて総合的に判断しなければならないことは言うまでもなく、松倉鑑定はこの点においても、方法論としても初歩的な誤りを冒している。

凶器は全状況からみて警棒または大楯と推定するほか有り得ないと結論したのである。

五、以上の様に糟谷君の死が警察側の発表の様にデモ隊の同士討ちによるものでは断じてあり得ないことが同君の司法解剖に立ち会った佐藤医師の証言によって明らかにされたわけであるが、つぎに当夜のデモ隊と警官隊との衝突の具体的実状・並びに本法廷で明らかにされた糟谷君の逮捕の状況に照らしても同君の死はデモ隊の同士討ちによるものではなく、警官の暴行によってもたらされたものであることを論証する。

警察側から流された同士討説には、二つの可能性が言われている。その一つは、機動隊が制圧行動に出た際、デモ隊が後ずさりしながら鉄板棒を振ってこれに抵抗していたが逃げ遅れた糟谷君がデモ隊の中に戻ろうとした際、デモ隊の鉄板棒によって打撃を受けて負傷したと言う、いわゆる「逃げ遅れ説」と、糟谷君が荒木・杉山・赤松の三警官によって逮捕されようとしたとき、数名からなるデモ隊員がこの逮捕行為を妨害しようとして鉄板棒を振いながら襲撃してきたが、それらのものの鉄板棒が誤って糟谷君の頭に当たって受傷したという、いわゆる「奪還部隊説」の二つである。その他にも糟谷君の頭にデモ隊の投げた火炎びんが当たったのだと言う「火炎ビン説」、同君が逃げようとして何かのはずみに転倒して路面で頭を強打したという「転倒説」等も宣伝されたのである。以下順次これらの各説明がいかに虚偽であるかを述べる。

1、「逃げ遅れ説」について言えば、これに副う証言は荒木証人が糟谷君を他の二警官と共に検挙の為追いかけた際道路と中央付近で同君が「ふらふらとして後ろへのけぞるようになった」との証言のみである。そして糟谷君がその様になった瞬間に三警官が逮捕したというのである。しかし機動隊員が検挙のため待機していた歩道上から扇町公園南側道路に飛び出してきた際、デモ隊が後ずさりしながら鉄板棒を振い、これに抵抗していたという事自体が虚偽である。機動隊に接近したデモ隊は、機動隊の反撃にあってたちまち分断され、デモ隊は算を乱して背走するのみであったのである。糟谷君とほとんど接着した時点で、又ほとんど同じ場所で逮捕されたM証人（同人は機動隊が制圧行動に移るや、必死に扇町公園に逃げ帰ろうと走っている時路上に転倒し逮捕された）の証言によれば、「僕が倒れた時は、後退しているデモ隊の姿をずっと見ていた、僕から見れば、背中を見せてずっと逃げていたそう言う学生の姿を見ました。」（警官によって逮捕時に）「暴行を受けている時も、周りには機動隊ばかり」だった、と言うのであり、到底制圧行動の際のデモ隊の抵抗はあり得ない（現場路上で押収された多数の鉄板棒もまたそのことを物語るものである）。

しかも糟谷君の死体に何ら鉄板棒に拠る受傷を積極的に物語る痕跡が残されていないという医学的な所見はしばらく置くとしても、同君の頭部に加えられた数回の打撃による傷と、全身にわたる多数の傷の存在が、荒木証言に言う瞬間的な「のけぞり」の際の受傷と考え得る可能性を全く拒否しているのである。

また、三警官によって逮捕されようとした際の同君の行動は、荒木証言によれば、「何をする」と手を左右に振っていた。余り暴れるので、私が逆をとるようにしたら両ひざをつくようにして腹ばいになったわけです。」「赤松巡査の大楯を足で強くけっていました」等々。直前に致命傷を受けた人物の行動としては、全くあり得ない、あまりに元気な姿が描き出されているのであり、いずれにしても「逃げ遅れ説」が全く虚偽であることは余りにも明白といわなければならない。

2、「奪還部隊説」も、本公判廷で明らかに成った糟谷君逮捕の具体的状況からみて有り得ないところである。糟谷君の全身には、頭部のほかにも上・下肢に数多くの傷が残っているが、逮捕警官らの当夜の服装（治安三号）と糟谷君の白っぽい着衣との違いは夜目にも明らかであり、数名の奪還部隊が仮に実際あったとしても、逮捕警官と間違えることは到底考えられないところである。またそのような奪還部隊そのものが無かったことは、前述のＭ証言のとおりである。

奪還部隊が有ったとする荒木証人の証言においてさえも、同証人ら逮捕三警官は、うつぶせに押さえつけた糟谷君の尻の火を消してから、「その男（糟谷君）を立てようとしたときにパツと見たら5、6人の鉄棒を振り回してきた集団がおったわけです。」そして同人は「危ないと思って警棒を抜いたわけです。」「（警棒を）上に構えた時、後ろの方から警察部隊が来たわけです。」そして弁護人の「あなたの警棒とその人ら（5、6人）の鉄棒が触れ合うという事はなかったですね。」との質問に対して「はい。」と答えて、荒木証人と奪還部隊との接触が無かったことを認めているのである。

更にその時の各人の位置関係について、荒木証人は、「そのとき、赤松巡査が大楯でかばうようにしてくれたので、赤松が5、6人の学生に一番近いと思います。」「その男（糟谷君）をはさむように、私と杉山が挟むような格好になっていました。」「私らは中腰で男の腕を持っていました。」「糟谷君はうつぶせになっていた様に記憶します。」とそれぞれ証言しているが、右の状況からみても、うつぶせになり、その周辺に大楯を立てた赤松巡査を含む三警官が取り囲んでいる糟谷君の側頭部を、奪還部隊の鉄板棒が強打する可能性など全くあり得ないことは明白といわなければならない。

しかも、「警棒を構えると同時位に後ろの方から警察部隊が応援に駆け付けたようです。」と、奪還部隊の攻撃なるものが極めて瞬間である旨証言するのであるから、なおさら「奪還部隊説」が成立しないことは明白である。

3「火炎ビン説」、「転倒説」がそれぞれありえないことも、これまた荒木証言によって明らかであるので多言を要しないところである。

六、荒木証人の証言によれば、同人が糟谷君の身体の異常に気が付いたのは、曽根崎署へ連行しようとするその途中、手前約100m位のところであり、「左額あたりから目の下あたりにかけて血が流れておったようです」とのことである。

しかしながら、糟谷君と相前後して同君と同じく扇町公園前道路上で逮捕され、糟谷君より少し前に関西電力前の歩道上に連れて来られていたM証人は、連れてこられた糟谷君を「一目見て、僕はびっくりしたんですけれど顔中血だらけで頭から血を流していたのです。」と証言しているのである。糟谷君の頭部の外傷は左側頭前部の挫傷であるが、頭部の挫傷は多量の出血を伴うのが通常であるので、この証言はきわめて合理的で信用できるものと言わなければならない。もし荒木証人の言うように、曽根崎署の手前100mの所で出血に気が付くという事であれば、糟谷君の受傷は同君の身柄が完全に警官によって確保された後(歩道に連れてこられたのち)の暴行によるものになるのである。荒木証人は自分らが糟谷君に対し逮捕時に暴行を加え同君を死に至らしめたのであることを充分意識しているので、自らが加えた傷による同君の出血すらつとめて目をそらそうとするの余り、前述のごとき不自然且つ背理的な証言をなしたのである。弁護人の尋問に対しついに自分の警棒に糟谷君のそれと同型のA型の血痕が付着していることを認めざるを得なくなった荒木証人(当夜以前に警棒に血痕が付着する原因となるような出来事は何もない事を自認」している)こそ、糟谷君を死に至らしめた者たちの一人である蓋然性は極めて高度であるといわなければならない。

七、以上述べたとおり、糟谷君の死によって端的に示されたように、本事件当夜現場での警察の違法警備の事実は明らかである。しかるに本公判廷においても明らかにされたように同君殺害の真犯人である蓋然性の極めて高い逮捕警官らが関係者によって告発を受けたが、これに対する検察官らの取り調べは、荒木証人の証言によってみられるように、極めておざなりなものであると言わなければならず、しかもそのような「取り調べ」の結果同人らは嫌疑不十分として不起訴処分にされたのである。告発人らは、昭和46年9月14日右事件を大阪地方裁判所に付審判請求したが、右付審判請求の第一回期日の三日前である同年5月23日大阪府警は、担当裁判官に対し忌避申立をして審理開始を阻んだのを手はじめとして、種々の画策をして右の審理が進行するのを妨害しているのであるが、この事実は、大阪府警自らがこの様な手続きが進めば被告人である三警官の犯行が明らかとなり、しかもこれをかばった大阪府警の不公正な態度が暴露されることをいかに恐れているかを明白に物語るものである。

　同じ夜の出来事でありながら、今ここに被告人らのみが裁かれ、一方大きな犯罪を冒した者が権力により庇護されたままでいることの不公平さは言わずとしても明らかである。判決においては、右のような事情が十分考慮されなければならないことは、最早多言を要しないところといわなければならない。

　曽根崎警察署内で取り調べを待つうちに昏倒した糟谷君は急遽行岡病院へ搬入されたのであるが、ベッドに横たえられた同君の混濁した意識が次第に暗黒の死の世界へと溶暗していくとき、彼の心が何を思い、彼の最後の意識が何を意識したのか知り得る故もないが、被告人諸君の心の中に彼の死は何か熱く重いものを確実に残したことは間違いないものと思われる。

平和のしたでも血がながされ
死者はいまも声なき声をあげて消える
かつてたれからも保護されずに生きてきた
きみたちとわたしが
ちがつた暁　ちがつた空に　約束してはならぬ

吉本隆明「死の国の世代へ」

1969・11・13　扇町闘争裁判　被告意見陳述（抄）

1969・11・13　扇町闘争裁判意見陳述（1）

被告人　A

[1]　闘争の全国化に対する政府の対応

闘争が全国化するとふんで、もはや個別大学内における教授会の権力だけではどうしようもなくなり、政府＝国家権力が前面に登場し始めた。政府は一方で「中教審」（中央教育審議会）などに大学再編の為のイデオロギー的準備作業を命令しつつ、他方では現行法の範囲内で取りうる措置を最大限に駆使してきたのです。

後者の具体的内容としては、⑴学内の「暴力」の排除と「秩序」の維持を名目として、一般市民法（刑法等）を駆使して大学闘争を強権的に圧殺する事、⑵教官人事や管理運営への「学生参加」を認めないよう大学に指導助言し、「行き過ぎた大学改革」をさせないようにチェックすること、⑶国立大学施設の管理者である学長にその責任遂行を要請する事、⑷国立大学人事に文相の拒否権があることを明確にさせること　などでした。

ところが現行法の範囲では現在の大学闘争の完全な収束と「正常化」が不可能であることが明らかに成るに及んで、国家権力は昭和44年5月24日、中教審答申にもとづき「大学の運営に関する臨時措置法案」を国会に提出したのでした。

この法案が生まれる背景には主に二つの要因が考えられます。一つは旧来の大学の基本原理と構造の崩壊状況を逆手にとって戦後国家権力の教育支配が最も貫徹しにくい領域であった大学に対して直接的・全面的支配を確立する契機としてとらえ、「70年代教育体制」とその一環としての大学再編を実現しようとするモーメントです。もう一つは「大学危機」の社会的及び政治的危機への拡大、とりわけ大学闘争と安保・沖縄闘争との結合と独自の政治主体としての学生運動の成長にたいして、「70年安保対策」の側面から対処しようとするモーメントでした。

「臨時措置法」のポイントを分析してみます。

まず第一に気がつくのは、「紛争」解決の方法として大学運営における学内の管理権限の集中と文相の権限強化を提示しており、その狙いは単に「紛争」解決の一時的処置であるだけでなく、次の「大学管理法」の基礎を作ろうとするところにあるという事です。（法文第六条一項・二項、第五条など）

第二に気付くのは、法案の範囲でいえば政府は一定限度まで大学の〈自主解決〉を尊重する立場をとりながら、それでも解決しない時は直接介入による解決を行うという二段構えで臨み、それによって一方で、〈自主解決〉を政府の望む方向へ誘導し、他方でそれぞれが不可能な時は自ら直接指導に当たるという事です。（法文第六条一項・二項、第七条一項など）

第三には、「紛争」の長期化に伴う閉鎖・廃校の処置ですが、これ自体極めて重大なことですが、さらに気に成るのは閉鎖・廃校処置をとられた大学はそのまま廃校になるのではなく、おそらく政府の望む「モデル大学」として再編成されるであろうという事です。即ち大学制度改革を実現する前提条件をそれによって手に入れることができるわけです。（法文第七条二項、第九条一項など）

第四には、「大学紛争」の解決を法制的手段によって行うとする法案の基本性格についてです。この法律の成立は取りも直さず今後の「大学問題」展開の主導権を政府・文部省が握ることを意味します。我々が「臨時措置法」に反対したのは単に既存の法体系を変更するからという消極的視点からではなく、その成立がこれからの大学再編の為の武器を国家権力が得ることを意味するという長期的な視点からでした。即ち、大学への直接介入に反対という一般的な立場からではなく、それがあくまで今後の大学の帝国主義的再編の前提条件と手段をあたえるものであるという原則的立場から反対したのです。

[2]　全共闘運動の後退局面

69年8月3日政府・自民党はついに「大学運営臨時措置法」を強行採決によって成立させた。この立法によって大学当局は機動隊を導入してまでも封鎖解除—授業再開の必要性に迫られて、8月8日の神戸大、8月17日の広島大、8月20日の青山学院大と次々に強行してきました。それらはいずれも形式的に「紛争状態」でないことを政府に示し、「大学措置法」の適用を何とか免れようとする大学側の「正常化」策動であるわけですが、これこそ実は同法の基本的な狙いにほかならなかったのです。立法成立後、8月18日の国大協臨時総会をはじめ、各大学は同法の効力を封じようとして、しきりに「自主解決」を唱えていましたが、同法に非和解的に対決する原則的立場をとらない限り、その自主解決の内容は、結局同法の適用を避けるための大学側の「自主規制」以外ではありえないのです。

一方、我々は極めて厳しい局面に立たされることとなり早急に政府の直接的教育政策に対決する体制を整える必要性に迫られてきました。その一つの方法が9月5日「全国全共闘連合」を結成したことです。当時大学は次々と機動隊の導入によって封鎖が解除されていて、闘争の拠点が失われ続け、我々は必死になり運動の「質」を維持するため抵抗していたのですが、それが個別大学闘争の全国的結合という形を持って完成したのです。ところがこの完成はあくまでも実を伴わないところの形態上の一時的なものでしかないということが、日がたつにつれてはっきりしてくるのでした。

何故にそのようにならざるを得なかったのか?

まず第一に言えることは、闘争そのものの質が直接国家権力と対決しなければならない局面にまで到達したことによって、即ち、教育制度の領域から政治の領域に上向したことによって運動の組織そのものの体質が問われ始めたという事です。そもそも全共闘とは学内における闘争課題によって結集してきた人々によって成り立っているもの、それに対して政治的な意思一致によって形成されている「党派」がどれ程の指導力を発揮するのかは非常に疑問でした。(後期の全共闘組織というものは当初から完全に各党派の寄り合い世帯のようなものに成っていましたが)

確かに、教育闘争は一定の政治性を帯びるものですが、純粋な政治闘争とは違い、あくまでも個別大学における教育=研究体制に対する批判から出発しているもので、この固有な性格を捨象して立法粉砕闘争を一般的な反権力闘争と規定し、その結果実践的には安保―沖縄闘争に短絡させる傾向が強く出てきたのです。

そこで第二には、運動路線上の進路を巡っての問題にぶつからざるを得ません。ところで全共闘はその成立当初から政治党派との関係は有り、その運動の上昇局面においては有効に作用していました。(もちろんその逆も言えます)即ち、既成の左翼と言われている社会党・共産党に対して飽き足らなさを感じていた部分が65年の「日韓闘争」を契機として自立した集団として大衆の面前に登場し始め、それ以後「70年安保闘争」に向かって急速に成長し続け、それが大学革新闘争と波長を合わせることによって、その運動の質を発展させました。両者は既成の秩序そのものを問うという極めてラディカルな展望にまで観念的には達したわけです。

しかし、運動自体が新しい展望というものを作り出せなくなるや否や、前記のラディカルさというものが、有効には働かなくなり、そして大衆との離反を招く結果となり、焦りと同時に戦術的意味での政治性というものが急激に頭を持ち上げてきたのでした。政治的行動によってこの困難な局面を乗り切ろうとするのですが、これが逆に自己の存立根拠を危うくする結果となり大学における教育闘争というものが宙に浮いた形に成ってしまったわけです。(この極端な例が「よど号」乗っ取り事件から連合赤軍派へ至る赤軍派の一連の行動といえるかもしれません)

こうして69年秋には大部分が11月「佐藤訪米」阻止にむけて街頭カンパニア運動へと流れていくのでした。

ところで第三に、我々と大衆、特に労働者との結びつきが問題に成ってきます。現在振り返ってみますとあの当時どれ程の大衆が「大学革新闘争」というものを理解してくれたのか疑問ですが、大学における教育の実態というものがどんなものか、今までイメージとして描いた大学とは少々違うという事をおぼろげながら感じられたかもしれません。我々は特に教育労働者である教授各層に対して鋭く告発をしましたが、その中身といえば高度に発達した現代資本主義社会における専門的知識分野にのみ閉じこもり、それ以外の分野には「我関せず」といった姿勢をとり続けてきたがゆえに、その結果、社会に対してどれ程の害悪というものをもたらしてきたのかを被教育者である学生自身が問うたという事です。そして「造反教官」などと言われて我々と連帯された良心的な先生もおられましたが、総体としては増々自分の殻に閉じこもるようになっただけです。この殻を破る為には学園内だけではいかんともしかたく、広く社会に情宣をしなければならないのですが、その方法においても不十分さが目立ち、ストレートに労働組合や各種の組織に連帯を求めるわけにはいかない学生運動としての限界性を強く感じたものです。連帯できる分野といえば純粋な政治闘争の領域である安保・沖縄問題にスローガン的に一致する程度です。この分野においては政府自民党に反対するという次元において共同戦線を張れる可能性があったわけですが、労働運動には未熟という主体の側の限界性もあって労学提携という事には簡単にはなりませんでした。そして次第に厄介者扱いにされるにしたがって孤立の度を深めてゆくのでした。

[3] 全共闘運動の今日的意味は

我々が批判の対象としたのは何よりも現在の大学における知性の退廃であり、大学制度の退廃を支えている「人間」とその学問的営為全体であったわけです。我々が告発しなければならなかったのは、現在の大学の学問的営為が全社会的レベルで果たす「加害者性」に全く無自覚な大学における知性の退廃であり（それらの物質的根拠として現在の「大学自治」の形態と講座制がある）、またそのような大学存在の「共犯者」となっている自己そのものであったのです。「自己否定」の課題はここから必然的に生まれたものです。

大学闘争は大学における学問と知性の本質的意味を全面的に問い直すものとして「文化の革命」（あるいは「知性の革命」）という性格を強く持っていたと言ってもいいでしょう。したがって大学の危機とは、大学制度の危機だけを意味するものではなく、むしろその制度の下で生み出される大学の学問と知性そのものの危機を意味していたのです。そしてその根底には、現代における支配イデオロギーの危機状況が存在していたのです。

確かに「文化の革命」というには少々オーバーかもしれませんが、大学という社会における一領域において人間としてのあるべき姿というものを徹底的に追及していく過程で、そこにおける自己の存在そのものまでも感性の次元で否定しようとする局面に到達し、自己の在り方というものを変革しようとした姿勢は認められてもよいと思います。大学の体制というものを変えるにはまず自分自身が変わらなければならないという発想のもとで、積極的に社会へのかかわりをしていったのでした。そして、その道程を上り詰める過程において現代資本主義体制における教育政策そのものに突き当たり、国家権力の方針というものを否定せざるを得ないという当然の帰結に至ったわけです。

ところで問題は単純に「自己否定」とか「自己変革」とか言いましたが、一体その中身はどのような客観的基準でもって測ればよいのかという事でした。即ち、自己というものを謙虚に見つめる場合の土台というものをどの様な内容でもって設定するのかという事です。（ただ一般的なマルクス主義とかなんかではどうしようもありませんから）一歩誤れば主観主義的な傲慢な自己満足のための産物に終わってしまう可能性を持っていました。まさに我々が注意しなければいけなかった事は自分自身の内の否定しなければならないものと否定する必要のないものとの判断を的確にしているかどうかであったわけです。

我々の情勢分析というものは現代社会を絶対的に悪なるものとして位置付けることによって成り立っていました。我々はそれを大学という社会の一部分からのぞいた目で判断したわけですが、そこに甘さもあれば誤りもありました。余りにも先を急ぎ過ぎたのではないかという否定的な見解も一方で成り立つと同時に、他方では当時の情勢ではあの様にしかならざるを得なかったという肯定的な見解も結果論としては成り立ちます。しかし人々がかつて正しいものと認めてきた既成の価値体系そのものに対して正面きって疑問を投げかけ、そのイデオロギーの欺瞞性というものを暴露した行為というものは真実として残ると思うのです。

今や学生運動そのものは混迷と模索の状態を続けており、全共闘運動の質がどのように受け継がれているか知る故もありませんが、前述の「自己否定」なる論理の積極的発展を期待したいものです。

1969・11・13 扇町闘争裁判意見陳述（2）

被告人　D

(1)一般に理解されにくい闘争を「人民から浮き上がった闘争」と言われ、「浮いた闘争は過激に成り易い」と言われます。確かに我々の闘争は、「過激」だったと思います。「69年秋の闘いは、歴史的転換点になるであろうから、単なるポーズやアリバイ作りの闘いでは駄目である。石ころでも棒切れでも、何でも「武器」に成るものを持って闘おう」という事が「新左翼」学生、労働者の一致した見解でした。我々は単純に、佐藤訪米を物理的に阻止しようというだけなら、誰かが、佐藤個人をやっつけてしまえば、事足れたでしょう。しかし我々はそうではなく、政治的に阻止する。つまり人民大衆の政治的示威で中止せざるを得ない政治情勢を創るという事でした。だから、石ころや棒切れも、機動隊をやっつけるのが目的ではなく、「石ころや棒切れを持っても、体を張っても阻止するのだ」という固い意志を公然と示す、政治的デモストレーションだったのです。「石ころや棒切れを『武器』にしてまで、あの連中は闘っとる」という感動を労働者大衆に伝え、次々と新しい闘いを引き起こしていく役目―最初の捨て石―を引き受けたのです。20人や30人で、簡単に阻止できるわけは有りません。

今から考えれば、現場に居合わせた労働者大衆の中には拍手で迎えてくれた人々もいましたが、結果としては幾千、幾万の労働者本隊が、後に続くという事態は起こらず、「孤立」したまま、「過激」が、「過激」として処理されてしまったのです。「少数の実力決起―労働者本隊の決起」という事態が確実に起こるとは考えていませんでしたが、逆に確実に起こらないという事も、分かりませんでした。ハッキリしていることは、一般の人々に取っては（マスコミの扱い方によるところが大きいが）「何故あれだけやるのか」という事を考えるのではなく、「又、暴れとる」程度のものだった訳で大正時代の米騒動の様な反応ではなかった事も確かなわけです。つまり、米騒動の様に人々の今日、昨日の「胃の腑の問題」ではなく、遠い沖縄の抽象的な国際政治の問題であったので理解と関心が行き届かないという必然性があったのです。つまり大衆自身のこの問題に関する理解がいまだ不充分である事、にも拘らず絶対阻止しなければならない問題であるという事、加えて今の政府は少々のデモでは我々の言い分を聞き入れてくれず、反対に機動隊によって弾圧してくる事、この三つの条件の中で、否応なくあの行動へ駆り立てられたのであります。

大衆自身の政治的自覚を呼び起こさない様な、勝手な思い上がった武装テロルの続発「新左翼」のいわゆる「内ゲバ」の続発は、我慢ならない出来事です。

「世直し」の為の否定的媒介としての11・13闘争の延長線上に、内ゲバやテロルが存在する訳はないのです。

(2)　最後に私の「政治との出会い」と現在の生活についてのべます。

私は普通の農家の6人兄姉の末っ子として生まれ、保守的環境の中で育ちました。私が高校を卒業する頃、ベトナム戦争が始まり、テレビや新聞で盛んに報道されていましたベトナムの貧しい農民や、子供が殺される場面を見て私は憤りを覚え、他人事として見ている親達に批判を浴びせていたようです。親父はそんな私を見て「学生運動に入るのではないか」と心配していたようでした。

大阪へ出て来る時、友人が開高健の「ベトナム戦記」という本を呉れました。大学へ入って配られた反戦ビラの多いのに、驚き、とまどいました。薄汚れた服を着て、ビラをまくのが職業みたいな人が盛んに話しかけてきます。この人は僕の気持ちを純粋に受け止めてくれるのかなあという不安もありました。何しろビラも、アジテーションも、生まれて初めて見るのですから、無理もありません。「僕は勉強しに大学へ来たのだ。学生運動をしに来たのではない」という気持ちと、「何のための学問か、社会を見なければ意味がない」という気持ちが、相克し合いました。しかしベトナム戦争は拡大の一途をたどっており、「俺も何かしなければ」という気持ちが躊躇を押しのけたのです。何事も初めての経験で、不安に付きまとわれながら「何かしなければ」という気持ちに純粋に従っていったのです。人前で話すことなどした事もない私は、恐る恐る「今日も人が殺されています。何もしないでいいのでしょうか」とクラスの前で演説を始めたのです。１９６５年4月28日は、初めてのデモ、米領事館に座り込み、警官二人に捕まえられてゴボウ抜き、エレベーターの中で、散々殴られました。怖かった。

それから社会科学の勉強をする様になり、世の中の仕組みが分かって、目のまえが明るくなった様でした。5月20日デモに行き、参加した学生が数千人もいて、仲間が多いのに感激しました。何しろ田舎は保守的でしたから。「私は、気は弱いし、頭もよくないが、こんな人間でも、反戦運動をやるのだから、みんなもやれるはずだ」こう思って私はクラスの世話役を始めたのです。

其のうち、運動体内部にも対立が有る事もわかってきたし、権力と対峙し続ける事が、しんどい事であり、人生を決定づける重大問題で事がわかってきました。しかし怖さや、しんどさの為に、正しい事を正しいと言えなかったら、自分は一体何の値打ちが有るのかと思い、だんだん覚悟を決めていったのです。

3年の時、自治会委員長に選ばれ、普通の就職は無理だと思いました。初めて大学にやった息子がこのザマで親父もガックリ来た様です。憲法では、思想信条の自由は認められているといっても就職が困難になるのが実情ですから。

しかし私は、職業的な活動家になる能力もないので、どこかへ就職しなければならないとは思っていました。本来なら卒業する1969年3月、自治会活動でほとんど単位が取れず留年、丁度、全共闘運動の全盛期、私が学生運動をするのも、もはやこれまでと思い、同年5月学校を離れてA市へ来て、地区の労働者の組織＝反戦青年委員会へ参加しました。そこで一労働者の解雇撤回闘争にたずさわっていました。

1969年秋、労働者も学生も、皆、突っ込むのだという事で、11・13闘争に参加しました。

今は、従業員6人の小さな会社で、禄を得ながら、細々と学習会活動などをやっています。

長女が満一歳、女房と子供の三人暮らし。狂乱物価に抗して頑張っています。

1969・11・13 扇町闘争裁判意見陳述（3）

被告人　F

当時、腹が大きくなった女房を一人置き去りにして、かなりの時間に渡って、のんびり拘置所の中にいた私には、いろいろなものが見えた様です。

ところで私達が闘ってきた、70年安保粉砕を目指す69年までの闘いは、見事に敗北したといわざるを得ないでしょう。それは、私達の闘いが、正しかったかどうかという判断とは全く別に、私たち革新勢力が佐藤を筆頭とする反動勢力に、力として敗れたという事なのです。

私とすれば何とか一生を悔いなく生き続けたいと願う平凡な一人の人間に過ぎないのです。それを知ってもらうためにも、私の生い立ちと両親をあなた方に紹介しましょう。

私の父は、大百姓の5人兄弟の長男だったそうです。全ての明治人間が経験した様に父は海軍に入っており、私によくその武勇を聞かせてくれました。帰還後父は、農業の限界を感じて長男でありながら家を出、労働者として身を立てるのですが、これがまた実力が有るにも学歴が無いという事で、自分の尋常高等小学校という肩書をいつもなげいておりました。それでも彼は戦後の労働運動の混乱にもうまく身をかわし、酒もたらふく飲み、腹まで出して歩くような身分に成り、主事という肩書をもらってはしゃぎながら会社の為に身を粉にし、死んで行ってしまいました。私は8人兄弟の末っ子で父などとほとんどゆっくり話をした事もありませんでした。母はワンマンの父の言うなりで、何一つ口答えもせず、コツコツといつも家事の仕事をしている女性でした。

　私の一家は戦争で家を焼かれっぱなしだったそうです。私は三重県の海岸で育ちました。海岸は砂浜がずっと広がり、青々とした海に、松の緑が横たわる姿は、本当に美しいものです。しかし、いったん荒れ狂うと波は大変恐ろしい形相で私達を追いかけてきます。そんな光景を毎日目にして私は育ち、父の海軍の話を真に受けて中学の頃、船乗りになろうと決意しました。しかし、私の両親は私を大学へ入れる為に、私立の中学に進ませたので、私はそこの中学の影響を受け、何かを考え始めるようになったのです。それがいわゆる仏教です。私の思想形成の土台は、仏教思想です。私は別に自慢話をしたくないのですが、そのころ、兄弟、親戚から仏さんのような子といわれたものです。そして私は高校に行き、そこでの受験のための偏向教育に驚き、他方クラブ活動という自由な雰囲気に没頭し、没頭しながらも幼稚な考えで世の中の誤りや、教育の偏向は社会の秩序、風俗を取り締まる法律から問題を考えねばならない、などといった戯言を考え、自分は何とか、法律を勉強して社会の為に、人々の為に役立てようなどと、バカ真面目に考えてしまったのです。しかしそれなりに物事を知っていけば、誰でもわかる通り、憲法とか、法律とかいうものは、裁判官とか、弁護士とか、どうこうした所でたいした変化もないという事に気付き、所詮裁判官はいわゆる社会勉強というやつをよく御存知で、世間が悪いといえば、世間やお上に逆らわず、政治力学をうまく判断した上での妥協的な政治工作を行ってきた判例を頼りに、文字を捜す一つの生活の糧でしかないと考えたのです。（いわゆる商売）、もっとまともな方は、旧来の伝統を断ち切り勇気を奮って過去の判例を破り捨て、自分自身の頭の中で作り上げた判決を出そうとする勇気ある判事もおりましたが、ところが私はといえば、社会の秩序や風俗いわゆる世の中を変えていくことが出来るのは、法でもなんでもなく、世間といわれる力だと考えたのです。私は世間広しと言う中で最も大きな力を持つことが出来るものを捜しました。あなた達裁判官や、国家権力を否応なく黙らせてしまう力を潜在的に持っているもの。それは言わずもがな、全ての社会発展の原動力を担う生産労働者です。

そうです労働者の実力闘争です。国会議員のえらいさんに、頭を下げてお願いしたり、選挙の時にだけ歯を見せて、べたべたする野郎どもに一票を入れることも、ひょっとしたら世間を変えていく力に成るでしょう。しかしそれはただマスコミ的世論を作り上げる、いわゆる政治的ムードを計るバロメーターにすぎません。勿論選挙の一票位と軽々しくはできません。これとても表現の自由の重要な部分ですから。

私とすれば地位もなく、金もなく、土地も持たない、すぐれて貧乏な労働者達は頭の中は、純粋であり、現代という時代の誤りに対しても、もっとも痛烈で非妥協的な対策を考えることが出来、おまけに自分たちの手と力で人間が生活していくための品物を作り出しており、その事が自分の為という視点からもっと広い人類の為という視野を導き出し、いざとなれば超能力と変身の術を人類の為に発揮できるたぐいまれな存在だと考えたのです。

私は大学に入りました。1962年頃だと思います。そこで私は、初めてデモというものに参加しました。

あなた方はデモにきて機動隊諸君から殴られたことがおありですか？　一度だけ出て殴られるのなら、その痛さも忘れられるのでしょう。しかし何十回、何百回も、しまいには糟谷君の様に殺されてしまうまで殴られたのでは、その肉体的痛みは忘れることは出来ません。そのうえ機動隊諸君と愛称を使いたくなりそうな可愛いおとなしそうな機動隊員までが、私達を見るなり、いきなりボイン。こんなかわいい子を暴力装置に変えていく国家権力に対して、裁判所は如何なる処置をおとりに成りましたか。憲法の基本的人権は一体全体どうなっているんですか。げんこつを一発か二発くらわせるように足蹴りで小突き倒すように定められた法律でも新たに出来ているのでしょうか。

私は留置所の中でいろいろな事を勉強させていただきました。留置所の中で初めて会った暴力団の組員という若い男は私にいろいろなことを教えてくれました。彼の心はとても真面目で世の中の汚らしさに嫌気がさし、自分が一体何をすればよいか見当がつかなくなったと私に話をしました。又彼は私に暴力団が何のために日本にできたのかという話を聞かせてくれました。確か19歳か20歳だといっていました。中学の頃から少年院を渡り歩いていたこと、少年院の中では本を読んで必死に勉強をしようとしたこと。そして彼いわく「江戸時代やくざは新選組を筆頭に権力者の暴力装置として時の権力が表立ってできない弾圧を裏からうまくひもで操って、やくざにやらせていた。昭和に入ってからのやくざの仕事はもっぱら労働運動を弾圧することになり三池争議などはその典型となった。しかしやくざに対して国民の批判が出始めると、警官を大量に雇い、陰で暴力を行使するのではなく、公然と国家権力として暴力を行使する様になった。役に立たなくなったやくざは、街に出るしかなく素人さんに迷惑をかける様になったのだ。俺はもうそんなやくざではだめだと思っている。俺は素人さんばかりに手を出す兄貴分を刺したことでこんな所に引っ張られた。確かに今やくざに成っている人間は皆人間的にどこか弱いやつばかりだ。そして素人さんからも恐れられている。しかしそれは俺の兄貴分の様に、素人さんに手を出すやくざがいるからだ。俺はそんな奴らがいる限りやくざの名が廃ると思って刺したのだ。やくざは国が作り、国が利用していたくせに国はやくざに成っている人間の心を何もわからず追い回すだけ追い回している。汚いものだ。」とわたしに話しました。

今頃はきっとこの男も、あなた方の誰かに引っかかって何かの罪でしよっ引かれているのでしょうが、彼を裁くにしろ日本の歴史の歩みを知る良心的な一人なら、彼の目をまともに見て、彼一人にのみ罪を着せることは出来ないでしょう。そしてきっと彼の様に真面目に何かを考えようとしている人間を留置所や拘置所の中に放り込み、巧みにずるく、えらいさんの前でだけお上手を云える人間に改造して、そうなれば減刑にし、立派に出所できる条件が出来たとあなた方の仲間は言うのでしょうね。私が拘置所に住まわせていただいて感じたことはこのことです。拘置所は現実の社会を端的に表現しています。拘置所という所は現実の社会で自分自身をだますことが出来なくなった人間が放り込まれ「人間は騙し合いをする動物なのだから心配せず大胆に騙しなさい」と教え込む所なのです。立派に自分を誤魔化せるようになったら卒業です。

話がそれてしまいました。が、私達の１９６９年11月闘争の参加の契機はこの様に大きく変貌していく佐藤の政治路線とそれに反対する声を耳にも貸さず暴力で叩き潰すというあくどいやり方に対してお仕置きを加えるという事でした。

しかし私達にしてみればその様な佐藤の弾圧の嵐にも屈せず闘う沖縄の労働者が目に映りました。全県民が一丸となってゼネストで闘って居ました。安保粉砕　基地撤去佐藤の訪米に反対した。ずうずうしく言わせていただけるなら私達は沖縄の闘う心を本土の中に示したかったのでしょう。

1969・11・13　扇町闘争裁判意見陳述（4）

被告人　平井　知之

私は、70年安保闘争の最大の闘いとして、労働者・市民・学生によって闘われた69年11月13日の闘いの正当性を主張したいと思います。

69年の佐藤首相の訪米による日米共同声明の調印が「万歳！沖縄が返ってくる。次は北方領土だ」という鳴り物入りの独占資本と政府支配者の宣伝にも拘わらず、全く労働者・農民とりわけ沖縄人民を外への侵略と内への搾取・抑圧の強化の只中に落とし込むものであったことは、現在に至って明確に暴露されていると思います。

日米共同声明が私達にもたらしたものは、米帝国主義に肩代わりしベトナム・インドシナへの経済的・軍事的侵略に乗り出した、日本帝国主義の弾圧と搾取であることは今や誰の目にも明らかです。日米共同声明という歴史の大きな転換によって労働者人民・沖縄人民・部落大衆の生活と権利はとことん破壊され、のみならず侵略の尖兵として〈日本国民〉を作り替えていくという国家権力の弾圧は一層狂暴化しています。

日米共同声明の核心の一つは沖縄の「返還」にありました。72年5月15日の沖縄「返還」は真に沖縄人民に解放と自由を与えたでしょうか。「返還」以前、ブルジョワ新聞はもちろんのことあらゆる報道関係を始め日本全体が「沖縄問題」一色に染まっていたのに、今は全く触れていません。本当に沖縄問題は終わったのでしょうか。

私たちが知りうる沖縄の現地の実情は、米軍基地の金網はますます強められ、第一次琉球処分から太平洋戦争の敗戦まで、幾多の沖縄人民を殺戮して来た日本軍が銃剣を研ぎすませて上陸しようとしている事です。田や畑は荒らされ、本土の資本家に安く買いたたかれ、青い海には油が浮かび、半島や海岸線は悪くどい企業家に買い占められ金網が張り巡らされていると言います。沖縄「返還」がもたらしたものはアジア侵略への前線基地の強化という事以外にはありません。

私は現在、大阪市大正区の北恩加島に住んでおります。人は、北恩加島を沖縄部落と呼ぶ。海面より低い低地帯に二千所帯もの家族が軒をひしめき合って暮らしています。雨が降れば道は泥んこで家の土間迄水が入る。消火栓一つ無く、消防車が入る道は有りません。69年10月・12月と北恩加島は大きな火災が起こり、住民は成す術もなく焼け出されました。大阪市は罹災者に対して救済をする所か、北恩加島は区画整理だから立ち退いてもらうという事で雀の涙ほどの立退料によって立ち退きを強制し、火事の現場には杭を打ちバン線を張り巡らすという許しがたい事をしてきました。これが北恩加島の実態です。差別者・大阪市行政によって痛めつけられている北恩加島の現実です。北恩加島の住民の大多数が沖縄出身者であり、そうであるが故に行政はとことん北恩加島をまるで当たり前の様に差別してきます。火事の時、消防署の署員が住民に言い放ちました。「火事で早く燃えたら立ち退きが簡単に済むわ。」これが人を人として扱わぬ差別でなくして何なのでしょうか。本土在住の沖縄出身者の実態が北恩加島に在ります。

私は北恩加島の一住民として、行政の差別・沖縄差別を許しません。北恩加島、否、大正区に住む沖縄出身者の大多数が日本帝国主義の明治12年に端を発する琉球処分以後の沖縄差別政策の被害者と言っても過言ではありません。

かつて大正末期から昭和初期へかけての沖縄農村の疲弊は「ソテツ地獄」に陥し入れ、沖縄人を本土への出稼ぎに駆り立てました。私の隣に住む沖縄のおばちゃんは「フロシキ包み一つ抱えて出稼ぎにきた。「琉球人お断り」の差別の嵐の中で紡績・染色などの仕事に本土の人間よりはるかに安い賃金で雇われ、こき使われた。」と語ってくれる。北恩加島に偶然、多くの沖縄出身者がいるのではありません。国家権力の一貫した沖縄差別政策が北恩加島を、尼崎を、三宝を造っています。支配者が沖縄「返還」について如何に綺麗ごとを言おうとも、私は騙されないし、何よりも本土と沖縄現地に連なる「返還」の現実が日米共同声明とは何であるかを語ってくれています。

今、又第二の〈ソテツ地獄〉と言われる状況が沖縄に生まれています。「本土資本の買い占め」によって破壊される沖縄農村とドル生活以上に厳しい生活を強いる円経済による沖縄の疲弊はかっての〈ソテツ地獄〉以上のものと言われます。「返還」の現実はこういうものであり、69年支配者が「万歳、沖縄が返ってくる―」と如何に粉飾しようとも日米共同声明と沖縄「返還」が私達労働者人民にとって、良い事なのか、悪い事なのかは明々白々たる事でした。私にとって、支配者の日米共同声明調印というやり口に、抵抗し、抗議し、怒りをぶつける事は当然の事であり、差別を許さず、人間として生きる道に叶う事です。

　私にとって69年11月13日の闘いは、労働者階級を、沖縄人民を、部落大衆を一層の抑圧、搾取に追いやろうとする支配者に対する精一杯の抵抗でした。私を極苦の生活の中で生み育ててくれた親爺とお袋が受けてきた支配者からの仕打ちに対する抗議であり、抵抗です。道理に背くものは国家権力機動隊の狂暴な殺人弾圧を後ろに従えた支配者であり、私達の闘いは、道理に叶うものという確信を持っています。

1969・11・13 扇町闘争裁判意見陳述 (5)

被告人　K

私は、44年11月13日（早朝）に（扇町公園周辺で）逮捕され、その後13日間（で保釈）と45年1月9日、公務執行妨害罪による令状逮捕をうけ、警察署に拘留されている間も完全な黙秘を行ったため、検察側は、私に対して、毎日10時間にものぼる取り調べを強制したのです。起訴後に、取り調べを強制した二人の刑事は私に対して、供述を強制し、窃盗罪まで自供を強制したのです。検察側は事実に反する起訴内容・窃盗罪まで強制してきた。黙秘を続けた私に対して、二人の刑事は、入れ代わり立ち代わり私をこずきまわし、椅子を蹴るなどして、脅し続けたのです。

　検察側のこうした起訴後の取り調べの態度こそ、闘う者、搾取されている労働者・抑圧を受けている人々を封殺せんとする国家権力の反人民的な行為の一例なのです。

　私のした行為については、全人民に対して、その責任を取りますが、事実に反する起訴内容に対して非常な憤りを感じます。そして、検察側・国家権力が自ら犯した行為の責任について、誰が裁くのでしょうか。奴隷制社会以降、歴史上、人民を抑圧し、政府を批判した人民を獄中に陥れて来た国家権力を誰が裁くのでしょうか。

11・13佐藤訪米阻止闘争は、階級闘争の歴史上、国家権力が常に人民を制圧し、人民を無知と貧困に陥れ、支配階級としての資本家階級が被抑圧人民・被抑圧階級の犠牲の上に、私腹を肥やすためだけの富を築いてきたことに対する闘いなのでした。すなわち佐藤帝国主義政府はベトナム人民の一世紀以上にわたる民族解放闘争に対して、正義の闘いに対して、抑圧を行い、日本人民総体を帝国主義陣営に動員・強制を強化してきたのです。それに対して人民を抑圧する帝国主義の陣営につくのか、安住し続けるのか、否か、決定的に問われたのです。私達は、ベトナム反戦闘争、帝国主義大学解体闘争を経て、登り詰めた地平から、自覚した人々にとつて帝国主義政府打倒闘争を闘い抜くことをなくして、一切の自由ではありえないのであった。私達は、69年の闘いの教訓を自己の体内に宿し、生きながら恥をさらし生き続けている自己を真剣に総括しつつ、生きて行こうと思います。

1969・11・13 扇町闘争裁判意見陳述（6）

被告人　L

11・13扇町闘争は、一人の若い尊い命を権力に奪われたまま、敗北した。私自身も黙秘を取り調べの過程において通すことが出来ずに敗北した。

私は、この意見陳述の中で、最早、11・13扇町闘争の政治過程や社会性格を述べようとは思わない。私には、その様な難しい事は書けないし、書く資格を失っている。その様な事よりも、私が何故に、この11・13扇町闘争に参加をしていったのかを簡単に述べてみたいと思います。

私は昭和22年にこの世に生を受けた。そのまま育っていると、何の障害も感じることなく日々を安楽に過ごしているでしょう。しかしながら、皮肉にも、いたずらな運命の女神はふとした一瞬の出来事で、私を身体障がい者という人間にしてしまいました。私に、身体障がい者としての、どうしようもない自覚を植え付けさせたのは、10歳前後からです。それまで何一つ身体が不自由だという事を意識することなく生きてきたのです。どうしても両手が無ければできないことが有るのです。その為に、何も出来ずに、他の人がする事を傍観するのが多くなり〈あきらめ〉という気持ちが自然に身につくようになったのです。

私は、設計技師に成りたいという気持ちが有りました。その様な気持、希望も高校に入る段階で完全に打ち砕かれました。工業高校には、身体障がい者は入れないのです。やむなく、私は普通の高校を受けたのですが、やはり失格。理由は身体障がい者であるからです。両親は必死に奔走しました。その結果、私立高校であるが故に、裏金によって入学することが出来たのです。〈みじめ〉なものです。普通の人と生活しようとするには、金が要るのを知りました。その三年間は暗くみじめなものでした。一年間浪人をした後、大学入学。私は大学に入ってから、自由のすばらしさを、初めて知りました。この自由のすばらしさを私と同じような境遇にある人々の為に、解放しようと動き出した矢先に逮捕・拘留され、何一つ解決されないまま社会に出たのです。現在、私は、三度目の職場で、女子と同じ待遇で働いています。私は、この待遇を甘んじて受けています。理由は簡単な事です。身体障がい者だからです。

1969・11・13 扇町闘争裁判意見陳述（7）

被告人　P

現在の私は有る鉄工所で働く一労働者です。この三年間足らず働いてみて、世の中の仕組みというか、からくりというか、つくづくと実感を持ってわかってきた気がします。

私の一日の生活は、朝七時半ごろ家を出てから、夜残業を終わって帰宅する八時ごろまで会社での途中の休憩時間や通勤時間を含めると、丸半日、「労働」に拘束されます。帰宅してから寝るまでの「自由」な時間はわずか3〜4時間しかありません。職場環境は決して快適といえるようなものでなく、騒音、粉塵、溶接光などによって五体が日に日にむしばまれていく様な気がしますし、身体や生命の直接的な危険も往々にしてあります。何トンもある大きな製品の僅か一ミリや二ミリの誤差を修正するために、身体が危険にさらされるときもあり、そんな時、非常に腹が立って作業を途中でほっぽり出したい衝動にかられ、それを実行することもしばしばです。この様に朝から晩まで文字通り汗とほこりにまみれて働いて得られる賃金の乏しさ―。

確かに「過去」に比べれば、労働条件や賃金それに労働者の生活は比較的楽に豊かになったかもしれません。しかしそれは、あくまで比較的な問題であって、戦前それに敗戦直後の状態があまりにもひどすぎた故に現状がまだましだと感じるに他ならないと思います。しかも私のところの様に労働組合を持つ労働者はまだましな方であって、組合が認められていなかったり、労働基準法に定められた最低限度の労働条件さえ実施されてなかったり、更に在日朝鮮人、被差別部落の人、沖縄出身者に対する不当な就職差別の存在などまだまだ問題は有りすぎます。

この様に同じ〈労働者〉の間における賃金や労働条件のアンバランスな状況と全体として低い地位におかれている労働者階級。そういった諸矛盾を温存した上に、更に〈大日本帝国〉の復活の動きをバックにして、上からの〈黒い影〉が労働者階級にのしかかってはいます。

第一に個々の企業における様々な形での合理化や、労働者の団結への攻撃。資本家は過当な「競争心」に刺激され、より一層の利潤追求の為、次から次へといろいろの手を打ちます。「技術革新」の名による省力化—労働者への首切り、生産管理や品質管理の名の下に労働強化、ＱＣ・ＺＤ式労務管理の導入、賃金凍結策等々、いかにして、〈利潤を上げるか〉という事に専念します。それと共に、労働者の団結に対して破壊攻撃がいろいろ企てられます。自殺者まで出し世界的に有名になった国鉄の「マル生運動」、そして会社の息のかかった第二組合（御用組合）を造ったり、労働争議に際して「暴力ガードマン」を導入しての闘いの鎮圧など。

第二に、国家的見地からする諸政策が有ります。政府、独占資本は国家の経済をより能率的に〈繁栄〉させるために、資本の合併、系列化、コンビナート建設、それに交通運輸網の改編などを行います。それと共に労働者階級に対して、その力を弱めるため、いわゆる「労働運動の右翼的再編」をテコ入れしているし、公務員や公共企業体等労働者のストライキ権は取り上げたまま、更にその団結を破壊するためいろいろの攻撃をかけています。

戦後日本資本主義は低賃金と劣悪な労働条件という労働者階級の犠牲者の上に立って、ＧＮＰが資本主義世界第二位という〈繁栄〉を取り戻してきたわけですが、その〈繁栄〉は裏を返せばこの社会に様々な矛盾を作り出しました。〈工業優先〉策により農漁民の生活は破壊され、又、野放し的な工業「発展」と過当競争により幾多の「公害」をまき散らしました。人間が住むにはあまりにも空気の汚れてしまった都会、工場廃液の垂れ流しによる水俣病など取返しの付かない殺人行為、売らんがための競争により次々と生み出される薬品や食品公害、運動会やスポーツの試合にも熱中できない光化学スモッグ、大阪ではきれいな青空を見ることは珍しく、魚もおちおち食べておれません。この様な公害に囲まれてた不愉快な生活に拍車をかける天井しらずの物価高や住宅難等々――。

ＧＮＰ世界第二位という〈繁栄〉の恩恵をほんのわずかしか、雀の涙ほどしか国民に与えず、莫大な余剰分を吸い取って丸々と太った〈エコノミック・アニマル〉は今、〈いつか来た道〉を歩み始めています。その目指すところは〈アジアの主人〉であります。この本体の動きに呼応して内臓諸機関も激しく変動を起こしています。即ち政府独占は帝国主義国家としての陣容を整えるため、政治、経済、軍事、交通運輸、教育、マスコミ、その他あらゆる分野にわたって、ある一定の方向へ反動化を推し進めているのです。

あの佐藤訪米に続く沖縄返還も彼らにとって軍事的に重要な〈事業〉の一つであったといえると思います。

増大する国民生活の諸矛盾に対する国民の不満をそらすために、上からいろいろと、最近よく〈夢〉を振りまきます。最近、政府や資本家が「日本人は今まで働き過ぎた」「日本人はもっと休まねばならない」とか「今からは福祉の時代だ」とかの言葉でもって生産至上主義や、〈エコノミック・アニマル〉やらに、反省的なポーズをとることが目立ちます。しかしこれはあくまでポーズであって本意ではありません。何故なら、有明海から公害を取り除くには、有明海全体を埋め立ててしまう以外ないといわれるほどに迄日本列島を破壊しつくし、国民生活をギタギタにしてしまった政府、独占資本が、相変わらずの〈高度経済成長〉や軍事力増強やらの道を歩む限り、その社会的諸矛盾は拡大こそすれ、解消することはあり得ないからです。

敗戦によりガタガタに崩壊した日本経済の再建が、はじめから独占資本本位にして、高度経済成長を旗頭にして行われてきて、現在の〈繁栄〉体制を作り上げてきた以上、今彼ら政府、独占資本がいわゆる「国民福祉」やら、公害解消やらに本気で仮に取り組もうとするならば、たちどころに自ら現在の政治、経済機構を根本から崩壊せしめねばならないという自己矛盾に陥ってしまう事と思います。もはや単なる小細工では公害も物価も福祉も根本的解決は不可能という所まで来てしまっているという事が出来ると思います。それをよくもぬけぬけと「これからは福祉社会だ」などと言えたものです。

結局、社会を作り変えていくのは、右手に剣、左手に〈アメ〉を持つ二枚舌の政府、独占資本では決してなく、我々労働者、人民の下からのエネルギーに拠るよりほかはないという事だと思います。時と場所によりその方法論はさまざまな形態をとろうとも、このことは古今東西を問わず歴史が証明している所の真理であると思います。

1969・11・13 扇町闘争裁判意見陳述（8）

被告人　Q

11・13扇町闘争の歴史的意義

11・13扇町闘争の歴史的意義は、すでに述べた60年代後半の反帝実力闘争、なかんずく69年10〜11月「政治決戦」が担った政治的目的・時代的根拠の持つ歴史的意義と本質的に同じものである。と同時に、11・13扇町闘争は、69年10〜11月「政治決戦」の目的・性格・意義を極限的に凝縮する闘いとして闘われたのであり、11・13扇町闘争の固有に即して、その歴史的意義をより一層明確にしておかねばならない。69年10〜11月「政治決戦」に煮詰まっていく息づまるような攻防過程については既に述べた。だが、この攻防過程の煮詰まりの中で、我々は、深刻な歴史的困難、引き裂かれる様な矛盾に逢着せざるを得なかった。この困難・矛盾とは、我々の政治目的を実現するためには、政府実力打倒という形での権力闘争の課題を端緒的であれ解決しなければならないにもかかわらず、我々は権力闘争の課題を解決する階級的主体条件を獲得しえていない、というのがそれであった。

67年10〜11月以降の急進的実力闘争が大衆的性格を持っていなかった。という悪意に満ちた評価に対しては、あらかじめ反論しておかなければならない。67年砂川・羽田からはじまる反帝政治闘争の実力的展開が、支配者階級・マスコミ・日本「共産」党による猛烈な〈暴力学生〉キャンペーンにも拘らず、底深くかつ広範な大衆的共感と自然発生的結集を勝ち取ったことは、一つの動かしがたい歴史的事実である。「動員費」を組合から支給された割り当て動員や社・共の選挙の為の世論づくりの手段に貶められ空洞化しきった政治「闘争」とは異なって、自覚し自立した政治主体として犠牲と弾圧を恐れず幾十万の青年労働者・学生・市民がこの反帝政治闘争に起ち上がったのである。そして、社・共・総評の無力ではあるが特権的な政治的儀式から疎外され続けてきた未組織労働者の大群が、この闘いの中に自らの解放と触れ合いうる政治空間の予兆を直感し膨大な「過激派群衆」となってこの戦いを包み込み、いたるところで機動隊に投石し、被逮捕者を奪還し、伸縮自在な流動性を持って治安弾圧を攪乱したのである。全国学園闘争＝全共闘運動は、日大闘争に典型的な如く誰も予想しえなかった社会反乱的大衆を登場させた。このラディカルな学生反乱は、学生以外の社会諸階層からの広範な共感と支持を勝ち取っていった。私は無名の一労働者が全共闘学生に向かって「僕は、毎朝工場に行くときに見る太陽のように、君たちのことが好きだ」と語ったことを、鮮やかな印象をもって今でも記憶している。

だが、この大衆的共感・支持・結集は、戦後民主主義的主体の内的腐朽と崩壊という時代史的条件に規定され自然発生的なそれであったのであり、そのままのものとしては政府実力打倒という権力闘争的課題を解決しうるものではなかったし、また、その解決に連続的に成長転化していくものでもなかったのである。

反帝実力闘争がベトナム侵略加担阻止・現地拠点闘争（羽田―佐世保―王子―新宿米タン）から70年安保粉砕・政府実力打倒を掲げて、政府中枢に向けて戦いの矛先を突き出した時（69年4・28闘争）、運動の内的論理の展開の不可避な帰結として、権力闘争の課題に直面する未踏の領域に踏み込んだのである。

われわれが、未踏の領域がはらむ困難と矛盾の深刻さを充全に自覚していたわけではなかった。だが、この領域に踏み込むことを回避することは、〈歴史的選択〉を回避することに等しかったのであり、我々は当然にもその様な道を取らなかった。繰り延べ不可能な〈歴史的選択〉を引き受けようとした我々は、「訪米阻止・政府打倒」の政治的目的の実現の為に可能性の最後の一滴が汲みつくされるまで闘い抜こうとしたのである。

我々は、69年秋期（10～11月）政治決戦の戦術を、街頭デモの大衆的・実力的展開と拠点政治ストの結合―職場反乱・学園反乱・街頭反乱の合流・拡大・波及の連鎖の形成―その頂点としての政府中枢への進撃、として設定した。

我々は、全国学園を覆う全共闘運動による学園占拠とその思想的衝撃力が労働者階級の中に萌芽的・部分的なものであれ波及しつつある点に重要な関心を向け、この大衆的社会反乱の波及・拡大を押し広げながら、同時にこの社会反乱的闘争と反帝政治闘争の相互共鳴・相互促進関係を拡大し、その基盤の上に、街頭政治闘争を通じて労働者政治闘争主体として形成しつつあった反戦派労働者による拠点ヤマネコストライキの実現によって反帝政治闘争の階級的軸心を作り出し、そして最も意識的で強固に組織された武装中核部隊による政府中枢への進撃をその先端に押し出すことによって、佐藤訪米時以前に政府危機・政治危機を創出すること—かかる戦術系列のうちに「訪米阻止・政府打倒」の政治目的の実現を展望したのである。

我々のこの様な戦術と展望は、69年4・28闘争以降全面的に顕在化した政府実力打倒という権力闘争的課題とそれを解決する階級的主体条件の未形成という深刻なジレンマを克服しようとするギリギリの接近を表現していたのである。

だが、67年羽田闘争から69年初頭に至るまで次々と「不意」を打たれてきた日本帝国主義国家権力が、「新左翼」を正面の敵として据えきり（彼らは社・共・総評の「旧左翼」がその〈歴史的選択〉にとって主要な敵でなく、逆に安心できる援軍であることを彼らの政治経験によって認識した。そして、「旧左翼」は日本帝国主義のこの期待に〈立派に〉答えたのである。日本共産党は「自警団」の積極的組織者にまでなることによって）、その体制を整えなおし「内乱鎮圧」型弾圧の全面的な発動へと推転することによって、この我々の戦術と展望はその構成要素が次々と圧殺されていき、敵の圧倒的な戦略的主導性の下に「秋期政治決戦」を迎えることを強制されたのである。

4・28闘争への破防法弾圧を合図として全面的に発動された「内乱鎮圧」型治安弾圧は、同時に、急進的大衆実力闘争の弱点を巧妙につくものであった。「過激派群衆」と組織的政治闘争部隊の分断と前者の自然発生性の弱点を突いた拡散・分解・鎮静の攻撃（都市ロックアウト）、政治闘争部隊と社会反乱大衆との分断と前者の孤立化の攻撃、マスコミの情報ファシズム的報道をフルに活用した大衆的共感の封じ込め、等々が系統的・体系的に展開された。大学治安立法と前後して全国の学園は全共闘によるバリケード封鎖から機動隊による「学園占拠」にとってかわられた。職場反乱・拠点政治ストをめざした反戦派労働者は、国家権力・資本・労働官僚一体となった攻撃を跳ね返し得ず、次々と封殺されていった。「反戦派労働者」は階級的主導力を作り出すには、いまだ余りにも未熟であり、非力であることが明らかとなった。

日本帝国主義国家権力の圧倒的な戦略的主導性の下で戦う事を強制された「10〜11月政治決戦」は69年10・21闘争を先行的な山場として押し上げていった。

10・21に向かうあの引き裂かれるような緊張は、その過程を主体的に生きた者のみが知っている。「武装蜂起」・「革命戦争」・「内乱」・「内戦」という言説が広汎な急進的大衆の中で真剣に語られたことの根拠こそ、権力闘争的課題が萌芽的ではあれ先行的に迫ってきたあの生きられた現実にあるのだ。(三島由紀夫は10・21の首都に自衛隊が鎮圧軍隊として登場することを「期待」した。反革命ファシストの側からすら、「内戦」の予兆が鋭く感じ取られていたのである。)

10・21闘争は、数々の英雄的戦闘を含みながらも、総体としては国家権力の鎮圧体制の前に敗北した。機動隊による〈一日軍政〉とでも呼ぶべき「都市ロックアウト」こそ、日本帝国主義のこの闘いの鎮圧にかけた並々ならぬ決意を示している。10・21闘争の敗北は、69年秋期政治決戦の大勢が基本的に定まったことを意味していた。

だが、我々は旗を巻いて戦場から退却すべきであったのであろうか。どの様にしようとも抗議闘争の域を出ることのない佐藤訪米時点の羽田現地闘争の準備にのみ専念すべきであったろうか。69年秋期政治決戦にかけた〈歴史的選択〉の重みと可能性の最後の一滴が汲みつくされるまで闘い抜くという我々の不抜の意志は、右のような道を峻拒し、佐藤訪米時以前に政府危機・政治危機を創出する可能性を、それがたとえ1パーセントの可能性であってとしても、追求し抜くという苦難の道を選び取ったのである。

——1905年ロシア第一次革命の敗北の中でボルシェヴィキに率いられた革命的プロレタリアートが「最後にその戦場から離れた」如く。

11・13扇町闘争が担った歴史的意義は、我々が追及した可能性に転化し得なかったにしても、この一点に凝縮されているのである。それは69年政治決戦における〈歴史的選択〉をその最後の可能性を汲みつくすまで全存在をかけた戦いにおいて生き抜くことであったのであり、そして60年代後半ベトナム革命によって呼び起こされた日本の急進的反帝闘争が到達した権力闘争的課題に、その主体的限界の極限において肉薄しきったことである。

我々は、11・13扇町の死闘の後、同志糟谷の遺影を抱いて、11・16～17の羽田闘争に転戦した。10・21から11・16～17に至る期間の、実に四千名に達する労働者・学生・市民の大量逮捕と同志糟谷の虐殺を踏み台として、佐藤栄作はアメリカへ逃げるがごとく飛び立ったのである。

思えば、69年秋に向かって上り詰めていった嵐のような戦いの起点をつくり出した67年10・8羽田闘争の只中で、山﨑君は虐殺された。彼の死が切り拓いた歴史的激闘がそのサイクルを閉じようとした時、その頂点において同志糟谷は虐殺された。同志糟谷の死は、11・13扇町闘争が担ったプロレタリア国際主義と権力闘争への極限的肉薄を自らの鮮血を以て歴史的転形期に刻み込み、「70年代への架橋」へ化身したのである。

1848年6月の史上最初のパリ・プロレタリア蜂起の敗北へ荘重な鎮魂歌を捧げたマルクスは、その中で、プロレタリア革命は歴史的戦闘のたびごとに自らの弱さ、誤り、欠陥を容赦なく自己批判することを通じて自己の道を切り拓く、と語った。我々は、60年代後半反帝実力闘争の極限的実践に位置した11・13扇町闘争の歴史的意義を、国際主義の復権と権力闘争への肉薄としてしっかりと堅持しながら、同時に同志糟谷の血に染め抜かれた痛苦の教訓に導かれて自らの弱点、誤り、欠陥を絶えず暴き出し、自己批判しつつ70年代階級闘争の戦場に、今立っているのである。60年代後半反帝実力闘争が越えることのできなかった歴史的な主体的限界としての国際主義の抽象性と人民の階級的生活基底に迫り得ない表層性を、その極限において闘ったものとして痛切に自覚し、第三世界解放革命への合流と人民自身の権力闘争の階級的構築の方向において克服せんとしている。

同志糟谷の前に恥じることなく報告しうることを、私はいまだいかほどもなしえていない。だが、同志糟谷が虐殺されて以降の70年代における日本人民の闘いは、同志糟谷がその死をもって目指したものへ向かって確実に胎動を開始していること、そして、私自身その中で戦い続けていることを、彼に向って告げることは出来るであろう。

同志糟谷孝幸の革命的戦闘精神はすべての闘う人民の心の中に永遠に生き続けるであろう！

11・13扇町闘争の歴史的意義は不滅である！

1969・11・13 扇町闘争裁判意見陳述 (9)

被告人　R

〈第一部〉　生き方として

第一章　生育史

１９４５年4月、第三子・次男として私はこの世に生をうけた。出生地は兵庫県、現在は神戸市に合併された地区は、いわれなく不当にさげすまれ屈従を強いられてきた、いわゆる被差別部落である。祖父もそうであったし、父もそうであるが、非常に苦労しながら仕事をし、一家をなすために命懸けの闘いとしての一生を生きてきている。仕事らしい仕事のなかった時代である。

他界して久しいが、幼児の記憶には祖父とは恐ろしいものであり、「年中、床に伏している嫌なにおいのする人」という印象しかない。

父を見ていると、祖父を思い出す。父もまた6人の子どもを育て、ただ育てるだけでなしに、大学までいかせるために、文字通り身を粉にし、骨身をけずって生きてき、今なお必死で働いてきて、既に体はボロボロになっている。酒だけが、父を支えてきている。還暦も遠くない。最近、血を吐くことがあった。医者は胃潰瘍と診断している。

幼児の時の祖父の記憶が暗くうっとおしいものである他なかったのは、今の父を見ていてわかる。孫からそのようにしか見られなかった祖父の心とはどんなに口惜しいものだったろうかと今、思う。そして今、また父を思う。

この父を、これまで、酒飲みの嫌な偏屈おやじとしか、私は見てこなかったのだ。

父は、今の商売をやる前、だから20年以上も前の話だが、清涼飲料水製造・販売業をやっていた。ラムネやアップルと呼んでいたリンゴ水みたいなものをビン詰にして、店に卸す仕事だけれど、その時、町の商売仇から「エッタのつくった水がのめるかい」と悪辣な横槍をいれられ、近所に一軒も得意先を取れず遠い遠い所まで自転車で荷を運んでいたという。

そうした中で、父の翼の下で育てられた「ヒヨコ」たちは、父の苦労の唯一つも知らずに元気に幸せに成人したように思う。

私が、中学に入学する折、一家揃って生地から籍をぬき、家を買って転籍した。父にすれば、そうすることによって子どもたちを差別から逃れさせたかったのだ。

私の小学校は、在学児童が、地区の子どもだけという全国でもめずらしい「部落学校」であり、それだから小学生時代は露骨な差別をうけるということはあまりない。小学校を卒業し、中学に入って一般地区の校区生と机を並べた時からはじまる露骨な差別は感じやすい年齢である中学生を窮地に追い込む。

私が転籍し、生地の子供が行く中学へはいかず別の中学校へと通学している間、生地の中学では、「暴力教室事件」などと新聞に差別的にとりあげられ報道された一連の差別事件がおこっている。父のねらいは見事に的中し、そんな世間の冷たい仕打ちから切り離されて、「無関係に遊び勉強し」中学・高校と優秀な成績を残して、私は大学に入学している。

大学生活には、私はすぐ失望してしまった。自分が求めた自由な学問の機会が全く与えられなかったからである。

一年生の6月から、学生自治会運動に参加し、以後、1964年～1965年の日韓会談粉砕闘争にも参加しているが、そのたたかいは決して自分自身のものではなく、ただ学問に対する失望の反動でしかなかったと今では思う。

日韓闘争の高揚とは反対に、自分の方では、何のために生きるのかを見失って二年生が終わると同時に退学している。

このころ一大失恋をしている。自殺を決意して3月、雪の能登路を旅したが、雪どけガケ崩れのため交通がなく目的地に達せず、情けなくなって死にきれず終わってしまった。「部落のもんとは結婚せんという話があるけど、あんたはどうや」という私の質問に対して「結婚はせん。第一に世間体がある。第二に子どものことを考える。」という回答をえている。私自身が部落民であることを名のり切れず質問し、回答をうけ、抗議する力さえ、私にはなかった。

父は、私が差別をうけることのないように、転籍し大学までやってくれた（どれだけの金が、どれだけの苦労が払われたろう）のだが、差別の不当性や、それと闘う力まで、私に与えることは結局できなかった。その力は、私自身が自らの手でつかみ取るほかない。そして、子を思う父の情念（こころ）の重さをしっかりとわが身に刻み付けておかねばならない。

第2章　選択の問題として

大学時代にマルクス主義の勉強を学生運動の中で始めた

私は、ついに「学生運動」から「挫折」してしまうが、マルクス主義の勉強だけは捨てなかった。

労働者階級の勝利と社会主義・共産主義の実現こそは、「差別の解消」の唯一の方向であると考えていたからである。

大学を辞めた後も共産党系・社会党系等々、色々な人と活動を共にしたりしたが、納得のいくものはひとつもなかった。

私が22歳であった1967年10月8日、羽田闘争で、山﨑君が死んだ。その時のショックは今なお消えない。新左翼運動の中では、山﨑君は警察機動隊に虐殺されたと主張し、警察側はデモ隊の中で圧死したと発表したが、現場にいない私にとってはただ、人々が、命がけの闘いを貫いている時、自分はどのように生きねばならないのかという事をひたすら考えていた。そのあと連続する激しい闘いに対してもまた、自分は横で、傍観しながら批評するだけの態度でよいものかどうか考えていた。

1969年3月京大入試粉砕闘争迄は、私は、ただ、今起こっているたたかいの意味を考え続けていただけだった。入試粉砕闘争には、昔の学生運動時代の仲間がいるだろう。会って話してみたいと軽い気持ちで京大バリケードの中に入っている。ところが、その日は、機動隊が導入されるというので実際、話などしている暇はなかったのだ。構内デモに参加したり、機動隊に対する抗議行動を、支援したりしている内に、夕方になったので、帰るつもりで、離れ離れになった友人に挨拶をしようと思って捜していた。そこに運悪く、機動隊が一団の学生を追ってきて、その中に巻き込まれ、あっという間に捕まってしまう。不起訴処分にはなったが、私が機動隊員何某かに投石し傷害を与えたという容疑で三週間ほど拘置された。逮捕時から拘置期間中ずっと誤認を主張し続けたが、拘置理由開示公判や取り調べを通して、どれほど国家権力の姿が醜いものであるかを直接知ることになる。

今思えば、喜劇的ではあるが、この事件が私の反戦青年委員会運動参加の直接契機となったのであった。

この時以後、私は現に起こっている闘いの意味を外からではなく、その闘いの渦中に身を置いて、問おうと考えるようになった。私にとっては、これは一つの選択の問題であった。

〈第2部〉たたかいの意味

第3章　反戦青年委員会活動

学生運動が激しくたたかわれていたのは、日本に限らず、全世界的なものだったわけで、それは直接には、相互関係を持ったものではなかったが、「世界の腐敗の進行」を語るものであると私は受け取っていた。

私にとって教訓的であったのは、フランスの場合であり、フランスの学生の闘いは、労働者階級に大きな影響を与えたわけだが、労働運動指導部は闘いの意義を低いところに押し込め体制の否定と新権力の創出へ向かうのとは、正反対の指導をしている。

学生の闘いが学生の闘いである間は、勝利に向かうことは出来ない。日本の支配体制を暴露し続けているこの新しい学生運動の意義は、労働者階級の闘争へと受け継がれてゆかねばならない。けれども現在の労働運動と、社、共の政治路線には、この闘いを受け継ぐ用意がないばかりか、まさに反対に、それを押し殺す側にある。

労働者階級の階級闘争の新しい機関だけが、学生の闘いの意義を受け継ぐことが出来るだろう。その機関は、工場・現場におかれ、労働者自身が「社会の主人公」であるという自覚を闘い取るための自己訓練の場としておかれなければならない。国家と独占資本の「もうけ」の一部を労働者に還元させる闘争とは別に、組合上部に吸い上げられてしまった、スト権・団結権・団体交渉権を末端にまでひき下ろして、自己自身が国家と対抗する「権力」として対峙する、その様な闘いの機関をつくり出そう。それだけが、「腐った日共・社会党」を乗り越えて、労働者階級の闘争の本道へ、革命へと突き進む道筋である。この様に私は考えていた。そして、その様なものとして、反戦青年委員会を位置づけ、職場反戦—地区反戦の組織とその闘争にかかわってきた。

念頭に置いていたのは、ロシア革命の工場ソビエトであり、中国解放区、キューバ・ゲリラ、チリ評議会運動であった。勝利した革命は、それぞれに一方で人民が、末端で、おのれ自身を主人公とする公的機関を創出している。革命の勝利は、それらを結び合わせ、一つの目標に向かって組織する革命党の建設とあいまってなるのであり、このことは普遍的真理であると、私は考えている。

1969年4月から、11月までの私自身の闘いは、その為にこそ闘われた。

私が欲するところは、革命である。

第4章　11月13日へ

11月佐藤訪米阻止闘争は、闘いに参加して日の浅かった私にとっては、実にしんどいものであった。が、一方で各職場の仲間たちが、その生産点においてギリギリの闘争に起ち上がっている時、その闘いの全国政治闘争化のために、10月から11月へかけての訪米阻止の闘いは、ぜひとも成功させたかった。

1970年。日米安保条約の一応の期限切れを前に、両帝国主義間の調整、世界とりわけアジアにおける帝国主義支配の在り方を取り決めるものとして、佐藤訪米はあったろう。日本のアジアに向けた経済侵略は、これまで労働運動上層を買収し、労働者階級の思想を腐敗させ、「革新派」を体制内に取り込む重大なテコとなってきたし、日本のアジアにおける地位が、更に強化される時、さらにその意味は重大性を増すだろう。

「安保期限切れ」という、やはり一つの「政治的契機」は帝国主義にとってはおのれの地歩を固める機会としてあったろう。そのことは既に沖縄「復帰」をとおして実現してきている。しかし、それはまた労働者階級にとってもおのれの政治的訓練の重大な機会でもあったろう。

労働者階級が、第一に、自己自身の排外主義と闘い、アジアの革命的人民との連帯をめざして国際主義を闘いとること、第二に政党政治・議会主義の枠を超えて階級として組織された「力」をわがものとすること。この二点が、佐藤訪米阻止闘争の政治的目標であったと私は考えている。

またこの目標を達成するためには、すでに「公秩序」化している「機動隊に守られたデモ」からの「叛乱」を、そして体制内労働運動に吸い上げられてしまった労働者の力の奪還を、「拠点政治スト＝職場・街頭叛乱へ」という闘争戦術が必要であったろう。

佐藤訪米阻止闘争は、その意味では限定された一つの戦闘にすぎないが、この闘いの中味が、70年代の革命と反革命の路線を方向づける一大契機としてあったという事が、この闘いの意義を重大化させる要因としてあったのである。そして、この戦闘に革命派は一敗地にまみれはしたが、この闘いの正当性はいまなおいささかも失われてはいない。反革命は、この勝利によって、不動の地位を確保したかにみえるが、闘いは終わることなく続くだろう。

〈第3部〉被告人として

第5章　裁かれるべきは誰か

「墨で書かれた虚言は血で書かれた事実を隠すことは出来ない。」

私は、今、本公判廷に、「公務執行妨害・凶器準備集合罪事件」被告人として立たされている。私の横に、糟谷君という岡山大学の学生も立っている。彼は警察官のリンチによって殺害せられた。それは11月13日、私自身がうけた機動隊集団暴行の事実が明瞭に語ってくれる。

思えば、私が、69年3月から11月逮捕をうけるまでのわずかな期間に参加したデモで、どれだけの血が流されただろうか。私自身は、10月10日京都河原町三条で、ビッシリ併進規制で身動きも取れないデモの中で、手刀で前歯をたたき折られたし、11月初めの大阪のデモで、額を割られている。ただデモをしたというだけで、私と私の友人たちは、「私」刑を機動隊員からうけてきた。対抗する手段は何もなかった。

「機動隊に守られたデモ」とは、そういうものであった。公務執行妨害などと悪ふざけは許せない。検察官がどのように抗弁しようと機動隊は既にデモ隊に対するテロ集団化していた事実は消すことは出来ない。佐藤・自民党政府の反人民的意図を暴露するための一連の人民的な政治行為を法廷において裁くことは出来ない。

私を裁くものは、歴史と人民であり、私としては、1969年秋の私自身の闘いの意義をそれ以後の闘い、階級の戦闘の中で深めていくほか、何もない。

資料編

- 新聞各紙から（毎日新聞・朝日新聞・読売新聞・サンケイ新聞・中国新聞・神戸新聞）
- 『弾劾』糟谷告発を推進する会発行冊子
- 『弾劾』第6号
- 『週刊アンポ』第2号
- 『アサヒグラフ』１９７０年1月16日号
- 『救援センター』ニュース8号
- 『関西救援センターニュース』4号・号外・68号
- 『岡山大学新聞』１９６９年12月15日
- 機関紙『新左翼』１９６９年11月15日
- 機関紙『反弾圧』第４号
- 機関紙『統一』１９６９年11月24日・12月４日号
- 写真集『69 11／13ｰ17佐ト訪米阻止闘争』
- 写真『糟谷孝幸同志虐殺10周年集会』１９７９年12月11日
- 『昏い死の告知に答えよ』コムネの会（岡山大法二・クラス闘争委員会）発行の追悼集から
- 告発推進する会　集会案内
- 長沼節夫さんからの便り
- 加古川東高同窓生のみなさんへ送付した手紙
- その他　チラシ・新聞記事など

火炎ビンを投げ、機動隊に突っ込む反日共系学生（扇町公園入口付近で・午後6時40分）

首相訪米阻止　学生ら東西で荒れる

デモ巻込み混乱

58人逮捕　機動隊へ火炎ビン

大　阪

「六〇年安保を上回る規模」で盛上がった11・13統一ストのあとを受け総評大阪地評（岾佐義行議長、五十三単産、三十六万人）は十三日夕刻から大阪市北区の扇町公園で「佐藤訪米抗議・安保廃棄・沖縄奪還統一行動大阪大会」を開いたあと北大阪デモをした。一部で新左翼の火炎ビン闘争があったが労組員たちは予定どおり整然とデモ行進した。

（18、19面に関連記事）

二人が重体に

大会は午後五時から退動前一時間のストをした全国金属など民間労組員約一万人が参加して第一次集会、同六時から全電通、全逓、国労、動労、大教組、大阪府職、市職など官公労系組合員や部落解放同盟など各民主団体、社会党員など約二万人も参加して第二次集会を開いた。

ところが同六時二十五分ごろ第一回集会参加の労組部隊が同公園南西隅出入口からデモに移り出すと、出入口南側の大阪市水道局前に突然緑ヘル、赤ヘルの反日共系学生グループ約四百人が鉄パイプなどを手に飛出し、労組のデモ隊を分断、警備の大阪府警機動隊に投石と数十本の火炎ビン攻撃をかけた。このため付近は大混乱。労組の第一次デモ隊のうち約三千人が第二次集会参加グループ約二万人とともに公園内に封じ込められた。

学生らと機動隊の攻防は約半時間続き、学生ら五十八人（うち女性十人）が逮捕され、警官十八人が軽傷、学生二人が重体、ほかに多数の学生が負傷した（大阪府警調べ）。

この日、扇町公園では午後五時ごろから総評系大会場のすぐ横で地区反戦、全共闘、ベ平連、西スト実行委など約六千人が「佐藤訪米実力阻止総決起集会」を開いていたが、総評デモ隊を混乱に巻込んだのは、このうちの一部グループ。

結局、労組の第二次デモ隊は予定より一時間近く遅れ、同七時十分ごろ同公園を出発、梅ケ枝ー淀屋橋ー肥後橋ー中郵前の甲コースをデモした。

この間、残りの新左翼部隊約千人は労組デモ隊の間に割込んだ形で同じコースをデモ、途中大江橋上ですわり込みやフランスデモをするなどしたため、警官ともみ合ったが、大きな衝突はなく、午後十時すぎ、中郵前で解散した。

凶器準備集合、公務執行妨害などで逮捕されたのはほとんどが、ブント系の労働者、学生とみられる。

大阪府警調べのデモ参加者は労組員一万三千人、学生四千人、反戦七百人、ベ平連八百人、その他七百人、合わせて約二万人。また、デモ終了後、扇町公園で火炎ビン六十三本、鉄棒三十本、マジック爆弾二個、丸太などを押収した。

警棒でなぐられた？

大阪府警警備部は、十三日夕扇町公園わきの乱闘で逮捕した学生ふうの男一人を曽根崎署へ連行し取調べ中「頭が痛い」と訴えた。近くの行岡病院でレントゲンで調

命じた事実はないが、警官が警棒を使っていたのは間違いない。調査する」といっている。

もう一人の重体の青年は二十二歳くらい、神戸大の学生らしいが氏名、所属セクトなどは不明。大淀区長柄町西二の加納病院に運ばれたが、付添いのデモ隊員の一人は「ジグザグデモ中、機動隊員に

火炎ビン、整然デモ足どめ

混乱した大阪

新左翼が「そこどけ」

出発直後いきなり鉄パイプ

[illegible]「沖縄返還」「沖縄奪還」のシュプレヒコールを競って[illegible]する[illegible]、火炎ビンを投げ鉄パイプを振るって、機動隊のジュラルミン[illegible]学生――。佐藤首相訪米阻止の[illegible]ための「11・13全国統一行動日」の十三日夜、大阪では“70年”をアピールしようとする[illegible]勢力が“静と動”にまっぷたつに割れ、60年闘争の規模を上回る[illegible]総評ストで幕をあけた“統一行動”も[illegible]となって大混乱した。

騒ぎは約四十分間続き、[illegible]

道路が火の海　無数の火炎ビンに車も立往生（扇町公園前で13日午後6時30分写す）

扇町公園周辺

強引な規制に非難も

午後五時[illegible]の集会は[illegible]り詰められていったが、すぐ[illegible]の新左翼系集会はほとんど[illegible]ルメット姿。

「十三日からの五日間に死力を尽くせ」「羽田闘争を[illegible]」「[illegible]粉砕に命をかける」と激しいアジがつぎつぎに繰り返される。

“実力阻止闘争”と“混乱”は午後五時四十五分、全国金属労組を先頭に、総評系のデモが始まった直後に起こった。

同六時二十五分ごろ、出発地点の扇町公園南側でデモ隊のかけから突然、火炎ビン十数本が投げられた。反日共系学生と反戦労働者の過激グループのしわざ。市電扇町線は約二十メートルにわたり火の海。公園近くの大阪市水道局わきに待機していた機動隊がただちに制圧にかかったが、学生たちは公園内外から火炎ビン、棍棒、石などを投げつけ、さらに角材や鉄パイプを振るって波状的に機動隊になぐりかかるなど、激しく抵抗した。

付近一帯は、つぎつぎかけつけるパトカーのサイレンにまじって爆竹や火炎ビンの破裂音が鳴り響き、交通も完全にストップ。公園南側の阪神高速道路扇町ランプも閉鎖された。

公園前の大阪市水道局の周り、五階の窓は“市民見物”の[illegible]が鈴なり。出発途中の総評系労組員はこの混乱で“足どめ”され、逃げ場を失ったヘルメット学生が約五メートル下のドブ川に飛び込む騒ぎもあった。

警官に追いつめられ逃げこんだデモ隊に水をかける市民（阪神ホテル前で13日午後8時35分写す）

つかれたかたちの機動隊が学生たちの火炎ビン攻撃で、一時後退を余儀なくさせられるほどだったが、警官隊はまもなく態勢を立て直し、まず機動隊員五十人がサクを乗り越えて公園内に突入、一般労組員の中にまぎれ込んだ過激学生らをごぼう抜き。約五十人を凶器準備集合、公務執行妨害などの疑いで逮捕した。

この間、会場ではつぎつぎに出ていく“反戦部隊”に向けて、来賓ヘルメットの各セクトのリーダーが小型のトラックの荷台にのぼり、マイクで“ゲキ”を飛ばす。

「単なるデモではわれわれの意思を示すことはできない。持てる武器を全部、身につけ、権力と真っ正面からぶつかれ。労働者の諸君、いまこそ立ち上がるときだ」――このアジに刺激されたのか、約[illegible]ヘルメットの十数人が、前を通っていた労組のデモ隊に「そこをどけ」と割ってはいり「投石」の号令で機動隊にいっせいに石を投げたが、たちまち追いつめられて逮捕。リーダーの一人は「70年代闘争の新しい型を示すのだ。一般の非難は覚悟のうえ」と語り、他のリーダーは「われわれはやるといったらやるでしょう」と、ニヤリと笑った。

梅田新道付近

デモコースのうち、機動隊が配備されていたのは出発地点の扇町公園と解散地点の大阪駅周辺だけだったため、デモ隊は途中、ジグザグデモやフランスデモのし放題。

大江橋では学生約三百人が約五分間、道いっぱいにすわり込み「昨年の6・15スト以来の御堂筋占拠」と気勢をあげた。

中央郵便局前

デモ解散地点の中央郵便局前では機動隊がきびしい警戒。いつもならデモ隊到着前に人がきて埋まる中央郵便局前歩道橋上は通行人が立ち止まるのを禁止、ホテル阪神前付近や公益公社前の歩道にも機動隊員が立並んで群衆を制限するように目を光らせた。

群衆の中には「市民の歩道を勝手に一方通行にするのはけしからん」と食ってかかるものもあり、あちこちで警官隊と市民が口論するなど、夜遅くまで小ぜり合いが続いた。

午後八時半ごろには阪神ホテル付近で道路に向け数本の火炎ビンが投げられたが、群衆の数が少なく、混乱にはならなかった。

「二人を不当逮捕」解放同盟が抗議

午後九時ごろ、東区大川町付近で解放同盟のデモ隊約五百人を機動隊が規制、二人を逮捕、東署に抗議した。同盟側は東署に「すぐ釈放せよ」と要求した。

同盟側は「すぐ前の隊がジグザグデモを始めたさい、機動隊が間違って同盟を歩道上に押上げ、懐中電灯でなぐられた同盟員が抗議したところ逮捕された」と主張。東署は「機動隊をけったり殴ったりした」と答えた。

沖縄デモ

悲壮感、軍港取巻く

怒りこめ師弟も盲人も

【那覇十三日藤治特派員】“オ[illegible]したちの願った祖国復帰と違うんだ”“核つき・自由使用のたくらみを許さない”――佐藤首相訪米に抗議する沖縄県祖国復帰協議会の11・13沖縄県民総決起大会に十万の人々が集結、デモの列は夜になって嘉手納基地の周[illegible]をおおい[illegible]となった。

四時過ぎ[illegible]や[illegible]へ家分なし[illegible]のジグザグデモがコースにはいる[illegible]に沖縄は[illegible]いる。

[illegible]たちを迎えようとしていますと[illegible]伝カー。盲人の女子学生の「B52帰れ」の黄色い声がひびく。これに並行して革マル系と中核系の学生ヘルメットがかけ足で割り込もうとすると機動隊が立ちふさがる。「通してやれ!」と組合員がどなる。過激な中核派の行動も許せないが、デモの列は[illegible]に[illegible]。

○読売新聞　1969年11月14日

学生ゲリラ、東西で大あばれ　11・13デモ

火炎ビンで市街戦

夜の北大阪大混乱

58人逮捕

大阪

各地の逮捕者

ねらわれた群衆

銀座で16人火傷

東京

羽田に全力投球か

精鋭は姿を見せず

○毎日新聞　1969年11月15日

11・13デモで重傷の

岡大生死ぬ

糟谷君

頭部に鈍器の傷

意識を失ったまま

地検も捜査

11・13佐藤訪米阻止闘争の十三日夕、大阪市内で反日共系の過激派グループが火炎びんを投げて警官隊と衝突、五十八人が逮捕された事件で、頭に重傷を負って入院、手当てを受けていた岡山大生が、十四日午後九時、大阪市北区浮田町六、行岡外科病院=で死亡した。[illegible] 遺体は十五日、阪大法医学教室で解剖された。

死亡したのは岡山大法文学部二回生、糟谷孝幸君(二一)=岡山市津島福居二ノ二七ノ五、樋口チエさん方、加古川市米田町船頭六二七出身=で、プロ学同の活動家で、岡山大全共闘のクラスリーダー。十三日午後六時すぎ、扇町公園で総評デモ隊が出発した直後、ブント、共労党を中心とする学生、反戦派労働者グループが北大阪[illegible]

病院へかけつけた糟谷君の両親

「警棒だ」「鉄パイプだ」

[illegible]正などと叫んで、総評デモ隊のかげから警官隊めがけて火炎びんや石を投げて攻撃をかけ、警官隊ともみあった際、警備に当たっていた曽根崎署の荒木巡査、赤松巡査、杉山巡査の三巡査(いずれも二十二歳)に公務執行妨害などで現行犯逮捕されたもの。

このあと糟谷君は[illegible]曽根崎署へ連行され、午後七時十分、同署が弁解録取書をとったあと、留置場へ入れるため、持たしていたうち「気分が悪い」とイスに横になった。同八時五十分救急車で行岡病院に運んだ。

同病院松原外科、松木医師の診断によると、右側頭部に長さ五センチの傷が二すじついて、頭がい骨の一部が骨折、硬膜に四十一五十グラムの血腫があり、これが直接の死因とみられる。

十四日午前三時から一時間にわたって切開手術をしたが、血腫を除去、その後、正午ごろわずかに意識を回復しかけたが、午後三時には呼吸が停止した。

糟谷君は過激派集団の先頭に立って火炎びんを投げたあと、いったん公園内にかくれ、再び攻撃隊の先頭に立ち、火炎びんを路上に投げていたといわれる。この日の警備体制はきびしく、興奮した警官が警棒を乱打し、逮捕学生の足を持って引きずり回したほど。市民からも「ああまでしなくても」と"過剰防衛"非難の声があった。

また糟谷君の死亡を確認した関西救援連絡センターの弁護士・医師団を代表して[illegible]弁護士らは、糟谷君が逮捕された時の状況について「糟谷君は集会中はヘルメットをかぶっており、キズの状況から機動隊に捕まり、ヘルメットをぬがされてから、警棒などでなぐられたのは確実だ」といっている。松木医師は傷の状態から「警棒ではなくもっと硬い鉄棒とか、転倒した時のではない」といっている。これに対し、鈴木員[illegible]は「逮捕に[illegible]あたった三警官は警棒を抜いてはいたが、使用しなかった、と弁解。「納得のいくように調査したい」と語っている。

これに対して府警警備部は当時の状況をつぎのとおり説明している。

十三日午後六時五十分ごろ、公園南口附近からヘルメットなしの学生ら約三十人が機動隊に向かって攻撃、十人が鉄棒でなぐりかかり、残りが火炎ビンと石を投げた。糟谷君はこのグループの中央先頭で右手に火炎ビン、左手に石を持ち、警官隊に投げつけた。

糟谷君がなにかにぶつかってよろけて逃げ遅れ、荒木、赤松両巡査が両手をつかみ、杉山巡査がはしらせた。このさい、糟谷君の近くで火炎ビンが爆発、炎が糟谷君のズボンに燃え移ったので、三巡査がたたき消した。さらに学生数人が鉄棒で三巡査になぐりかかり、糟谷君を奪い返そうとしたため、赤松巡査がタテで、他の二巡査が警棒を抜いて応戦、糟谷君をかばうように、みんなで伏せたまま、わたりあったという。

鈴木員警備部長は「キズは火炎ビンによるものか、学生が振りまわした鉄棒が当たったのではないか。警棒でないことは[illegible]している」と述べた。

「おとなしい子が…」

両親、声もつまりがちに

糟谷君の両親、公務員、光夫さん[illegible]と隣江さん[illegible]の二人は午前一時、解剖のため阪大法医学教室に運ばれた孝幸君の遺体につきそいながら「おとなしい子だったので、まったく夢のようです。これが残念だといいますか、ほかには今のところ何も申しあげることはありません」と言葉少なに語った。隣江さんは目をまっ赤に泣きはらして、ほとんど声のでない状態だった。

【岡山、加古川】加古川市米田町船頭、糟谷君の実家は"寝耳に水"の驚きよう。下宿では学生運動をやっているようすはなかったが、担任、上生[illegible]教授は「岡山大の授業再開(九月十六日)前の九月三日、私に面会を求めてきた二年一組の学生二十人のうちの一人で、それまでは目立たない学生だった。翌日の第二回の団交では"先生たちは国家権力に操られているのではないか"と鋭く追及してきた」といっており、"かくれた内部"もあったようだ。

傷害致死で徹底的に糾明へ

大阪府警本部長

浅沼大阪府警本部長は、十四日午後十時から府警本部で記者会見、つぎのように語った。

警官はもちろん、相手や第三者にもケガ人が出ないよう、警備の第一線部隊にやかましく注意してきたが、今回混乱した状況の中で相手のだれかれを問わず死者の出たことを遺憾に思っている。傷害致死事件として徹底的に真相を糾明し犯人を検挙する。

「逮捕者の扱い軽々しすぎる」

救援センター

関西救援連絡センターは十四日午後八時半から大阪市北区[illegible]町の事務所で記者会見「早く手術の必要がある患者に脳外科の専門医がいない病院に運んだ警察は逮捕者を軽々しく扱いすぎている」と非難した。

またプロ学同中央委員会と岡山大支部は同日、つぎのような抗議声明を出した。

糟谷君は機動隊による集団リンチを受け、死亡した。抵抗力を失った本人に対し警棒その他による残虐な行為が行なわれたことは明白である。事実がヤミに葬りさられることのないよう徹底的に追及する。

[illegible]の教員は「地公法三十七条(争議行為等の禁止)に抵触するから」と立場を説明した。

生徒はスト参加の教員には「学校の授業を捨ててなぜ行ったか」「地公法に触れるではないか」不参加の教員には「ストをやれば賃金もあがる。参加しない人がヌクヌクとして同じ結果を得るのはどういうことか」「憲法で保障する集会に行ってなぜ悪いか」などの質問が出て、基本的人権と公共性とのかね合いに鋭い関心が寄せられた。

府教委指導第一課、木下信義課長の話　ストは組合活動として行なわれたことで、これを生徒の前で論議することには慎重でなければいけないと思う。

○読売新聞　1969年11月15日

（第三種郵便物認可）

火炎ビン闘争の学生死ぬ　大阪

乱闘中に頭に大ケガ

黙秘「曾根崎四号」のまま

十三日、大阪で行なわれた佐藤首相訪米抗議行動で重傷を負った学生が、十四日夜病院で死亡した。機動隊と学生との衝突で学生が死んだのは、去る三十五年六月十五日の樺美智子さん（当時二十二歳）以来これで四人目。学生同士の内ゲバ殺人まで含めると、死者は六人となった。死んだ学生は死亡時まで黙秘を続け、「曾根崎四号」という仮名のまま、まくらべに肉親のみとりもなかった。

傷害致死で捜査

【大阪】佐藤首相訪米に抗議する大阪地評主催の「統一行動大阪大会」が開かれた十三日夕、会場の大阪市北区・扇町公園前で起きた過激派集団と機動隊の衝突のさい、凶器準備集合と公務執行妨害現行犯で逮捕され、重傷のため同区浮田町六、行岡外科病院に収容されていた岡山市津島福居二三七五、樋口方、岡山大法文学部二年糟谷孝幸君(二一)（兵庫県加古川市出身）が十四日午後九時、脳内出血、脳ザ傷で死亡した。大阪府警は曾根崎署に捜査本部を設け、傷害致死事件として捜査を始めた。

糟谷君は十三日午後六時三十分ころ、扇町公園南側正面入り口前で社学同系学生、地区反戦労働者約五百人にまじって路上に火炎ビンを投げ、現場で逮捕された。このとき路上に倒れ左頭部に裂傷を負ったが意識ははっきりしており七時十分ころ曾根崎署まで約八百米を歩いて連行された。

同署の調べに対し、糟谷君は黙秘したまま「曾根崎四号」として扱われたが、左頭部から出血していたため同署で応急手当てを受けた。しかし間もなく「気分が悪い」と訴えて横になったので、八時五十分ころ行岡病院に運ばれた。レントゲン診断の結果、左後頭部にキ裂骨折があり、頭蓋内出（血）にして手当て中、十一時五十分ごろ吐き気を訴え、容体が悪化。十四日午前一時三十分から同病院整形外科松本医師が執刀、開頭手術を行なったが助からなかった。

大阪府警警備部の発表によると午後六時すぎから過激派学生のグループが公園から市道扇町線に飛び出し火炎ビンを投げたり鉄棒を振り回したりしてあばれ始め、糟谷君は機動隊に追われていったん公園内へ逃げこんだが、再び公園から出てきたときは、十数人のグループの先頭に出て右手に火炎ビン左手に石を持っていた。

火炎ビンを投げた直後、機動隊が規制をはじめ、隊員三人がとびかかって逮捕した。このさい糟谷君は火炎ビンのガソリ
ズボンに火がついてい
隊員が三人がかりでた
が、別のグループが救
て鉄棒で襲いかかった
の一人がタテで防ぎ、
糟谷君を押し包むよう
に倒れた。

同警備部は、乱闘のさ
が路面で頭部を強打し

十三日夜、逮捕後、曾根崎署で鑑識のため「曾根崎四
て撮影された糟谷孝幸君。頭から血を流している。

同じケースで

これまでに機動隊と
亡した学生は❶三十五
日の第一次安保闘争で、
用門付近で東大文学部、
さん（当時二十二歳）❷
十月八日の第一次羽田
天橋上で京大文学部、
（同十八歳）❸四十四年
京大病院前の警察輸
件の際、関西大文学部、
君（同二十歳）のケー

○サンケイ新聞　1969年11月15日

重傷の逮捕学生死ぬ

火炎ビン闘争 頭に5センチのキ裂骨折

11・13デモ

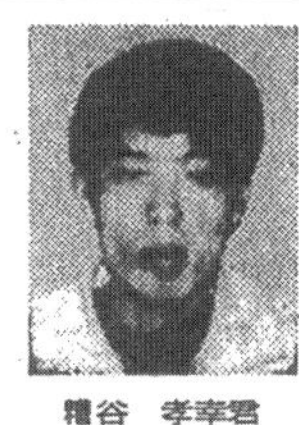

糟谷　孝幸君

「佐藤首相訪米抗議・統一行動日」の十三日夕、大阪・扇町公園前で火炎ビンを投げて逮捕され、頭に重傷を負って入院していた学生が十四日夜、脳内出血で死んだ。大阪府警警備部と刑事部は傷害致死事件として真相糾明に乗り出した。

死亡したのは岡山市津島福居二二七五、岡山大法文学部二年生、糟谷孝幸君(二一)。警備部の調べによると、糟谷君は十三日午後五時半から、大阪市北区の扇町公園で行なわれた大阪総評主催の「11・13統一行動大阪大会」に参加、デモ隊が出発した直後の午後六時半ごろ、ヘルメットをかぶらず公園内から飛び出し、市道扇町線へ火炎ビンを投げた。このあと、いったん公園内へ逃げ込み約二分後、再び右手に火炎ビン、左手に石を持って過激派集団の先頭に立ち二本目の火炎ビンを投げた。

このときすぐそばで警備中の特別機動隊の荒木幸男巡査(二七)ら三人の警官が飛びかかり、凶器準備集合現行犯で逮捕した。このあと約四〇〇メートル離れた曽根崎署まで徒歩で連行、同署内で取り調べた。

しかし、頭頂部にケガをしているため調べをはじめてから一時間四十分後の午後八時五十分、救急車で北区浮田町の行岡病院に収容した。

同病院で糟谷君はハキケを訴え意識不明となったため、十四日午前一時半、頭部の切開手術をしたが、左頭頂部二カ所に幅二センチ、長さ五センチの棒状の傷を負っており、頭ガイ骨も五センチにわたってキ裂骨折し、十四日午後九時ごろ、硬膜外下血腫で死亡した。

府警警備部では糟谷君が重傷を負ったときのもようをくわしく調べているが、逮捕にあたった荒木巡査らの話では、火炎ビンを投げて逃げようとした糟谷君を追いかけ、三人でねじ伏せるように倒した。このときそばにいた学生四、五人が鉄パイプを振りかざして三警官に襲いかかった。このため警官一人が大ダテを斜めにかまえ"襲撃"を防ぎ、他の二人が警棒をふるって鉄パイプに応酬した。

そのさい、糟谷君の頭のそばで学生らが投げた火炎ビンが炎上、糟谷君は頭部の一部と作業衣のすそにガソリンをあび作業衣の一部が焼けた。荒木巡査らはこれをすぐ消したあと手錠をかけた。三警官は「警棒を抜いて学生の鉄棒を防いだが逮捕時に警棒でなぐった事実は絶対ない」といっている。

このため同警備部では、十五日糟谷君の遺体を解剖し死因を確かめるとともに、当時の写真などを参考に糟谷君の頭のキズが火炎ビンや鉄パイプによるものか、警棒によるものか詳細に調査する。

出身地は兵庫県加古川市米田町舟頭六二七で、両親は健在。

糟谷君は四十二年春に兵庫県立加古川東高を卒業、一年間浪人のあと四十三年四月に岡山大学に入学した。父は姫路西税務署に勤める厳格な公務員家庭に育ち、友人の話では、高校時代は政治問題に関心をもっていなかったが、岡山大の紛争をきっかけに、同大学全共闘のノンセクト活動家になったという。

手術にあたった行岡病院、松木康医師の話　「左頭頂部二カ所に幅二センチ、長さ五センチの打撲を負っており、その下の頭がい骨がキ裂骨折している。鈍器のようなものでなぐられたケガだ」

浅沼清太郎・大阪府警本部長の話　「デモの規制のさいは、市民はもちろん学生側にもケガ人の出ないよう注意しており、こんどの場合も幹部に徹底させていた。十五日司法解剖して死因を究明、傷害致死事件として調査する」

警備当局の責任を追及

関西救援連絡センター

11・13デモで、警備当局に逮捕された学生らの世話をする関西救援連絡センター(大阪市北区浪花町一二五)の樺島正法・弁護士らは十四日よる記者会見し、糟谷君の死亡について、警備当局の責任を追及する方針を明らかにした。

○中国新聞　1969年11月15日

街頭デモの岡大生死ぬ　大阪

頭部左側を骨折

統一行動で逮捕され入院

【大阪】十三日夜、佐藤首相訪米に抗議する11・13統一行動大阪大会の新左翼と機動隊との衝突で逮捕され、頭に重傷を負い入院していた岡山市津島、樋口テエさん方、岡山大法文学部二年生糟谷孝幸君(二一)=本籍、兵庫県加古川市米田町=が十四日午後九時、大阪市北区浮田町、行岡病院(行岡忠雄院長)で死亡した。街頭デモで死者が出たのは六〇年安保の三十五年六月十五日、国会構内で東大生樺美智子さんいらい五人目。

糟谷　孝幸君

大阪府警警備部の調べによると、糟谷君は十三日夕、大阪市北区扇町八、扇町公園で行なわれた集会に参加、午後六時半ごろ同公園南側路上で警備中の機動隊に火炎びんを投げていて凶器準備集合、公務執行妨害の現行犯で逮捕された。

そのあと、午後七時十分、曽根崎署へ徒歩で連行され、調べをとられたが、間もなく気分が悪くなり、午後八時五十分、行岡病院に収容された。頭部左側に長さ五センチの亀裂骨折があり、十四日午前四時から切開手術を受けたが、午後から危篤状態が続いていた。

救急車で行岡病院に運ばれたとき糟谷君は意識はあったが応答はなかった。十四日午前零時、意識不明となり、頭のレントゲン撮影など精密検査を行なった。同二時ごろ容体が悪化したため脳内部の血管撮影を行なうとともに同三時頭部切開手術を始めた。同六時半術を終了、その後痛みに対する反応もあり、経過は良好で、こん睡状態が続いた。

しかし午後、容体が急変、同三時五十分呼吸が停止、直ちに人工呼吸を行なったが、次第に容体は悪化の一途をたどり、同六時ヒトミが開き、同九時死亡した。糟谷君の身元がわかったのは死亡直前の午後八時半ごろ。このため、家族の付き添いもなく、医師、看護婦に見守られてのさびしい臨終だった。

府警、警備部の話によると、十三日午後六時ごろから、同公園南側出入り口付近から反日共系学生が路上に向けて数度にわたり火炎びんを投げていた。糟谷君は一度目は後ろから投げていたが、二度目のとき先頭になって投げてきた。機動隊員がいっせいに規制にかかり、特別機動隊の米松昭男、荒木啓明、杉山時夫の三巡査=いずれも[illegible]=が糟谷君をつかまえた。

このときの状況は、米松巡査がタテで糟谷君を押しつけ、荒木、杉山両巡査が倒れた糟谷君におおいかぶさるようにして逮捕した。糟谷君はヘルメットをかぶっておらず、左手に石、右手に火炎びんを持っていた。またズボンのすそが火炎びんの油でずぶぬれ、頭は髪が焼けちぢれ血がにじんでいた。鈴木府警警備部長は「三巡査は警棒を抜いていたが、使用しなかったと報告を受けている」といっている。逮捕直後、数人の学生が鉄棒をふるって糟谷君を奪い返しにきたので、このときに負傷した可能性が強いとみているが、今後は刑事部で傷害致死事件として調べる。

プロ学同系に所属

【岡山】岡山県警警備部の調べでは、糟谷君はプロ学同系に所属していたが、これまであまり激しい運動はしていない。また下宿先の樋口さんの話ではおとなしい性格で、学生運動をしている気配はなかった。十二日に「二、三日ちょっと出てくる」といって下宿を出かけたという。

投石ではなく鈍器ようの傷

手術に当たった松木康行岡病院医師(整形外科)の話　死亡者は左側頭部に縦に長さ約五センチ、幅二ミリの頭がい骨折が二筋あり、その間隔は一―一・五センチ。傷の状況から投石によるものとは思えず、棒や鉄板など鈍器ようのもので出来た傷のように思われる。この傷で頭皮の外に重さ四十―五十グラムの血シュがたまり、脳を圧迫したのが直接の死因だと思う。開頭手術が遅れたのは、ルーティンの精密検査をすべて行なってからにしようとしたため。

警棒の傷とは思われない

浅沼大阪府警本部長の話　逮捕した時の状況から警官が警棒を使用した結果によるものではない。かねてからデモなどの警備にあたっては警備当局、相手方、第三者にもけが人を出さないことが大切ということをいっていたし、十三日の警備でもこの点には十分気をつけた。逮捕にあたった機動隊員三人から事情を聞いたところでは、三人は警棒を抜いていたが被疑者に対しては一度も警棒を使っておらず、被疑者の頭のけがは警棒によるものとは思われない。

しかしいかに混乱した状態であっても死者を出したということは遺憾で今後、傷害致死事件として犯人の徹底的検挙に当たりたい。

デモ 11・13 逮捕の学生死ぬ

頭部にキ裂骨折

加古川の糟谷君 死の直前、身元判明

【大阪】十三日夜、佐藤首相訪米に抗議する11・13統一行動大阪大会の新左翼と機動隊との衝突で逮捕され、頭に重傷を負い入院していた岡山市津島福居二二七五、樋口方、岡山大法文学部二年生糟谷孝幸君(二一)=加古川市米田町船頭六二七、姫路西税務署課長光男さん二男=が十四日午後九時、大阪市北区厚田町六、行岡病院（行岡忠雄院長）で死亡した。街頭デモで死者が出たのは六〇年安保の三十五年六月十五日、国会構内で東大生樺美智子さんいらい五人目。

十三日夜、逮捕直後の糟谷孝幸君

大阪府警警備部の調べによると、糟谷君は十三日夕、大阪市北区扇町八、扇町公園で行なわれた集会に参加、午後六時半ごろ同公園南側出口で警備中の機動隊に火炎びんを投げていて凶器準備集合、公務執行妨害の現行犯で逮捕された。

そのあと、午後七時十分、曽根崎署へ徒歩で連行され、調べをとられたが、間もなく気分が悪くなり、午後八時五十分、行岡病院に収容された。頭部左側に長さ五㌢のき裂骨折があり、十四日午前四時から切開手術を受けたが、午後から危篤状態が続いていた。

救急車で行岡病院に運ばれたとき糟谷君は意識はあったが応答はなかった。十四日午前零時、意識不明となり、脳のレントゲン撮影など精密検査を行なった。同一時ごろ容体が悪化したため脳内部の血管撮影を行なうとともに同四時頭部切開手術を始めた。同六時手術を終了、その後痛みに対する反応もあり、経過は良好で、こん睡状態が続いた。

しかし午後、容体が急変、同三時五十五分呼吸が停止、直ちに人工呼吸を行なったが、次第に容体は悪化の一途をたどり、同九時死亡した。糟谷君の身元がわかったのは死亡直前の午後八時半ごろ。このため、家族の付き添いもなく、医師、看護婦に見守られてのさびしい臨終だった。

府警、警備部の話によると、十三日午後六時ごろから、同公園南側出入り口付近から反日共系学生が路上に向けて数度にわたり火炎びんを投げていた。糟谷君は一度目は後ろから投げていたが、二度目のとき先頭になって投げてきた。機動隊員がいっせいに規制にかかり、特別機動隊の荒木[illegible]男、赤松昭雄、杉山時夫の三巡査=いずれも[illegible]勤務=が糟谷君をつかまえた。

このときの状況は、赤松巡査がタテで糟谷君を押しつけ、荒木、杉山両巡査が倒れた糟谷君におおいかぶさるようにして逮捕した。糟谷君はヘルメットをかぶっておらず、左手に石、右手に火炎びんを持っていた。またズボンの後ろが火炎びんの炎でくすぶり、顔は髪が焼けちぢれ血がにじんでいた。鈴木真敏警備部長は「三巡査は警棒を抜いていたが、使用しなかったと報告を受けている」といっている。逮捕直後、数人の学生が鉄棒をふるって糟谷君を奪い返しにきたので、このとき頭部に負傷した可能性が強いとみているが刑事部で傷害致死事件として調べる。

投石の傷ではない

手術に当たった松本真行岡病院医師（整形外科）の話　死亡者は左側頭部に縦に長さ約五㌢、幅二㍉の頭がい骨折が二個あり、その間隔は一・五㌢。傷の状況から投石によるものとは思えず、棒や鉄板など鈍器ようのもので出来た傷のように思われる。この場合、硬膜の外に四十～五十ccの血シュがたまり、脳を圧迫したのが直接の死因だと思う。開頭手術が遅れたのは、ルーティンの精密検査をすべて行なってからにしようとしたためだ。

収容された時は意識があったので、生命に別条ないと思った。手術までの時間についても、脳血管撮影などの準備を考えれば普通の病院としては早い方だと思う。当病院では、今回の処置がせいいっぱいだった。脳外科のある病院に患者を移すことは考えなかった。

これまでの学生死亡事件

▽三十五年六月十五日、第一次安保闘争の際、全学連主流派約六千人が国会構内に乱入、警官隊と衝突して東大生樺美智子さん（当時二二）が死亡。

▽四十二年十月八日、佐藤首相のベトナム訪問に反対して起きた第一次羽田事件で、反日共系学生二千人が機動隊と衝突、中核派、京大生山崎博昭君（同一八）が死亡。

▽四十四年九月十八日、芝浦工大で起きた乱闘事件で、中核派・横浜国大生滝沢紀昭君（同二五）が死亡。

▽同年七月二十五日、中大で起きた社学同派の内部対立による監禁事件で脱出をはかった社学同派、同志社大生望月上史君（同二二）が九月二十九日入院先で死亡。

▽同年九月二十一日、京大封鎖解除にともない同大周辺で学生と機動隊が衝突、この際中核派、関西大生[illegible]本忠昭君（同二〇）が火炎びんの火を浴びて十月一日入院先で死亡。

警棒使ってない　大阪府警本部長

【大阪】糟谷君死亡事件で浅沼清太郎大阪府警本部長は十四日夜、大阪府警で記者会見し「逮捕した時の状況から警官が警棒を使用した結果によるものではない」と前置きして次のように語った。

かねてからデモなどの警備にあたっては警備当局、相手方、第三者にもけが人を出さないことが大切だといってきたし、十三日の警備でもこの点には十分気をつけた。逮捕にあたった機動隊員三人は警棒を抜いていたが被疑者に対しては一度も警棒を使ってない。被疑者を逮捕したとき、学生ふうの数人が火炎びんや鉄棒を持って被疑者を奪回しようと攻撃してきた。そのさい倒れていた被疑者の頭部に火炎びんが当たったか、被疑者が逃げるさい何かにぶつかって自分で倒れたという状況があり、この点が原因と結びつくかもしれない。しかし死亡したということは遺憾のきわみで今後、傷害致死事件として犯人の徹底的検挙に当たりたい。

警察責任者を告発　救援センター弁護士声明

【大阪】反日共系各派の統一救対組織である関西救援センターの顧問弁護士の樺島正法弁護士は十四日夜、大阪市北区扇町の同センターで記者会見し、糟谷孝幸君（二一）の死亡について次のように語った。

一、糟谷君の身元は友人の岡山大医学部二年青井秀之君（二二）＝プロ学同リーダー＝ら三人が確かめた。

一、糟谷君は一月ごろから岡大全共闘のプロ学同シンパとしてクラス闘争委で活動して来た。十三日青井君らと大阪に来て扇町公園の集会に参加していた。左側頭部の骨折の原因については調べ中だが警棒のようなものでなぐられた可能性が強いと思う。

一、糟谷君は十三日午後六時半ごろ逮捕され、行岡病院に運ばれ

一家団らん中に悲報　活動家にみえぬ孝幸君

死んだ孝幸君は三人兄弟の真ん中。四十二年県立加古川東高を卒業、一年浪人して岡山大に進んだ。

実家に大阪府警から「孝幸君死亡」の連絡がはいったのは十四日午後十時すぎ。一家はテレビを囲んで団らんの最中だった。父光男さん、母隆江さんは連絡にかけつけた加古川署員に「ほんとうですか」「間違いないでしょうね」とくどく念を押す。

光男さんは「新聞で毎日、学生の過激なもようが出るので気をつけていた。一月か二月に一度は家に帰すようにしていた。私も長男も国家公務員だし、決して過激な運動はしてくれるなーというと孝幸は"ぼくはノンセクトだ。心配はいらない"ーといっていた。すなおな子なので安心していた。それでも気になって岡山の下宿先のおばさんにはよく電話して様子は聞いていた。家には一カ月前帰ってきただけです」といって絶句。

近所の人たちは「道で出会ったら必ずあいさつしてくれる折り目正しい青年」といい、同級生の一人も「真面目一方、勉強一筋」と話し、過激な活動家とは思えなかったようだ。

○朝日新聞　1969年11月17日

学生や反戦青年委労働者の投げる火炎びんで火の海となった蒲田駅前通り（16日午後4時[illegible]分）

全国で抗議集会

反安保実行委「中央」は7万動員

「安保条約廃棄・沖縄即時無条件全面返還・佐藤訪米抗議集会」は、訪米前日の十六日午前十一時すぎから社会党、総評、中立労連系の反安保全国実行委と沖縄連の共催で、東京・代々木公園に労働者、民主団体員、学生ら約七万人（主催者調べ、警視庁調べでは四万二千人）を集めて開かれた。この日、反安保実行委は全国約百二十カ所で同趣旨の抗議集会とデモをおこない、七十二万人が参加した。

代々木公園の中央集会には、午前九時ごろから動労、国労、全逓など公労協各労組、日教組などの公務員共闘各組、全国金属、私鉄総連、全日通などの民間労組、電機労連など中立労連系労組の組合員らが赤旗やノボリを持ち、ゼッケンをつけて続々と集った。

色とりどりのヘルメットをかぶった青年委、地区反戦、職場反戦系のグループ、やはりヘルメットの学生集団も親会員の隊列をとり巻いてジグザグ・デモとシュプレヒコールをくり返し、会場は中央舞台のすぐ前まで、身動きがむずかしいほどの人がきて埋められた。

水口宏三反安保全国実行委事務局長が主催者を代表してあいさつしたあと、成田社会党委員長は「佐藤総理のいう核ぬき本土なみとは、米軍による本土への核持ちこみ、基地自由使用という危険きわまりないトリック、落し穴を持っている」と、激しい調子で七〇年反安保闘争への決意を述べた。

また、仲本盛行沖縄返還要求国民運動連絡会議代表は「本土のみなさん、安保自動延長によって沖縄に二重の十字架を背負わせないでください」と訴えた。

参加者らは「訪米抗議・沖縄返還・安保廃棄・国会解散要求決議」「合理化と物価値上げ反対、減税、スト権奪還決議」とアピール（2面に要旨）を満場一致で採択、午後零時半過ぎから新宿コースと恵比寿コースに分れてデモ行進した。

なお、主催者が予定していたもうひとつの土橋コースは、東京地裁民事二部駒田駿太郎裁判長が反安保委の申立てを認め、都公安委のコース変更処分の執行停止を決定したが、佐藤首相から「総理大臣の異議」が出されたため、裁判所の決定は取消され、結局このコースのデモは実現できなかった。

集会は百八十カ所

警察庁集計　十一万越す参加

佐藤首相訪米に反対する集会、デモなどが十六日、全国各地でおこなわれたが、警察庁が同日午後八時現在で集計した参加者は四十都道府県百八十カ所で十一万三千三百人にのぼった。うち過激派グループは一万七千五百人。主催者別の参加者数は次のとおり。

▽社会党・共産党共闘　一道府四カ所、千百。

▽社会党・総評系　二十五都道府県七十四カ所、七万九千（うち過激派四千二百）。

▽共産党系　十二都府県二十七カ所、一万七百。

▽反代々木系学生　二十都道府県二十九カ所、六千五百三十。

▽反戦系　六道県六カ所、五百

○朝日新聞　1971年9月8日

44年の11.13デモ　糟谷君死亡事件

機動隊の暴行を否定

大阪地検「証拠も嫌疑も不十分」

三警官を不起訴

告発側　付審判請求へ

大阪市北区、扇町公園でさる四十四年に行われた「佐藤訪米阻止一一・一三統一行動大阪大会」のデモで、機動隊と衝突、頭を強打して死んだ岡山大生糟谷孝幸君（当時二一）＝加古川市米田町＝の事件に関し、九十一人の弁護士、文化人らが、大阪府警の警官三人を特別公務員暴行陵虐致死で大阪地検に告発していたが、同地検は、七日、三人を「嫌疑（けんぎ）不十分」で不起訴処分にすることを決めた。

故糟谷孝幸君

糟谷君は、警官との衝突による学生の死亡事件としては関西で初めて、全国で四人目の犠牲者。告発団は「機動隊のリンチによる死」と主張していたが、この種の事件の前例通り、告発団の言い分とは大きくかけはなれた結論に終った。これを不満とする告発団は八日、大阪地裁に付審判請求を出し、法廷で事実をあらそう、という。

大阪弁護士会の青木英五郎、佐々木哲蔵弁護士らが、糟谷君を逮捕した特別機動隊の荒木幸男（三四）、赤松昭雄（三〇）、杉山時夫（三三）の三巡査を告発したのは、同年十二月十五日。告発状の中で「すでに無抵抗状態にあった糟谷君を取囲み、路上に突倒して、警棒などで頭部をはじめ全身を殴打死亡させた」と主張していた。

これに対し、大阪地検は糟谷君の死体を解剖した大阪大学松倉豊治教授（当時）の鑑定書を中心に①死因は左側頭部、頭頂部を中心とする打撲傷による硬脳膜血腫（けっしゅ）などによる脳中枢機能障害②凶器は幅三・五センチ前後の比較的平たんな、辺縁が角状の堅い鈍体。当時学生は、これによく似た長さ一・三メートルもある鉄板棒を振回していた③被告発人らの暴行を見たものは全くなく、三人の警官はともに学生に対する暴行を否定している——の理由をあげて、不起訴を決めた。

さらに「糟谷は逃げる際、鉄板棒を振回しながら後退中の学生集団中に飛込んだため、誤って鉄板棒で頭部を殴打された疑いがある」とまでいっている。

しかし、鑑定書にある頭部の傷跡に関して逮捕後運びこまれた糟谷君を手術した医師の発言と微妙に食違う点もある。また、警官約百人、学生十五人から証言を集めながら、糟谷君が同士打ちに合った、とする目撃証言はひとつもなかった、という。仲間の中に飛込んだという事実に関してさえ、地検は「学生でも、警察官でもない第三者の証言があった」と、するだけである。吉永亨同地検次席は「学生たちの攻撃が警察の虚を突いたもので、警察側も写真などを十分とれなかったらしい。この件についての検察庁の仕事は事実確定ではなく、被告発人の三人について証拠も嫌疑も不十分であると判断しただけである。地検の仕事としてはこれで十分である」と、いっている。

これに対し、この日、大阪地検をたずねて不起訴処分の理由をただした告発人側の樺島正法弁護士らは「納得できる釈明はなにも聞けなかった」と強く反発している。同弁護士は「この処分は、松倉鑑定をうのみにし、それに適合する事実だけを集めた一方的な判断だ。糟谷君に対する暴行の直接の目撃者はいないが、同君とほぼ同時に逮捕された学生の証言があり、それによっても大阪地検のような結論は出ないはず」とのべた。

また、松倉鑑定が、凶器を「辺縁が角状の鈍体」としていることについて、事件当時糟谷君の病状を問合わせるなど救援活動をした大阪赤十字病院脳神経外科の佐藤耕造医師は「松倉氏に直接会ってたしかめたところ凶器を一種類と断定できないことを認めていた。それなのに、鑑定ではかどのある鈍体と断定的に書かれており、それが地検の不起訴処分の重要な根拠となっている」と疑問をぶつけている。

なお、当時、曽根崎署に捜査本部を置いて糟谷君事件を調べた大阪府警も、糟谷君殺しの犯人は警官ではないと結論、容疑者不明のまま関係書類を大阪地検に送付して捜査を打切っている。

＜注＞付審判請求　準起訴手続きともいわれ、公務員の職権乱用で告訴、告発した者が、検察側の不起訴処分に不服の場合、裁判所に事件の審判を請求できる制度（刑事訴訟法二六二条）。公安事件では、さる四十三年一月、米原子力空母エンタープライズの佐世保寄港阻止闘争をめぐって起きた「博多駅事件」で、警察官、鉄道公安員の過剰警備を理由に社会党福岡県本部などが、福岡地裁に付審判請求したケースなどがある。このときは、同地裁が請求を棄却、同高裁での抗告も棄却された。

真相をヤミに葬るな

加古川市米田町の父親糟谷光男さん（四七）の話　私は国に奉仕する公務員ですから、国の裁きを信じて今までずっと辛抱してきましたが、これでは孝幸が自分で勝手に死んだということではないですか。私は見ているのです。孝幸の死体に残っていた無数の打撲傷は、何ですか。霊安室で、孝幸の両手が包帯でぐるぐる巻きにされていたが、出棺のとき手首に手錠の跡らしい、むごい傷跡を見ています。浅沼府警本部長は真相を究明するとおっしゃったが、真相が、

これなら、孝幸も私たちも余りにみじめです。ヤミにだけはほうむりたくない。

■機動隊による虐殺の事実をあばく『弾劾』 糟谷君虐殺事件告発を推進する会1970年9月発行の冊子から転載

一九六九年十一月十三日

水戸 巌

扇町公園における糟谷孝幸君の闘いは、侵略抑圧差別搾取の体制――日米安保体制にたいし、おのれの存在自体をかけての闘いであった十〜十一月闘争の思想の結晶であった。それは、政治の方向を変えようとする日本人民の抵抗にたいしぶ厚い機動隊の隊列をさし向けることしか知らぬ日本国家権力にたいし、まずもってこの機動隊の隊列をぶち破り、かれらを打ち負かす途を切り拓くことであった。

いまになって、このような思想を嘲けり笑うものは笑え。かれらが口先でどのように革命的言辞を弄しようとも、つまるところ、かれらは、六七年羽田闘争と無縁であり、六八〜九年大学闘争を理解せず、そして、パリコミューン、ロシヤ革命、ベトナム革命……など一切の人民の闘争への敵対者に他ならないのだ。

糟谷孝幸君の闘いと死は、樺美智子、山崎博昭の闘いとその死とならんで、権力に対決する人民の闘いというものを極限において示したものであった。

私たちが このような糟谷君の死に報いるみちは、ただ一つ、十〜十一月闘争の思想を断固としてうけつぎ、これを何層倍、何十層倍もの巨大なものとし、アジアへの侵略につきすすむ日本帝国主義を根こそぎ打倒する以外にはない。

その過程にあって、私たちは、糟谷君を警棒で殴殺しておきながら、逆に〃奪還に来た学生〃が誤まって殺したのだとして、〃学生犯人説〃をデッチ上げる警察権力のけがれ果てた陰謀を徹底的にあばき出し粉砕してゆくだろう。

警察権力の権威の維持のために、被差別部落の青年を犯人に仕立てあげ、すべての偽装工作を行ない、青年を法の名によって殺そうとしている浦和警察、そしてこれに協力する裁判所。

――この一例は、狭山裁判闘争を通じて今日周知のものとなって来たが、これこそが、今日の国家権力の普遍な姿である。このような国家権力によって、すべての差別と抑圧と侵略が辛うじて支えられているのだ。

私たちは、すべての抑圧され、差別された人びとの怨念と憎悪をこめた、その復しゅう戦として、糟谷君虐殺の真相をあばき出してゆくであろう。

(一九七〇年八月)

(筆者：救援連絡センター)

告発の現況とわれわれの主張

今井和登

検察庁の対応

糟谷孝幸君の死の真相について、大阪府警も地検も、半年たった今日、なお頬かむりのままだ。われわれが行なった告発に対して、地検の担当検事からは、「まだ見通しは立っていない。二年三年もかかるということはありえないが、今年中にはやりたいと希望している」(四月十六日面談)という返事しかかえってこない。ひとりの人間の死の重みを、彼らはどう考えているのか。権力に抵抗して闘い、死んだ者の人権は、保障しなくても良いというのか。

日本国憲法第十章「最高法規」冒頭の第九十七条は、(基本的人権の本質)として、「この憲法が日本国民に保障する基本的人権は、人類の多年にわたる自由獲得の努力の成果であって、これらの権利は、過去幾多の試練に堪え、現在及び将来の国民に対し、侵すことのできない永久の権利として保障されたものである」と記されている。要するにこの規定は、憲法の根幹は「基本的人権」にあること、それは社会の安寧秩序、公共の福祉よりも優先するものであること、そして基本的人権は、歴史の進展と共に常に新しく掘り起されるべきものであること、そういう意味で「基本的人権」が最高法規とされていると理解してよいであろう。

国民のひとりの生命が官憲の手によって奪われた場合は、この憲法を最高法規として行政、司法を掌るはずの官公署は、他の何事を差しおいても、国民の前に真相を究明する義務があるのではないか。糟谷君が瀕死の重傷で入院したことが判明した段階で、地検は警察とは別個に独自の立場で捜査をする、ということが新聞にのった。当然それは「特別公務員暴行陵虐行為」の疑いとして、捜査が行なわれるものと、われわれは期待していたのであるが、一ヵ月経っても何もなされた形跡がない。それでわれわれは十二月十三日に大阪地方検察庁に、糟谷君の逮捕に当った機動隊員三名とそれに協力した氏名不詳若干名の隊員を、「特別公務員暴行陵虐致死」の疑いで告発したのである。しかし地検の担当検事は「十二月総選挙違反の捜査が忙がしいので今はできない」(一月二十六日面談)、「つぎつぎと急を要する事件がはいって、なかなか手がつけられない」(四月十六日面談)などと言い訳をしながら延ばしに延ばしているのである。「のれんに腕押し」とはこのことを言うのか。地検はやる気がないのだと判断せざるをえない。

このような地検の態度は、まさしく憲法の無視であり、権力側のこのような憲法無視、違反の積み重ねが、今日顕著な憲法の空洞化、形骸化をもたらしたと言ってよいであろう。

しかしわれわれは抽象的に憲法云々を言っているのではなく、「ひとりの国民が官憲の手によって殺された」と訴えているのだ。このことの重大さを理解せず、うやむやにしてしまおうとする官憲の昧曖さ、狡猾さを、われわれは追求せずにはおれないのである。

また別項「毎日新聞のスクープ」が、一月二十六日正午、樺嶋弁護士と筆者が地検に担当検事を訪ねて、告発を早期に取上げるよう申入れた翌日だったことは、地検、府警の間に何らかの連絡があったことを示唆するものである。

〃暴力デモ〃と告発の理由

糟谷君虐殺告発のため協力を求めるとき、多くの市民から「火炎ビンを投げ、凶器を持って突撃した者が、警察から殺されても仕方がないではないか。本人も死を覚悟してやったのなら当然ではないか」という声が返ってくる。われわれはこのことについても、見解を述べなければならない。

六九年夏頃からの新左翼系のデモに対する大阪府警の規制は、極端に厳しく、弾圧は露骨になっていた。機動隊の併進規制は、デモの出発から終了時まで続き、その間、楯でなぐったり靴で蹴り上げるほどの暴行挑発は、日常化していた。このような規制のうちもっともひどいのが、出発時の規制である。集会場の出口を袋のように包みこみ、観衆からは遮蔽して、三列あるいは四列で出ていくデモ隊を、警棒でこずいたり、蹴り上げたり、激しい暴行が加えられるのである。出発時にできるだけいためつけ、抵抗したら逮捕するという意図であろうか。ここを突破してデモは街頭に出るのだが、それからは前記のような暴行をともなう併進規制を受けつつ、終了地点までただただ走りぬけるのである。参加者はゲバルトぬきのデモでも、無傷で帰れるという保証はないのである。

十一月十三日の「佐藤訪米阻止安保粉砕沖縄闘争勝利集会」のデモは、その名称の示すように特別な政治的意味をもっていた。安保条約粉砕を単なるスローガンに終らせないためには、何としてでも数日後にひかえた佐藤首相の訪

欺瞞的マスコミ操作

毎日新聞の松倉鑑定スクープ

毎日新聞（大阪）は一月二十七日朝刊に、糟谷君の死因について司法解剖を行った阪大教授松倉医師の鑑定書要旨を大阪府警からスクープした。その記事は写真入り九段のスペースをとった大きなもので「凶器は警棒でない？」「岡山大生・糟谷君の死」「幅と角ある鈍体」「阪大松倉博士鑑定書出す」「デモ隊が誤って、容疑者の割出しはムリ」という大小の見出しつきのものである。記事の最も重要な部分は次の通りである。

松倉教授の鑑定書は、死因として「頭部打撲で硬膜外にできた血腫で脳の圧迫が起こり、また各所の出血、脳腫張、脳挫傷により脳中枢機能に障害が起こり死亡した」と述べている。そして脳機能障害の原因となった頭腔内血腫や脳表面の損傷は①左側頭部前部のざ傷、②左側頭骨上部および頭頂骨下部の骨折が合わさって起こったとしており、この二つの傷は「幅のある打撃面をもち、しかも角のある堅い鈍体が左側部頭頂部を中心に作用したと推定するのが妥当である」とし、しかも「一回の打撃作用で両方の傷が同時に生ずることも可能である」という。

同教授は、鈍体の種類について具体的な名前をあげてはいないが「平たんな打撃面があり、かつ角がある鈍体」と表現していることから、捜査本部ではデモ隊が使用した長さ一・三メートルで、三・二センチ×〇・六センチの切断面を持つ鉄板棒を示唆していると解釈している。

そして「デモ隊から押収した鉄板棒」との説明つきで一警官が鉄板棒を前に差出している大きな写真が掲載されている。

このスクープが府警とブル新が一体となった悪質なマスコミ操作であることは明らかである。①スペースの大きさに比べて重要記事は全体の一四分の一にすぎない。②ニュース源は府警であって松倉氏ではない。③「『警棒だ、目撃者いる』救援センター」という見出しつきで樺嶋弁護士の短い談話をのせているが、記事全体は府警の見解を詳細にのべて「鉄板棒説」を強く打出している。④朝日その他の各紙は松倉鑑定についてまったく記事を書かなかった。これらを併せ考える時、この記事の意図が奈辺にあるかは明らかだ。

スクープされた松倉鑑定要旨部分について、告発団は司法解剖に立会った佐藤医師その他の医師の協力を得て分析検討したが、少なくともここに記された所見からこのような結論を得ることはできないという意見で、告発団が主張する「警棒殴打による死」を覆えす根拠にはならないものである。むしろこの時点でかかる欺瞞的マスコミ操作をやること自体、府警が直接追求の前に窮していることを自ら暴露している。

（「関西救援センター」七〇年四月号）

米を阻止しなければならなかった。したがって、この日の集会とデモは、日常化した機動隊の完全規制をどこかで打ち破り、街頭に溢れ出ることが必要であった。このデモを組むにあたって、総評系の労働組合から、全共闘、反戦など新左翼、ベ平連その他の市民団体まで、それぞれ戦術的な対応を考えたであろう。大部分の団体グループは非暴力デモ方式をとったのであるが、前衛を任ずるあるグループは、この時、新しい状況を切り開くために、あえて武装闘争をとったのである。学生集団の先頭が、いつものように包みこみ規制を受けながら扇町公園南出口から街頭に出ようとするとき、機動隊の後方に火炎ビンを投擲しつつ、約三十名の集団が突っこんだのである。袋状に包みこむ規制を攪乱して、デモ隊が一挙に街頭に溢れ出ることを意図したものと思われる。しかし、この戦術は成功しなかった。圧倒的な装備と人員を擁する機動隊は、直ちに反撃し、突撃隊とデモ隊の双方に「殺せ、殺せ」と狂気の如く叫びながら襲いかかり、警棒や楯をふるって打ちすえ、撲る蹴るの暴行を加え、約六十名を逮捕したのである。そして逮捕を免れた者にも約四十名の重軽傷者が出た。警察側にはひとりの負傷者もなかったようである。この日のデモは路上での座りこみなど、いつもとはいくらか違ったかたちもとられたが、終始圧倒的な機動隊の規制を受け、出発時の混乱を除いては概して平静であった。出発点での武装闘争も、府警の警備陣をつきくずして新しい状況をつくり出すことに成功しなかったのである。

あえてこのような当日の状況を述べたのはほかでもない。新左翼集団の暴力の対極には、国家権力の暴力、すなわち武装集団たる警察機動隊が圧倒的な力をもって存在する事実を指摘するためである。デモに一度でも参加した者は、この権力の暴力の実態を、体でもって知っているが、そうでない人びとはテレビや写真で見ても、その恐ろしさを知らない。しかも警察があれだけやるのはデモ隊が過激な行動をとるからだとしか考えない。実際はその反対であって、権力が独占する武装集団がデモを暴力的に圧殺しようとすることに対して、非暴力的に抵抗するのが常であるが、時として種々の事情から暴力的抵抗が生ずるのである。抵抗の手段として非暴力と暴力の間には大きなへだたりがあると一般には考えられている。しかし、現実に権力と向い合ったとき、非暴力か暴力かの手段選択は、その時の政治状況や力関係によってきまるものである。したがって、非暴力に徹したデモというものは抽象的にはありえても、現実にデモを組む中では、いつ暴力的手段をもって権力に反撃を加える状況が生ずるかわからない。今日ではそれだけの覚悟がなければ有効なデモはうてないのである。

デモそのものが表現の自由として憲法に認められている以上、その手段が暴力的になったとしても、その行為の非合法性の故に表現の自由が如何に侵害されているかが見失われてはならないのである。われわれが糟谷君虐殺をあえて取り上げて告発した理由はここにある。彼が突撃隊に加わって暴力手段をとったことを賛美しているのではない。それをどう評価するかは闘争主体の政治判断の問題であって、われわれの視点とは次元が異なっている。それが現行ブルジョワ法の下では違反行為とされていることは、現にこの闘争で逮捕され起訴された二十一名（現行犯逮捕六名、事後逮捕十五名）が、裁判にかけられることになっている事実が率直に物語っている。そしてわれわれはその裁判を基本的に否定はしていない。もっとも、組織潰滅をねらった十五名の事後逮捕起訴、起訴後における拘置所内での取調べはまさしく不当なものであり、その行為を状況や思想と切離して個々に分断して裁くというブルジョワ裁判を、正しい裁判とは決して評価しえないのであるが。

問題は、彼が暴力行為に出たからといって、警察官が法に許されている範囲をこえて暴行を加え、死に至らしめるという不法を犯しているのを見のがして良いか、ということである。この事件のように権力犯罪が明々白々であるにもかかわらず、権力側が故意に真相を陰蔽し、うやむやにするどころか、かえってデッチ上げを行なって、逆に抵抗者への弾圧に利用するという横暴を許していて良いであろうか。権力犯罪にわざと目をつぶり、それを当然なこととして黙認するのは、「長いものにはまかれろ」式の屈辱的な態度以外の何ものでもない。ファッショ的傾向が漸次露骨になってきた現在、もはや手遅れの感がないでもないが、われわれは「基本的人権」を最高法規としてもつ憲法下の国民として、権力に抵抗して闘う人びとの人権を掘り起し守ることを努力しなければならない。

糟谷孝幸君が機動隊員から警棒などによって滅多打ちにされて重傷を負い、それが原因で一日後に絶命したことは、疑いえない事実である。われわれは死の真相がこの地上の法廷において全国民の前に明らかにされることを要求する。

（筆者：糟谷孝幸君虐殺事件告発人・「告発を推進する会」呼掛人）

法医解剖鑑定について

佐藤耕造

一九六九年一一月一三日、佐藤訪米阻止闘争において、大阪・扇町公園南側水道局前の路上で逮捕された糟谷孝幸君の死について、この事件に関係してきた医師として知りえた資料と情報を基に報告と見解を述べる。

事実経過

11月13日

18時30分ころ　逮捕される。

19時すぎ　曽根崎署で弁録をとる。

「黙秘します」と一、二度言う。

19時30分ころ　「頭が痛い」「気分が悪い」など言い、倒れるようにする。そのまま寝かされる。

20時50分　行岡病院に搬送され、亀井医師の初診を受ける。意識はあった。

11月14日

0時ころ　重体発表(新聞社)。

1時ころ　松木医師初診。半昏睡状態。

1時40分　樺嶋弁護士、葛岡医師が行岡病院へ身元確認と病状把握に行く。面会拒絶される。

2時20分〜2時30分　両氏、松木医師に会う。左側頭骨骨折ありと。

4時〜6時15分　開頭手術施行(松木、亀井両医師による)

—以上新聞その他関係した人びとによる—

5時20分〜9時　電話および直接による担当医師へ

の面会申し込み（身元確認、病状聴取、診療協力など）するも面会拒否される。対診を拒否された、この時点で、いったん面会を断念。

12時ころ　私が電話で松木医師に病状を問う。「患者は来院時は意識あり、応答可能。松木医師診療時は半昏睡状態。現在は半昏睡、瞳孔左右不同なし、対光反射わずかにあり、手術時所見は硬膜外血腫40ｇくらい。硬膜下血腫なし。硬膜の緊張なく脳腫張なし、脳圧亢進状態ではない」ということであった。

21時　糟谷君死亡。

22時　松木医師との会見（記者会見）。

松木医師の発表

午後3時呼吸停止。午後9時死亡。

死因　急性硬膜外血腫（40ｇ＋α）及び硬膜下血腫（少量）、脳挫傷、左側頭骨折。

頭皮の傷害　「幅2.2〜1.3cm、長さ4〜5cmの発赤腫張せる二条の条痕が左側頭部に平行にあり」（頭皮の裂傷、挫傷等はなかった）。

傷から見て棒のような鈍器で撲られたものと思う。

11月15日午後一時すぎから阪大医学部法医学松倉教授執刀にて法医解剖。弁護士二人と私とがこれに立ち会う。

法医解剖立ち会い時の確認所見

＜手術による骨弁を除いた硬膜外腔に手術野を中心としてそれよりさらに広く前後11cm、上下9.5cm、厚さ0.5cmの凝血を認む。血腫量は11.4ｇ＞

＜硬膜は約6cm（前後方向に）の切開創あり。硬膜下には硬膜外血腫の存在したと同じ部分に8×6cmの薄い軟かい凝血を認む＞重量は測定しない（測定し得ない程度）。

脳実質について　＜全体に著明な腫張状である＞脳切を行ない＜異状なし＞。

以上＜　＞内の部分は法医解剖時の松倉教授の肉眼所見である。

一一月一五日夕刊の報道による松倉教授談では

朝日新聞：死因は脳挫傷。つまりなぐられて強い脳震盪を起こし、脳の表面が傷ついて脳麻痺を起した。傷は鈍器で撲られたものとわかったが、それが警棒か、ほかの学生の鉄パイプであるかは、この段階では何ともいえない。どの方向からなぐられたか等も含めてもっと慎重に検討したい。

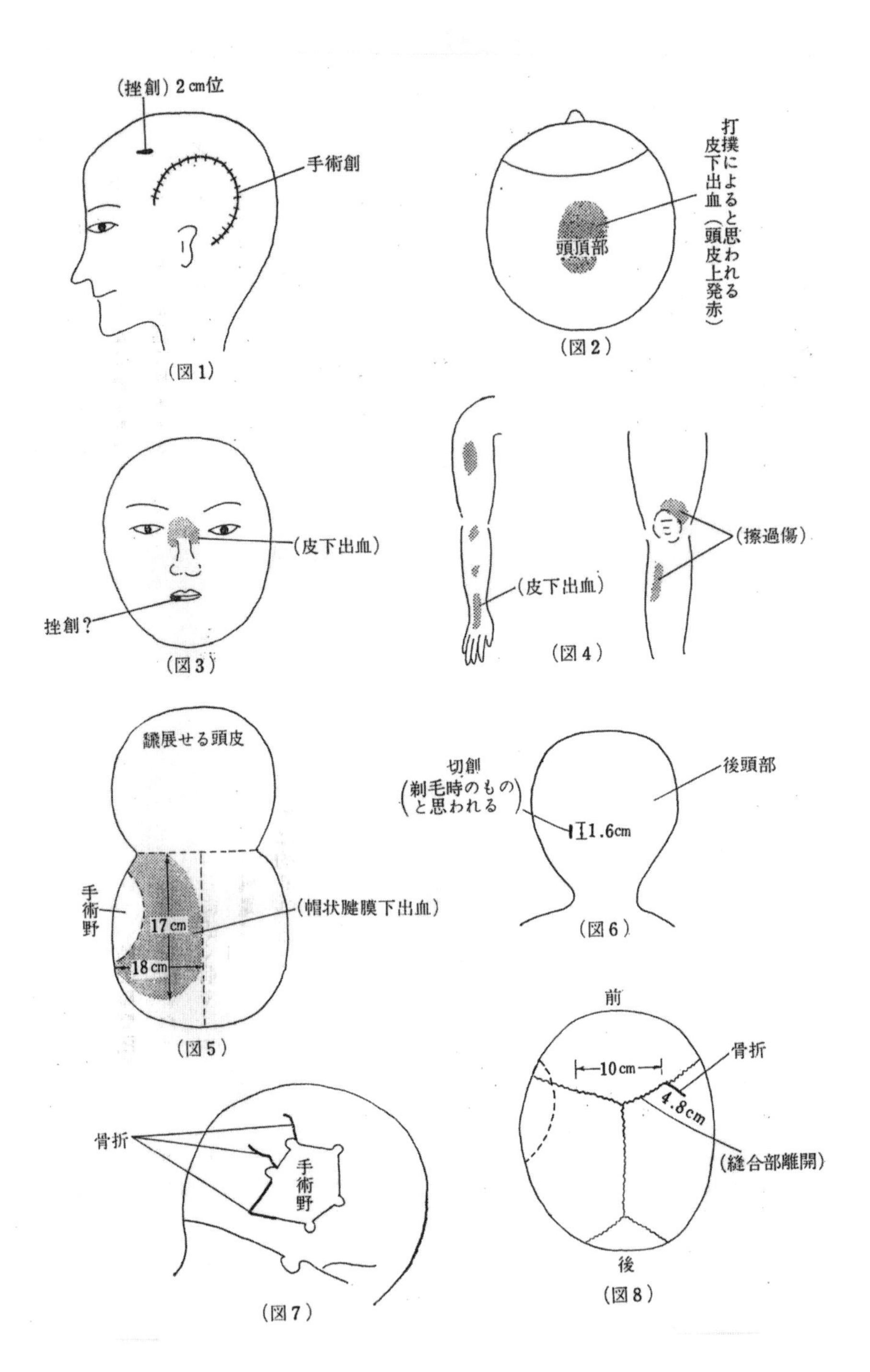
(挫創) 2 ㎝位
手術創
(図1)
打撲によると思われる
皮下出血(頭皮上発赤)
頭頂部
(図2)
(皮下出血)
挫創?
(図3)
(擦過傷)
(皮下出血)
(図4)
皺展せる頭皮
手術野
17 ㎝
18 ㎝
(帽状腱膜下出血)
(図5)
切創
(剃毛時のものと思われる)
後頭部
1.6㎝
(図6)
骨折
手術野
(図7)
前
10 ㎝
骨折
4.8㎝
(縫合部離開)
後
(図8)

毎日新聞：死因は頭部打撲、脳挫創、脳腫張、脳機能障害。

頭部外傷は左側頭に打撲傷（直径2cm）があり頭蓋骨が合わさっている頭頂部の冠状縫合が長さ5cm、幅2cm離開している。

凶器について「堅い鈍器材のもの」といい「強い力が幅広く1〜2回は叩いた」と説明。

読売新聞：直接死因は「堅い鈍体様のものによる左側頭部の打撲」と断定した。この打撲で脳挫傷と脳腫張が起り、脳の機能障害が死につながったという。このほか右手に十三か所、両足に五か所、鼻に一か所の皮下出血が認められた。「堅い鈍体」は脳内に直径10cmの出血が認められることから、幅広く力を加えうるものと推定。衝撃は一回あるいは二回とみられる。

その後、解剖所見の図1、2、7、8については松倉教授に私自身が直接再確認したものである。以上から言えることは凶器は堅い鈍器様のもので頭皮の挫創および打撲によると思われる皮下出血（発赤）、左側頭骨骨折および頭頂部縫合離開と頭部以外の身体各部（手、腕、両下肢、鼻根部）の約二十か所からなる打撲による皮下出血があるということである。身体各部の打撲は転倒して生ずるものではなく（とくに右手、右腕の打撲は伸側のみにあり）、十分に殴打によるものと考えられる。また左側頭部の挫創と頭頂部の皮下出血が同時に起りうるとは到底考えられない。

昭和四十五年一月二十七日付け毎日新聞朝刊によると松倉教授鑑定は以下の如くである。

死因として「頭部打撲で硬膜外に出来た血腫で脳の圧迫が起り、また各所の出血、脳腫張、脳挫傷により脳中枢機能に障害が起り、死亡した」。頭蓋内血腫や脳表面の損傷は、①左側頭部前部の挫傷 ②左側頭骨上部および頭頂骨下部の骨折 とが合わさって起った。また結論として、この二つの傷は「幅のある打撃面をもち、しかも角のある堅い鈍体が左側頭部頭頂部を中心に作用したと推定するのが妥当である」。しかも「一回の打撃作用で両方の傷が同時に生ずることも可能である」としている。

また私が収集した鑑定書に関する資料（情報）によると「その他各部の擦過傷は鈍体によって生じたものであるが、具体的成因を明らかにすることはできない。後頭部左側のガラス損傷はガラスが当ったか、ガラスのある所に倒れたかは不明」。これについて言うならば右上肢においてもっとも多くの皮下出血がみられ、しかも手関節を中心とする部分にもっとも多い。またこれらは上肢の伸側のみに見られるということは右上肢により加害物を防ごうとして生じたと考えるのがもっとも常識的であろう。しかもこれは私の見る限りにおいて擦過傷ではなく打撲傷である。同時点において同一人物に生じた頭部の傷害と身体各部の傷害(打撲)との関係を推論せず、総合的に判断することをしていないのは何故であろうか。ガラス損傷については左後頭部の左側の創傷はその形、深さ(非常に浅い)、大きさ等から判断するとガラス損傷ではなく、これは手術の前処置である剃毛の際の傷ということは臨床家ならば一見してそう判断するようなものである。

上記の鑑定書の結論で問題となるのは、①幅のある打撃面 ②角のある鈍体(非常に強調されている) ③一回の打撃作用で両方の傷が同時に生ずることも可能である、という三点がもっとも重要である。

このような結論が凶器に関して他の可能性および妥当性というものを排除した形で引き出されるのであろうか。またあえて結論部分に一回の打撃作用で……同時に……可能であるということが加えられたのであろうか。

傷害部の確認所見とそれに対する医師団の見解

①左側頭前部の挫創は長さ2㎝以内(一針～二針縫合程度)で深さは骨膜には達せず、そう深くはない(松倉教授に直接確認)。創は紡錘状。これに続いて頭皮の皮内出血斑がある。

このような創傷は角陵のない棒状のものであっても十分起りうるし、また平面(地面とかコンクリート壁など)に強く打ちつけでも起りうるものである。すくなくとも当日学生が持っていたといわれる幅3.2㎝、厚さ0.6㎝、長さ130㎝の鉄板のようなものとすれば、よほど特殊な当り方をしない限りは数センチにわたるシャープな創が生ずると考えるのがもっとも常識的であり、妥当と思われる。逆に言うならば、このようなシャープなかなりの大きさ(長さ)をもつ創でない限り、角陵をもつというような断定的な結論にはならないと考える。また頭頂部皮下出血斑(打撲によると思われる)については言及されていない。

②頭蓋骨に関する傷害は左側頭骨骨折と頭頂部冠状縫合離開とその延長上(患側と反対側)の骨折である。この両者が同時に(一回の打撃作用で)生ずるということは頭部が可動性のある場合には、側頭部からの打撃によってはまず

起らない。すなわち頭頂部縫合離開が起らないということである。同時に生ずることがあるとすれば、頭部を固定した状態（押さえつけたりしているなど）で左側頭部よりの打撃の場合が考えられる。また頭部を地面とか壁とかに直接左側頭部を打ちつけた場合に生ずる午線骨折などである。

一方、頭頂部の骨縫合離開部にほぼ一致する頭皮上の皮下出血斑（打撲によると推定される）との関連においてはどう説明されるのであろうか。鑑定書の全貌を見なければ確かなことは言えないが、すくなくともわれわれが知りえた範囲においては、この点について鑑定書の結論部分には一切触れていないのである。このことに関しては左側頭骨骨折と頭頂部縫合離開とは別々の外力により生じたとも十分考えられる。

また側頭骨骨折と左側頭前部の挫創との関係についていうならば、同時に生ずることが可能であると同時に、その位置関係は一致せずかなり離れていて、これらは別々に作用した外力によって生ずることも可能なのである。

以上述べてきたことより、凶器が平べったく幅があるという論拠はどこにもない（幅広いということが地面とか壁などをいうのならば話は違うけれど）のである。またこれが帽状腱膜下出血、硬膜外出血、硬膜下出血または脳内各所出血の大きさによって言われるのならば、この部においては手術という操作が加わっているので論外である。

以上の如く「角陵がある」という妥当性もうすく、平べったく幅があるという根拠も判然としない、そのうえ一回の打撃作用ですべてが可能であるということ、あえて結論としているところに重大な問題を残す鑑定書と言わざるをえないし、またその信憑性に大いに疑義を持たざるをえない。具体的な事実とその引き出された結論を判断するならば、その推論においてあらゆるものを総合的に判断されているのか疑わざるをえない。

したがって、現在のわれわれの見解としては、①右上肢、頭頂部および左側頭部を棒状のもので殴打されたものか②身体各部（頭部を含めて）の殴打と左側頭部を地面へ打ちつけたものの合わさったものかのどちらかによるものと考えるのがもっとも妥当と考える。

（筆者：京大脳神経外科医師・告発を推進する会呼掛人）

糟谷孝幸君虐殺事件告発を推進する会　趣意書

一九六九年十一月十三日、大阪市扇町公園における佐藤訪米阻止行動の際、岡山大学学生糟谷孝幸君が大阪府警特別機動隊員の警棒殴打で重傷を負い、十四日午後九時死亡した事件について、関西救援連絡センターが中心となって、真相究明を行なった結果、「特別公務員暴行陵虐致死」（刑法第一九五、一九六条）の事実が明確となりましたので、十二月十三日、同センター呼掛人、関係弁護士等十九名が告発人となって、この事件を大阪地方検察庁に告発いたしました。告発人はその後九〇名（二月十五日現在）になりました。

この事件は単に前記の刑法犯罪としてでなく、常態化した警察の過剰警備行為、ファッショ的国家権力の発動として極めて重大な事件であり、これを黙過するときは、警察国家体制を指向する政府と与党は、国民の諸権利に関する憲法諸規定の空文化を一層押し進めるでしょうし、警察の横暴な支配は政治活動領域に限らず、あらゆる分野で国民を恐怖の下に隷属せしめるものとなるでしょう。

この事件の告発は、第一に刑事事件として、第二に人権および表現の自由を侵す憲法違反として、第三に国家権力ファッショ化の摘発として、思想、宗教、信条をこえて全国民的な拡がりをもった支持を必要とします。

糟谷君の死の真相を法廷において公的に究明するこの告発の目的を必ず達成せしめるために、貴下に「告発を推進する会」の会員になっていただきたく存じます。また一人でも多くの人をこの会員に誘っていただきたく、ご協力をお願い致します。

一九七〇年三月一日

呼掛人（五〇音順）

いいだもも　井上清　井上正治　一円一億
今井和登　内田剛弘　海老坂武　遠藤幸孝
小田切秀雄　大井正　沖浦和光　長田夏樹
加瀬都貴子　川田泰代　久能昭　串部宏之
小中陽太郎　国分一太郎　今野求　佐藤耕造
菅原邦明　鶴見俊輔　中岡哲郎　野間宏
羽仁説子　花崎皋平　花田圭介　深作光貞
福富節男　松井誠　水戸巌　宮川寅雄
武藤一羊　森本英樹　矢山雄作　行田良雄
雪山慶正　横路孝弘　好並隆司

■アピール――

糟谷孝幸君殺害の大阪府警特別機動隊員を告発する！

一九六九年十一月十三日大阪市北区扇町公園に於ける佐藤訪米阻止行動に参加した岡山大学法文学部学生糟谷孝幸君は、大阪府警特別機動隊員に逮捕されたが、その際機動隊員が加えた警棒による殴打等の暴行によって、脳挫傷その他の重傷を負い、翌日十四日午後九時死亡した。

糟谷君の死亡原因は機動隊員の暴行であることは明白である。にも拘らず大阪府警は事実を隠蔽し、逮捕に当った機動隊員の不法行為を厳しく追求することをせず、卑劣にもかえってその原因を学生集団に転嫁して新たな弾圧の口実にすらしようとしている。

今日世情は新左翼集団の暴力を激しく非難する。だがその対極にある隠れた暴力を敢えて見ようとしない。しかし政治権力を手中に収めた支配者が、国家目標を誤って政治危機、社会矛盾をもたらし、当然な結果として生起する人民大衆の反政府運動を国家権力のファッショ的発動によって抑圧するとき、相互の緊張関係を破って生ずる物理的暴力は、まさしく相対関係に於て把握されなければならない。真に糾弾すべきは人民大衆の国民主権行使を偽りの合法性をもって圧殺する政府の政治的暴力と、その走狗となって人民大衆を弾圧する警察の暴力ではないであろうか。そして国法の枠の中でしか職務を執行してはならない警察官が法を無視し逸脱して人民大衆を弾圧するときは、彼らの身分職務が法律で強く守られている故にこそ、厳しく糾弾されなければならない。

私たちは糟谷君の死亡の原因が、彼が逮捕された際に機動隊員から受けた不法暴行によることを確信するが故に、彼を逮捕した大阪府警特別機動隊第五中隊第二小隊第三分隊所属の荒木幸男巡査、赤松昭雄巡査、杉山時史巡査及び彼らに協力した数名の機動隊員を大阪地方検察庁に告発する。

沖縄百万の同胞の平和への悲願を無視して核軍事基地を強化するかたちの沖縄返還を交渉し、日米安全保条約の自動延長強化によって、アジア反共軍事体制の旗手となろうとする現政府の帝国主義路線が、やがて侵略戦争の危険につながることは人民大衆がひとしく憂うるところである。糟谷君は反戦平和の戦士として自己の全主体をかけて佐藤訪米阻止闘争をたたかい、国家権力の暴力装置たる警察の狂暴な不法逮捕行為によって虐殺されたのである。糟谷君の死の真実を加害者たる警察の手中に秘めさせたままで、新しい弾圧の材料に利用させてはならない。糟谷君の死の真相を国民すべての前に於て究明することを通して、糟谷君の尊い犠牲を真に意義あらしめ、人民主権の大原則を確立することこそ、この告発の目的である。このことはひいては糟谷君の霊前に献げる最大の手向けとなるであろう。

広く志を同じくする人々の支援を願ってやまない。

一九六九年十二月十三日

糟谷孝幸君虐殺事件告発団

事実経過

一九六九年十一月十三日午後四時から大阪市北区扇町公園に於て開催された「佐藤訪米阻止安保粉砕沖縄闘争勝利集会」は、反戦労働者、学生、べ平連等の集会および総評系労働者の集会が併行して開催され、約四万人が集った。

大阪府警は、当日、会場周辺その他に約七千人の機動隊員を配置し、会場となった公園の各入口で検問を行ない、入場者に対しては強制的に不法な所持品検査を行なった。

六時頃から総評系労働者がデモ行進に出発し、それに続いて六時三十分頃、学生集団が隊伍を組んでデモ行進に進発しようとして公園南西隅の出口から出ようとしたとき、待機していた機動隊が大楯をもって路上に並びデモ隊を両側から狭く押し包んで規制にかかった。そのとき「約三十名の学生集団」(毎日新聞十一月十五日朝刊)が火炎瓶を投げ鉄棒を持って機動隊の隊列に突入した。機動隊は直ちに増員して学生集団に反撃、「全員逮捕せよ」との命令の下に、「殺せ!殺せ!」と絶叫しながら警棒と楯をふりかざして襲いかかり、撲る蹴る突き倒すの混乱状態を現出した。

糟谷君はこの時機動隊に突入した「約三十名」の学生集団の中にいたことは確かなようである。その時の状況は極度の混乱状態であったので、個々の状況を目撃確認することは警察側においても、また学生集団側においても極めて困難であった。

しかしこのとき機動隊に突入した学生集団は機動隊の反撃にあってたちまち分断され、その場で逮捕され制圧されてしまっている。機動隊はさらにその背後にいた学生集団にも同時に襲いかかっており、この時およそ五分程の間に約四十名が逮捕されている。

機動隊員が警棒をぬき逮捕に当ったことは府警警備部長も認めているところであるが、その際逮捕された者の大部分が警棒で頭部を殴打されており、また逮捕は免れたが機動隊員の暴行によって負傷し手当をうけた約六十名の者の大部分が、警棒によって頭部を殴打されている。

逮捕された者は逮捕の時から警察権力の手中に入ったわけで、糟谷君の場合も翌十四日午後九時に死亡し、さらに、司法解剖に付されて後、家族に遺体が引渡されるまでもっぱら警察の管理下に置かれていた。したがって、私たちは制約された状況の下で糟谷君に関する事実関係を把握したのであるが、その制約下において、なお隠されていることこそ告発において、国民すべての前に明らかにされなければならないものである。

逮捕者は現場から約五〇〇メートル離れた曾根崎署まで連行されたのであるが、護送車でピストン輸送してもなお足りず、一部の者を徒歩で連行している。

糟谷君は逮捕の際、頭部その他に瀕死の重傷を負ったにもかかわらず、この徒歩連行組に入れられている。七時過ぎ曾根崎署において写真および弁解録取書をとっているが、糟谷君は黙否権を行使し、まもなく曾根崎署内道場において気分が悪いことを訴えて倒れた。彼は廊下に筵を敷いて寝かされたが、しばらくして、容態の悪化に驚いた警察は、救急車で北区浮田町の行岡病院に運んだ。

病院に着いたのが午後八時四十七分、そして八時五十分に亀井医師が診察している。この時はまだ意識があったようである。その後次第に意識が混濁していったが、病院は処置らしい処置をせずに放置している。十四日午前〇時頃意識がなくなったので、亀井正幸医師は硬膜外血腫と判断し簡単なレントゲン撮影をした。

同時刻頃、関西救援連絡センターに「逮捕者一名が重傷で行岡病院に入院している」旨の情報が入り、私たちは直ちに弁護士と医師とを病院に送る手配をした。午前一時頃同病院の整形外科医松木康医師が呼び出され、診察をしている。

私たちが派遣した樺嶋正法弁護士、葛岡享医師が行岡病院に行ったのは午前一時四十分である。しかし、玄関に応待に出て来た看護婦は「警察から預っているのだから」といって強く阻止し、内に入れてくれない。約四十分の押問答の末、松木医師に会った。

松木医師は「レントゲンの頭部撮影では左側頭部の頭骸骨亀裂骨折で陥没骨折ではない。脳の障害については硬膜外出血か、脳内出血か、脳挫傷があるのか今のところ不明である」と答えた。「脳血管撮影はやったのか」との葛岡医師の質問には「今からそれをやるために麻酔をかけてある。もし硬膜外出血があれば開頭手術を行なう」とのことであった。

行岡病院には脳外科の設備がなく松木医師は整形外科医であることを知った樺嶋弁護士と葛岡医師は、脳外科医を呼んで手術を行なうことを要請、当方で脳外科医を用意しても良い旨を申入れたが、松木医師は拒絶した。

二時二十分、樺嶋弁護士と葛岡医師は、麻酔をかけられ、意識不明のまま、ベットに横たえられている糟谷君をはじめて見ることができた。樺嶋弁護士、葛岡医師はいったん関西救援連絡センターに帰り、京都大学病院脳神経外科の佐藤耕造医師に連絡をとり到着を待った。

午前四時頃から病院においては、松木、亀井両医師によって糟谷君の開頭手術がはじまっている。

五時二十分頃、関西救援連絡センターから日赤の医師を介して佐藤医師を派遣することを行岡病院に電話連絡したところ「五分前に手術は終った」との返事であった。ところが手術は六時三十分までかかっていたのである。

六時三十分過ぎに樺嶋弁護士と佐藤医師が大阪府警の了解を得て行岡病院に行き、松木医師に手術結果をきくべく面会を求めたところ、前回にも強力に阻止しようとした看護婦が、「松木医師は寝てしまった」と言って玄関から内に入れようとしない。

二時間余におよぶ再三の抗議に対して、やっと他の事務員と手術に立ち合ったと称する看護婦が、きわめてあいまいに「硬膜外出血、左側頭部亀裂、左の瞳孔が開いている。意識がもどっていない。頭骸骨骨折のおそれあり、カルテはありません」とだけ口頭で答えた。

松木医師に面会し、さらにくわしい状況を知るべく、九時まで抗議し続けたが、それ以上の答を得ることはついにできなかった。

警察からおくられてきた被逮捕者であるというだけの理由で、弁護士および専門医をもまったく隔離した状態で秘密裡に一方的な処置を行なった行岡病院、ならびに担当医の患者に対する人権無視もまた糾弾されなければならない。

警察および病院は十四日午後に至ってそれまでの面接禁止の方針を変え、面会を許可してきた。それは糟谷君の回復の見込がなく、身元割り出しの必要があったからと思われる。それから後は無制限に面会を許可し警察は身元割出しに躍起となった。

糟谷君の容態は漸次呼吸困難となり、午後三時五十五分呼吸がとまり、人工呼吸を続けたが五時頃から血圧が低下し、脈拍も弱まっていった。

午後七時頃になってセンターに身元がわかったが、もうすでに瞳孔は散大し危篤状態にあり午後九時ついに死亡した。警察はそのすこし前に氏名を発表した。

松木医師の記者会見の所見によると「けがの位置は左側頭部で幅二センチ、長さ五センチの傷が平行して二本見られ、はれていた。傷の下の骨は二カ所で四、五センチにわたり折れており、傷から見て鋭利なものではなく棒状の鈍器でなぐられたと思う」ということで、「手術では血腫を取除いたが、頭に打撃が加えられているため、脳がふくれ上り、延髄などを押し出しはじめており、そのために呼吸障害がおきている」とのことであった（朝日新聞十一月十五日朝刊）。

加古川から両親が病院に到着したのは糟谷君の死亡後であった。十五日午前〇時三十分警察は両親を伴って遺体を大阪大学法医学教室に移した。

午前二時より松倉教授執刀により司法解剖が行なわれたが、救援センター側は強く要求して上記樺嶋弁護士、佐藤医師および松本健男弁護士が立会った。

解剖は五時半頃までかかって行なわれた。松倉教授の鑑定書はまだ出ていないが記者に語ったところによると「死因は脳挫傷、つまり撲られて強い脳震盪を起し、脳の表面が傷ついて脳麻痺を起した。傷は鈍器で撲られたものだが、それが何であるかはこの段階で何とも言えない。どの方向から撲られたかなども含め慎重に検討したい」と所見を述べている。（朝日新聞十一月十五日夕刊）

糟谷君に

藤原　菜穂子

きみの眼が夢みた都市
きみの眼が夢みた自由
きみの口びるが夢みた言葉
おゝ　そして
わたし達が夢みた
自由と愛と言葉
わたし達のいきいきとなる国
けれど　きみは　もういない
きみは　もういない
きみの首から血は抜きとられ、
舗石がまるで　心臓のように
ふくれ上り　血を噴き出し、
とても絢爛と十一月は星たちを浪費した、
まるで気違いじみたスピードで、
星くずと祭りと　人殺しの火の粉が

大阪府警は十五日朝、松倉教授の説明とは別にこの解剖結果について次のように発表している。「頭に幅の広いものが当ったと見られる脳内出血がある。直接の死因は脳機能障害、脳挫傷、脳腫張、頭部打撲で頭骸骨の縫合部に亀裂が入っていた。又、左側頭部に直径十センチぐらいの円形の脳内出血があり、堅い鈍器のようなもので一回ないし二回打たれたのではないか。ほかに手足などに約二十カ所の皮下出血が見られた。頭の傷は症状から見て警棒による可能性は薄い」（朝日新聞十一月十五日夕刊）。

これに対して解剖に立会った松本弁護士は、「左側頭部に平行して二筋の条痕があり、そのまわりの頭骸骨がひび割れしていた。これは短時間に同方向から連続的に衝撃が加えられたことを物語っている。だから鉄棒のように長くて扱いにくいものではこのような傷をつけることはできない。こうした傷跡からすると警棒の乱打以外に原因はあり得ない」と述べている。

糟谷君の遺体は解剖終了後両親に引渡され、午前六時四五分加古川の自宅に移された。私たちはこの段階に至るまで警察がすべてを厳しく管理して、救援センター側の弁護士、医師の接近をことごとに妨げ、瀕死の重傷者の当然受けるべき専門医の診療、弁護士接見を不可能にし、その結果、不完全な治療処置によって死に致らしめ、死亡後の解剖の際も不当に弁護士、医師の立会を妨害しようとした不法かつ非人道的な措置を弾劾する。

さて糟谷君の死亡の原因が警察側の逮捕時の暴行およびその後の極めて非人道的かつ不完全な治療処置によるものであることは明白であるが、にもかかわらず、大阪府警はこれに対して全く遺憾の意を表明することなく、その原因究明を怠り、単に推測による説明を場当り的に三転四転させ、あたかも加害者は警察ではなく学生集団であるかのように発表して、加害者たる警官をかばい続けている。

十三日夜鈴木貞敏警備部長は「重態だと言われる学生は、午後六時半ごろ、水道局前の火炎瓶闘争の際逮捕し、負傷しているのに気づいて病院に運んだ。けがの原因は調べてみないとわからないが、仮りに警棒によるものだとしても、火炎瓶を使って警

パチパチとはじけ燃え上り、
壊れた牛乳瓶の破片と
若い熱い男たちの血が流れつづけた。
夜と夜の谷間に流れつづけた。
くらい空の奥に
金色の小鳥たちが　舞い続けた。
きみよ
Kよ　KよKよ
路上にチューヴのように横たわり血を
　流す男よ
泥水のなかに輝く男よ
あるいは無名の都市である男よ
黒い水のジープよ
時代の息子たちの熱い種子よ
きみは
自分の夢と肉体を探して、
拡がりゆく自己の血潮の海に倒れた。
ざらざらの砂と血と泥でよごれた舗道
　が　きみの棺。
折れた首と死が

察官を襲う相手を制圧するために警棒を使ったのだったら当然だ。この学生のけがをしたときの状況を調べなければ過剰警備かどうかはなんとも言えない」（十一月十三日夜、共同通信）との談話をのべ、暗に警棒による殴打を認める言い方をした。

ところが十四日の段階では「襲いかかってきたグループに対しては警棒をぬき、タテと共に防戦に使っただけで、暴行を働いた事実はない。この被疑者を逮捕し、それを集団で奪い返しにくるという混乱した状況の中で起ったことなので、原因はこれから糾明しなければならない」と発表し、傷害致死事件として警備部、刑事部で合同捜査する方針を明らかにした（朝日新聞十一月十五日夕刊）。

糟谷君の負傷について、警察は、原因を正しく把握しない段階から、単なる推測によって恥知らずな捏造的なデマを述べている。

すなわち当初は、「他の学生がなげた火炎瓶が頭に当ったのだ」、あるいは「転倒して舗道で頭をぶっけたのだ」と述べていたが、死亡後それらが状況に合わないことがわかると、糟谷君を逮捕した際、学生集団が奪い返しに来たので、「隊員の一人が楯で防ぎ、他の二人が糟谷君を押し包むようにして路上に倒れた」（読売新聞十一月十五日朝刊）、「赤松巡査が楯で、他の二人が警棒をぬいて応戦した」（毎日新聞十一月十五日朝刊）と述べ、「その際奪い返しに来た学生の鉄パイプが糟谷君の頭に当ったのだ」と発表した。

そして、さらに押収物件の中に鉄パイプがないことがわかると、その凶器を「鉄板であった」と訂正している。警察側はこのように警棒による殴打ではないという前提をまず立て、死因となった行為を一方的に学生集団側に押しつけて捜査を行なっているのであるが、それが新たな不法弾圧につながることは論をまたない。

警察側のこのような立論が、すべて不当で虚偽にみちたものであることは明らかである。火炎瓶説、転倒説は共にここで論駁の必要はない。学生集団が奪還に行き鉄板で糟谷君の頭部を殴打したという点についてだけ反論しよう。

当日の状況はすでに述べたように学生集

太陽のように燃えくるっていた。
はじまったら最後
けっして終ることのない
太陽のように怒り狂っていた。
中断はどこにもない
走れ　ジープよ
黒い水のジープよ、
したゝる血の首よ、
すべての男と言うロンリー・マンの
もゝのつけねには、
黒い薔薇のつぼみが　慄えながら
開こうとしているのよ。
けれど
きみは　どこにもいない
きみは　どこにも
　いないではないか、
今日どんな葬いの鐘が
牛のようになぐり殺された者のために
　鳴るのか、
彼の生の首を、傷痕を、

団が約三十名で機動隊に突入したとはいうものの、圧倒的な機動隊の攻撃に会ってたちまち制圧され、個々に分断されて逮捕されており、それを学生集団が奪還に押しかけていくという事実はなかった。もし奪還しようとしたとしても、糟谷君のいる所まで到達する以前に他の機動隊員により阻止される状況であったはずである。この状況設定がまず事実をまげたものである。

さらに、一人または二人の警官が糟谷君を路上に包みこむようにして押し倒し、他の二人または一人の警官が、警棒をぬいて応戦したというが、その前提を正しいとしても、そのような警察側の苦戦の状況の中で路面に組敷かれていた糟谷君の左側頭部が鉄板で重傷を負い、糟谷君の上で押えつけている警官が負傷しなかったということがあり得るであろうか。

凶器に使用したと警察側が推定する鉄板とは幅三十二ミリ、厚さ六ミリ、長さ一三〇センチの扁平棒状のものである。このような鉄板を凶器として使用する際は、刀と同様な持ち方をすると考えるのが妥当であり、それを用いて右から左に強くふりまわし、糟谷君の頭部に当ったとするなら、六ミリ幅の部分が頭に当っており、その傷は当然皮膚に裂傷を与えることが容易に推定される。或いは三十二ミリの扁平な部分が頭に当ったとするならば、医師の所見にあるような棒状の鈍器による二筋の条痕ができるであろうか。いずれの場合も糟谷君の死因となったけがの原因を説明することのできないもので、これらは警察が故意に事実を隠蔽し、空想的事態をでっちあげて学生集団に転嫁し、新たな弾圧を用意した極めて悪質かつ恥知らずなやり方である。

私たちが諸般の証拠や状況を総合して推定する事実は次の通りである。

糟谷君は、機動隊の隊列に最初に突入した集団の中にいた。彼は直ちに荒木幸男、赤松昭雄、杉山時史の三警官に捕えられた。上記の警官は逮捕に際し、他の警官の協力を得て、糟谷君に対し警棒をふるい、もしくは突き倒して、警棒または楯で乱打し、足蹴りする等の暴行を加えた。糟谷君の上肢等に十数カ所の打撲傷があったこと、左側頭部に死亡の原因となった打撲傷があったことがそのことを物語っている。

血の流れる道を、
警棒のふりあげられる道を
白い布でおゝってはならない。
どんなぐさめの言葉も消えてゆくだ
　ろう。
きみを抱きおこす
どんな手も腐ってゆくだろう。
今、自分の死へと歩むきみの前では。
だが　母親たちは頭を起す。
雨と泥と血が
彼の口から眼から流れこんでゆく。
地獄のソースのぬかるみに、
彼の肉体が沈んでゆく。
みつめる　わたし達の眼の前で、
それが、
わたし達のけっして触れることの出来
　ない
怒りと悲しみと　狂気で
一面に　覆われてゆくのがみえる。

事実は明白である。糟谷君はまさしく彼を逮捕した三名の警官およびそれに協力した警官たちが、警棒や楯をもって過剰かつ不法な暴行を加え虐殺したものである。

警察側が権力をかさにきて事実を隠蔽し逮捕に当った警官の凶暴な犯行を学生集団に転嫁して、新たな弾圧の材料をでっちあげるような卑劣かつ悪質なやり方を許してはならない。真実は一つしかない。しかも尊い人命が奪われたのである。この厳粛な事実を詳細に正しく究明することは社会的にも人道的にも絶対にゆるがせにしてはならないものである。

各地の人民葬

11月19日　糟谷孝幸虐殺弾劾全関西集会　大阪・扇町公園に一七〇〇人

11月15日　糟谷君虐殺弾劾・佐藤訪米実力阻止大阪集会　大阪・中之島公園に六〇〇人

11月30日　糟谷君虐殺弾劾・日米共同声明粉砕岡山人民葬　岡大法文学部教室に四〇〇人

11月23日　糟谷君虐殺抗議・日米共同声明粉砕加古川集会　加古川べり広場に糟谷君の出身高校である加古川東高関係者など一〇〇余人

12月14日　糟谷孝幸君虐殺抗議人民葬　東京・日比谷野外音楽堂に一万人

12月14日　糟谷君市民葬　岡山蓮昌寺に主婦を中心に六〇余人

12月18日　糟谷追悼愛知県集会　名古屋大学解放講堂に四〇〇余人

2月1日　10・11月安保決戦の総括にたち、糟谷君の死をこえる弾圧粉砕・七〇年闘争勝利年頭決起集会　金沢市で二〇〇人

6月4日　中村君・糟谷君の虐殺を糾弾告発する集会　東京・全電通会館に八〇〇人

何と言っているのだ
その　もの言わぬ歯は、
何と言っているのだ
その眼の中に立てられたローソクは、
いま　頭蓋から切りとられ、
差し出される
垂直の首は、
幻のように美しい血の薔薇は。

きみの眼が夢みた都市
きみの眼が夢みた自由
きみの口びるが　夢みた言葉
おゝ　そして
わたし達が夢みた
自由と愛と言葉
わたし達のいきいきとなる国
けれど
きみは　もういない
きみは　もういない。

〈一九六九年十二月十四日〉（詩人）

告発状

告発人　別紙記載のとおり

大阪府寝屋川市寝屋川警察署
被告発人　荒木　幸男
同　　　　赤松　昭雄
同　　　　杉山　時史
同　　　　その他故糟谷孝幸
　　　　　君の逮捕に協力し
　　　　　た氏名不詳の警察
　　　　　官数名

昭和四四年一二月一三日

大阪地方検察庁　御中

告発の事実

被告発人らはいずれも大阪府寝屋川警察署の警察官であるが昭和四四年一一月一三日午後六時三〇分頃、大阪市北区南扇町七番地大阪市水道局前路上において、公務執行妨害等の被疑事実により、糟谷孝幸君を逮捕するに際し共謀の上、同人に対し、暴行陵虐行為を加えんものと企て、既に無抵抗状態にあった同人を取り囲み、路上に突き倒し、足蹴りし、所携の警棒、楯等により、同人の頭部、顔面をはじめ全身にわたり、二〇回に及ぶ殴打等の残虐な暴行を加え、右暴行に因り、同人の右上肢に十数ヵ所、両下腿部、両膝部、鼻部に各一ヵ所の打撲傷、左側頭部に頭蓋骨亀裂骨折、硬膜外血腫、脳挫傷等の傷害を与え、右の頭蓋内傷に因り、同月一四日午後九時、同人をして死亡するに致らしめ、もって警察の職務を行うに当り、刑事被疑者に対し暴行、陵虐の行為をなし、因って同人を死に致らしめたものである。

罪名及び罰条
特別公務員暴行陵虐致死
　　刑法第一九五条
　　同　　一九六条

告発の理由

一、被告発人および被害者について

被告発人荒木、同赤松、同杉山はいずれも大阪府寝屋川警察署に警察官として勤務しており、本年（昭和四四年）一一月一三日には南扇町公園において開催された「佐藤訪米実力阻止＝一一月安保決戦勝利全関西労学市民総決起集会」後のデモ行進を規制警備するために出動した大阪府警特別機動隊の一員として参加し行動していたが、その際故糟谷孝幸君を公務執行妨害、凶器準備集合の被疑事実で現行犯逮捕したものである。

故糟谷孝幸君は岡山大学法文学部(二回生)に在学していたが、岡山より来阪して本年一一月一三日に開催された集会及びその後のデモ行進に参加した。

糟谷君は身長一六二センチメートルでしかもやせ型であり、当日警備に当った機動隊員に比較すると、随分小柄であることがわかる。

二、当日の過剰警備の実態

㈠　糟谷君の死因を究明し、加害者である警察機動隊員を告発するに当り、当日の一一・一三佐藤訪米阻止全関西労学市民総決起集会に参加した学生集団等に対する大阪府警の過剰警備の実態を見落すことはできない。

㈡　当日の警備態勢は一〇・二一国際反戦デーに引続き、大阪においていわば史上空前といえるものであり、学生らの集団と比較して、装備や機動力においては勿論、人員においても、圧倒的に強力な機動隊を中軸にして布かれていた。

告発人の調査結果によれば午後六時三〇分以降、学生集団が扇町公園を出て、デモ行進に移ろうとし、これを実力で制圧規制しようとした機動隊に反発して衝突した直後における機動隊の実力制圧は警職法の制約を無視することはおろか、暴虐としかいいようのないものであり、その加害は当の学生集団はもとよりのこと、附近の学生、労働者、市民に対し無差別に加えられており、そのため告発人らにおいて集約した接見メモ等の資料によれば、糟谷君に対する致死傷のほか、逮捕者六三名のうち、一〇名が頭部裂傷、頭部打撲傷を負っているほか、頭蓋骨骨折の重傷者もいるのである。その他約七割のものが打撲傷、裂傷、前歯切損等の傷害を負っている。さらに当夜機動隊の暴行によって負傷し診療を受けたものは十三病院だけで四五名にものぼり、うち数人は入院を要する重傷であった。しかも右診療を受けた負傷者の相当数はヘルメットの労働者・学生集団に続いて公園より道路上に出てきたノンヘルメットのデモ集団に附属していたものであり、機動隊の暴力行使が文字通り抵抗集団の制圧の範囲を超えてデモ集団全体に無差別に加えられている事実を証明している。

㈢　当日の機動隊の暴力行使の特徴は、機動隊員が数人単位で、これまで以上に公然と警棒、大楯、小楯を用いて、男女を問わず、デモ隊員の頭部、腰部、脚部等を激打し、単に抵抗者の抵抗を抑止するだけにとどまらず、公衆の面前で裂創や骨折に至るリンチ暴行を公然と強行したという点であり、右暴行は逮捕の際のみならず連行の途上でも加えられているという点である。告発人らの調査結果によれば、扇町公園入口附近路上において糟谷君の例を除いても、あるいは大楯で倒れた学生の右側頭部を数回上から殴りつけるとか逮捕された女子学生を片手錠で路上を引きずりながら数人で取囲んで顔面、背、足等を強く足蹴りするとか、逮捕された学生が自力で歩くことも立ったままでいることもできない位非人道的な暴行を加えているのである。

㈣ 糟谷君の被害は、前に述べた警察機動隊による常軌を逸した集団的暴行の最中にその一部として行なわれたものである。警察側の常套的な学生集団への責任転嫁の努力にも拘わらず、この日の暴行がほかならぬ警察集団によってほとんど圧倒的に加えられたという事実は、デモ隊、市民側の無数の被害の存在、ならびに警察側の負傷者数が発表さえされていないほど警察側の被害が軽微であったと推測されることによっても明らかである。これは、当日の集会に加えられた違法な検問体制と相まって警備警察による法侵害の本質を暴露するものである。

本事件を告発するに当り、貴庁においては、当日の警察の過剰警備の実態ならびにその強度の違法性を看過することなく、本事件の真相を鋭く究明されるべきである。

三、逮捕時の情況とその後の経過

㈠ 糟谷君は事件当夜午後六時三〇分頃、他のデモ隊に先んじて、西側を固めていた機動隊と東側から激しく衝突した約三〇〜五〇名の緑ヘルメット部隊の中に参加し、第一次衝突の際に機動隊隊列の側、告発事実記載の車道上で被告発人らによって逮捕されたものである。

警察側は、彼の逮捕は二度目の衝突の時であると言っているが、それは、同君が「最初からノンヘルで右手に火炎ビン、左手に石塊をもって」云々とするのと同じく、全くの虚偽であろう。それは〝奪還グループ〟の存在をひねり出すための前提としての虚言である。

彼が逮捕されたのは、丁度右緑

ヘルメット部隊がもと来た東側へ引き潮のようにひき返した時であった。従って、府警が火炎ビン説、路面衝突説、鉄平板説でもって、糟谷君に死因傷害を与えた犯人だとデッチあげている〃奪還グループ〃の存在は、とうてい有り得ないことだったのである。

　被告発人らは、糟谷君に対し、瀕死の重傷を加えた上、更に不当にも、右の傷害により歩行不能の状態にある同君を、逮捕現場から曽根崎署まで約一キロの道のりを両腕を抱えて徒歩により進行した上、診察治療を行うことなく、写真撮影、現行犯逮捕手続書作成等の手続を強行し、更に、三階道場の壇上に腰かけさせたまま、放置したのである。

　更に又、被告発人らは、糟谷君が右の傷害により壇上で意識を失い、後方に転倒するに及んでも、なお緊急措置をとることなく、極めて乱暴にうつ伏せの姿勢の同君の両腕をとらえて道場上を引きずって場外に出し、警察官の往来する廊下のむしろの上に放置し、逮捕から二時間半後の午後八時五〇分に至って漸く行岡病院に搬送したのである。

　一刻を争われる瀕死の重傷者を二時間余にわたって資格ある医師の治療を受けさせることもなく、通路のむしろ上に放置した非人道的行為はそれ自体不作為による殺人行為である。

㈡　更に又、行岡病院での非人道的な扱いについて触れざるを得ない。

　第一に、糟谷君が搬入された午後八時五〇分から翌日午後一時頃まで同病院の医師達は、彼の病状経過を遂一視察するどころか、事実上放置していたこと。

　第二に、同病院には脳神経外科専門の施設がなく、彼の手術を執刀した亀井、松木両氏は、整形外科専門の医者であること。

　第三に、脳神経外科専門医である佐藤耕造医師の松木医師に対する診療協力申し出に対し、強固に取り継ぎをも拒否しつづけたこと。以上の三点に要約される。

　第一の点について述べると、絶対的手術適応といって病状にある変化の起ったときに迅速に手術をしなければ死亡するに至る頭蓋内傷害、殊に硬膜外血腫の場合、病状観察は欠かせないのが医者の常識であることを考えると、全く唖然とせざるを得ないのである。

第二の点については、そのような病院に搬入した曽根崎警察の責任、及び受け入れた同病院において、施設の整った近くの病院に速やかに転送するという常識的措置をほどこさなかった責任が追求されねばならない。

又、第三の点については、警察と結託し、弁護人はおろか専門医の接見要求、協力申し出に対してさえ、〃警察から預かっているから〃という理由で不当にも拒否するなど、その退廃的姿勢と医者としての任務放棄が糾弾されねばならない。

我々は機動隊の犯責を飽くまで追求するものであるが、右に述べた病院の不当な処置がなければ、あるいは糟谷君は助かっていたかもしれないという思慮にしばしばかられるのである。

要するに、彼は機動隊、警察、そしてそれと結託した病院＝権力の非道な手中で死亡したのである。

四、松木医師ならびに松倉教授の所見

糟谷君を診断し、開頭手術を行った行岡病院松木医師が、糟谷君の死亡当日記者発表したところによれば(1)死因は急性硬膜外及び硬膜下血腫、脳挫傷、左側頭骨骨折であり、硬膜外血腫は四〇グラムプラスアルファであり、(2)頭皮の損害は幅一・二ないし一・三センチメートル、長さ四ないし五センチメートルの発赤膨脹せる二条の条痕が左側頭部に平行にあり、頭皮の裂傷、挫傷等はなく、傷からみて棒状の鈍器で殴られたものと思うというのである。

又、糟谷君の法医解剖を行った阪大医学部法医学教室の松倉教授の談話によれば、直接の死因は脳機能障害、脳挫傷、脳腫脹であり、頭部打撲によるもので、頭がい骨冠状縫合部離開、ならびに左側頭部に直径一〇センチメートル位の円形の脳内出血がある。凶器は硬い鈍器のようなものと推定されるというのである。

いずれにせよ、糟谷君を診断ないし解剖した専門医である両医師の所見は本件の死因である脳挫傷等が鈍器のような物体の打撃によるものであることを断定しているのであって本件の凶器が警棒であるとする告発人らの確信を裏付けるものである。

五、死因、凶器、逮捕状況に関するわれわれの見解

(一) 糟谷君の死因が頭部打撲による傷害に結果するものであることは明確である。問題はこれがいかなる凶器により、いかなる状況によ

ってつくり出されたかである。結論的にいえば、本件凶器は警察官の警棒であり、同君の逮捕時における機動隊員らの暴行に起因するものであると断定せざるをえない。

(二) 松木医師の診断所見ならびに松倉教授の解剖所見によれば、本件打撲が棒状の鈍器ないし硬い鈍器ようのものにより加えられたものであることは確実であり、凶器の性質として、鈍器以外のものを考えることはできない。

すなわち本件傷害の特徴は、それが頭がい骨折に至る強力な打撃によるものである反面、打撃力が頭皮に対するいかなる裂創をも伴っていないところにある。

(三) 糟谷君が死亡するに至った段階で事の重大性に驚いた警察は、まず府警本部鈴木貞敏警備部長の談話として「糟谷君が逃げ遅れたところを三警官がつかまえねじふせた。そのさい同君の頭付近で火炎ビンが爆発し、炎が頭髪とズボンに燃え移ったので三巡査がたたき消した。さらに学生数人が鉄棒で三巡査に殴りかかり同君を奪い返そうとしたため、赤松巡査が楯で他の二巡査が警棒を抜いて応戦、同君を組み伏せたままでわたりあった」との事実関係を前提として「傷は火炎ビンによるものか、奪還しようとしたとき鉄棒（鉄パイプ）が当ったのではないか」と述べたが、その後警察自身の捜査を進める間に当日の学生集団の遺留品中に鉄パイプが全く発見されなかったことから、鉄棒(鉄パイプ)説を撤回し、現場より押収された鉄平板（厚さ六ミリ、幅三二ミリ、長さ一三〇〇ミリ）による可能性が強い旨を強調しはじめた。しかしながら前述のとおり現場で押収されたとされている鉄材(鉄平板)によっては、糟谷君の左側頭部の打撲傷ができないことは医学上、常識上明確である。

しかも一一月一七日午後、鈴木警備部長は社会党総評の抗議代表に対し事実概要を説明した中で、警棒による打撃を加えたものであることを強く否定しながらも、本件傷害がいわゆる奪還を試みた学生らの鉄材によるものかどうかについては三警察官においてこれを目撃していないと説明しているのである。

さらに一一月二九日府警本部は非公式に新らしい根拠として、警棒で頭を殴った場合普通皮が破れて放射状の傷口ができるが、糟谷君の場合は放射状の傷ではないと主張したが、告発人らにおいて医師の見解を徴したところでは、放射状の傷口ができる場合は曲率の極めて高い部分に局部的に凶器が作用した場合に限られ、側頭部のように極めて曲率の低い部位に加えられた場合は放射状の傷になりえないものであって、警棒による打撃を否定する根拠とならない。

㈣ 告発人らの調査結果によれば、糟谷君が逮捕されたのは、同君が所属していたヘルメット集団が機動隊の実力行使を避けるために東方へ急速に退却してゆく際であり、当時道路上は機動隊により完全に制圧されている状態で、逮捕された糟谷君が暴行を受けた後引きたてられて水道局前の南側歩道の機動隊隊列に引き入れられるまでヘルメット集団が同君を奪還に来た事実なく、また奪還できる状況は全然存在しなかったのである。実際ヘルメット集団は扇町公園入口の東側におり、機動隊は空間を隔てて西側の車道から歩道に待機していたのであり、糟谷君に対する逮捕行為は同君所属のヘルメット集団が組織的に退却してからは、同じヘルメット集団と機動隊間に次の衝突が起るまでの時間帯に完結しているのである。

㈤ 警察発表を含むすべての資料によれば糟谷君は、被告発人三名に逮捕される際には、何一つ怪我のない状態で、デモ隊の一員として行動していたものである。換言すれば、糟谷君に対し死にいたる傷等が加えられたのは、同君の逮捕時ないしそれ以後しかありえないが、逮捕連行後に警察官により格別の重大な暴行を加えられた事実がない以上逮捕時において公然と逮捕のためには全く不必要な、許し難い暴行傷害を加えたものと断定せざるをえないのである。

六、本事件の罪情

告発人らは糟谷君に対する被告発人の本件暴行陵虐行為を厳しく告発する。

被告発人らによる本件暴行陵虐行為は証拠極めて明白であって被告発人らの罪情は明らかである。もっとも、致命的な左側頭部の打撲傷が被告発人のうちの誰によってなされたかについては告発人らとしてはこれを断定する資料をもたない。しかしかりにこれが被告発人のうちの一名によってなされたものとしても、逮捕時における被告発人らの共同行動の中で、被告発人らの共同意思にもとづいてなされたものであることは逮捕状況全体から強く推定しうるのであり、さらに当日における大阪府警本部の統一した警備方針として、デモ制圧のためには手段を選ばず生命をも顧慮しないという弾圧方針の徹底によって裏附けられるのである。当日の集会場入口における警職法を完全に否定しきった検問所持品検査に始まり、冒頭に述べた多数の頭部裂創等の無差別無制限的な制圧暴行を命じ且つこれを実行させたものの責任こそもっとも許しがたい。

しかしわれわれはそのような違法な指示に従い、国民の奉仕者である義務を完全に忘れ去り、人民に対する真の加害者として行動することに踏み切った被告発人ら個々の警察機動隊員の責任を断じて免罪しない。加害者はその責任を負うべきである。公務員である被告発人らは、本件告発にもとづき刑事訴追を受けるべきであり、且つ公務員としての最低の資格を欠くものとして即時罷免されるべきである。

被告発人らはその職務執行にさいして、一個の人命を奪い去ったのである。警察は糟谷君に対し死にいたるべき傷害を加えながら、同君を小一キロに及ぶ距離を両手錠のまま歩かせ、何一つ手当を加えることもなく曽根崎4号なる名称の下に事務的に逮捕手続を進め、同君が昏倒するやこれを行岡病院に運び込んだが、そのさいにも同病院には宿直医しかおらず緊急の手当をなしうる状態にないことを知りながら漫然これを預けただけで、開頭手術が行われるまで実に九時間以上の時間同君を事実上全くの無手当のまま放置しているのは既に述べたとおりである。

逮捕後におけるこの非人道的措置が糟谷君の死亡を決定させたことは一点の疑問の余地もなく、この点において真の下手人であり、最大の責任者は、直接の加害者であり、且つ曽根崎署まで強制的に歩行連行した被告発人であることは否定できない。

われわれは被告発人が下級警察官であり、一個の人間として、重い人権をもつ人々であることを知っている。しかし同時に下級吏員といえども権力を行使する機関としての厳しい資格を荷っていることを忘れない。

糟谷君の暴行陵虐の責任は厳しく追求されるべきであり、刑事訴追に当ってはいかなる政治的配慮も無用である。よって告発する。

訴え

ひとびとに告げ、訴える。また一人の若くやわらかく雄々しい生命が、権力の直接の暴力によって奪い去られた。岡山大学法文学部二回生糟谷孝幸君は、十一月十三日大阪における佐藤訪米阻止行動に参加中、機動隊員によって虐殺された。虐殺されたと、私たちは痛恨と怒りをこめて告げ、訴える。

糟谷君は同日扇町公園から出発した示威行進が機動隊の規制を受けた際、頭部に警棒の強行をうけて逮捕され、頭がい骨折の重傷のまま取調べを受けていたが、その最中に意識を失い、そのままかえることなく翌十四日夜絶命したのである。しかも権力は、糟谷君の生命を奪っただけではなく、その死を汚し弄している。権力は糟谷君の頭部骨折の傷を学生同志の打撃によると強弁しようとし、彼の死を、彼が生命をかけた反戦の事業への新たな弾圧への口実にしようとさえしているのだ。

ひとびとに告げ、訴える。このような彼の死は、いま帝国主義国家権力に抗して人間であろうとするすべてのものの極みの姿をみせている。私たちはこの糟谷君の死を悼むべきだろうか。いや、私たちは悼むという言葉に、私たちの現在の痛恨と怒りとさらにひきつがれて死ぬことのない希望の一切の意味をこめてのみ「糟谷孝幸虐殺抗議人民葬」に結集されようすべてのひとびとに告げ、訴えるものである。

彼は、樺、山崎、滝沢、津本らの死者たちとともに権力に殺され、しかももはや、死者より深く死んでいるものはないのだ。私たちは彼の死の重さを抱き、若くやわらかい生命のかけがいなさをいま知らざるを得ない故に、彼の闘いは私たちのなかによみがえり、深く広く勝利のときまで続けられるであろう。

友よ、糟谷孝幸虐殺抗議人民葬に結集せよ！

記　この訴えは十二月十四日、日比谷野外音楽堂でおこなわれた「糟谷孝幸虐殺抗議人民葬」への参加を呼びかけるために、詩人の黒田喜夫が執筆したものである。

糟谷孝幸君虐殺事件告発を推進する会が発足して半年になる。この会の任務が、糟谷君虐殺の真相をあばきだし、侵略抑圧差別搾取の体制への休むことない弾劾の闘いであるとするならば、この間、会員個々の諸氏の活動はさておき、事務局の活動の不十分さは率直におわびするほかない。

ここに、ようやく「弾劾」出版のはこびとはなったが、その遅延についてもまた、事務局として、執筆者諸氏にはもとより、会員の皆さんにおわびする。しかし、「弾劾」の出版を機に、われわれは闘いの展開に数倍の力とテンポを決意している。それはひとりひとりが「弾劾」を普及し、会員を獲得することから出発する。

「弾劾」を武器に弾劾の闘いに！

会員の皆さんの奮闘を期待します。

弾劾

1974・3・17
第6号
（通巻12号）
糟谷孝幸君虐殺事件告発を推進する会
大阪市北区浪花町一二五　関西救援連絡センター内
電話（〇六）三七二一―〇七七九／振替（大阪）四一〇六四
1部30円

糟谷君虐殺の下手人は荒木幸男と「判明」！

「私の警棒握部には糟谷君と同じA型の血痕が付着」「糟谷君に火炎ビンは当っていない」「奪還グループとの接触はなかった」と荒木証言！

1月31日．1969年11・13斗争公判で

全国の仲間たち！

糟谷孝幸君（当時二一才、岡大生）を虐殺した三警官を告発してから五度目の春が巡ってくる。しかし、吾等が告発付審判の斗いは、今厚く固き氷におおわれているかに見える。

大阪府警のそして国家権力のむき出しの敵意によって付審判の審理は此処二年に亘り、凍結させられている。大阪府警は異議を申し立てそして現在、最高裁第三小法廷に係属中である。

だがしかし、この「厚く固い氷」にも今確実に一撃が加えられつつある。一九六九年十一月十三日佐藤首相訪米阻止大阪扇町斗争被告団、弁護団による公判斗争がそれである。虐殺警官荒木を弁護側証人として喚問した。

荒木は去年十一月七日出廷拒否、十一月三〇日証言拒否と何とか「逃げ」をうってきた。

だが、遂に斗いは荒木に口を割らせたのだった。去る一月三一日の大阪地裁二〇二号法廷で。荒木証言は、大阪府警製造のデマその一即「糟谷君は火炎ビンが頭に当って死んだ」、デマその二「転倒説」、デマその三「奪還学生の鉄板棒が当った」をことごとく改めて暴いた。

更に「荒木の警棒握部に糟谷君と同型のA型の血痕が付着している」ことが荒木自らの口から発せられたのだ。荒木は必死に抗弁した。しかし、府警の諸説は否定された。そして逮捕直後、激しく抵抗をした糟谷君が、連行時にはぐったりしていた。加えて、荒木の警棒には糟谷君の血が付着。

もはや動かし難い。糟谷君は荒木らによって虐殺されたのだ。

この確実な一撃をテコに、虐殺犯人弾劾の斗いを更に更に強めていこう。

卑劣なり、大阪府警！
付審判審理開始されざることほぼ二年

われわれは一九六九年十二月十四日に告発。地検の不起訴処分に対し即刻付審判請求したのが一九七一年九月十四日。糟谷君係属部の大阪地裁第十刑事部（現第八刑事部）は一九七二年一月十七日、「当事者（付審判請求人）公開」方式による審理を発表した。審理開始を待つばかりとなつていた。

しかし、第一回審理の三日前五月二三日大阪府警は裁判官忌避を申し立て審理開始を阻んだ。その挑戦に対し、同年十一月最高裁は「当事者公開は違法の疑いあり、けれど忌避申立には当らない」として特別抗告を棄却した。不当なる最高裁決定にもめげず闘いを進め、一九七三年六月二九日再度の第一回審理を迎えた。

だが、ああ又々大阪府警は、異議を申し立て加うるに警察側証人を出廷拒否させ審理開始を阻んだのであった。そして昨年七月一八日最高裁に特別抗告に及び、現在第三小法廷（関根小郷、天野武一坂本吉勝、江里口清雄、高辻正己各裁判官）で係属中であり、審理には何ら入れていない。

荒木「検察官にいわれたので」証言拒否を撤回

このように大阪府警の攻撃は、付審判制度自体への敵対である。何故なのかを簡単に述べよう。権力犯罪に対する抵抗権の法的制度化 — 告訴・告発権。それに対する検察庁の妨害排除を目的とする法的保障が付審判請求制度である。そしてこの付審判請求を合目的に運用させる為に「当事者公開」による審理が必要なのである。「当事者公開」禁止の攻撃は付審判制度の抹殺を企むものであり、大阪府警が国家権力の総意を担つて仕掛けてきた攻撃である。

一月三十一日の公判報告を開始することとする。

松本健男、藤田一良、仲田隆明、西川雅偉の諸弁護士、そして傍聴席、被告席から鋭い視線が証言席に注がれる中、公判は開始された。今日の法廷は証言席が被告席、被告人、傍聴人、弁護人が検事の位置を占めているかの如くである。

裁判長 — 前回は証言を拒否するということで終つていますが、今日はどうしますか。

荒木 — 検察官からも話がありましたので今日は証言します。

糟谷君は逮捕直後至極元気しかし
連行途中、頭から血が流れていた

藤田弁護士が糟谷君への逮捕行為について尋問を再開。その時の糟谷君の状態について荒木は「何をするというて手を左右に振ってました」「大分暴れてました」と証言し、弁護士の「赤松巡査の大楯を足でけったということは御記憶ありますか」との尋問に対し「あります」と答えている。

このことは、逮捕直後当然の事だが糟谷君は至極元気であったという事を示している。しかし仲田弁護士の「糟谷君が扇町公園南側歩道に上がった時、糟谷君は泣いてなかったですか」との尋問に対し「すするようにして泣いとったような気がします」と答えている。更に連行途中「曽根崎警察の手前百米位ですかね」「その時（糟谷君の体の異常に）気づいた」「左の額のあたりから目の下あたりにかけて血が流れておったようです」と荒木は答えている。

即ち糟谷君が「負傷」したのは逮捕行為開始時から連行途中迄であるということなのだ。

「火炎ビンが頭に当った」（府警）―デマその一 きっぱりと否定さる

逮捕直後の現場付近の状況について尋問が始まる。

荒木は「（糟谷君を）起そうとした時、火炎ビンが爆発したわけです。前で」「私等の一米位前と思います」「（火は）すぐ近くまで広がったように思います」と証言。そしてその時の道路の地面状況について弁護士は「いろんなビンのかけら等が散乱しておるとか、そういうふうな状況の所へ押しつけたのですか」と尋問。荒木答えて「そんな事はないと思います」又、「押しつけた場所にすでに火が燃えさかっておるという場所ではなかったんでしょう」との尋問に荒木は「はい」と答えている。又「別に具体的に（石や火炎ビンが）糟谷君に当たるとか、あなたに当たるとかいうことではないんでしょう」との弁護士の尋問に荒木は「はい」とも答えている。

即ち、事件当時大阪府警の「他の学生が投げた火炎ビンが頭に当たった」というデマは荒木証言をもデタラメさが明らかになったのである。

「転倒説」―デマその二〝あっさり否定さる〟

弁護士の「糟谷君が後ろ向きにステンとこけたということはないんですか」との尋問に対し荒木は「ありません」と答えた。

これによって、府警の「転倒して舗道で頭をぶつけたのだ」なるデマその二は否定された。

荒木は糟谷君の尻の火を消してから「その男（糟谷君）を立てようとした時にパッと見たら五～六人の鉄棒を振り回して来た集団がおったわけです」と続ける。そして荒木は「危いと思って警棒を抜いたわけです」「（警棒を）上に構えた時、後ろの方から警察部隊が来たわけです」。

弁護士の「あなたの警棒とその人ら（五～六人）の鉄棒が触れ合うということはなかったわけですね」、荒木「はい」。

「奪還グループとの接触はなかった」―デマその三否定され 荒木「警棒を抜いた」と証言

その時の糟谷君の体の位置についての荒木の証言「その時、赤松巡査が大楯でかばうようにしてくれたので、赤松が五～六人の学生に一番近いと思います」「その男（糟谷君）をはさむように私と杉山がはさむような格好になってました」「私らは中腰で男（糟谷君）の腕を持っていました」「（糟谷君は）うつ伏せになっていたように記憶します」

その後「警棒をかまえると同時ぐらいに後ろの方から警察部隊が応援にかけつけたようです」「（襲撃部隊は）後ろに下がったように思います」

この尋問と証言をみれば、府警のデマその三「奪い返しに来た学生の鉄パイプが糟谷君の頭に当った」は又々つくり事であった事が明白である。しかも「警棒は抜いた」と言わざるをえなくなっている。

糟谷君の頭から血が、荒木の警棒にはA型の血が 糟谷君はA型……

仲田弁護士―あなたの警棒の握りの部分に血痕が付着していましたね。

荒木―はい……。

弁護士―このデモ警備の時に糟谷君を逮捕する前後、糟谷君を除いてですよ、そういう血がつくような原因になることがらが起ったということがありますか。
荒木ー ないように記憶しています。
弁護士ー （この警棒の血は）何型でした。
荒木ー A型だと思います。
弁護士ー 糟谷君は何型ですか。
荒木ー 知りません。
弁護士ー それは教えてもらっとるでしょう。
荒木ー 何か検事調べの時にA型のように聞かれたんですけれどもね。

（一九六九年十一・一三扇町闘争被告団　た）

一・三一荒木尋問公判を傍聴して思うこと

糟谷君がこの法廷に居ない、妙に白けた大法廷

冒頭、裁判長は前回公判で荒木が証言を拒否したことについて「今回も引き続き証言を拒否するかどうか」と質問を発し、荒木は「検察官に言われたので証言します」と答えた。（ほんまにこう言うたんやで。ロコツー。）

それで裁判長は、公務員の公務上の事実についての証言拒否権の有無についての判断を下さず、尋問に入った。

弁護士の尋問に対する荒木の証言で明らかになったことは、

① 糟谷君は、被逮捕時背後から荒木に逆手でねじりあげられ、赤松にもう一方の腕をとられた状態で、楯を蹴ったりしてかなり抵抗したが（楯で殴ったからではないのか？）連行時にはすでに糟谷君は涙を流して無抵抗状態になっていたこと。

② 糟谷君が負傷したのは逮捕から連行途中迄の間であること。

③ 火炎ビンは、一米程前で炸裂し三警官に囲まれ押えつけられていた糟谷君はもちろん三警官にも破片は当らなかったこと。

④ その後五～六名ぐらいの学生部隊が、三警官及び糟谷君の方へ、二～三米手前まで向ってきたが、機動隊の応援部隊が来たので全く衝突せずに引いていったこと。

※ ③と④のことから、糟谷君の死因について警察側が言い逃れの理由にしている根拠＝「奪還組の鉄パイプが当って死んだ」あるいは「火炎ビンが当って死んだ」ということが、荒木自らの証言で否定されていること。

⑤ 荒木の持っていた警棒にA型の血が付いていたが、糟谷君の血液型もA型である、と荒木自身の口から証言されたこと。

以上のことから、矛盾だらけの証言で、何んとか逃げきろうという気持とは裏腹に、荒木自らの証言の中からでも、糟谷君を虐殺したのが、荒木・赤松・杉山に他ならないことを確信するに充分である。

最後に、弁護士は逮捕時の状況を再現するために法廷の床に身をうつ伏せ、荒木に実演させた。荒木は究めて紳士的に、動作をやってのけた。あまりにもウソまる出しであった。

しかし、荒木は「自分他二名の警官は一切暴力をふるっていない」「糟谷君がいつ負傷したのかわからない」と居直りを続けた。

尋問終了後、弁護側は赤松・杉山の証人申請を下ろした。その後検事は事態を不利とみてか、以前に同意した次回公判期日の延期を

画したが、あまりハレンチすぎて裁判長に拒否され、閉廷された。

この法廷は、終始ピンとはりつめた空気に覆われていた。傍聴人として参加した私も、いつの間にか、自分の全神経が、荒木の一言一句に集中されていたことに閉廷された後はじめて気付き、改めて糟谷君がここに居ないことの、妙に白けた大法廷の静けさを感じた。

おまえたちを許しはしない……、という静かな意志が、荒木のむこうの敵に向かって広がっていく自分を確かめていた。

（関西救援連絡センター　P）

「こらー荒木が犯人や」と確信もった

この公判斗争に初めて傍聴として参加した中での、感想をのべていきたいと思います。

まず私は、この事件をあまり知らなかったことです。知っていたのは、被告の罪状、その時の糟谷君が死んだということだけでした。

しかし裁判の中での、弁護人の弁論を、耳をかたむけて聞きいっていますと、証人に立った荒木警官㋖が糟谷君に逮捕行為を行なった時の状況などが中心的に弁論されていました。「被告の罪状とはあまり関連のない弁論ばかりして、よく検事側より文句が出ないなあー」とつくづく思いました。

それほど、弁護人の弁論がうまかったと評価できるのでしょうか。

私は何か、裁判が経過していく中で、私が考えていた裁判とまったく違ったイメージを持ちました。一つは、傍聴人の統一したヤジ（トツトツした人もいたが）いやーなふんいき、なまつばをのみこむような殺気というか、何というか、何か、フィクションドラマ映画を見ているような複雑な感動をおぼえました。（人ごとのようで被告の方には申し訳ないが。）

裁判が進んでいく中で、「こらー荒木犯人や」と自分でも確信がもてる位、荒木㋖はうまく弁護人のペースにまきこまれてゆき、ベラベラとしゃべりだしました。

弁護士ーあなたの棍棒についていた血の血液型を知っていますか

荒木㋖ーA型だと思います。

弁護士ー糟谷君の血液型は

荒木㋖ーA型です。

その時の法廷内のふんいきは「しーん」、なまつば「ゴクン」。荒木が殺しよったんや。頭の中で「荒木㋖＝殺人者＝下手人」。

しかし、うそぶく荒木。……「このやろう！」と強く心臓をつきやぶられそうな気持になった。

そのあと、検事弁論、これは全くだめ「やっぱり権力の犬だなあー」とつくづく感心しました。

今、考えのこることは、荒木が権力の手によって糟谷君を虐殺したように、荒木も権力の手によってほおむられることです。そのことによって糟谷君は、むくわれると思います。

荒木は、一日一日と死を待っているのみです。死でなくとも、暗き牢獄でしょう。しかし、当時一学生（糟谷君）を殺したことはきえない。権力の犬め――！

（一労働者より）

荒木、しらばくれるのもいいかげんにしろ

今日の公判でもし荒木が証言するなら、荒木は自らの証言によって虐殺犯人へと自分を追いつめることになるだろう――そんなことを考えながら傍聴席についた。開廷時刻が過ぎても検事が現われない。（荒木と最後の打ち合わせでもしているのだろう。）検事がやっと

現われ開廷される。荒木が空々しい顔をして入廷してくる。証言台に立ち、「今日証言することにした」と言う。証言を拒否して新聞にまで騒がれるより、デタラメでもいい証言した方が怪しまれないとでも思ったのだろうか。

弁護側から虐殺警官に対する喚問が始まった。糟谷君を逮捕した時のことについて細かく追求されていく。逮捕行為に移る前の状況、逮捕行為に入った場所、逮捕した時の三警官の行動及びその位置、その時の糟谷君の体そして顔の向き、周囲の状況、曽根崎署に連行していく時の状況等。荒木はぎこちなく答えているようでも、内容ははっきりとしたものだった。（事前に細かく打ち合わせをしたのだろう。）

しかしココというところで荒木は「忘れました」「覚えていません」で逃げる。糟谷君が逮捕時抵抗して赤松警官の持っていた大楯を蹴ったと証言しながら、それに対し赤松が何を行なったのか（おそらく大楯で糟谷君に暴行を加えたに違いない）は分からないと言う。

又、糟谷君の顔面に流れている血に連行途中始めて気が付いたとか、ズボンに火がついたので消してやったといいながら上着が大きくこげているのには気が付かなかったとか言う。これら荒木の証言は実にいいかげんなもの、デタラメなものであることは聞いていた人誰もが感じとれるものであった。

その様な荒木の証言の中でとりわけ重要なことは「糟谷君を逮捕して、曽根崎署へ連行して取調べを行なうまでの過程で、一度たりとも暴行した事はない。糟谷君の頭部をはじめ全身に残された傷跡には覚えがない」と言い切ったことだ。

では、どこで糟谷君は負傷したのだ。しらばくれるのもいい加減にしろ。自分達が殺ったからこそこんな不可解なことを言えるのだ。

更に注意しなければならないのは、糟谷君が死亡したことについて三警官は警察からも検察側からもロクな調べを受けていない事が明らかにされたのだ。これは権力が意図的に糟谷君の死を闇に葬りさろうとした証拠ではないか。

今回の公判で荒木が自分の口から糟谷君を虐殺したのは自分達以外にないことを明らかにした。このことをもとに権力―虐殺警官を更に追い詰め、同時に付審判斗争をより強化してゆかねばならないと思う。

（労働者　S）

編集後記　のうがきといいわけのコラム

・三月半ばに、一月の記事又々遅れてしまった。

・復刊されてやっと一年、なんとや6号。今号から「復刊」ということばは止めることとする。

・このたび「弾劾」復刊一号～五号の合本が完成しました。必要な人はドシドシ注文を！

・一月三十一日荒木証言は極めて重かつ大なる意義を有しているので追って何らかの形で詳報します。

《連　報》　三月一五日、最高裁は異議申し立ての特別抗告は棄却したものの「付審判での捜査記録閲覧許可を取り消す」と決定を下した。（詳報は次号）

■安保フンサイへ人間の渦巻を！『週刊アンポ』第2号（1969年12月1日発行）から

アンポ・ドキュメント

糟谷孝幸はいかにして殺されたか

編集部

三万人が参加した一一月一三日、大阪扇町公園での「佐藤訪米阻止」行動のなかで、岡山大学法文学部二年、糟谷孝幸君（二一才）は逮捕され、その後に意識を失い、死亡した。

糟谷君は一三日午後六時二〇分から三〇分のあいだに、特別機動隊第五中隊第二小隊第三部隊の荒木幸男、赤松昭雄、杉山時史（いずれも寝屋川署勤務）に逮捕された。

逮捕現場は扇町公園のむかい側、水道局前で、逮捕後、歩いて約一キロ先の曽根崎署に連行された。

曽根崎署では、指紋、写真、弁録書をとられたあとで、気分が悪いことを訴えた。警察の発表によると、午後七時に救急病院に指定されている行岡病院に連れていかれることになっているが、病院側は八時五〇分と発表している。

行岡病院の院長は行岡忠雄氏で、現在自民党の市会議員である。またこの病院には脳神経科はなく、その専門医もいない。

糟谷君は病院でしだいに意識を失っていき、一四日午前一時にはほぼ完全に意識を失った。

情報を知った関西救援連絡センターと樺嶋弁護士、葛岡医師が病院にかけつけたが、病院側は一切受けつけなかった。

この時点では、病院の看護婦の証言によると、脳内の血腫の有無を調べる血管撮影さえ行なっていない。

午前二時二〇分、樺嶋弁護士と葛岡医師は、ようやく病室に入ることができたが、このときには糟谷君は麻酔注射はされていたが、血管撮影に必要な造影剤の注射はされていなかった。

手術が始められたのは、午前四時。逮捕されてから実に一〇時間近くたってからであった。手術担当医は行岡病院の松木康氏で、松木医師は整形外科専門医で脳神経科の専門ではない。

午前五時二〇分に、京大病院の佐藤耕造医師（脳神経科）が協力を申し入れたが病院側によって拒否された。この拒否の態度は、糟谷君が病院に運び込まれたときからのもので、病院の玄関にバケツや工事用のテントをうちつけるなどして一切応対に出ないというものであった。

手術は六時二〇分に終了したが、この手術の際、カルテは書いていないことを八時四五分の段階で、弁護士と佐藤氏は確認している。

堅い鈍器による打撲

手術後、糟谷君はほとんど意識を回復することがなかった。

糟谷君の身元は、一四日午後七時までわからなかったが、救対センターの努力で判明することができた。

しかし、同日午後九時、糟谷孝幸君は死亡した。

樺嶋弁護士や佐藤医師、救対センターのひとびとは行岡病院の松木医師のもとに、死因等の質問のためにおもむいた。

松木医師の発表によると、左側頭部に二本の長さ五センチ、幅一センチの状痕が認められ、亀裂骨折があったという。死因は脳挫傷と硬膜外血腫と病院側は発表した。

十五日午前零時糟谷君の遺体は、司法解剖のため阪大法医学教室に運び込まれた。解剖には阪大法医学教室松倉豊治教授が行ない、これには樺嶋弁護士と佐藤医師が立ち会った。

解剖は午前一時三〇分から五時三〇分までかかり、その結果、死因は頭部打撲による脳機能障害と発表された（頭部打撲による脳挫傷。その結果による脳腫脹が脳機能障害を起こした）。

手術の際に硬膜外血腫は取り除かれていたためか、解剖の際にはそれはなかったという。

凶器の指定はなかったが、堅い鈍器による打撲とみられ、凶器は強い力が幅広く一、二回働いたという発表がなされた。

頭蓋骨折は認められないという発表があったが、これはある脳神経科の専門医によると、手術の際の手術創にこの骨折を利用するのが普通なので、解剖の際には骨折と手術創の見分けができなかったのではないかということだ。

一一月一三日の大阪での「一一・一三佐藤訪米阻止」行動においては、五八名逮捕され、その後の弁護士接見によるとそのほとんどが負傷している。

当日のデモの目撃者の話では、逮捕の際に機動隊員によって火炎ビンの燃えさかる中を引きずられたり、警棒で乱打されたりする者がかなりいた(この日の警備体制はきびしく、興奮した警官が警棒を乱打し、逮捕学生の足をもって引きずり回したほど。市民からも『ああまでしなくても』と『過剰防衛』非難の声があった。」毎日新聞一五日朝刊)。

二転する警察発表

大阪府警警備部は、糟谷君の死亡事件について次のように発表している。「逮捕にあたった三警官は、警棒を抜いてはいたが使用しなかった」（毎日一五日朝刊）「おそいかかってきたグループに対しては、警棒を抜き楯とともに防戦に使っただけで、暴行を働いた事実はない」（朝日一五日朝刊）

さらに、鈴木貞敏警備部長は、「傷は火炎ビンによるものか、奪還しようとしたとき、鉄棒があたったのではないか。警棒でないことは確信している」（毎日一五日朝刊）と述べている。

解剖した松倉教授の発表によると、糟谷君の場合、右腕に十数カ所の皮下出血、また鼻の部分や下たい部にも同様な皮下出血があった。これをほかの逮捕者の逮捕状況から推測してみると、おそらくこの皮下出血は警棒の乱打によるものであろう。

手術をした松木医師の発表にもあったように、糟谷君の左側頭部には、幅一センチ、長さ五センチにわたる二本の状痕があった。この状痕がどのようにしてできたものかを、これからの調査は明らかにしていくであろうが、これまでの警察の発表から、三つの場合を推測することができる。

一つは、警察が最初に発表した「転倒説」である。

しかし、この説は警察も出したとたんにすぐひっこめたほどであって、これからは二本の痕状を説明することはできない。

次に警察が出した説は「火炎ビン説」である。

警察の発表によると、「糟谷君がなにかにぶつかってよろけて逃げおくれ、荒木、赤松両巡査が両手をつかみ、杉山巡査がねじ伏せた。この際糟谷君の頭付近で火炎ビンが爆発、炎が頭髪とズボンに燃え移った」

一四日午前二時二〇分に病院に入ることのできた棒嶋弁護士と葛岡医師は、糟谷君の頭髪が焼けていなかったことを見ている。

また、解剖にあたった松倉教授も、やけどについては何ら発表していない。

こうした点から見ても、火炎ビンが頭にあたったという事実は認めるわけにはいかない。

もし、火炎ビンが不発のまま頭にあたったとしたらどうか。火炎ビンが一度だけあたることはあるかもしれないが、それにしても、左側頭部の二本の状痕は説明がつかない。

三番目に警察が発表した説は、「鉄棒説」である。

糟谷君が逮捕された直後に、かれを奪い返そうとして数人が鉄棒をもってかけつけ、逮捕にあたった三巡査をおそい、その鉄棒が糟谷君の左側頭部にあたったというのが、警察の発表である。

しかし、左側頭部の平行した二本の状痕と、頭蓋骨の骨折の様子からみて、これは短時間に同方向から連続的に衝撃が加えられたことをものがたっており、鉄棒のように長くて扱いにくいものでは、このような傷をつけることはほとんど不可能である。

また、いったん機動隊に制圧された学生たちが、糟谷君を奪い返しにいき、その際事故が起こったというのは、そのときの機動隊と学生たちとの力関係から考えて、起こりえないことである。

このように、警察の発表する三つの説は、短時間のうちに二転三転しているがこれは当時の状況からみて、周囲にかなりの目撃者がいたことと、解剖の際に弁護士や医師を立ち会わせたことからくる巧妙な、しかし、せっぱつまったものということができる。

こうしたことは、第一次羽田闘争のときの山崎博昭君の場合と大きく違う点である。

致死責任者は警察と病院

糟谷君の場合、以上のほかに、いくつかの警察の不手際（?）も目立つ。

その一つは、警察が糟谷君を運び込んだ行岡病院についてである。

行岡病院は、何ら脳外科、脳神経科の設備をもたない病院である。糟谷君が病院に運び込まれてから、ほとんど六時間以上も手当てもせずに放置している。

さらに、協力を申し出た京大佐藤耕造医師を病院の中に一歩も入れなかった。また、糟谷君の弁護士である棒嶋氏も病院の強硬な拒否にあっている。

手術を担当した松木康医師は、整形外科の専門医で、脳外科、脳神経科の専門医ではない。

普通、頭部に障害をうけた患者が、この

安保フンサイへ・人間の渦巻を！

ような病院に運び込まれた場合は、別の病院につれていくのが常識であるが、糟谷君の場合はそれが行なわれていない。

　これは、患者が逮捕されているかどうかは全く別の問題として、医師と病院の責任の問題である。この点も、これからの調査で明らかにしていかなければならない。

　警察では、この事件を傷害致死事件として追及する旨を発表しているが、「致死」に関していうなら、脳神経科のない病院に送り込んだ曽根崎署の責任と、運び込まれた患者を数時間にわたって放置した行岡病院の責任を問わなければならない。

　「傷害」に関しても、警察側の発表は次々と変えられており、周囲の状況からみて、警察の出すそれぞれの説はほとんど現実性に乏しい。

　警察の方針としては、ほぼ「鉄棒説」にかたまりつつあるが、これにしても当日の押収品のなかに鉄棒がないことを一五日の読売新聞の朝刊は伝えている。

　山崎博昭君を始めとする「死亡事件」はほとんどすべて警察の手によって市民の眼からは遠ざけられている。たとえば山崎君の場合には、「被疑者」としてN君が逮捕されたが、それもかれの死を、真実を知る権利のある市民の眼から遠ざけるものとしてデッチあげられたものであることは、いまや明らかである。

　そして、今回の糟谷君の場合にも、警察はさかんにその同じ手をつかおうと試みている。「警官はもちろん、相手や第三者にもケガ人が出ないよう、警備の第一線幹部にやかましく注意してきたが、今回混乱した状況の中で、相手のだれを問わず死者の出たことを遺憾に思っている。傷害致死事件として徹底的に真相を糾明し犯人を検挙する」という浅沼大阪府警本部長の言は、「犯人」を警察官以外の者、はっきり言うなら、佐藤訪米に反対する側の人間と決めてかかる姿勢が明らかである。

　これが今までの警察の態度であり、こうした姿勢からは、どのようにも「真相」はでてくることはないだろう。

　しかも、浅沼大阪府警本部長の言にもあるように、ケガ人を出さないよう注意するのは、「第三者」と「警察官」だけに限定されている。

　デモをする人間、抗議をする人間のなかからケガ人が出ることはまったくあたりまえのこととされている。

情報をどんな小さなものでも

　たとえば下の写真を見てほしい。この写真は、一一月一三日、沖縄における行動においてのものである。（県労協ニュース・一一月一六日）

なぐりたおされた青年を、数人の機動隊がメッタ打ちにしている。

　しかし、この写真を見せられた沖縄の新垣本部長ははっきりと「過剰警備ではない」と言っている。

　もしこれが過剰警備ではないとするなら、いったいなにが過剰警備なのか。

　この写真の状況と、糟谷君の場合が同じであったとはいうまい。しかし、糟谷君は逮捕されてのちに死んでいるのだ。

　いまや私たちは、警察の言う「警棒は抜いていたが、使用していなかった」という言を信じることも、「ほかの学生になぐられたのだ」という発表（週刊読売一一月二八日号）も信じることはできない。

　だが私たちは、まず、事実関係においてさまざまな証拠を集めることに努力し樺嶋弁護士が言うように、「告訴、告発するために」協力していくだろう。

　週刊アンポは、ひきつづき、糟谷孝幸君の「死亡事件」のためにページをさく予定である。私たちとしては、どんなに小さなものと思える証言も、あるいは現場の写真も集めていきたい。それを私たちは関西救対センターや弁護士に渡していくことを約束したい。

■『アサヒグラフ』1970年1月16日号から

〈学生の死〉を背負った〈生〉

糟谷孝幸君の死因を究明する一医師

日々の仕事の中で鳴った電話のベルが〈死者〉からの呼びかけとして　彼を迷いとためらいのうちで〈日常〉から踏出させた

佐藤訪米を控え、全国各地でその抗議デモが展開された去年
大阪で、岡山大生・糟谷孝幸君が、機動隊と衝突したのち死
彼の〈死〉に対するさまざまな意味づけがなされている中で
死因を究明する告発団と行動をともにしている一人の医師が
彼・佐藤耕造は〈学生の死〉の重みを〈自分の生〉の中に背
んで生きようとしている。

扇町公園　あの日　一個の〈肉体〉がついえさった　それを知らぬかの景色はたたずんでいた〈彼の死〉は忘却の底におし沈められるもの

〈表現の死〉に埋没すまいと

昨年十二月十四日、東京・日比谷野外音楽堂では、全国全共闘連合主催のひさびさの集会が多くの学生、労働者、市民を集めて開かれていた。

師走の風は冷たく、そこにたたずむ人々の肌を刺す。「寒いな。ことしの冬はとくに寒いぞ」。そんな声がボソボソと耳をかすめる。それは、そこに集った人々の、この一年の闘争の実感として、あるいはこの集会の持つ響きとして、こだましあう言葉だったのかもしれない。

この日の集会は、〝十一月決戦〟のさなか、大阪で機動隊と衝突したのち死亡した岡山大学生の霊を悼む「糟谷孝幸君虐殺抗議人民葬」であった。

「糟谷君は権力との熾烈な闘いの中で、権力によって殺された。われわれはそれに抗議するとともに、より大きな闘いの中で彼の死にむくいよ」

次々と演壇に立つ人々は、慣れた口調の演説をする。

そんな中で、特別報告として演壇に立った医師団の代表が、「ええと……あのう……」としゃべる口調には、アジ演説の持つ独特の抑揚はなかった。彼がこういう集会で話すのは、生れて三回目で、それもみな糟谷君が死んでからである。

その上、彼の声はききとりにくい。彼が演壇に立つ少し前に場外で起った全国全共闘と革マルの内ゲバで場内が動揺していたからである。彼は自分のいっていることが自分にしか戻ってこないそんな重みをしょいこむように、トチリながら話しているようだった。

彼は平凡な無名の人間であった。それが医師ということで〈学生の死〉にかかわったがために、彼の名前が新聞に出ただけである。しかし、いぜんとして彼は無名であろうとする。一医師の彼が固有名詞としての「糟谷孝幸」にかかわる時、「糟谷孝幸」その人もまた無名の存在なのだろう。そんなつながりとして、〈彼の生〉と〈学生の死〉はありそうだ。

ためらいの中での出会い

彼・佐藤耕造は一年前まではおよそ闘争というものとは無縁であった。学生時代は、昼までねて、麻雀をやり、夜のチマタをさまようといった生活を送り、日大・東大闘争が起っても他人事のように大学病院で無給医として研究にあけくれていた。

それが昨年二月、研究棟が学生によって封鎖され、自分の生活基盤の一つが奪われてはじめて自分を点検するようになる。

「個人が潜在的にブツブツいってきたものが、何であるのかを考え、分析する機会を与えられた」と学生側の問題提起に引きずられる形でヨチヨチ歩いてきた自分を語る。

「ここまで来るには精神的に苦しかった」という彼はすでに三十歳を越え、女房、子供のいる〝社会人〟である。そういう人間が日常のぬるま湯から飛出して闘争に加わるには、それなり

※

の躊躇があっただろう。

　その彼が全共闘シンパの医者だということで〈学生の死〉にかかわってゆくのであるが、しかしその最初の出会いは、そんな躊躇の中での、一人の医者と一人の患者のそれであった。

　出会いはこうして生じた――

　十一月十三日、彼はアルバイト先の京都の病院で午後五時三十分から当直として働いていた。

　〈大阪・南扇町公園では佐藤訪米に抗議する集会が開かれていた。そして六時半ごろ、他のデモ隊に先んじて約三十～五十人の学生が、同公園南側の路上で機動隊と最初に衝突したのち、退却していく時、糟谷君が逮捕された。それまで彼はケガをしておらず、また機動隊の隊列に引入れられるまで、彼を奪還したグループはいない〉（彼の死因を究明する告発団の一員、樺島正法弁護士の話）

　彼はその空間を共有してはいない。もくもくと病院で働いていた。

　〈彼は一〝。先の曽根崎署に徒歩で連行され、所定の手続きを終えた後、三階の道場演壇に腰かけさせられ、意識を失った後、廊下のむしろにねかされ、午後八時五十分、近くの行岡病院に搬送された〉（同弁護士の話）

　彼は、もちろんそれをしらない。医局のベッドの上で仮睡していた。そこへ友人から電話がかかってくる。

「大阪でデモ中、機動隊と衝突した学生が病院へかつぎ込まれた。ついては専門医としてのあなたに来てもらいたい」という内容だった。彼の専門は脳神経外科である。

「機動隊、デモ、学生という言葉を聞いた時、そういうものにかかわりたくないという気持が一方にあった。静かな所に身を置きたいというのかな。

　しかし、もしここで断れば、自分はヒヨったな。ここで一度ヒヨれば、それが自分の中で積重なる。それは大学闘争で、自分がいってきたこと、やってきたことを裏切ることになる。それがこわかったのかな。しかしよういえんわ」

　彼は当直を他の医者に代って大阪救援センターに行き、樺島弁護士らと十四日朝六時ごろ、行岡病院へ行く。

〝準密室〟が立ちはだかった

「なんとか助からんものか。場合によっては、こういう処置をしだほうがよいといえるかもしれないと思って行岡病院へ行った。それは専門の医者なら糟谷君に会わしてくれると思ったからです」

　しかし「警察の預り物ですから、だれにも会わせません」という病院側の阻止線はきびしく、専門医だといっても、医者がいつも持ち歩くはずがないのに「医師免許証をみせなさい」ということだった。それでも三時間ぐらいねばったが、結局は会えなかった。糟谷君は、その日の夜九時ごろ死んだ。

「ぼくは一人の患者をなんとか助けようと思って行岡病院へ行ったわけですが、樺島氏のいう『逮捕された人間が不当に扱われ、権力という〝準密室〟の中で死んでいった』という強い自覚が自分にあれば、あるいはもっと何かできたのでは、と思う。何か電話がかかってきた時の躊躇が尾をひいていたのかもしれない」

　彼は一つ一つそういった躊躇をはらいのけて、告発団側の医師として記者会見や人民葬に出てゆくが、そんな過程にも一つの迷いがあった。

「樺島弁護士は、最初、ぼくを告発団からはずして参考人にした。どちらがより有効に死因を追究できるかは分らないが、そんなのはいつでもかえられる。むしろぼくにとっては、告発団と参考人ではどちらが世間に重いイメージを与えるか。そうすると告発団だ。そこを避けてきた。しかし逃げて闘うんではあいまいさが残るんです」

　彼は自分を裏切ることができないということと、逃げてはいけないということで、〈学生の死〉に深くかかわってゆくが、「えらいものをしょいこんだね」とよく人にいわれるという。

「ぼくもそう思う。ぬるま湯から飛出して寒さにふるえる場に出たという感じ。そういうものまでしょいこんだと思う。それは〈学生の死〉が媒介となって一人になってもやらんならんことを背負いこんだということで、『糟谷君が生命まで落して権力と闘って、おまえもその後に続け』という形で〈死者〉が〈生者〉に叱咤激励するのではない。

　一人になってもというのは、今までの大学闘争では、闘う総体の一人としての比重の軽さがあったが、〈学生の死〉を契機に、権力というのが大きく僕にのしかかり、比重の重い、より直接的なものを感じ、逃げもかくれもしないでやらんならんという所まできたということかな」

　そういう彼は、歴史の中にたまたま〈全共闘〉というものが

（次ページへつづく）

東京・糟谷君虐殺抗議人民葬　トツトツと語る彼の言葉は　自分にしか戻ってこない重たい響きとなる

黒ワクの中に収まった一つの固有名詞は　無名な彼にとっては　いまなお無名の存在なのだ

学生の死因を鋭く追及する樺島弁護士（右）の隣にすわり　多くを語らない彼の沈黙は　沈黙の核をさぐりあてるかのようだった

あって、そこに参加していった人間が、その運動が下火になると、そこから去っていった、総体としての〈全共闘〉の一人ではなく、学園闘争の過程で、実はのっぴきならないものを自分の中にかかえこんでゆくきっかけとして〈学生の死〉はありそうだ。

告発だけではすまない

「ぼくとしては当面、スケジュール的には、告発闘争があるが、それは設定したものとしてある。しかし、ぼくにとってより重要なことは、〈学生の死〉の重みをどこまで背負って生きられるかということになると思う。

それを徹底してやれば、〈学生の死〉を契機に、ぼくがより生きるという闘いをはじめたわけで、その場合、糟谷君の〈死〉は固有名詞の〈死〉ではなく、ぼくの中で昇華した形での〈無名の死〉になるのではないでしようか」

いまの社会には、さまざまな死の形がある。たまたま彼は〈学生の死〉とかかわったために、その重みを自己の中にとり入れ、〈自己の生〉へのきっかけとした。

しかしいってみればそれは日日のたれ死んでいく〈死者〉でも、交通事故による〈死者〉でもいい。彼のような医者であれば交通事故〈死〉でもいいのかもしれない。

「交通事故死は、現在の社会予盾や医療制度の矛盾の中で死んでいかんならん場合だってある。そういうのが、きっかけとなるかもしれない」

そういう彼はふと〈死〉の中に〈表現の死〉というものもあるのではないかといいはじめた。〈表現の死〉とは、たとえば、学園闘争の中で、自己が表現したことを自分で裏切ってゆくことである。

彼が〈学生の死〉にかかわったのも、結局は、自分のいってきたことを裏切れなかったことによる。だから彼が、より生きるといった場合、自分の表現におしつぶされて生きたしかばねにならないということかもしれない。

樺美智子、山崎博昭、糟谷孝幸とデモの中で死んでいった人間は少なくない。むしろ今の〈状況〉ではデモに出れば、重傷はおろか死ぬことも避けられない。そういった具体的な〈死〉の直後にショックを感じたり、その〈死〉に意味づけをしたりすることは、自然なことかもしれない。しかしそれだけで終ってしまうと、〈死者〉もやがては忘却の底に沈んでしまいはしないだろうか。むしろその〈死〉の重みを自己のものとして、将来にわたって持ち続けることが必要なのかもしれない。

それはわれわれ〈生者〉にとって、死ぬほどのテーマを持ってどれだけ生きられるかということを問うているだろう。

〈学生の死〉に医師としてかかわり、それを契機に、より生きようとする〈彼の生〉は、あるいは〈表現の死〉の中に埋没しないことからはじまったのかもしれない。

中野記者

■『救援センター』ニュース8号（1969年12月10日号）から

11.13大阪反戦デモ

糟谷孝幸君虐殺さる

警棒による撲殺は明白

十一月十七日の佐藤訪米に反対して、はげしい闘いが十三―十七日の間、日本全土をゆるがした中にあって、十三日夜の大阪における抗議行動において岡山大学生、糟谷孝幸君が権力の手によって虐殺された。これは無制限に増大しつつある機動隊の逮捕時の暴行、集団リンチのいわば必然的な帰結ともいえようが、他方で官憲のその後の不当な取扱いによって、糟谷君は助かるべき生命を空しく失う結果になったともいえるのである。その意味で糟谷君の死は権力の手による二重の暴虐の犠牲であったということができる。

以下にその問題点を列挙してみよう。

一、午後六時すぎ、大阪市扇町公園出口において、特別機動隊員荒木幸男・杉山時史・赤松照夫の三名によって逮捕される。（このとき集団リンチを受けたものと思われる）逮捕後、曽根崎署まで約一キロを歩かされる。

二、曽根崎署において「黙秘します」とだけ言って気分が悪いと頭を抱え込む。この間一時間余り立たせたまま治療せず。8時50分、府警直属、自民党系の行岡病院に運ばれる。この病院には脳外科はない。

三、病院は診察ののち放置、12時、意識を失ってから、新聞社に重体のニュースが入る。関西救援連絡センターの手配により、十四日午前1時40分、樺島弁護士、葛岡医師が行岡病院にかけつけ面会を要求したが、病院側は看護婦を出して「警察からあずかっているのだから、会わせるわけにはいかない」と断る。2時20分頃、ようやく病院側の松本医師に会い、本人もみることができる。松本医師の態度は非常に非友好的、挑発的であった。これから血管撮影をやるという。この種の頭部外傷では脳血管撮影を必ずやるのが普通だが、入院後6時間もそれをやっていない。なおこの病院には脳外科医はいず、その設備もない。

四、4時―6時の間に手術が行なわれる。5時20分、京都から脳外科専門の佐藤医師がかけつけ、医学的立場で治療したいとセンターから申出るが「手術は五分前に終った」と拒否され、手術は秘密裏に行なわれる。その結果も知らされない。

その後直ちに府警の「許可」を得て樺島弁護士、佐藤医師が病院に行ったが、手術をした松本医師は寝てしまったとかで会うことができず、中にも入れなかった。

五、その後危篤状態になって初めて官憲もあわてだし、身元割出しに躍起となり、面会も許可される。こうして糟谷君は十四日午後9時死亡した。

その後官憲は解剖に際してセンターの弁護士、医師を立会わせざるを得なくなり、その結果から松本弁護士は次のように述べている。「この解剖結果やテレビ、医師の判断などから、現在考えられることは、糟谷君を警官がうつぶせに地面におさえつけ、左手で彼の腕をねじふせ、首をつかまえ、右手警棒で乱打したものとみられる。頭部の二つの傷が平行してついていることは、糟谷君をおさえつけて動けないようにしてなぐったことを示している。」

これに対して府警側の答弁は十三日以来二転三転している。

十三日夜「警棒を使用した。投石かもしれない。過剰警備かどうか調査する」十四日「警棒でケガをしたのではない」十五日「犯人を奪いかえしに来たので楯でおおいかくした。死因は火災ビンか鉄パイプ。犯人を傷害致死で追求する。」

このようにして官憲は警棒による撲殺という明白な事実をごまかし、責任をデモ隊側に転嫁しようとさえしている。私達はこのような居直りを許すことなく、事実を明らかにし、権力の暴虐を告発してゆかなければならない。

昭和44年12月10日　第8号

・全国に救援組織を！
・カンパと衣類を！

〒105　東京都港区西新橋2丁目6－8
浅野ビル
救援連絡センター
電話 (591) 1301・1302
振替番号 (東京) 105440
協力会費　月額　1口 (500円) 以上

佐藤訪米阻止闘争

史上空前の大量逮捕

東京一九二〇全国二一〇九三

11・16、17の佐藤訪米阻止闘争は新聞などでも知られるように、学生支部、反戦労働者などの総力をあげて果敢に闘われたが、これに対して官憲は、10・21闘争を上まわる二千百名の大量逮捕という弾圧をもってこたえた。10・21闘争の事後逮捕、また十六日に至るまでの事前逮捕者なども合せて、史上空前の逮捕者を数えた上に、長期勾留は日常化し、獄中のリンチなど不当弾圧はエスカレートしている。今なお多くの学生、労働者が寒さのきびしさを増す留置所内で完全黙秘の闘いを続けており、十二月になっても救援センターには家族、友人など逮捕者の安否を問う人達が連日応接のいとまもないほど訪れている。

事前のとりくみ

11・16、17を迎えるに当って救援センターでは10・21闘争の経験にてらして、救援の充実のために、次のような事前の対策をはかった。

一、先ず数少ない弁護団メンバーに弁護活動に尽力していただくために、弁護費用の一部を支払いながら、接見活動の強化を訴えて歩いた。

一、青医連の医師に10・21の場合と同様、現場での治療に当ってもらい、また収容できる医療機関を紹介してもらう。

一、洗面用具（二千人分）、下着（千人分、43万円）を購入、新しい分室を借りて、そこに備えつける。

一、「若者よ」弁護士、五九一、三三〇一」「黙秘の闘い」などのビラを各二万枚印刷、集会などで配って徹底をはかる。

統一救対の協議によって地域救援会、学生支部などによる差入れ分担もきめられた。

当日の救護活動

このようにして迎えた当日、ケガ人の電話連絡に対しては、最も近くにある、あらかじめ頼んであった病院を地図をたよりに紹介する。現場に近い医療救対の前進基地には医師、弁護士、統一救対などが詰めて、逮捕者の運ばれた病院や現場にかけつけ、充分な治療を確保する。現場近くで医師、看護婦などを医師と弁護士に提供してくれた人、自家用車を提供してくれた人など、市民の協力にも助けられて夜を徹して救援活動は行なわれた。特に逮捕されて病院に運び込まれた人々に対して病院で直ちに行なわれた弁護士の接見は負傷者に大きな励ましを与えるものであった。

一方センターには16日夜より一晩中、絶えることなく各警察署よりの、弁護士選任依頼の電話がかかってくる。三台の電話が鳴り続けて、二千人の弁選依頼を受けつける。留置番号、留置人数が分ると直ちに分担の救援会に差入れ依頼が行なわれる。このあと23日間センターの差入れ担当数名は休む暇なく差入れ依頼と集約を続けなければならないのだ。

弁護団の活動

現在新左翼の学生、労働者の弁護活動に当っている弁護士数は、約30名ぐらいの少数である。この人々は一昨年の羽田闘争以来、相次ぐ起訴者の数多くの公判を手一杯にかかえた上で、寝食の時間を割いて接見にとびまわっている人々である。三日目の集中接見は、東京地裁のほかに今回は簡易裁判所四か所も含めて計九か所で行なわれた。また逮捕されて負傷のため病院に入院させられている人達には、弁護士が接見して、負傷者については直ちに執行停止の申請を行なった。

（10・21ではこのようにして、弁護士の抗議によって1名が釈放になったが、今回も三名がこうして病院から直ちに釈放になった。）

このようにして二千名の逮捕者に対して数十名の数少ない弁護士が夜を日についで努力したにも拘らず、今回も10・21と同様やはり数十名の接見もれが生じた。そしてこれが各警察署に分散しているために、なかなか埋められず、高校生の息子の所在がわからず、毎日のようにセンターを訪れるお母さんなどに、気の毒な思いをおかけしなければならないという結果になった。現在のように勾留期間中、ほとんど面会が認められないという実情の中では、被告と接触できるのは弁護士だけである。弁護士を選任できるという被逮捕者の権利が、このような事情によって、結果として非常に損われているという事実を前にする多くの弁護士への協力と、その中で接見に尽力される少数の弁護士の方々への感謝の念を強く感じないわけにはゆかない。

推進される勾留理由開示公判

今回の10、11月闘争の特徴は単に未曾有の大量逮捕、大量起訴が行なわれたというばかりでなく、その中に大量の反戦労働者が入っており、弾圧は単に警察側からだけでなく、職場においても加えられてきているということである。

その代表的な例が広島県教育委員会による10・21に逮捕された五名の教育労働者に対する起訴段階での懲戒免職の処分である。10、11月闘争に参加した多くの反戦労働者が妻子をかかえて、獄中にとじこめられたまま解雇され、また解雇の危機にさらされている。

これらに対して、10、11月闘争統一救対、特に反戦救対は、不当逮捕と長期勾留に対して、勾留理由開示公判を集中的に要求することによって反撃しようとしている。

この勾留理由開示公判は請求後五日以内に開かれなければならないものであり、東大裁判の二百八十三名の開示裁判は五十人の裁判官によって十一日を要した。現在逮捕されている千名以上が一せいに勾留理由開示裁判の請求をすれば、現在の裁判所、検察の一体となった弾圧体制を大きく混乱させる結果になるであろう。また現在のように弁護士の接見も充分でない状態にあっては、たとえ五分であってもこの裁判で傍聴者と顔を合せる機会が作られる。それは獄中で闘っている人々にとっては大きなはげましとなるであろう。

このような意味で現在10・21被起訴者の開示公判も次々に行なわれつつある。また弁護士の力の許す限りにおいて不当な長期勾留に対する勾留抗告も行なわれてゆく予定である。

11.13大阪反戦デモ

糟谷孝幸君虐殺さる

警棒による撲殺は明白

十一月十七日の佐藤訪米に反対して、はげしい闘いが十三―十七日の間、日本全土をゆるがした中にあって、十三日夜の大阪における抗議行動において岡山大学生、糟谷孝幸君が権力の手によって虐殺された。これは無制限に増大しつつある機動隊の逮捕時の暴行、集団リンチのいわば必然的な帰結ともいえようが、他方で官憲のその後の不当な取扱いによって、糟谷君は助かるべき生命を空しく失う結果になったともいえるのである。その意味で糟谷君の死は権力の手による二重の暴虐の犠牲であったということができる。

以下にその問題点を列挙してみよう。

一、「午後六時すぎ、大阪市扇町公園出口において、特別機動隊員荒木幸男・杉山時史・赤松照夫の三名によって逮捕される。（このとき集団リンチを受けたものと思われる）逮捕後、曽根崎署まで約一〇〇米を歩かされる。

二、曽根崎署において「黙秘します」とだけ言って気分が悪いと頭を抱え込む。この間一時間余り立たせたまま治療せず。8時50分、府警直属、自民党系の行岡病院に運ばれる。この病院には脳外科はない。

三、病院は診察ののち放置、12時、意識を失ってから、新聞社に救体のニュースが入る。関西救援連絡センターの手配により、十四日午前1時40分、樺島弁護士、葛岡医師が行岡病院にかけつけ面会を要求したが、病院側は看護婦を出して「警察からあずかっているのだから、会わせるわけにはいかない」と断る。2時20分頃、ようやく病院側の松本医師に会い、本人もみることができる。松本医師の態度は非常に非友好的、挑発的であった。これから血管撮影をやるという。この種の頭部外傷では脳血管撮影を必ずやるのが普通だが、入院後6時間もそれをやっていない。なおこの病院には脳外科医はいず、その設備もない。

四、4時―6時の間に手術が行なわれる。5時20分、京都から脳外科専門の佐藤医師がかけつけ、医学的立場で治療したいとセンター1から申出るが「手術は五分前に終った」と拒否され、手術は秘密裏に行なわれる。その結果も知らされない。

その後直ちに府警の「許可」を得て樺島弁護士、佐藤医師が病院に行ったが、手術をした松本医師は寝てしまったとかで会うことができず、中にも入れなかった。

五、その後危篤状態になって初めて官憲もあわてたし、身元割出しに躍起となり、面会も許可されるようになる。こうして糟谷君は十四日午後9時死亡した。

その後官憲は解剖に際してセンターの弁護士、医師を立会わせざるを得なくなり、その結果から松本弁護士は次のように述べている。「この解剖結果やテレビ、医師の判断などから、現在考えられることは、糟谷君を警官がうつぶせに地面におさえつけ、左手で彼の腕をねじふせ、首をつかまえ、右手警棒で乱打したものとみられる。頭部の二つの傷が平行していることは、糟谷君をおさえつけて動けないようにしてなぐったことを示している。」

これに対して府警側の答弁は十三日以来二転三転している。十三日夜「警棒を使用した。投石かもしれない。過剰警備かどうか調査する」十四日「警棒でケガをしたのではない」十五日「犯人を奪いかえしに来たので棒でおいかくした。死因は火炎ビンか鉄パイプ。犯人を傷害致死で追求する。」

このようにして官憲は警棒による撲殺という明白な事実をごまかし、責任をデモ隊側に転嫁しようとさえしている。私達はこのような居直りを許すことなく、事実を明らかにし、権力の暴虐を告発してゆかなければならない。

糟谷君追悼葬への訴え

糟谷君の虐殺に対して、大阪では直ちに十五日追悼の集会とデモが行なわれた。また佐藤訪米阻止闘争の終った後十九日には扇町公園において虐殺弾劾全関西集会がもたれ、弁護士、医師などの報告ののち抗議デモが行なわれた。これに対して官憲は公園の周囲を包囲、所持品検査を行なって、弁護士さえ40分も入場を阻止された。

東京では全国全共闘の主催で十二月十四日午後一時より、日比谷野外音楽堂において追悼葬が行なわれる予定で、詩人、黒田喜夫氏の起案になる以下のような「糟谷孝幸君虐殺抗議人民葬への訴え」が発せられている。

※

“ひとびとに告げ、訴える。またしても一人の若くやわらかく雄々しい生命が、権力の直接の暴力によって奪い去られた。岡山大学法文学部二回生糟谷孝幸君は、十一月十三日大阪における佐藤訪米阻止行動に参加中、機動隊員によって虐殺された。虐殺されたと、私たちは痛恨と怒りをこめて告げ、訴える。

糟谷君は同日扇町公園から出発した示威行進が機動隊の規制を受けた際、頭部に警棒の強打をうけて逮捕され、頭がい骨折の重傷のまま取り調べを受けていたが、そのままかえることなく翌十四日夜、絶命したのである。しかも権力は、糟谷君の生命を奪っただけではなく、その死を汚し辱めている。権力は糟谷君の頭部骨折の傷を学生同志の打撃によると強弁しようとし、彼の死を、彼が生命をかけた反戦の事業への新たな弾圧の口実にしようとさえしているのだ。

ひとびとに告げ、訴える。このような彼の死は、いま我国主権国家権力に抗して人間であろうとするすべてのものの痛みの姿をみせている。私たちはこの糟谷君の死を悼むべきだろうか。いや、私たちは悼むという言葉に、私たちの現在の痛恨と怒りとをこめてひきつがれて死ぬことのない希望の一切の意味をこめてのみ「糟谷孝幸虐殺抗議人民葬」に結集されるようすべてのひとびとに告げ、訴えるものである。

彼は、樺、山崎、宮沢、津本らの死者たちとともに権力に殺された。しかももはや、死者より深く死んでいるものはないのだ。私たちは彼の死の重さを抱き、若くやわらかい生命のかけがえなさをいま知らざるを得ない故に、彼の闘いは私たちの中によみがえり、深く広く勝利のときを続けられるであろう。

友よ、糟谷孝幸虐殺抗議人民葬に結集せよ！

一九六九年十一月二十五日”

証人は連絡を！

九月五日、日比谷野音全国全共闘結成集会に際して、検問に抗議して連行された宮永弁護士の国家賠償請求裁判が現在進行しています。この裁判に勝利するために、当日検問を目撃した証人が一人でも多く必要です。証人になっていただける方は救援連絡センターまたは内田剛弘弁護士（九九一・一五三〇）にぜひ御連絡下さい。

全国反戦 救援に乗出す

またこのような反戦労働者の大量逮捕、また起訴によって起る職場闘争、保釈金、失業による生活問題など、今後に引続く救援の必要に対処するために、従来救援連絡センター内におかれていた反戦救対を独立して事務所をもうけ、全国反戦が積極的に全国的規模で救援活動、カンパ活動にのり出すことになった。場所は新橋の救援連絡センターから歩いて行ける近くで、住所は次のとおりである。

東京都港区芝西久保明舟町9 岡ビル3F　救援社
電話（五九一）七七九八

海燕のうた

十二月二日付毎日新聞にアングラ出版の「救援ノート」のことが出ていた。編集にあたった「安保を闘う婦人連絡会」の活動の経緯を紹介して、これをつくった動機もるしてあった▼「私たちの運動はあくまで個人個人の考えでどうするのが一番よいと思った方法でやります。この会を通じて、自分のうちの息子、となりの子供、親せきの子が逮捕され救援活動をどうしたらいいか、という相談がたくさん出てきたんです。そこで……」こうした小冊子を考えついたという▼毎日新聞は「デモに行く時の心得、黙秘権とは何か、裁判の録録、逮捕者を出した家族の心得など市民生活の権利を法律にてらしたうえで書いている」とほめている。もちろん救援活動のよい手びきになるし、身近な法律知識としても手ごろな本だ。定価百円で救援連絡センターでも取次いでいる▲このような“救援の手びき”は内容こそちがうが戦前にもつくられ、ひろく労働者と学生、犠牲者の家族の間に流布された。弾圧のなかで犠牲者を守り、家族を力づけていく仕事は大きな階級的な役割をになうものであった。戦後は治安維持法などの廃止で不要になったかとみえたが、「ノート」が要望されているのは権力が戦前のような悪ラツ非道な弾圧を復活しているからにほかならない▼この種の文書はとても重宝がられるが、用がすむと保存されず、消えてしまう宿命を負わされているようだ。戦前運動資料を豊富に所蔵している法政大学大原社研でも、機関紙、通達指令などは多いが、この種のパンフレットはほとんど見かけない。偉大な運動方針書などとちがうので残しておく気にならないのだろう▼しかし、こんなささやかな小冊子ほど、名を求めず、ただやむにやまれぬ気持から、お金と労力をもち寄ってつくりあげた、ひとりひとりの善意と怒りとを、強く浮彫りにしたものは少ないように思う。

府中刑務所へ　待遇改善の申し入れ

郡山吉江

府中刑務所は、差入れ品が本人の手に届くまで約一ヶ月かかるという。獄中からのたよりで、救援センターは「三多摩地区救援会」と共に、12月8日第一回の「申し入れ」をした。ひきつづき、26日、27日、そして1月10日と計四回のはなし合いの結果、「要求のための努力をする」と言う回答しか得ていない。従って、今後、約束の確認、未解決の話し合いを、つづけて監視と申し入れをしなければならない。

このことは獄中で、当然受ける事の出来る権利さえ、保障されずにいる被告者に、救援に手をさしのべるものとして、しなければならない任務であると考える。センターは、府中刑務所の実態、及び在監者の要望を含め、アンケートによる第一回の調査を終えた。各地救援会は、これら資料を検討の上、それぞれ創意ある行動をおこし、闘争の最中を闘っている在監者をはげましたいと願うものである。

解決された点

一、面会、差入れの受付手続に時間がかかったが、一部改善された。

二、[illegible]の品種が少なく、[illegible]数を増やした。しかしコンビーフ等、[illegible]となっている。

三、接見の面会所が出来、面会窓は三室より九室になる。しかし光線が悪く、面会人の顔が見えぬので、早刻改善する。

四、月一回、在監者の[illegible]、その他の改善、要求について会談する。

未決囚の心得に、「未決囚は心静かに裁判をまつべし」とあるが監獄や警察の中で、心静かになる為の種々な要求がある。前時代に制定された法規を、着実に実行させる為にも、よりよい環境をつくる事に同意した。

確約、及び、善処努力の問題

一、差入れ品を、今後一週間以内に本人に届くよう努力する。

二、制限衣類の10点の内容を、1・12日から1・17日まで一般に公開する。その間冬季間の特例品目については今迄の意見を参考とする。

三、手袋の差入れは受付けるが、本人の体質を考慮の上使用許可をする。

未解決の点

一、緊急を要する差入れ品を、即刻入れる事。

二、政治的配慮で、長期拘留されている者は特別に扱え。食品の差入れは、「売店購入」など不合理であるから、一般自由差入れを認めよ。

三、長期拘留者は、食物の変化も求めている。ラーメン等を許可し、その為に必要な器物をそれぞれポットにより支給、自由使用を認むべきである。

四、刑務所は、冬季用湯タンポ（一回十五円）使用を認めているが、全員国費にきり替えるべきである。

以上が申入れの要旨であるが、最後に次の事をつけ加える。

現在監者は、一般犯罪者とちがうので、身柄をあずかるものとして充分配慮している。彼等は、現政治状勢の中にあっての被告であるが、今後の状勢の変化によって、どのようになるかについては我々には解らぬ。幸い、風邪の流行期にあっても、この人たちの中から一人の病弱者もいない。中に一回の差入れもない者が二名おり、刑務所側が衣類の貸与をしようとしても、「充分です」といってガンとして受付けぬ。従って、我々の配慮についても理解してほしい。

と、センターはアンケートによる調査の結果、所持金ナシの人三〇名確認（一月十日現在）即刻現金差入れをした。闘争時の在監者のため現金カンパを特にお願いしたい。

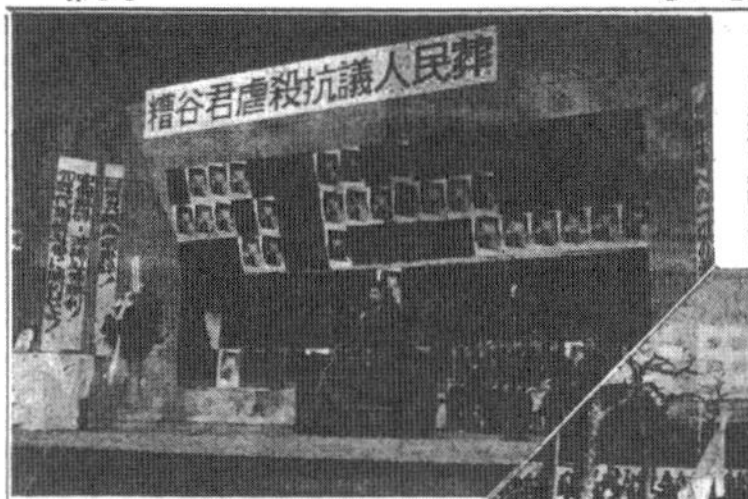

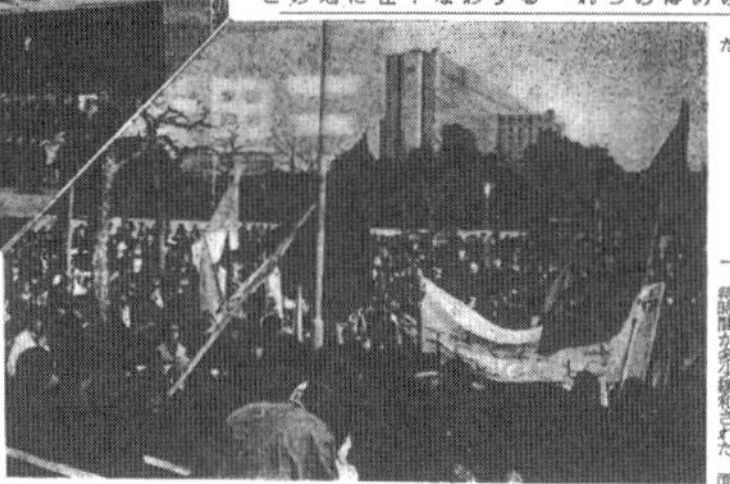

糟谷孝幸君虐殺下手人を告発

―関西救援会あげて―

東京での人民葬の前日十二月十三日、関西救援会の大物を含む告発人は、十一月十三日大阪において糟谷孝幸君を逮捕し、連行中同君を警棒による殴打し死に致らしめた機動隊員を告発した。

被告発人

大阪府警察曽根崎警察署　荒木幸男、赤松昭朗、杉山時央、その他故糟谷孝幸君の逮捕に協力した氏名不詳の警察官数名

12・14糟谷孝幸虐殺抗議人民葬行わる

十二月十四日、糟谷孝幸君虐殺抗議人民葬が、全国全共闘・連合主催、全国反戦、ベ平連、婦人民主クラブ、救援連絡センターなど、多数の市民組織の参加により、日比谷野外音楽堂で開催された。午後一時半会場は八千名の参加者で埋めつくされ、東大全闘連鈴木達夫氏の司会で開会。司会者のあいさつ、黙祷につづき、全国反戦、三里塚反対同盟戸村一作氏、市民団体代表、救援連絡センター水戸巌氏、プロレタリア学生同盟代表、岡大全共闘代表が次々と追悼の辞をのべた。

第一部では、[illegible]弁護士より、虐殺に至る経過についての報告が行なわれた。

第二部は、七〇年代闘争へ向けて参加各政治組織から決意表明が行なわれ、ついで全員が「同志は倒れぬ」を唱いつづける中を、参加団体代表が菊の献花をつづけ五時三〇分頃、人民葬を終了した。

この日、集会場の周辺で、主催者より集会参加を拒否された革マル派学生と全共闘防衛隊のあいだで衝突があったが、機動隊は、これを口実に反戦労働者多数を含む一八七名を全く不当に逮捕した（起訴一九名）。朝日新聞などは、集会が内ゲバによってすべて破壊されてしまったような、著しく歪曲した報道を行なっている。

集会後、遺影を先頭に、国会、首相官邸前、虎の門を経て東京駅八重洲口に向けてデモが行なわれた。

獄中弾圧に反撃しよう

十一月佐藤訪米阻止闘争において、我々の闘いがこのブルジョア社会に根底的に対決するものであったが故に、ブルジョアジーはあらゆる弾圧を加えて来た。機動隊は我々の羽田への進撃を阻止し、デモ参加者へ暴行を加え、逮捕した。暴行を受け負傷した同志に対し彼らはどのような処置を取ったのか。十分な手当も受けさせず放置した例が多い。さらに運び込まれた病院では、現金を持っておらず、黙秘しているため住所がわからないという理由で診療を拒否し、権力と一体になり黙秘を解かせようとしたのである。他の病院でも重体の人間を逮捕し、その病室に入りこみ泊りこんで監視をする事は当り前のように行なわれているし、病院側も黙認しているのである。以下十一・一六で負傷した人（女性）の場合を報告したい。

彼女は池上から羽田へ向う途中、4時と激突した。その際気を失って倒れていた所を数人に暴行を受け、呼吸困難におちいり、左手も動かない状態だった。そこで池上署へ連行されてから医者に診せるよう要求したが、三時間余り放置された。余りの痛さに耐えかねて訴えた所やっと医師の所へつれていった。医師はすぐ病院へ行きレントゲンを取るようにと言ったが、警察は護送のためと行かせなかった。護送は吹きさらしの車に一時間も乗せられ、途中では何度も嘔吐した。下谷署についてから嘔吐があまり激しいので、やっと救急車で東大病院へ連れて行かれた。このように警察は本人が医師に診せるように何度も要求したにも拘らず、重傷者を放置していたのである。

東大病院救急受付では、彼女が現金を持っていなかったので、看護婦は警察と共に住所、氏名を言わないと診察しないと恫喝した。彼女は三十分位頑張ったが、既に六時間以上経過し、限界にきていたので親の住所氏名のみを言った。そこでようやく診察を受ける事ができたのであるが、その間にも刑事は診察室に入りこみ、看護婦と替るがわる自供を強要した。支払いと書類の段階では更に強要し、やむをえず氏名を言ったのであるが、支払いがすんでないからと結局薬はくれなかった。東大病院での診断は閉鎖性気胸（肺に空気がたまる）通院一週間であった。（後の鉄路病院では頭部血腫、左頭部左上胸部挫傷、左閉鎖性気胸絶対安静で一ヶ月半以上の入院を要すると診断されている）

その後下谷署に連れ戻され、弁解録取書、指紋、写真などあちこち引っぱりまわされ、東京の住所を最後まで言わなかったため拘置された。それから鉄路病院へ移された。そこでは診療拒否はされずむしろ院長は刑事が供述書を取ろうとするのを拒否したのである。しかし刑事は病室の中に入りこみ電灯をつけたまま監視を続けた。彼女が暴行を受けてから治療を受けベッドに寝かされるまでに実に十一時間もたっていたのである。十七日朝があけてから刑事は二人にふえ、さらに調書を取ろうとした。夜も離れず、彼女の妹の入室も拒否され、尋問が続いた。しかし重体の人間の勾留を続けて病状が悪化し、追求される事を恐れた権力は、十九日の夜になり釈放せざるを得なくなったのである。

獄中での取調べ時及び所内でのリンチについては前号に報告されているが、暴行を受けた者がどのような対応をしたのか、品川署に留置された者の報告をのせたい。

留置所からの報告

第一に同房者特にチンピラに前もって看守が〝しめる〟事をやらせるようにしておく事。第二に黙秘者に対するリンチは同署では刑事課長（松永）が同房内チンピラを直接的に指導し、氏名、職業その他を暴力的に聞き出そうとした。それを拒否した者には、看守観視の上で足で腹部をける、又顔面を足でける、素手でなぐる及び板の間に長時間（五～十時間）正座させる、食事を取りあげる事を行なった。

我々はそれらに抗議し、同房のチンピラをなぐり倒す等実力で対抗した。騒ぎが大きくなったので五～六日目ぐらいでリンチが少なくなった。

第三に十六日夜取調べ中刑事によって頭部を角材で数回なぐられ、壁にぶつけられた等。十七日の取調でも同じ事が行なわれた。三～四日すぎたらそれはひどくはなくなった。但し課長は大きな声でおどしたり、手を出す等があったようだ。それ等のリンチの為〝血尿〟が二週間位い続いた。又口の中を切る等があった。教訓として、それらのリンチ（同房者、看守をとわず）には実力で対抗すべきで服従する事は絶対に必要ない。同房のチンピラ等はなぐりとばしておとなしくさせるべきで、看守が手を出したら、こっちもやり返すべきである。又刑事の暴行は必ず裁判所で（三日目位にある）抗議する事及び検事にも同じである。彼等は上司のキゲンを取るから問題を大きくした方がよい。我々はリンチに屈するのではなく、（人数的にも多いのだから）積極的に反撃すべきである。

このように看守、同房者による個々に分断して力で屈服させようとする弾圧に対しては、全員が団結し集会を持ち、実力ではね返してゆくべきである。それが貫徹できた署では最終的には彼等も手が出せなくなっている。

あらゆる場を通じての暴露を追求するため、昨年の新宿・築地署の告訴に引き続き新宿署の件を法務局人権擁護部への申し立てを十二月に行った。築地署の件も一月中に行う予定である。さらに国家損害賠償の請求をし、当事者を法廷に引きずり出して追求し、大衆的に弾劾するであろう。

我々は闘いを房内、法廷内にとどめずに、地域救援会や職場、学校での弾圧に対する闘いを通し弾圧総体に対決してゆかなければならない。地域救援会ではリンチ、差し入れ妨害に対し、各警察署への抗議行動を行った。十二月十二日杉並救援会を中心に約三十名が杉並署へ行き抗議した。又十九日にも渋谷救援会が中心となり、原宿署へ抗議している。どちらも署長らと会見し、抗議文を手渡したのだが、彼らは同房者のリンチ及び差し入れ妨害を受けた本人がいるにもかかわらず、あいまいな言いのがれをくり返すばかりであった。しかし最終的には「このような事はないと思うが、今後は注意をする」と言わざるを得なかったのである。警察は問題が大衆的になるのを恐れている。我々は十、十一月闘争で特にリンチのひどかった、杉並、新宿、目黒、品川、築地署に対し、警察署や当事者に対するあらゆる形の抗議行動を続けてゆくだろう。

十・十一月統一救対（渡瀬）

三行ニュース

日大全共闘の秋田明大議長は、十一月二六日保釈金五〇万円で保釈。十一月一六日の保釈決定では保釈金二〇万円だったが、検察側の抗告によって執行停止。その後保釈金がつり上ったのは何故？

× ×

「北川四郎」さんは十二月二六日無事退院されました。多数のカンパを送って下さった方々に感謝します。医療費も思ったより少くて済みました。北川さんの一刻も早い恢復を祈ります。

× ×

十二月二六日、「反戦教師の会」が起訴されて勾留中の先生方に一せい面会。約四〇名が参加した。

× ×

一昨年の佐世保闘争のデモに対する〝過剰警備〟が社会党によって告発されていたが、長崎地検は不起訴処分を決定。社会党は長崎地裁に付審判請求を行うことになった。

× ×

「70年闘争獄中書簡集」創刊準備号が発行された。「東大獄中書簡集」の編者たちが、〝東大〟の枠をとりはらって、新出発したもの。発行・救援連絡センター。

× ×

「救援ノート」改訂版を計画中です。御意見をお寄せください。なお「裁判闘争」も近く完成の予定。

第 4 号
1970年 4 月号
労・学・市民連帯の救援組織を各地に！

〒530　大阪市北区浪花町125番地
関西救援連絡センター（準）
電話（06）（372）0779
振替番号（大阪）73915
賛同会費　月額　1口　<500円>　以上

糟谷君虐殺事件
告発を推進する会(準)発足

糟谷孝幸君が昨年十一月十三日大阪府警特別機動隊員の警棒殴打により翌十四日死亡した事件を十二月十三日大阪地方検察庁に告発した「糟谷孝幸君虐殺事件告発団」は九二名となった。地検は未だ何らの動きも見せていない。

一方、府警は松倉鑑定（司法解剖の結果）の要旨を一月二十七日の毎日新聞にスクープさせ、「糟谷君の死因は暴力学生の仕業」という印象を人々に与えるマスコミ操作を行なった（別項参照）。告発団ではこの記事に基き内容を検討したが、この記事は極めて不確な偽瞞的なもので、マスコミ操作をねらったものにすぎず、このような記事を一社にだけ出させるところに府警の追い込まれた窮状を示すものと思われる。

一方地元関西および東京においてこの告発を推進しようという声がおこり、三八名の呼掛人をもって「告発を推進する会」がつくられることになった。折も折、東京において日大全共闘の中村克己君が右翼学生に暴行を受け死亡し、警察はそれを交通事故として処理するという許せない事件が発生した。

糟谷君事件告発に勝利することの意義はますます重大になったといわねばならない。この告発推進に一人でも多くの方が加わって下さることをねがうものである。

会費　団体一口月額一、〇〇〇円
　　　個人一口年額一、〇〇〇円
カンパ　随時　金額自由
送金方法
　振替「大阪四一〇六四
　　　告発を推進する会」
（なお糟谷君に対する弔慰金は御遺族からの申し出によりカンパの対象から除きます。）

「告発を推進する会」（準）趣意書

一九六九年十一月十三日、大阪市扇町公園における佐藤訪米阻止行動の際、岡山大学学生糟谷孝幸君が大阪府警特別機動隊員の警棒殴打で重傷を負い、十四日午後九時死亡した事件について、関西救援センターが中心となって、真相究明を行なった結果、「特別公務員暴行陵虐致死」（刑法第一九五・一九六条）の事実が明確となりましたので、十二月十三日、同センター呼掛人、関係弁護士等十九名が告発人となって、この事件を大阪地方検察庁に告発いたしました。告発人はその後九〇名（二月十五日現在）になりました。

この事件は単に前記の刑法犯罪としてでなく、常態化した警察の過剰警備行為、ファッショ的国家権力の発動として極めて重大な事件であり、これを黙過するときは、警察国家体制を指向する政府と与党は、国民の諸権利に関する憲法諸規定の空文化を一層押し進めるでしょうし、警察の横暴な支配は政治活動領域に限らず、あらゆる分野で国民を恐怖の下に隷属せしめるものとなるでしょう。

この事件の告発は、第一に刑事事件として、第二に人権および表現の自由を侵す憲法違反として、第三に国家権力ファッショ化の摘発として、思想、宗教、信条をこえて全国民的な拡がりをもった支持を必要とします。

糟谷君の死の真相を法廷において公的に究明するこの告発の目的を必ず達成せしめるために、貴下に「告発を推進する会」の会員になっていただきたく存じます。また一人でも多くの人を会員に誘っていただきたく、ご協力をお願い致します。

一九七〇年三月一日

呼掛人（五十音順）

いいだもも　井上清　井上正治　一円一億
今井和登　内田剛弘　海老坂武　遠藤肇孝
小田切秀雄　大井正　沖浦和光　長田雅樹
加瀬都貴子　川田泰代　久能昭　串部宏之
小中陽太郎　国分一太郎　今野求　佐藤耕造
菅沢邦明　鶴見俊輔　中岡哲郎　野間宏
羽仁説子　花崎皋平　花田圭介　深作光貞
福富節男　松井誠　水戸巌　武藤一羊
森本英樹　矢山雄作　行田良雄　智山慶正
横路孝弘　好並隆司　宮川寅雄

中村君の死を悼む

関西救援連絡センター

三月二日午前七時二十五分、日大全共闘中村克己君（商学部二十二才）は、永遠に帰らぬ人となった。中村君は去る二月二十五日午前十時二十分ごろ、京王線武蔵野台駅前において、三十数名の全共闘の学友と共に、日大文理学部府中校舎の学生へのビラを配布中、丸太・鉄パイプ・木刀などを手にし、トラックで乗りつけた日大右翼に襲撃され、左前頭部を右前方から棒状の鈍器で強打され、頭蓋骨陥没と脳内出血により瀕死の状態で病院に収容され、瀕死の危篤状態が続いていたが、三月二日死亡した。

かかる虐殺事件に対し、警察当局は二十九名の全共闘学友を不当逮捕し、犯人のテロ集団を「被害者」に仕立て上げ、例によってマスコミを動員し「交通事故死説」を流布し、事実を隠ぺいしようとした。しかし真相が明白になるにつれ動揺した権力は、あろうことか現場を何も知らずに通過した急行電車の運転士を「業務上過失致死」で逮捕し、さらに解剖時においては急遽「司法解剖」に切り変え、病院の内外に警官でピケを張り、家族・医師・弁護士の立会いを拒否し、密室において行なうという暴虐の限りをつくした。

われわれは、この若きプロレタリア戦士の尊い犠牲に対し、深い哀悼の意を表するものである。この二度ととりかえすことのできない生命に対して、惜しみなく加えられた日大当局＝古田アウシュヴィッツ体制の暴虐を、満腔の怒りをもって告発・弾劾する。

中村君虐殺に、抗議と弾劾の嵐をおこせ！

欺瞞的マスコミ操作
毎日新聞の松倉鑑定スクープ

毎日新聞（大阪）は一月二十七日朝刊に、糟谷君の死因について司法解剖を行なった阪大教授松倉鑑定書要旨を大阪府警から入手スクープした。その記事は写真入り九段のスペースをとった大きなもので「凶器は警棒でない?」「岡山大生・糟谷君の死」「稜と角ある鈍体」「阪大松倉博士鑑定書出す」「デモ隊が鋭って、容疑者の割出しはムリ」という大小の見出しをつけたものである。記事の要旨部分は次の通りである。

松倉教授の鑑定書は、死因として「頭部打撲で頭蓋外にできた血腫で脳の圧迫が起こり、また各所の出血、脳顕挫、脳浮腫により脳中枢機能に障害が起こり死亡した」と述べている。そして脳機能障害の原因となった頭蓋内血腫や脳表面の損傷は①左側頭部前部のざ傷②左側頭骨上部および頭頂骨下部の骨折が合わさって起こったとしており、この二つの傷は「稜のある打撃面をもち、しかも角のある鋭い鈍体が左側頭部頭頂部を中心に作用したと推定するのが妥当である」とし、しかも「一回の打撃作用で両方の傷が同時に生ずることも可能である」という。同教授は、鈍体の種類について具体的な名前をあげてはいないが「平たんな打撃面があり、かつ角がある鈍体」と表現していることから、捜査本部ではデモ隊が使用した長さ一・三㍍で、三・二㌢×〇・六㌢の切断面を持つ鉄板棒を示唆していると解釈している。

そして「デモ隊から押収した鉄板棒」との説明つきで一警官が鉄板棒を前に差出している大きな写真が掲載されている。

このスクープが府警とブル新が一体となった悪質なマスコミ操作であることは明らかである。①スペースの大きさに比べて重要記事は全体の一四分の一にすぎない。②ニュース源は府警であって松倉氏ではない。③「『警棒だ、目撃者いる』救援センター」という見出しつきで樺島弁護士の短い談話をのせているが、記事全体は府警の見解を詳細にのべて「鉄板棒説」を強く打出している。④朝日その他の各紙は松倉鑑定についてまったく記事を書かなかった。これらを併せ考える時、この記事の意図が奈辺にあるかは明らかだ。

スクープされた松倉鑑定書要旨部分について、告発団は司法解剖に立会った佐藤医師その他の医師の協力を得て分析検討したが、少なくともそこに記された所見からこのような結論を得ることはできないという意見で、告発団が主張する「警棒殴打による死」を覆えす根拠にはならないものである。むしろこの時点でかかる偽瞞的マスコミ操作をやること自体、府警が直接追求の前に窮していることを自ら暴露している。

人権侵害救済の申立行われる
起訴後の取調べに対し大阪弁護士会に

三月十二日、一一・一三闘争で事後逮捕されたY君は、勾留起訴された後、違法なる取調を受けた事件につき、代理人の松本健男弁護士他十五名の弁護士を通して大阪弁護士会・人権擁護委員会に「人権侵害救済申立」を行なった。

申立人のY君は一月十日、一一・一三闘争の件で令状逮捕され、勾留のまま一月三十一日に、凶器準備結集罪・公務執行妨害罪で起訴され、二十七日大阪拘置所に移監となった後、二月五日から二月十六日保釈で釈放されるまでほとんど連日にわたり、府警本部警備官により起訴事実について執ように供述を強要しようとする取調を受け、Y君は一貫して黙否していたが、「お前には黙否権はない」「黙否するのなら最後までねらってやる」など強迫を繰り返し行なった。

松本弁護士はY君に起訴後の二月十日接見した際、被告人を公判手続によらないで取調べることは刑事訴訟法上許されるべきでないにもかかわらず、取調べを受けている事実を知り、直ちに大阪地検公安部の検事にこれを問いただしたところ、「別に違法とは思わない。本人がはっきり拒否すれば無理には調べていないはずだ」と回答し、その後も同様の取調べが続いた。

なお、その後の調査により、このような在監中における起訴後の取調は、一一・一三事件を含む他の被告に対しても行なわれている事実が判明した。

申立理由要旨

勾留されている被疑者には取調べを拒否する自由は法規上存在しないのであるから、身柄拘束のまま起訴された被告人にとって、起訴に至る捜査段階で強制された取調べが、起訴により任意の取調べに変るということを知識としても[illegible]取調べの対象とされてしまう以上、取調べに対し明確な拒否の意思表示をすることは不可能に近い。また捜査官は取調べをはじめる前に被告人に対し、これは任意の取調べでありこれに応じるか否かは任意である旨を告げることが義務づけられているにもかかわらず、Y君に対し悪質な恫喝さえ加えた。

このような取調べを起訴後釈放まで自由に行えるなら、被疑者を逮捕勾留した後は、名目的な取調べをすませて本格的な取調べを起訴後に行なうことも可能であるし、最近の公安事件については、検察官は保釈に対する意見書の提出を故意に引延ばす傾向さえある。

もっとも憂うべきは、取調べの継続は捜査機関に対して、自白の強要という違法な武器を与えることである。黙否権は捜査段階に一定の制約があることを前提としてのみ有効性をもつものであり、戦前のように、しゃべるまで無期限に何らの処分なしに放置しておくことが許されるなら、自白の強制を禁止した憲法三八条の精神はほとんどなくなり、旧刑訴法と新刑訴法を区別するメルクマールさえ失われてしまう。

従来、捜査機関による被告人の取調べは余罪捜査などの場合を除き、行なわれないことが常識であった。起訴後の取調べの継続を許すことは、人権保障の観点から一日もゆるがせにできない重大な問題である。最近の暴力学生規制を口実にした警察治安機関による憲法の無視は怖るべきものがあるが、新たに刑事訴訟の人権保障規定が事実上[illegible]的にじゅうりんされようとしているのである。

貴委員会におかれては、問題の重大性を認識せられ、直ちに申立人につき調査を遂げられ、本問題に対し弁護士会にふさわしい適正な結論を導びかれ、かつ、これを大阪弁護士会ならびに日弁連の問題と把握して、捜査当局に対し、厳正な申し入れの措置をとられるよう強く要望する。

（事実の概要及び申立の趣旨に関しては、約四千字から成る原文を救援センターが所持しているのであり、文責は一切救援センターが負うものである。）

大阪地裁機動隊を導入!!
大阪では初めて・阪大公判で

十二月十八日・一月三十日の、公判闘争はヘルメット是非の問題に象徴される現司法制度の〈中立性〉のギマンや権力的本質を鋭く問うて闘われてきた。そして、この二月二十七日の第三回公判において、「被告団・傍聴人という権力の規定性を粉砕する」という意志統一のもとに、公判闘争が闘われたのだ。

当日、石橋の教養部で総決起集会をした後、大阪地裁前に結集し裁判粉砕・闘争勝利のシュプレヒコールで、正面玄関より本館内デモをしたのち、裁判所側の一方的な傍聴券を拒否して公判廷に突入した。そして、約三十名の学友が〈被告〉席を埋めると、廷吏等職員がそれを妨害しようとしたため、その意義を演説するべく学友の一人が裁判長用のマイクを持った。これに対し、五・六名の職員が裁判長席から暴力的にひきずりおろそうとしたので、支援の学友十名余りが裁判長席を占拠した。

そこで、廷吏と学友の間でもみあったが、「やめろ」という廷吏に、「すぐやめるからまあまあ」というと、廷吏も「それならいいだろう」といって、一旦法廷を出払った。そこで、結集した学友の約半数が〈聖域〉での集会を続行し、インターを唱った後、〈被告席〉に戻って、裁判官が現われるのを待機したのである。その間出廷していた弁護士三人が、裁判官室に呼ばれたが、「説得」の不可なることを告げて戻ってきた。

しばらくして学友の一人が外に出た時、既に機動隊が外に待機していたのであるが、二時四十分頃裁判長の退廷命令と地裁所長の退去命令が、布きれや紙に書かれて見せられると、弁護士がまず退廷した。「裁判長出てこい！」「退去命令の理由を示せ！」などの抗議の声にもかかわらず、応えて現われたのは、天満警察機動隊だったのだ！　そして「三分以内に裁判所内から退去しなければ、実力で排除する」との声。

これに対して、「裁判をやるつもりがない以上、ここにいる理由はない」として、退廷すると同時に、強制的に機動隊を導入したことを抗議するため、裁判所正面広場でデモをしようとすると、これをも機動隊を使って破壊した。そして、車の通っている道路上に暴力的に押し出されたため道路南側歩道で総括集会を持ち午後三時過ぎ解散した。

なお、この日の法廷には、一般新聞の記者はきておらず、翌朝の諸記事は地裁側の一方的なデマゴギーによって書かれたのだろうことを明確にしておかねばならない。現在のマスコミと、何の反省もなくデマを流すことが日常茶飯事なのだということを忘れてはならない。

■『関西救援センター』ニュース4号・号外・68号から

号外

関西救援センター

告訴、告発、付審判闘争に勝利しよう

編集　糟谷君虐殺事件告発を推進する会事務局
関西救援連絡センター
発行　大阪市北区浪花町125番地
関西救援連絡センター
電話（06）（372）077

忌避申立糾弾！権力犯罪弾劾！告訴・告発運動の拡大を

8.1権力を告発する集会に結集しよう！

忌避攻撃を糾弾し　告訴、告発、付審判闘争を押し進めよう

糟谷君虐殺事件告発を推進する会事務局

……に忌避申立を却下されるや六月八日、大阪高裁に即時抗告し、現在高裁で審理中である。大阪府警は「認められない場合は最高裁まで争うつもりだ」と。更に「本件審理方式は警察官にとっては暗黒裁判、人民裁判的なもの。憲法三一条、三三条、七六条に反している」（即時抗告申立書）とうそぶき権力犯罪モミケシ攻撃をかけてきている。

経過

一九六九年十一月十三日佐藤訪米実力阻止の闘いに決起した糟谷孝幸君（当時二一歳）は大阪扇町公園南側路上で大阪府警機動隊員に虐殺された。荒木幸男、赤松昭雄、杉山時夫他数名の警察官を「特別公務員暴行陵虐致死」で告発した。二十二カ月もの間、放置していた大阪地方検察庁は昨年九月七日「嫌疑不十分」として不起訴処分を発表。直ちに告発団は大阪府警弾劾へと付審判を請求。

昨年十月付審判弁護団が大阪地裁刑事十部に決定。付審判弁護団を結成し（代表請求人、佐伯千仭、松本健男、橋本正法、各弁護士）討議を重ね「付審判審理は公開で行うべきだ」との「上申書」を十二月三日提出。更には、「付審判審理公開要求署名」を提出。

そして今年一月二三日、刑事十部児島武雄裁判長は審理を「当事者公開」で行なうと発表。付審判請求団は一カ月を費やして四〇数冊にも及ぶ捜査記録を謄写し続け請求人側立証のため粘り強く弁護団会議を行なった。そして請求人側の証人申請が認められ、五月二六日の第一回審理を待つばかりとなっていたのだ。

ず。同じく当事者公開方式を決めているとはいえ全く別々の両事件について、当事者ではない大阪府警本部が二刑事部への忌避申立を同じ日同じ理由で一括して記者会見で発表。その日は、「当事者公開」方式の決定があってからすでに四カ月も経過しており、初審理を糟谷事件は三日後に、北田さん事件は七日後に控えた日であったのだ。

加えて、警察官による人権じゅうりん事件の捜査を任務とする監察室の責任者たる三島某は「これでは予断に基づく不公平なものになるとの判断で、忌避申立をした。認められない場合は最高裁まで争うつもりだ」と発言している。そして大阪府警本部長前田某は「当事者の警察官や弁護士の忌避手続を承認した」と語っている。

大阪府警のドス黒い企み

現在大阪地裁には糟谷事件をはじめとして五件の付審判事件が係属中である。その中で北田さん事件担当の刑事七部（石松竹雄裁判長）も児島決定とほぼ時を同じくして「当事者公開」方式を決定していた。

五月二十二日、大阪府警は警察官が被疑者であり、「当事者公開」審理方式をとった地裁刑事十部と刑事七部計六名の裁判官の忌避申立を発表した。

当事者とは被疑者即ち一介の警察官かつ代理人たる弁護士のはず……[illegible]

付審判制度の運用実態

付審判制度が新刑訴法によって設けられたのは昭和二十三年であるが、ここでは主に昭和三十四年以降の資料をもとに実態を明らかにしよう。

一九六七年の統計によれば検察庁が職権乱用罪について捜査した総人数は五二一人である。その内検察官ないし司法警察員に対する告訴、告発を契機とするものが四七七人で、実に九一・六%とほとんどであり、検察官によって捜査がつくられたものは八・四%……[illegible]

一九四八年付審判制度設置以来審判に付されたのは七件七警察官である。

一九五九年からの十年間にはほぼ六、〇〇〇人が告訴、告発されたがその中で三、四〇〇人が付審判を請求され、その内二人が法廷……[illegible]

安保闘争の一九六〇年から六七年までの八年間について告訴、告発による人権じゅうりん事件が検察庁によってどのように「処理」されているかを見よう。

捜査された人数は総数四八〇一人、年平均六〇〇人の多きに達している。

四八〇一人中起訴された人数は二四人、即ちたったの〇・五%。その他の九九・五%は「嫌疑なし」「嫌疑不十分」「罪とはならず」として不起訴処分にされ、告訴、告発人には「不起訴通知書」という紙キレ一枚が届けられているのだ。

前述した「付審判制度」にのっとって付審判を請求されたのは不起訴処分になった七割の三、四六人である。この段階で検察庁によって三割が闇へと葬り去られているのだ。

付審判請求された三三四六人はどれだけが審判に付されたのかを調べてみよう。但し、ここで注意しておかなければならないことは、「審判に付された」ということは一般事件でいう起訴されたことに過ぎないのであり、決して有罪と確定されたわけではないということである。

十年間で一、〇三五件中、わずか二件すなわち〇・二%以外は付審判請求棄却となっている。審判に付され法廷で有罪か無罪を争われる、のはたった二件であった。

……[illegible] 論的数字であったのだ。そして、その二人の内一人は一審で無罪となり、起訴は棄却され、無罪となっているのである。

付審判はいかなる形式で行なわれてきたか

審理方式には大きくわけて「公開」と「非公開」、さらに「公開」は「当事者公開」（付審判請求人および請求代理人にのみ公開）と「一般公開」に分かれる。

審理方式についてほとんど統計は存在していない。しかし、その実態は「判例」を調べてみることでほぼ推測が可能である。

一九六〇年以降の付審判審理の流れ方式についての判例を調べてみよう。一番大きな影響力をもっているのは六〇年安保闘争大学教授団事件付審判に関する裁判所の判例である。この付審判請求事件に対しての東京地裁の判断（一九六四、九、三〇）、その抗告審たる東京高裁の判断（一九六五、五、二〇）は、「当事者公開」さえも全面的に禁止している。

即ち、付審判の審理は「非公開」でやればいいというのだ。判例はいう。「（付審判請求）は検察官の不起訴処分の当否を判断することを直接の目的とする事後審的性質のものではなく、検察官がそれまでになした捜査の続行として検察官から……送付を受けた書類および証拠物を検討し、必要があるときには、さらに事実の取調べをしたうえ、……事件を裁判所の審判に付するに足るべき犯罪の嫌疑があるかどうかを裁判所独自の見地より判断する公訴提起前の手続きであって、……その審理手続きの実質は検察官の捜査に続行……[illegible]

手前勝手な府警の理屈

[illegible]

児島、石松決定の意味は

[illegible]

付審判は何故設けられたのか

[illegible]

付審判の目的と府警のいい分

[illegible]

児島決定とは

① 本件捜査記録の閲覧、謄写
② 職権の発動を促す趣旨での新たな証拠の申請
③ 請求人申請証人の取調時の立会および質問
④ 請求人側書記役として請求人事務局員二名の立会

[illegible]

裁判所への介入は警察ファッショのあらわれ

国会議員・弁護士　佐々木静子氏（談）

[illegible]

第68号
1976年9月

関西 救援センター

関西救援連絡センター
〒530 大阪市北区浪花町125番地
電話（06）（372）0779
振替番号（大阪）73915
発行日 毎月10日 定価<30円>
賛同会費 月額 1口<500円>以上
年間購読 送料共 1部<1000円>
発行責任者 森本英樹

糟谷孝幸君虐殺事件付審判請求却下
怒りを組織せよ！

付審判請求却下に抗議する

〔関西救援連絡センター事務局〕

斗う労働者、人民の血が流されるたびに悲しみと怒りが交錯する。過去幾たび労働者、人民の血が流され、何万、何十万の人間が虐殺されていったかを我々は決して忘れはしない。斗う学生糟谷孝幸君は、七年前の反戦デーの夜警棒の乱打の中で死亡した。荒木幸男、赤松昭男、杉山時男ら機動隊によって頭がい骨をたたきわられ、全身打僕の中で死亡した。

この七年間、糟谷君虐殺事件付審判請求斗争は、当事者公開という密室審理の中での攻防を余疑なくされていた。そして、今虐殺の下手人荒木幸男、赤松昭男、杉山時夫らは、権力の番人裁判官松井薫、一之瀬健によって再び権力のふところに抱きかかえられた。

今回の判決は予測されたものとはいえ、我々の怒りを新たにするには充分すぎる。労働者、学生の流された血は弾圧を粉砕しぬくまで消えることはない。我々の斗いの更なる発展の決意をもって、ここに糟谷君の死を追悼する。

我々の怒りを絶やすな！

幾多の血が流されてきたこの斗いの歴史の上に立って、我々は、権力の実態をあばき、暴虐の鎖を断っていかなければならない。

ここに断固たる抗議の意志を表明し、我々事務局は、糟谷君虐殺七年目の怒りの意志を新たにし、インターで　谷君の死を追悼する。

立て飢えたる者よ　今ぞ日は近し
さめよ我がはらから　暁は来ぬ
暴虐の鎖断つ日　旗は血に燃えて
海をへだてつ我ら　腕結びゆく
いざ斗かわんいざ　ふるい立ていざ
ああインターナショナル我等がもの

糟谷君虐殺の追求行動は九月一四日の付審判請求棄却の決定によって第一段階は終った。この付審判請求棄却は初期の段階で予測された事態であった。司法は、権力の番人であり権力犯罪を権力の番人が裁くなどという茶番が、ロッキード事件で起っているかのごとき判断が漫えんしつつあるが、権力犯罪を真に裁ける者は、人民以外にない。糟谷君付審判請求棄却は、この事実が真理であることを再度明らかにした。裁判官松井薫、一之瀬健の両名は、権力の番犬であることをここに明らかにした。彼ら両名は糟谷君虐殺下手人荒木幸男、赤松昭男、杉山時夫らと同罪である。我々は満身の怒りをこめてここに断罪しておく。

糟谷君虐殺下手人を追求する付審判請求斗争は「糟谷君虐殺事件告発を推進する会」によって斗われてきた。この間の斗いは、当事者公開という密室審理の中でその内容は一切公開されることはなかった。過去七年間の斗いはこの密室の中での攻防であり、外での運動作りに失敗した結果、裁判官の良心に訴える斗いであった。告推会の斗いは今後この決定によって大衆運動作りえと転回していかざるを得ないであろう。我々は今、島刑を告発した近藤君の国賠鈴木君虐殺の国賠をかかえており、告推会の斗いを教訓化していかなければならないであろう。関西に於ては、地裁前で天満署員に暴行された久留島君の付審判請求が通り、現在付審判斗争が進行している。我々はこの久留島君付審判斗争の勝利を過大評価してはならないが、権力犯罪を追求していく一つの手段としての付審判請求は、今後も必要ならば断固とした決断の下でやり抜く。

糟谷孝行君虐殺の時効は、目の前に迫っている。一一月一三日午前一二時を持って成立する。しかし、人民の闘いには時効がないことを再度明らかにしておく。

（編集部）

☎372・0779

一九七六年八月〇日、電車を乗り継ぎ、船を二回乗り継いで、南海の孤島、某所某にて我、センターの合宿は厳に開かれた。あくまで紺く、海は波一つなく、安らかな「平和」「楽天」の言葉が、ピッタリな所であった。しかし、ボクたちはここに遊びに来たのではなかった。斗いの糧を得に来たのであった。ハードなスケジュールは次々となされていった。次の日もまたしてもそうであったが、午後から自由時間があった。各自各様、好きなことをした。つりをする者、ヒルネをする者、およぐ者ETC……しかし世の中甘くはなかった。小さなモーターボートがこの孤島に近づいてくるではないか!?

そこに乗っている奴はあの見おぼえのある制服、制帽、コン棒、コルトANDウエイソン、そうです国家権力の暴力装置「おまわりさん」ではありませんか！ああ、こんなところにもボクたちを見はりに来たのですか!?と思っていたら島の人に聞いてみると、定期的にモーターボートで見回りに来るとのこと、なぜかしら、ホッとした。しかし真実はわからない。やはりどちらにしても、見回りに来るとのこと、やはりどちらにしても見回りに来ることはよくないことであるとナットクした。

二泊三日の予定も無事終りみな帰路についた。ジャッカン日焼けして体中ヒリヒリする夏もこれで終りだな。サア九月からはガンバラナクッチャ

関救に来て早、一ケ月がたとうとする。ヒョンな事でセンターの戸をたたいたわけであったが、自分自身が弾圧に対してア・プリオルな対応が出来ずオノレの弾圧に対しての観念的な点をさらけだしてしまった。関救に来てよかった。

（関救の詩人こと川上）

岡山大學新聞

発行所
岡山大学新聞会
岡山市津島
電話1111（内）791
振替岡山8306
発行人　廣岡美也
編集人　桜田淳
1部　10円

糟谷君（J/2）虐殺さる！　11.13阻止闘争

警棒による乱打

弁護団・告発、裁判闘争へ

▼……日本とアメリカ両帝国主義の70年代における極東戦略 アジア安保・極東集団安全保障体制 を決定する日米会談のため訪米しようとする佐藤首相を実力で阻止し、それでもって安保粉砕の展望を獲得しようとした11月安保決戦は、首都、羽田を中心に全国各地で闘われた。佐藤首相は訪米し、日米共同声明を持ち帰ったが、この安保決戦は文字通り決戦として、数千の逮捕者を出しながらも死力をつくして闘われたのである。この闘いに対して権力は、10・21国際反戦デー以後、「圧倒的」弾圧を闘う労働者、学生、市民に加えてきているが、このような中の11月13日、本学2回生糟谷孝幸君が、大阪で機動隊の暴行にあい逮捕された後死亡した。レントゲン撮影すら行わなかった病院側のミスも確認されている。しかし、この虐殺の事実を隠蔽しようとあらゆる手段を使っている国家権力に対し、本紙は強い怒りをもって抗議するとともに、12月14日告訴、告発し裁判闘争を展開している弁護団を強く支援するものである。……（編集局）……▲

訪米阻止闘争

11.30　岡山人民葬開かれる

訪米阻止闘争で　虐殺抗議　62名、不当逮捕さる

今、思うこと

“死者”のためでなく自分のための“生”を

■岡山大学新聞　1969年12月15日（土屋氏提供）から

記事紹介

糟谷君虐殺抗議特集

新左翼　列島新報

共同編集

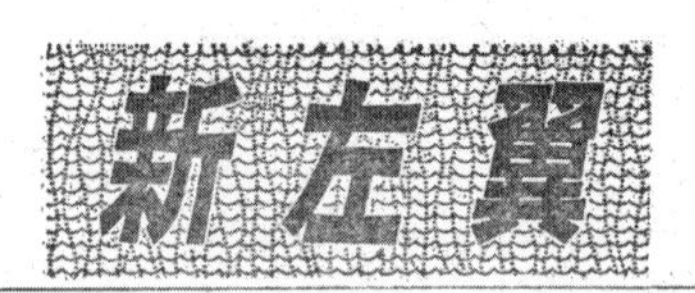

1969年
11月15日
第44号
月3回5、15、25日発行
1部15円
1カ月50円 半年300円
1カ年600円〒共

発行所
新左翼社
大阪市大淀区本庄川崎町
2—10 トミヤビル
電話（371）5304
振替口座 大阪 88555
昭和43年12月12日
才三種郵便物認可

官憲の糟谷君虐殺を糾弾する！

惨虐きわまる弾圧
訪米阻止闘争の圧殺はかる

十七日の佐藤訪米に反対して、安保粉砕のうねりが北海道から沖縄まで、日本列島を大きくつつみこもうとしているとき、これに恐怖し闘争に立上った学生・労働者をことのほかにくみ、白色テロを公言してきた佐藤自民党政府は、糟谷孝幸君（岡山大学文学部2回生21才）を殺害した。十三日夜大阪北区扇町公園で「佐藤訪米実力阻止・11月安保決戦勝利全関西労働者市民総決起集会」に参加していた際、糟谷孝幸君は、機動隊に逮捕された後、彼らの集団的なリンチをうけ、撲り殺された。

安保体制粉砕闘争のために若い青春のいのちを捧げた糟谷君に対して政府、警察当局、ブルジョアマスコミは一斉に中傷をあびせる一方、さらに犠牲者をだすことも辞さずと、けん銃の使用、自衛隊出動をもって、労働者・学生の闘争に恫喝を加えている。しかし労働者・学生・市民は、ますます佐藤政府に対する怒りをたぎらせ、佐藤訪米阻止、安保粉砕・沖縄解放の闘いに立上り、広範で激しく粘りづよい闘いを展開している。六〇年安保以来安保闘争に尊い青春の生命をささげた樺、山崎、滝沢、望月、津本、糟谷君の六人の遺志は日本人民のなかにうけつがれ、彼らの英雄的な闘いは、日本人民のなかに永遠に記憶されるであろう。

故糟谷孝幸君

糟谷孝幸君が機動隊による集団リンチのあと、行岡病院で死亡するまでの経過は、関西救援センター、弁護士、医師などの話を総合すると大体次のようである。

糟谷君は十三日午後六時三十分から三十分の間に、扇町公園横の道路、水道局前で逮捕された。逮捕した警官は特別機動隊第三小隊第三分隊の荒木幸男、赤松国雄、杉山時男の三名でいずれも曽根崎署からこの日の弾圧のためにかりだされてきたものである。

糟谷君はこの三名の機動隊員がもしくは他の機動隊員によって警棒で乱打された後、歩かされて約四百米はなれた曽根崎署まで連行された。彼は警察で「黙秘します」とだけ答え、その後死にいたるまで、権力に対して一言も語らず階級戦士としての名誉と誇りを守りぬいた。

頭に死にいたるまでの傷を負っている糟谷君に対して、警察は徒歩で曽根崎署まで連行したばかりか、一時間近くも警察にとめておき、何の治療もしなかった。そして糟谷君が意識不明になってからはじめて病院へつれていったのである。時刻は八時二十分から四十分の間らしい。脳障害は最初の処置が一番大事であるにもかかわらず、警察は歩かせ、取調べを行ったのである。

糟谷君がつれてゆかれた行岡病院（北区浮田町）は、前々から警察御用病院として評判が悪く、曽根崎署とは特に密接な関係をもった病院である。院長は自民党の府会議員であり、自民党の代議士とも親交がある。

関西救援連絡センターが、糟谷君のことを知ったのは十三日夜の十一時近くであった。ただちに医師と弁護士に連絡し、糟谷君に会うべく活動をはじめた。

十四日午前一時四十分ごろ、樺島正法弁護士、高岡孝医師と救援センターの[illegible]が行岡病院におもむいた。この時はまだ糟谷君の身元はわからず、[illegible]

ところが行岡病院は、「警察からあずかっている[illegible]」[illegible]押し問答の末、ようやく二時二十分に糟谷君をみることができた。彼は意識不明の状態で手術台の上に横たわっていた。その時の状況を高岡医師は次のように語っている。

「二時二十分ごろから三十分ごろまで糟谷君の状態をみた。担当の松本医師の態度は非常に非友好的、挑発的であり、誠意ある態度を示してくれなかった。その時点での患者の状況をきくこと、松本医師は、レントゲンの頭部の撮影で、左前頭部の頭がい骨骨折で陥没骨折はない。脳の障害については硬膜外出血か、脳内出血があるのか、脳ざ傷があるかについては今のところ不明である。それをはっきりさせるために今から脳血管撮影をやろうとしている。そのために麻酔をかけている。もし、硬膜外出血があれば開頭手術を行う。運ばれた最初の時点では、彼は〝扇町でやられた〟とか〝むかついてきた〟ということを[illegible]」

つまり、糟谷君は少くとも二時[illegible]手術を始めるまでに八時間経過しているのである。

ちなみに、糟谷君の学校である岡山大学の闘争で警官が死亡したときには三時間たたないうちに手術が始められている。

しかも手術を行った松本医師は脳外科の専門医ではなく、整形外科医であった。行岡病院には脳外科はない。つまり物的にも、人的にも何ら設備のない病院へ警察は糟谷君をひきわたし、病院側もただちに設備のある病院へ移すということをしなかった。

このように、一貫して行岡病院は警察の立場にたち、糟谷君を救援しようとする人びとには露骨に敵対しつづけた。糟谷君の容態がさらに悪化し[illegible]がどうしてもできなかった警察と病院は[illegible]りぬいてようやく救援センターに面会を許可した。人びとが面会に行った時、すでに糟谷君は自力で呼吸することもできない状態であった。糟谷君の本名と所属などがはっきりしたのは十四日の午後五時すぎであった。そしてその数時間後、午後九時、糟谷君はついに死亡した。

糟谷君は明らかに機動隊の集団リンチ、警棒の乱打によって重傷を負い、警察と病院側の不当な取扱いによって虐殺されたのである。

扇町公園に三万人
機動隊に怒りの火炎ビン

十三日、大阪では昼すぎから市内の扇町公園に反戦青年委、全共闘、高校生、ベ平連、総評系労働者などが結集し、夕刻には三万人を上回る人びとが続々と集った。扇町公園には例によって機動隊が荷物をもった人びとを片っぱしから取調べ、検問を行った。六〇年安保闘争の規模をこえる大規模なストライキを決行した労働者、佐藤訪米を実力で阻止する固い決意を持ったヘルメットの人びとはそれぞれ集会を開き、現地闘争を勝利させようと誓いあった。

六時すぎ、第一回目の集会を終った総評系の労働者がまず扇町公園からデモに出発した。ヘルメット姿の反戦、全共闘、高校生、ベ平連などに結集する人びとはそのあと、公園内で激しいジグザグデモをくりひろげながら総評労働者のあとに続いた。扇町公園の出口のところで、突然大阪地検の検事の乗っていた乗用車めがけて火えんびんを投げた。続いて二本三本と火えんびんは機動隊の隊列のまんまえであるいは後方でたてつづけにもえあがった。たちまちあたりは騒然となり、その機に労働者、学生は公園内から猛烈に石を投げつけた。たじたじとなった機動隊は、大楯のかげにかくれてあとずさり。そこへ火えんびんの火がもえあがり、人びとはわっと拍手し、ますます猛烈な攻撃が続けられた。[illegible]

約三十分後、デモ隊は再び続々とデモを開始した。機動隊は恐れおののいて正規のコースをデモ隊が通ることをいやがって、別のコースを通らせた。[illegible]「佐藤内閣打倒！」「佐藤訪米阻止！」「安保粉砕」「羽田空港を占拠するぞ！」などのシュプレヒコールがあたり一帯にひびきわたった。

その後もデモ隊は弾圧のスキをぬってジグザグデモ、フランスデモをくり返し[illegible]解散地点の中之島公園から大阪駅前一帯はデモ隊や市民でいっぱいになり、ここでも火えんびんが投げられ、深夜まで騒然としていた。

警棒による撲殺は明白
権力犯罪立証に協力を

糟谷君の遺体は十五日午前一時半から阪大病院で阪大医学部法医学教室の松倉教授が執刀し、司法解剖に付され、五時半に終了した。これには樺島・松本両弁護士をはじめ、関西救援連絡センター推薦の佐藤医師（京大医学部）などが立会った。

この解剖によって死因は脳機能障害、脳挫傷、脳腫脹、頭部打撲による打撲である。遺体の情況は、硬い鈍体による打撲、皮下出血右上肢十数ケ所、同右下腿部十数ケ所、頭頂部直径十センチの円形出血、鼻部出血一ケ所。

頭蓋骨々折、鼻骨骨折はともになく、骨の[illegible]にずれが生じていた。

松本弁護士　解剖結果やレントゲン、医師の判断などから、現在考えられることは、糟谷君を警官である下手人がうつぶせに地面をおさえつけ、左手で彼の腕をねじふせ前をつかまえ、右手で警棒で乱打したものとみられる。

あの情況で学生が奪還にいくことは考えられないが、この推定は警察の学生が糟谷君を奪還にきたので横で防戦したという発表と一致する。頭部の二つの傷が平行していたことは、糟谷君をおさえつけて動けないようにしてなぐったことを示している。身の傷の場所からみても、うしろから彼をくみしいたことがわかる。

解剖所見の凶器は鈍器ということは、鋭利な刃物でないということだ。

このことで警察が殺人事件をデッチあげる危険性は、彼らが火炎ビン説を流していることからみても、ありうることなので目撃者をさがし、困難ではあるが報道機関の協力をも求めて、警察の逮捕時の暴行の事実を証明し、彼を逮捕した三人の警官と指揮者の責任を追及したい。彼らを告発し、ひ免訴追にまでもっていきたい。そのために、当時の目撃者、関係者に広く協力をよびかける。関西救援連絡センター準備会（北区浪速町電話三七二—〇七七九）にしらせてほしい。

倍する怒りを持って佐藤政府打倒、安保粉砕に決起せよ！

直ちに抗議行動

大阪15・16連続してデモ

国家権力の糟谷君虐殺に対する怒りと抗議の声はただちに全大阪でわきあがった。[illegible]

十五日午後一時から、関西ベ平連、十一・一三実行委員会の共催で「糟谷君虐殺抗議！佐藤訪米阻止」の集会が[illegible]

[illegible]

すべての人が知っているように当日、権力の暴虐きわまりない弾圧の中で、機動隊は抵抗力のない糟谷君に対して殺人的リンチを行った。このことは動かしがたい事実である。

そして、この弾圧は何よりも十七日佐藤訪米にむけて、決起しようとしているすべての人びとに対する権力のどう喝である。

糟谷君は最後の最後まで闘い続けることを[illegible]

[illegible]

十六日、糟谷君が虐殺された扇町公園で午前十一時から反安保実行委主催の訪米に反対する集会が開かれ、多数の労働者が、糟谷君の死に深い哀悼の意を現わし、国家権力を糾弾した。

集会後、参加者は「糟谷君虐殺／佐藤訪米実力阻止」の横まくと、糟谷君の遺影を先頭に、中之島から中央郵便局までデモ行進した。

また、その後、六時から大阪駅東口広場での抗議集会が開かれ多数の労働者、学生、市民が参加。

当局、権力の虐殺、殺人行為と反動的弾圧体制をうち破り、実力闘争で佐藤の訪米を阻止する[illegible]

私は見た！

火の中つき倒す警官

まったくひどかった。あれは標[illegible]か、デモの若手達が三度目の攻勢に出た時だったと思う。道路一ぱいに阻止線をはっていた機動隊員が、突然一斉におそいかかった。[illegible]

[illegible]ほどそのやりかたも方頼をはずれなぐったり、けったりしていた。

（談）

同志糟谷孝幸君の虐殺を満身の怒りこめて弾がいする

共産主義労働者党中央常任委員会

プロレタリア学生同盟中央政治局

同志糟谷孝幸君の虐殺を満身の怒りをこめて弾がいする。

日本帝国主義と佐藤内閣はまた一人の闘う学生の生命をうばいさった。糟谷孝幸君（岡山大学法文二回生21才）は、大阪の地でプロレタリア学生同盟の旗の下に「11・13佐藤訪米阻止・佐藤帝国主義内閣打倒」の大闘争に参加し、荒木幸男ら三名の機動隊員の残虐極まりないリンチをうけて負傷し、重傷のまま逮捕連行されたが、十一月十五日午後九時、十数時間の意識不明状態のまま死亡した。

虐殺された糟谷孝幸君は、樺美智子、山崎博昭、由井同志につぐ反帝プロレタリア闘争の共同の殉難者である。警察当局は山崎同志の場合と同じく、国家権力の手による虐殺を隠ぺいし、あたかも味方によって暴行されたかのような悪質極まるキャンペーンを展開している。われわれは糟谷同志の虐殺に対して怒りをこめて抗議し、佐藤内閣の責任を糾弾するものである。

権力当局がどのように居直り、強弁しようとも、糟谷同志の死は[illegible]

[illegible]

一九六九年十一月十五日

同志は倒れぬ

正義にもゆる闘いに

雄々しき君は倒れぬ

血にけがれたる敵の手に

君は闘い倒れぬ

プロレタリアの旗の為

プロレタリアの旗の為

警察御用か行岡病院を暴く

―曾根崎〇号の体験記―

11・13デモで阪大生糟谷孝幸君は、機動隊の野獣的集団リンチにより、ついに十四日午後九時その短い一生を終ってしまった。彼の死は、その外傷所となった行岡病院の、警察権力に迎合ぶくみにくい姿を一般と白日の下にさらけだしている。これまでも行岡病院といえば、北区の住民の間では知らぬ者がない程、自民党の有力な存在で、警察と密着しかつ地元のボスや暴力団ならがつながっているという、黒いうわさがつきまとっていた。本紙ではここに、最近の闘争の際、糟谷君と同じように機動隊に逮捕・暴行され、行岡病院にかつぎこまれたA君の経験を紹介する。

機動隊によるデモ弾圧のなかで「投石した」などといいがかりをつけられ逮捕された僕は[illegible]

[illegible]

「俺か、俺はこの病院のもんや。お前の名前と住所をかきこまんとあかんのや」と、[illegible]

[illegible]

「一体この受傷状況のどこではもともと[illegible]

[illegible]

何をもとにこんなデタラメがかいてあるのか詰問すると、医者は[illegible]し、人民から生血をしぼりとっているのが行岡病院である。

反弾圧
1969年12月13日
第4号
定価10円
発行所
糟谷君虐殺真相究明反弾圧委員会
大阪市北区葉村町四一　友栄荘新館
新館十一号　平井方(三七一)八三五七

警察は故糟谷君に頭をたれよ!!

故糟谷孝幸君

本日(13日)三警官らを告発！

権力犯罪を三たび闇に葬らせるな！

事件発生以来一ヶ月目の今月12月13日、殺人警官を告発する告発状が、大阪地方検察庁あてに発せられた。明日の中央人民葬をひかえた今日の告発は我々の新らたな宣戦布告であり、新たな攻撃の合図である。

発状はいう―「当日における大阪府警本部の統一した警備方針として、デモ制圧のためには手段をえらばず生命をも顧慮しないという弾圧方針の徹底によって…多数の頭部裂創等の無差別無判断な制圧暴行を命じ且つこれを実行させたものの責任こそ、もっとも許るしがたい」と。

我々は続けていいたい。直接の犯罪を構成しないが故に佐藤帝国主義内閣の罪はさらに重いと。

歴史の名において政治的にも社会的にも死の鉄槌を下さなければならない。

山崎―由比―糟谷―と殺人を重ねる佐藤内閣に死を！

「発人らの調査によれば……機動隊の実力制圧は警職法の制約を無視することはおろか、暴虐としかいいようのないものであり、その加害は当の学生集団はもとよりのこと、附近の学生・労働者・市民に対し無差別に加えられており、そのため―中　略―糟谷君に対する致死傷のほか、逮捕者六三名のうち一〇名が頭部裂傷を負っているほか、頭蓋骨骨折の重傷者がいるのである。その他約七割の者が打撲傷、裂傷、前歯欠損等の傷害を負っている。さらに当夜機動隊の暴行によって負傷し、診療をうけたものは十三病院だけで四〇名にものぼり、うち数名は入院を要する重傷であった。しかも右診療を受けた負傷者の相当数はヘルメットの労働者・学生集団に続いて公園より道路上に出てきたノンヘルメットのデモ集団に附属していたものであり、機動隊の暴力行使が文字どおり……無差別に加えられている事実を証明している。」

二、「当日の過剰警備の実態」から

「当日の機動隊の暴力行使の特徴は……警棒、大楯、小楯を用いて、男女をとらず、デモ隊員の頭部、腰部等を激打し、単に抵抗者の抵抗を抑圧するだけにとどまらず、公衆の面前で、裂創や骨折に至るリンチ暴行を公前と遂行したという点であり、右暴行は逮捕の時のみならず連行の途上でも加えられているという点である。……（たとえば）……逮捕された女子学生を片手錠で路上をひきずりながら数人で取りかこんで顔面背・足等を強く足蹴りするとか……非人道的な暴行を加えているのである。」

（同）

はかなくも今、その一端が暴露されたこれらの事実は、ひとり12月13日にとどまらず、今日の日本をおおう治安体制の文字迎り一角にすぎない。とりわけ不法・違法な18回の強行採択による大学治安立法の暴力的採決以後は、正常化とは、機動隊暴力と壁をつくることを意味するものとなった。「沖縄・本土一体化」も又、沖縄警察の訓練に始まっている。

殺人を犯すことによってのみ訪米出来た佐藤は沖縄県民の憤激の嵐の中でうそぶいた「まことに喜こばしい」と。県民は叫んでいる「佐藤に国葬を！」―もし私たちがそうしないならば佐藤は第二の朝鮮戦争によって無数の糟谷を要求するだろう。

糟谷君は完全黙否で斗い抜いたが故に、彼の本当の言葉をより多くの人々が聞きとらなければならない。―侵略と反動への負のカーブを彼の死が照らしだしているのだ。これを止める者を待って。

私は見た！

「殺せ・殺せ」と競いかかる機動隊

あの日（十三日）は機動隊の暴力行使が圧倒的で、デモ隊は一方的になぐられていた。とにかく、異常に長いと思われる時間、異常に大勢の機動隊が少しも動けない状態の人間（僕の見たのは、逃げ遅れた一人で、ノンヘルだった。）に対して警棒の乱打、楯によるメッタ打ちも行使していたのだ。この事実を目撃した中で、今もはっきり覚えていることがある。それは、機動隊が突撃に移って、しばらくしてその一隊が「殺せ」「殺せ」と僕の前を走っていったことである。僕はそれをみて「殺せなんて」と思わずつぶやいてしまった。機動隊がデモ隊に殺意をだいているのを知って、背筋のこおるようなショックをうけた。

僕がこの事実を目撃した時、他にも大勢舗道の上に見ていた者がいたが、私服ばっかりだったかもしれない。

告発状

告発人　別紙記載のとおり（略）

大阪府寝屋川市寝屋川警察署
被告発人　荒木幸男
同　赤松昭雄
同　杉山時史
同　その他故糟谷孝幸の逮捕に協力した氏名不詳の警察官数名

昭和四四年一二月一三日

大阪地方検察庁　御中

告発事実

被告発人らは、

被告発人らは、いずれも大阪府寝屋川警察署の警察官であるが、昭和四四年一一月一三日午後六時三〇分頃、大阪市北区南扇町七番地、大阪市水道局前路上において、公務執行妨害の被疑事実により、糟谷孝幸君を逮捕するに際し、共謀の上、同人に対し、暴行陵虐行為を加えんとの企て、既に無抵抗状態にあった同人を取り囲み、路上に突き仆し、足蹴りし、所携の警棒、楯等により、同人の頭部顔面をはじめ全身にわたり、二〇回に及ぶ殴打等の残虐な暴行を加え、右暴行によって同人の右上肢に十数ヶ所、両下腿部、両膝部、鼻部に各一ヶ所の打撲傷、左側頭部に頭蓋骨亀裂骨折、硬膜外血腫脳脂腫、脳挫傷等の傷害を、右の頭蓋内傷害に因り、同月一四日午後九時、同人をして死亡するに致らしめ、もって警察の職務を行うに当り、刑事被疑者に対し、暴行、陵虐の行為をなし、因って人を死に致らしめたものである。

罪名　及び　罰条
特別公務員暴行陵虐致死
刑法第一九五条同一九六条

告発の理由

一、被告発人および被害者について（略）

二、当日の過剰警備の実態

（一）、（二）、（三）、（略）

三、逮捕時の情況とその後の経過

（一）、（二）、（三）、（略）

四、松本医師ならびに松倉教授の所見

（要旨）

糟谷君を診断ないし解剖した専門医である両医師の所見は本件の死因である脳挫傷等が鈍器ようの物体の打撃によるものであること、を断定しているのであって、本件の凶器が警棒であるとする告発人らの確信を裏付ける

五、死因、凶器、逮捕状況に関するわれわれの見解

（一）―前略　凶器の性質として鈍器以外のものを考えることができない。すなわち、本件傷害の特徴は、それが頭がい折に至る強力な打撃によるものである反面裂創をも伴っていないところにある。

（二）―略

（三）―略

（四）告発人らの調査結果によれば、糟谷君が逮捕されたのは、同君が所属していたヘルメット集団が機動隊の実力行使を避けるために東方へ急速に退却していく際であり、逮捕された糟谷君が暴行を受けた後引きたてられて、水道局前の南側歩道の機動隊隊列に引き入れられるまでヘルメット集団が同君を奪還に来た事実はなく、また奪還できる状況は全然有しなかったのである。

実際ヘルメット集団は扇町公園入口の東側におり、機動隊は空間を隔てて西側の車道から歩道に待期していたのである。糟谷君に対する逮捕行為は同君所属のヘルメット集団が組織的に運動してからは、同じヘルメット集団と機動隊間に次の衝突が起るまでの時間帯に完結しているのである。

（五）―略―

六、本事件の罪情

告発人らは糟谷君に対する被告発人らの本件暴行陵虐行為を厳しく告発する。

被告発人らによる本件暴行陵虐行為は証拠上極めて明白であって被告発人らの罪情は明らかである。もっとも致命的な左側頭部の打撲傷が被告発人のうちの誰によってなされたかについてはこれを断定する資料をもたない。しかしかりにこれが被告発人のうちの一名によってなされたものとしても、逮捕時における被告発人らの集団行動の中で、被告発人らの共同意思にもとづいてなされたものであることは逮捕状況全体から強く推定しうるものであり、さらに当日における大阪府警本部の統一した警備方針として、デモ制圧のためには手段を選ばず生命をも顧慮しないという弾圧方針の徹底によって裏附けられるのである。当日の集会場入口における警職法を完全に否定しきった検問所持品検査に始まり、冒頭に述べた多数の頭部裂創等の無差別無制約な制圧暴行を命じかつこれを実行させたものの責任こそもっとも許しがたい

しかし、われわれは、そのような違法な指示に従い国民の奉仕者である義務を完全に忘れ去り、人民に対する真の加害者として行動することに踏み切った被告発人ら個々の警察機動隊員の責任を断じて免罪しない。加害者はその責任を負うべきである。公務員である被告発人らは、本件告発人もとづき刑事訴追を受けるべきであり、かつ公務員としても最低の資格を欠くものとして即時罷免されるべきである。―中　略―

我々は被告発人が下級警察官であり、一個の人間として、弱い人権をもつ人々であることを知っている。しかし同時に下級吏員といえども権力を行使する機関としての厳しい責務をになっていることを忘れない。

糟谷君の暴行陵虐の責任は厳しく追求されるべきであり、刑事訴追に当ってはいかなる数命的配慮も無用である。

よって告発する。

三警官に告ぐ

勇気をもって真実を語れ

荒木巡査！赤松巡査！杉山巡査！

あなたたち三名が糟谷孝幸を殺した犯人を知っている。この事実を打ち消すことは出来ない。真実を闇に葬ることは出来ない。

今あなた達は、血に染まる糟谷を13日のしたたかな手ごたえをあの時の狂気を、気憶から振り切ろうとしているのでしょうか。それとも真実を告げる勇気を振い起こそうとしているのでしょうか。あなた方の上司や同僚が己のやましさに眼をつむってあなた方にどんな働きかけをしているかを知らないわけではありません。だからこそあなた達三人の心に真すぐに問いたいのです。真実を告げる勇気はないのかと。勇気をもって告白して下さい。そして一ヶ月もの間どんなに苦しい思いであったかも！

私たちは、あなた達をかりたて侵略と反動の道を守る人垣とした権力を憎むが、警官個人を憎悪するほどおろかではありません。

勇気をもって下さい。真実を告げ糟谷の霊に手向けて下さい。（M）

12・14糟谷孝幸虐殺抗議人民葬

とき　12月14日　午後2時
ところ　東京日比谷野外音楽堂
主催　全国全共闘連合

彼はこうして殺された（一）

糟谷君は十三日午後六時三十分頃扇町公園南側の水道局前で特別機動隊第15中隊第1小隊第3分隊（寝屋川署員荒木幸男、杉山時史、赤松昭夫）に逮捕された。

証言によれば、そのあと彼は頭からおびただしい血を流しながら自力で歩くことが不可能なまま両脇を彼らにひきずられて、曽根崎署まで約七百メートル連行されたのである。逮捕されてから、彼が曽根崎署で苦痛を訴え、倒れて行岡病院へ運びこまれるまで二時間、むしろにねかされたまま何ら適切な処置を施こさずに放置されていた。

行岡病院（北区浮田町）は前々から、警察御用病院として有名である。彼が同病院へ運びこまれ（午後八時四七分）初診を受けて以来（八時五十分）（この時はまだ意識があった）二回目の診断が十日午前一時（午後12時にほぼ完全に意識を失なう。この時半ばこん睡状態）血管撮影、（頭部の傷害に対しては敏速に行なわなければならない）そして、手術をうけたのがやっと14日の午前4時～6時35分、松木医師執刀であった。

刻々症状が悪化していく糟谷君に対して（適切な処置さえあれば助かっていたことは解剖結果によっても明らか）行岡病院は警察が行なったと同じ放置と 慢を行なったのである。しかも、救援センターから依頼されて急拠行岡病院へ来訪した神 弁護士 佐藤医師に対しても医学的援助、弁護活動を拒否し、警察、病院一体となって妨害したのである。彼らの妨害によって身元が確認されたのはようやく14日の午後七時であり、彼はその二時間後の午後九時に死亡した。

権力のデッチ上げはすぐに13日夜からはじまった。警棒は使用していない。→した（13日）→警棒で負傷したのではない（14日）→火災ビンもしくは路面衝突説（15日）→鉄パイプによるもの（同）→兇器は鉄板（17日）

現在府警が主張する鉄棒説は次の様なものである。「糟谷君を逮捕した時彼を奪還しに来た者があった。タテ32cm横06cmの横断面をもつ鉄棒をもっており誤まって糟谷君の左側頭部をうった。（ただし、うった所は誰も見ていない）」と。

この鉄棒説はまず医学的に崩壊する。松木医師所見によれば、左側頭部に於る幅12～13cm、長さ4～5cmの発赤、腫脹せる二条の平行な条痕、頭皮の裂傷、挫創等は一ない」。もし鉄材なら当然頭皮がきれるはずであるが、そのような傷はないこと、二条の条痕は「棒状の鈍器」と松木医師が限定しているように、それは警棒（ないしは楯）でなければつくり得ない。そしてなによりも決定的なことは、府警の設定するような奪還場所が全くの虚偽であることが証言によって明らかにされたことである。そして闘争団の収集した証言によると、当時、機動隊が警棒、楯を狂気じみて使用し、多くの人間が重傷を負っている事実があることを又多くの人間が「誰かが機動隊に殺される」と感じていることを指摘しておきたい。

反弾圧委員会に支援を!!

事実は頑固であり、真実は一つしかない。我々は真実を求めてどこまでも斗い抜くつもりです。今我々は、弾圧と戦うだけでなく、抵抗権さえ自ら放棄する危険な傾向とも斗って、荊の道を前進しなければなりません。

今必要なことは、真実をみず、事実を棚上げにした闘誠敗論で自らの良心を慰めるのではなく、既成左翼の無力さ・歴史的退廃が糟谷君を見殺したという苦い真実を直視することであります。

対決すべき敵を見失ない、敵に恐れられないものだけが「過激学生」を批判!?する自由をもつのです。

糟谷君を殺して、佐藤は訪米を強行し、沖縄問題を帝国主義的に「解決」しました。斗いは更に長く続きます。

不屈に斗うが故に集中砲火をあびる労働者・学生を支援しなければなりません。

糟谷君虐殺の真実を一人でも多くの人達に明らかにしていくために、権力による犠牲者救援のために支援と加盟を訴えます。

同志は倒れぬ

共産主義労働者党
プロレタリア学生同盟

同志糟谷は、クラスの友人も加古川の人達も、彼を知る全ての人々が一致して認めるように、本当に誠実であり、穏やかで率直な、平凡とさえいえる一学生であった。この彼をして、文字通り斗いの最前列に立たしめたものは何か—。そして又何ゆえ彼は生死の一線をさまよう九時間を完全黙秘で斗ったのか——このことによって守ろうとしたものは何であったか——。

我々は「平凡な一学生」の生活をとらえ、その胸中に赤々と燃えあがった変革の炎を全世界を照らし出す巨大な炬とするために、善意、悪意を問わず、彼の死に加えられる一切の汚辱と抹殺から彼と彼の死が持つ歴史的重みを、断呼として守り抜くものである。「平凡な一学生」と「過激な行動」の両立こそ、彼の死を歴史において永遠に日本人民の記念碑となすであろう。

十一月十七日まさに太洋の両岸を、羽田を、アメリカ・ワシントンを鮮血で染めあげて、佐藤は「太平洋新時代」を宣言する時の人となった。沖縄をあげての憤激の嵐に背を向けて、「沖縄問題」は"解決"された。再たび侵略の基地日本の沖縄」として。

この日、歓迎の日の丸の小旗はわずか百本を数えることさえ出来なかった。幾十万の弔旗にかこまれた百本の日の丸—！この日、この時本土の我々は何をしていたか。いや、今秋期を、この一年を、戦後の二十四年間をどのように送ってきたのか——糟谷の死を批評する全ての人々は答えるべきである。「期待はうら切られた」とグチって見せる自称「革新」と「進歩」派のあなた達——「裏切り」は、訪米してみなければわからなかったのか!?革新京都府知事や屋良主席のように「しっかりやってこい」と激励・圧力デモにすりかえた人達、総選挙でもう一度佐藤を首相にすえる人達——あなた方は、佐藤が大学治安立法を18回の強行＝暴力採決で押し切り、大学と街頭といわず機動隊でうずめつくし、これだけをたよりとして不法、違法の限りをつくしているとき、表現・思想その他の自由をどこにかくまっていたのか??わが同志糟谷君と緑ヘルメット部隊は、侵略と流血に抗して斗うために、自らを鮮血に染めて斗い抜いた。日本人民の階級的良心を守り抜き、その歴史を守り抜いた。国家の暴力に実力で立ち向かうことなしには権利を守ることさえ出来ないという事実、無力な評論をのりこえはてしなき進撃を続けるだろう。真犯人の告発と、殺人の政治的指導者佐藤帝国主義内閣をもって糟谷の死にむくいよ！七〇年代総反乱への新らたな進撃のあいずとせよ!!

獄中からのたより

"革命の勲章"を胸に最後まで闘い抜く

全力を投入し、昼夜を分かたず救援活動を続けている同盟救対部の同志諸君に、先ず以って心から敬意を表します。

皆さんも御承知の通り、私は、今秋期安保政治決戦の頂点的突破口を切開かんとする一〇・二一闘争に、この"強いられた決戦"を総力を結集して"勝利の決戦"へと転化せんとした鉄のプロ学同部隊の一員として闘い抜き、不覚にも敵権力の手中に陥ち、今ここ小菅刑務所未決房につながれているところです。

この間の敵権力ブルジョアジーのありとあらゆる機関を動員しての「国家総動員」ともいうべき"狂気"の弾圧体制は、一連の闘いを通じ、僕を初めとし四千余名にものぼる階級的同志を獄中に連れ去り—そして既に僕を含めて数百名の同志・兄弟を拘置所、刑務所へ送っている！—、あまつさえ最も果敢な、徹頭徹尾革命的英雄心と革命的自己犠牲に貫ぬかれた若きプロレタリア戦士、同志糟谷孝幸を血にけがれた手をもって、われわれの隊伍から永久に奪い去りはしたものの、しかしながらわれわれの燃えたぎる階級的憎熱と煮えたぎる復讐心との前にその行手を阻まれ、獄中でのわれわれの"完全黙秘"を初めとす獄外での同志諸君の闘いとの固い連結の前に、司法権力をも含めた混乱と動揺と狼狽のぶざまな姿を曝すことを余儀なくされはじめている。（中略）恐らく敵権力はこれ以降ありとあらゆる卑劣きわまりない攻撃をもってわれわれに臨んでくるだろうと思いますが私は、この"起訴"という全く奇妙にも"敵"によって与えられた誇り高き"革命の勲"を胸に最後の一人になっても闘い抜く決意です。（中略）

"公訴"だの、"国民に代って"だのとうそぶく司法制度の階級的実体と"国家"なる共同幻想体の実体を全人民の前に余す所なく暴露せんがために、共に総力をあげて闘い抜きましょう！

われわれは、フィデル・カストロが、七・二六事件で逮捕された時に、並いる敵が判事を務める軍事法廷で堂々と自らを弁護した時の言葉を思い起こさなければなりません。

——歴史はわれわれに無罪を宣告するであろう。——

一九六九年十一月二八日
小菅刑務所にて
宮崎和夫（立命）

救対アピール

十円、百円、千円のカンパを寄せて下さい！「反弾圧」を一人でも多くの人達に見せて下さい！事実と真実について語って下さい！彼がなぜ斗い、倒れたかを考えて下さい。！

今私たちは、獄中で斗い、職場・学園で斗いを続けていますが、差入れ、接見、保釈・法廷斗争・情宣その他に莫大な費用が必要です。真実を伝えるもっと多くの声が必要です。怒りと支援の声をもっと大きなものにするために私たちを支援して下さい！

■機関紙『統一』1969年11月24日・347号、12月8日・349号（統一新聞社）から

同志糟谷孝幸の死を悼む

共産主義労働者党中央常任委員会

一九六九年十一月十四日午後九時、若きプロレタリア戦士・同志糟谷孝幸は官憲の手によって虐殺された。

われわれは同志糟谷孝幸の屍の前にひざまずき、同志の怒りと限りない憎しみをもって彼を虐殺した階級敵への復讐を誓う。

同志糟谷孝幸は、一九六九年十一月十三日大阪扇町公園で開催された「佐藤訪米実力阻止・十一月安保決戦勝利全関西労学市民総決起集会」に岡山の地よりプロレタリア学生同盟の旗の下に参加した。同志糟谷は、今秋安保政治決戦の勝利の可能性を再び切り拓くボリシェビイキ的任務を自己の階級的責務としてうけとめ、わが共産主義労働者党とプロレタリア学生同盟の旗の下に、鉄の労学合同軍団の一員として十一月十三日大阪の戦闘に臨んだのである。

同日六時過ぎ、大衆的実力デモと街頭反乱を貫徹すべく扇町公園正面出口より進撃したわが労学軍団と反帝実力部隊は、それを阻止せんとした機動隊に対し英雄的な突撃を敢行し、その不退転の意志と行動は国家暴力装置の兇兵どもを恐怖のドン底へたたきこんだ。反戦青年委員会と全共闘部隊の勇気ある労働者・学生が軍団の後につづき、さらにその場にいあわせた圧倒的な総評傘下の労働者大衆の支援の声と拍手の中でこの突撃が遂行された。機動隊は、このプロレタリア突撃隊の英雄的戦闘が大衆的大反乱へと転化しつつあることに恐怖し、狂暴な反撃と弾圧を加えてきた。わが軍団と反帝実力部隊は、これにいささかもひるむことなくおびただしい負傷者と逮捕者をだしながらも約一時間にわたる激闘を闘いぬいた。

同志糟谷孝幸が敵の手にとらえられ、殺人的集団リンチを加えられたのはこの激闘のさ中であった。荒木巡査以下三名の機動隊員は同志糟谷をとらえ、まったく抵抗力を喪失した彼の頭上に警棒の乱打をあびせ左頭頂部に致命的負傷をおわせたのである。さらに許しえないことは、致命傷をうけた同志糟谷を、数時間以上にわたってまったく放置しておいたのである。

同志糟谷のこの虐殺こそ、佐藤訪米と沖縄の帝国主義的返還をテコに七〇年アジア核安保を貫徹し侵略と反革命および帝国主義的国内再編を強行しようとする日本帝国主義とその政治執行部＝佐藤帝国主義内閣の反革命政治の開始であり、これを粉砕すべく立ち上った反帝国際主義の革命的人民、なかんずくその最良のプロレタリア戦士に対する彼らの階級的報復に他ならない。

同志糟谷孝幸は、10・8以降の反帝闘争の昂揚、なかんずく全共闘運動の中で成長した誠実で秀れたプロレタリア戦士であった。彼は、一九六八年岡山大学法文学部に入学し、同年九月機動隊岡山大乱入に端を発し今年一月以降大衆的な展開をとげた岡山大闘争の中で、全共闘の下に結集する誠実で戦闘的なクラス・リーダーとしてその階級的政治生活を開始し、岡大闘争への周知の権力の狂暴な弾圧の中にあって断固たる戦士として自らの戦闘部署を守りとおし、激烈な学園闘争の中で不屈のプロレタリア戦士として成長をとげてきた。

同志糟谷孝幸は、佐藤訪米実力阻止・佐藤帝国主義内閣実力打倒の全人民的政治闘争における自己の階級的任務を自覚し、プロレタリア学生同盟の旗の下に結集し、今秋政治決戦の最前線にたったのである。同志糟谷は一〇・二一闘争敗北後のきわめて困難な情勢の中で、今秋安保決戦の勝利の可能性を最後まで追求することによってのみ七〇年代権力闘争への血路をきりひらきうることをその透徹した理性でもって洞察し、不屈の意志と情熱をもって一一・一三大実力闘争にのぞんだのである。

誠実ですぐれたプロレタリア戦士・同志糟谷孝幸の死はわが党と同盟のみならず日本の解放闘争全体にとっていやしがたい打撃である。同志糟谷の誠実さ・不屈の意志・解放闘争への汲めどもつきぬ情熱・透徹した理性はわずか二十一歳にしてその人生を権力の手によって閉じられることがなければ、無限の可能性をもって開花したであろう。

破廉恥にも、警察当局は「学生が学生をなぐり殺した」という言辞とフレームアップによって、人民からの激しい指弾からまぬがれ、逆に階級的弾圧の強化の口実とする策動を始めている。権力者のこの常套手段を、われわれは同志糟谷がその下に闘い倒れた崇高な階級的使命の誇りにかけて徹底的に粉砕し、彼を直接虐殺した荒木ら三名の機動隊員と真の責任者である後藤田及び佐藤を殺人者として大衆的糾弾と制裁の鉄槌を下すであろう。

一九六〇年六月一五日、六〇年安保による日本帝国主義の政治的復活の前にたちはだかった戦闘的学生労働者の最前線において同志樺美智子は敵に虐殺された。だが彼女の死は六〇年安保闘争の大昂揚をみちびいた。一九六七年十月八日、同志山崎博昭は日帝の侵略外交の本格的開始を実力で阻止する闘いの中で倒れた。彼の死は一〇・八以後の反帝実力闘争の飛躍の礎石となった。

一九六九年十一月十三日、安保政治決戦のただ中で倒れた同志糟谷は、自らの生命を犠牲にして、七〇年代権力闘争への血路をきりひらかんとしたのである。彼の死は、七〇年代権力闘争―同志糟谷をはじめプロレタリア戦士を[illegible]日本帝国主義を世界帝国主義体制もろとも打倒する革命的闘争の勝利的前進によって必ずやむくいられるであろう。

われわれは、同志糟谷の鮮血の血に染めぬかれた旗をにぎりしめ同志糟谷のように死をも恐れぬプロレタリア戦士として、日帝打倒・世界プロレタリア革命勝利へひたすらに進撃するであろう。

一九六九年十一月十八日

同志糟谷の遺影を前に

岡山人民葬　一人一人の闘争宣言を

【岡山】糟谷君虐殺弾劾・日米共同声明粉砕・十一・三〇岡山人民葬は四〇〇名余の圧倒的な彼の意志を引継がんとする部隊を結集して行われた。

午後一時、大学当局の会場使用拒否という弾圧をけって法文三〇番教室に結集した反戦派労働者、学生、市民、高校生は糟谷君の遺影を前に〝同志は倒れぬ〟を斉唱した後、黙祷をささげた。人民葬実行委員会の挨拶、友人代表からの決意表明の後、十一・一三闘争を糟谷同志とともに闘い抜いたプロ学同の同志が発言に立った。

プロ学同の同志は、「十一・一三北大阪政治反乱をその最前線で最後まで闘い抜いた同志糟谷に対する殺人行為を満身の怒りをもって、糾弾するとともに同志糟谷の死に応える唯一の道は、帝国主義政府実力打倒の闘いを一層推進し七〇年代プロレタリア権力闘争を最後までやり抜くという一人一人の闘争宣言以外にはない」ことを決意をこめて語り、明らかにした。

続いて、救対の方から同志糟谷虐殺に至る詳しい事実経過が報告され、機動隊員による撲殺以外にないことを立証した。全共闘、[illegible]、そして各地区反戦の決意に入り、岡南反戦、水島地区反戦を代表して発言に立った同志は、「糟谷君の死を市民社会の次元において、即ち、マイホーム主義の延長上に捉えるのではなく、徹底して、政治的に捉え尽すことによって、七〇年代階級闘争に勝利するというわれわれの闘争宣言こそ、同志糟谷の死を越える道なのだ」という問題提起を行い、さらに、今日の沖縄の帝国主義的返還を軸にしたイデオロギー統合の本質を明らかにしていった。

高校生十一月行動委員会の決意表明の後、最後に、インターを合唱して岡山人民葬を終った。

写真【上】は、敵権力に対する満身の怒りと新たな闘いへの決意をこめた糟谷同志の岡山人民葬【下】は、十九日大阪扇町公園における虐殺弾劾全関西集会で追悼の辞を述べるプロ学同の代表。

生地で追悼
加古川東高生中心に

【加古川】十一月二十三日、イチョウの落葉にうずまった西兵庫加古川べりの広場に、悲しみと怒りに満ちた百名余の青年労働者・学生・高校生・市民が結集した。

この集会は、十一・一三闘争で敵権力の手に奪われた糟谷君の母校である加古川東高出身者の有志と、プロ学同、共労党との呼びかけにより〝糟谷君虐殺抗議・日米共同声明粉砕〟のスローガンの下に開かれたもので、加古川東高、加古川西高、高砂高、神大、神外大、神戸ベ平連、加古川ベ平連、東神戸反戦など西兵庫の闘う人々が結集した。

集会は、プロ学同の同志の司会のもと、〝インターナショナル〟の歌声で始り、参加団体は次々と立って、糟谷君への追悼と闘いへの新たな決意を述べ、最後に〝同志は倒れぬ〟を唄ってデモに移った。

おそらく、加古川の地では始めてのヘルメット部隊に領導されたデモは、制・私服百五十を動員した兵庫県警のヒステリックな弾圧に抗して最後まで戦闘的に行われ駅前での総括集会も勝ちとった。

〝革命の勲章〟を胸に最後まで闘い抜く

宮崎和男

全力を投入し、昼夜を分かたず救援活動を続けている同盟救対部の同志諸君に、先づ以って心から敬意を表します。

皆さんも御存知の通り、私は、今秋期安保政治決戦の頂点的突破口を切開かんとする一〇・二一闘争に、この〝強いられた決戦〟を総力を傾注して〝勝利の決戦〟へと転化せんとした鉄のプロ学同部隊の一員として闘い抜き、不覚にも敵権力の手中に陥ち、今ここ小菅刑務所未決囚につながれているところです。

■写真集『69　11／13―17　佐ト訪米阻止闘争』（ふたたび10・21を出版する会）から

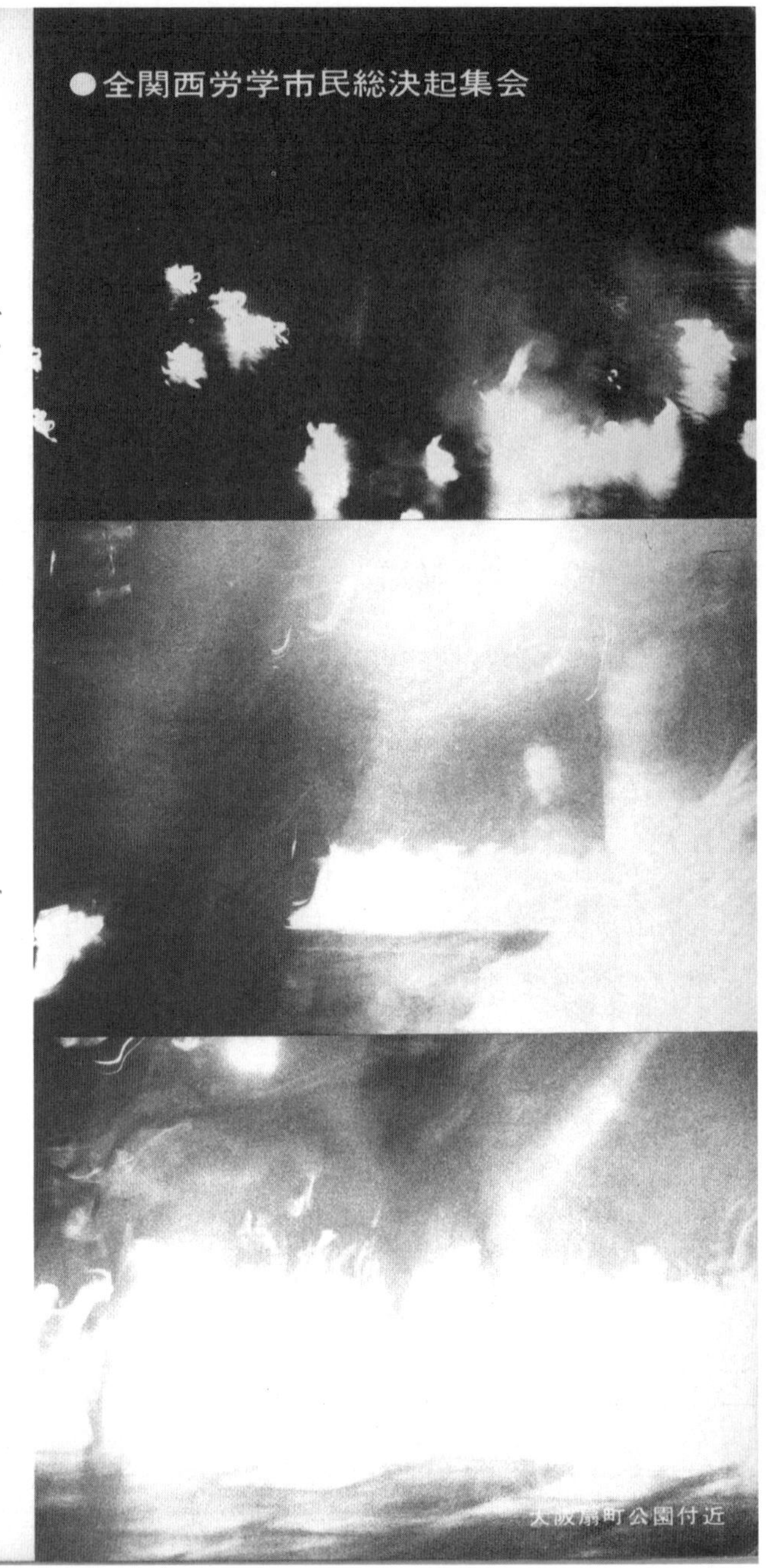
●全関西労学市民総決起集会

大阪扇町公園付近

5日佐渡航空自衛隊員、治安訓練拒否の反戦ビラ。8日自衛隊十条武器補給所に火炎ビン。12日ふたたび同所に火炎ビン。同日三里塚農民、空港建設を急ぐブルドーザーの前に決死的坐りこみ。14日同ブルトーザーに時限発火装置、米軍厚木基地へ時限爆弾、米軍立川基地へ手製爆弾、浦和地裁へ「部落解放研究会」「決死隊」突入占拠……

羽田10・8以来の‘70年斗争’はここに一つの重大な時をむかえようとしていた。すでに‘大学立法’は施行され、全国を激動させた学園斗争は圧倒的な機動隊暴力によって解決され、さらに恒常化した大量無差別逮捕、長期拘留、大量起訴、また自警団、民間協力体制の確立等、厚顔にも、すでに‘治安’の問題であると豪語するにいたった権力側の、すでに重層化をおえた完璧の弾圧・厳戒体制を衝いて、「沖縄」の死活にかかわるこの11・13―17佐ト訪米阻止斗争がはじめられた。

13日＝5：30地下鉄泉岳寺駅構内で火炎ビン、同じくラッシュ時地下鉄銀座地下通路から交叉点へ向かって激しく火炎ビンゲリラ戦。7：30新宿都電ターミナル、レインボーガーデン、東口広場などに火炎ビン、夜、群衆数千、騒然となる。新潟、岡山、九州等全国各地で阻止行動、とくに大阪では決起集会後、機動隊と激突、100米に及ぶ火の海、岡大生糟谷君虐殺。沖縄では「核つき、基地自由使用をたくらむ佐ト訪米反対……」のスローガンを掲げた島民10万人の抗議スト、“反戦復帰”の主張行動が展開された。

＜集会名＞　戦士は土の下でもなお詩い続ける
　　　　　糟谷孝幸同志虐殺弾劾 10 周年追悼集会
＜開催日時＞ 1979 年 12 月 11 日
＜開催場所＞国労会館（大阪市北区天満）

集会全体風景と「同志はたおれぬ」斉唱風景

花崎皋平さんの追悼講演

12 11
戦士は土の下でもなお詩い続ける
糟谷孝幸同志虐殺弾劾10周年追悼集会

前田俊彦さんの講演

糟谷さんが闘い抜いた現場にて献花
（扇町公園南側の大阪市水道局前 ※水道局は現在移転しています）

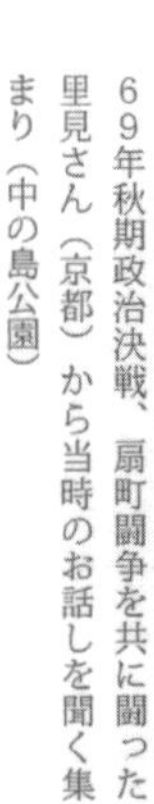

69年秋期政治決戦、扇町闘争を共に闘った里見さん（京都）から当時のお話しを聞く集まり（中の島公園）

一一月一〇日における決定的決定

U

一〇日の昼過ぎ私は糟谷の下宿を訪ねた。秋晴れの天気の良い日だった。彼はまだ寝ていたが私の声を聞くと眠そうな眼をして起きてきた。「オイ、Oがまた病気で寝込んだそうだからちょっと彼のところへ見舞いに行かんか」と私が問うと「ウン」と頷いて彼はすぐ支度をした。二人は一緒に下宿を出てOのところへ向かって歩きながら話した。「糟谷、お前が大阪に行くということを聞いたんだけど本当に行くのか」、「ウーン」と彼は生半可な返事をした。私はそれきり何も言わなかった。二人はだまって歩き続けた。しばらくして彼が「オイ、Oは寿司を食いたい言ってたから寿司でも買っていってやらへんか。俺も昼めし食うてないし、ついでに食って行こうや」と言うので一緒に寿司屋に入った。寿司を食いながら世間話にいろいろと花を咲かせた後、Oのために折箱に寿司を包んでもらい彼の下宿に行った。病気が回復したのかあいにく彼は留守だった。「あいつどないしたんやろな」「あいつもう病気は良くなったんだろうか」「わからへんなあ」「これからどうする」「ひとまず俺の下宿にでも行こうや。寿司も食わんならんし……」と彼は私の持っていた寿司の入った折箱を指差しながら言った。「そうするか」と言って私もひとまず彼の下宿の方へ足を向けた。私達が彼の下宿へ引き返したとき時計は二時を少しまわっていた。少し落ち着いてくると、一一・一三日の大阪行きの件について彼と話さねばならないという考えが強く私をゆさぶった。その時、同じ家に下宿しているMが入ってきた。私達三人はそのことについて話す前に寿司を食うことにした。「お前これ食えや、俺はこれ食うわ」などと言いながら、あっという間に全部食べてしまった。食いおわると三人は早速話しだした。

「一一・一三は俺にとってはやな、やるかやらんかの問題じゃなくて、やらんとあかんこととしてあるんや。漠然としてやらなあかんいうことはわかるんやけど具体的に自分がどういうことをやったらいいのか、さしあたって何をなすべきなのかいう問題になるとまだよくはっきりとわからへんのやけどな」

「問題は決意の問題に解消したらだめだということだな。政治的に明確な位置づけがなければならないということだ」

「だけど最後は決意の問題だろう」

「うん、最後はそうかも知れないけど、十分論理展開しきれないまま決意したんじゃナンセンスじゃないか」

「おい、宇野弘蔵はむずかしいこと書くな。この本の理論と実践いうとこなんかなんのことやらさっぱりわからへんわ」

この本というのは『資本論と社会主義』という本であった。おそらくその『資本論と社会主義』が彼の読んだ最後の本であろう。その本は、その日の一週間前にクラスのコンパがあった際、町の本屋で買った中の一冊で、彼はこの時レーニンの『国家と革命』なども買って帰った。

「結局、理論というものは自己完結性を持つものではなく実践によって検証されねばならず、必ずその中でさらに発展されるべきものだということじゃないか。だから理論を実践の中に位置づけ両者を無限の循環形式のなかに統一するということだな」

「うんそういうことや」と彼は茶化すように言った。

「だけどお前ようそんなむづかしいことおぼえたな」自分でもうまいことを言ったと思ったのだろう。「俺、これからこういってやろう。理解したなとはいわんで、おぼえたなといってやろう」とあの人なつっこい笑いを浮かべながら言った。彼の論理は常に「やらなければならない」から出発した。論理は常に立ちおくれ、「やらなければならない」をあとからあとから追いかけて行った。それはあたかも、論理の魔術で自分に言い聞かせているようでもあった。しかしながら彼に関して言えば、そういう次元ではとらえきれない何かがあった。彼のきゃしゃな体から、あの体の全身から流れ出る人間的な血潮は私に強烈な印象を与えた。彼は喜怒哀楽を自然のままで発することのできる数少ない人間として、ラディカルなヒューマニストとして人間的に格段とすぐれたものをもっていた。そこから出発して彼は自分の感性的なものを理論化する方向に向かっていったことは、彼が出発する前〝これから理論勉強をする〟といっていたことからも明らかである。

それから彼は一〇・二一の大阪の様子などを話して聞かせてくれた。本を読んだりギターを引いたりして時間をつぶしたのち、私と彼とは二人して同じクラスのメンバーであるYのところをたずねた。もう日は暮れかかっていた。その時はまだ行くか行かないか決めかねていた様子で頻りに深刻な顔をして少し口を尖らせ気味に結びながらいろいろと考えていた様子であった。Yはしきりに、どういうわけでそういったのか忘れてしまったが、「行かないほうがいい。行かないほうがいい。」と言っていた。彼はほとんど何も言わずただ考えていた。丁度ラジオから「……苦しみ抜いて……」というような詩とともにメロディイが流れていた。「今の糟谷の心境といっしょだな」と言うとニコッと笑って「消耗すんな」と言った。コーヒーを飲んでから七時ごろそこを出た。一緒に歩きながら彼は言った。

「俺にとってはこの問題は人間としての問題だやっぱり大阪に行くことにする。まあ逮捕されたら逮捕された時のことや。その時はよろしく頼むわ」「でも家との関係は」「うん捕まったらびっくりするやろな。家には全然話してないし。でも捕まったら家との関係もはっきりするやろ。俺のやってることも少しぐらいわかってもらえるかもしれん」それからまた彼と二人で三軒ほど下宿回りをして、その日は一〇時頃別れた。別れぎわに彼は言った「明日クラスで資金カンパ頼むわ。一二時に学生会館で待ってるから」その後彼は下宿に帰ってからも同じ下宿のMらとともに夜遅くまで語り合ったそうだ。その時彼は「一一・一三を闘わないと一一・一六・一一・一七が闘えない」と言っていたそうだ。おそらく彼は混沌のなかにある自己の性務を一一・一三闘争のなかに見い出したのであろう。

　あくる日私は二時限目の英語の講議の前にカンパを集めた。全部で一、七〇〇円ぐらい集まり早速学生会館の彼のところへ持っていった。「こんなに集まったのか。千円ぐらい集まれば上出来や思ってたのに。すまん、すまん」と言いながら彼はそれを受け取った。「散らかしてるから、これから下宿へ帰って整理をして行こう思ってるんやけどな」「うん、そうか。じゃあ別に言うこともないけど…捕まるなよ」「うん。だけど俺捕まるような気がする。まあ逃げる時は一生懸命逃げるわ」彼は笑いながら言った。　「じゃあ気をつけてな」「じゃあ」、今から思えばこれが彼との最後の対話になってしまった。永遠に彼との対話は取り戻せないほど遠い世界に彼は行ってしまった。彼のあのふてくされたような顔と人なつっこい笑顔が私の眼前に重り合うとき、「ああ彼は死んだのだなあ」という気がする。

確かな友人、その死

村上順一

一一・一三、一一月佐藤訪米阻止闘争激動の五日間の第一日目、大阪扇町公園でのあの熾烈な闘いの真紅の炎の中で国家権力暴力装置＝機動隊の汚れた手によって虐殺された糟谷さん。

　あの闘う主体を照し出す火炎ビンの第一の炎が市民社会のまっただ中で高く鮮明に燃え上がるその直前まで共に闘い、そして共に笑い会った糟谷さん。

　糟谷さんは、ぼくにとってはあくまで一人の人間として再び帰らぬ遠い世界の人となつてしまった。

それは、情況にとっては不可避なことであろうともぼくには全くのハプニングでしか有り得ない。糟谷さんが大阪に出発する前の晩みんなで話し合った、その時には周りをつつむ重圧感など全くなく、ただ未知の闘いに臨む新鮮な感能のひびきしかわかわいてこなかった。それが、あの笑いの中にあのように堅い闘いの意志・決意が秘められていたなんて。十・二一で闘いを組み得なかった大阪の部隊のために今度闘わなければ、と言っていた言葉の中に。

しかし、今度の糟谷さんの死は糟谷さん自身にとっても悲しいハプニングでしか有り得なかったであろうと思う。あの晩、各代表のアジ演説の充満する扇町公園で会った時も、一六、一七は岡山でいっしょにデモをやろう、と笑いながら言っていたし。

一〇・二一で闘いを組み得なかった……という前述の糟谷さんの言葉が、糟谷さんが不帰の人となってしまって一〇日余りもの日々が過ぎ去った今も明確に示していることは、糟谷さんは決してただ単に一一月安保決戦、激動の五日間の闘いの中で倒れていったのではなく、この世界階級闘争の、日本階級闘争の中で倒れていった、ということであろうと思う。それは、糟谷さんの死を六九年秋期安保決戦の中で決起し果敢に闘いそして倒れていったある英雄の死と把える人たちや、又それを七〇年代階級闘争のふみ台にしようとくわだて利用しようとする人たちは、ただ単に糟谷さんの死を冒瀆する以外の何ものでもない、ということに通ずると思うし、そのような人たちは決して許すことができない。

糟谷さんの部屋から糟谷さんの灯が一切消え去った今、糟谷さんの口からはもはやぼくたちに語りかける言葉は生まれ得ず、ただ残されたぼくたちから糟谷さんに語りかける言葉が生ずるのみであろう。

しかし、糟谷さんとの対話は今なお続いているし、この世界からぼくたちの肉体が消滅し再び糟谷さんととけ合うまで対話は永遠に続くであろうし、続けねばならない。

今までに糟谷さんの残した言葉・行動の一つ一つにぼくたちに語りかける言葉が存在するであろうし、生前に数倍する重みをその中に感じとり、くみとらねばならないし、その重みにたえ抜いてその言葉の意味を実践しなければならない、と思う。その重みにたえ抜き実践することは、ぼくたちにとって非常に苦しいいばらの道であろうし、糟谷さんが行なおうとして行ない得なかった安保粉砕・人間解放につづく闘争のくらやみの中で一歩一歩手さぐりで歩まねばならない道であろう。しかし、このことはなにも糟谷さんの歩んだ道をぼくたちが再び歩み糟谷さんの死に近づく、ということではないし、なにも糟谷さんの目ざしたであろうと思う安保粉砕・人間解放の闘いに決起するということではなく、糟谷さんの死を自己の内に組み入れ各自の闘いに決起することであろうと思う。

　生前の糟谷さんの物質的な思いが薄れていく中で、一方ますます鮮明し浮かび上がることはこの闘争の中の一個の闘う人間、というイメージであろう。糟谷さんは確かに一年余りも続いた岡大闘争の中で生まれ育ってきた。しかしそれは、なにも日本革命をのみ目ざすためにこの岡大闘争の中で闘ってきていたのではない。糟谷さんは常に法科二―一闘争委員会という大衆的闘争基盤を持ちながら人間的な視点から闘争にとり組んできた。糟谷さんは余りにも人間的であったが故に闘わねばならなかったのかもしれない。しかしこのことは、糟谷さんと共に生活したある特定な、一部分の人たちにしか理解してもらえず、他の人たちにはこの熾烈な政治情況の中で果敢に闘いそして倒れていった一人の英雄としてしか映らないことが（それはぼくにとって非常に悲しいやりきれないことであり、その人たちに対して憎しみさえ覚えることであるが）現在明確となった。糟谷さんの死を知り、敵国家権力に対して憎しみを覚えるだけでなく何かを感しとり、自らの内なる心の壁に塗り固め得る人のみが真に糟谷さんの死を受けとめ新たなる闘いに突き進み得る人であろうと思うし、そのような人がこの日本人民一億の中に一人でも存在することを望むのみである。糟谷さんの人民葬かこの岡山の地で行なわれた今日、早くも糟谷さんはある人たちの間では伝説の人物となりつつある。K君が明確に述べたようにこの伝説を粉砕しなければならない。しかし、どのようにしたらその伝説を粉砕しなければならない。しかし、どのようにしたらその伝説を粉砕できるかわからない。ぼくが今、生前の糟谷さんの事を思うたびにぼく自身糟谷さんの死を伝説に化そうとしているのではないか、と思われてしかたがない。このようなことを思うこと、考えること自体が伝説を造り上げ、あるいは糟谷さんの死を美化しているのではなかろうか。

　本当のことを言うとぼくには何もわからない。どうすれば糟谷さんの死を受けついで闘い得るのだろうか。わからない、ぼくには何もわかっていないのだ。


「しかし、これでいいのかショクン」

糟谷さんコーヒー飲む？

「ウン」

糟谷さん、もう一時やで
「ウーン」

「おい村上、たばこあるか」

「キャア、キャア」

さよなら糟谷さん

糟谷孝幸君虐殺を弾劾し
告発・付審判闘争をやりぬこう！
11・13集会への御案内

巡り来た。また十一月。　糟谷孝幸君が永遠に奪われた年から十一月が来た。

「現在の事態と闘いとわれわれに引きつけられて死ぬことのない希望の一切の意味をこめて」糟谷君の死を悼んだ私たちは、国家権力に対し立ち向かうべく"告発"した。

そして不起訴処分に抗議し、付審判を請求。だが大阪地裁は何らの理由にも、で三年間も審理拒否を図んだ。

だがしかし、請求人・弁護士・医師・十一・一三被告団の粘り強い斗いは、今や"真実"を究明しつつある。そう、十一・一三公判では被告の口を割らせた。付審判審理は公開で開始された。六月十四日には第一回、続いて第二回は九月十日と。そして第三回審理ではいよいよ大阪府警・機動隊の守り神＝[illegible]をむかえ天王山を迎えるのだ。

五年目を迎える今、私たちは再びかたくここに誓い結わえる。糟谷君は機動隊員に虐殺された。虐殺されたと、私たちは真実を闘いぬくことを誓い結わえる。

そして、私たちと糟谷君とは、[illegible]

年ごとに拡散しようとしてきた決意をいま闘いとるために結集せよ。しかしいま闘いを継承的にやりぬき、"真相"を究明しぬくには、今の"告発を推進する会"の力は余りにも小さく弱い。

全国の仲間たちへ、告発・付審判をやりぬくための活動を日常的、恒常的、具体的にささえ、共に斗いぬいていこうではありませんか。今一度"力"をつけていこうではありませんか。

その意志を11・13集会に結集しよう。

糟谷孝幸君虐殺事件
告発を推進する会

名　称　糟谷孝幸君虐殺を弾劾し、告発・付審判闘争をやりぬこう！　集会

日　時　十一月十三日（水）午後六時

場　所　大阪森の宮勤労会館本館　第二・三会議室（国鉄環状線、地下鉄森の宮下車）

主　催　糟谷孝幸君虐殺事件　告発を推進する会

市立労働会館　大阪城公園　地下鉄出口　森の宮　京橋　玉造

糟谷君虐殺六周年糾弾

告発。付審判斗争を最後の最後までやりぬこう

11・13集会への御案内

糟谷君虐殺事件 告発人の会
大阪市北区東天満町 電話

仲間たち。

一昨年の一一月一三日、私たちは今年の一一月に至る一年間を糟谷付審判の天王山斗争として斗いぬく決意を固めた。

そして一年。僕らたちの歩みはおそい、「付審判公判」という限定つきのいばらの道であった。

だが、闘いは確実にその一歩一歩をふみしめていったのである。大阪府警・機動隊の虐殺＝公務員職権濫用のデッチあげを暴く天王山の一年であった。

この結果は、裁判所に残るいくつかの〝証拠〟と共に、その結論を出すべき大詰めにきている。

即ち、権力が自己の犯罪＝糟谷君虐殺を完全に抹殺しうるのか、それとも私達がよりいっそう権力犯罪を究明し真犯人をあばきだしうるのか。

そして今日。一九六九年からの大阪府警・機動隊のボス、付審判請求された当時のいわゆる責任者は、今、〝何食わぬ顔〟でいる。あと一年もすれば定年退職し、裁判は〝迷宮入り〟で終わってしまうのだ。

六年目の秋。私たちはいまだ糟谷君を追悼しきれずに退けてきた。だが全ての仲間たちが、あと一年余、と考える。それはまさに、残された時間なのである、と。

だからこそ一九六九年の時に戻り、追及は急ぐ。

かつてあの日に生きる者は　いつまでも血の色の中に
わすれぬ仲間を忘れずに見つめていく
青の若者は　たたかいの中に必ずや永遠である
ああ　私は何もしえない……

仲間たち。私達は沈黙を続けるのか、抹殺されることを黙認し糟谷君を虐殺した者をそのままにしておくのか。

自らの状況を許し続けるのか。

仲間たち、私たちは共同で全力を傾注して残された日々の全てに対決し、〝権力犯罪告発、糟谷君虐殺糾弾〟へと歩き進もうではありませんか。

これをもって11・13集会の案内とします。

記

日　時／1975年 一一月一三日(木) 午後六時
場　所／大阪市立中央会館 二〇三号室
（国鉄環状線、地下鉄 森ノ宮下車）

大阪城公園
至京橋
至天王寺
森ノ宮駅

総評　（毎月1.11.21日発行）（1部4円）　第28…

大阪総評

発行
日本労働組合…
大阪地方…
大阪市北区…
電話（358）…
発行人　帖…
編集人　平…

佐藤訪米に抗議する！

全単産が怒りのスト
11・13 三万人が結集・デモ

一一・一三統一行動は、今秋闘最大の高まりと広がりをみせて、十七日に予定される佐藤訪米への反発と抗議を示した。

この日早朝から総評を中心とした各組合がストに突入し、全国で六十三単産、四百万の参加をみて、戦後最大の広がりをみせた。また全国各地で抗議集会がもたれ、沖縄では全一日休業十万人の大統一行動が展開された。

大阪段階でも、早朝から私鉄大交がストに突入したのをはじめ、大教組、大交、市職、府職、市従、水道、国労、動労、全電通、全逓、全専売、全林野、衛都連、国公共三闘などの官公労の各組合、全国金属、日通、合化、化学、ゴム、全国一般、全印総連、全港湾、全自交、全自運、全日自労、民労協、日傭労、機械労連、大阪教労、全繊[illegible]、三菱金属、国労サービス、自運労などの民間組合が一時間から全日のストライキを実施、各職場で決起集会をひらいた。また、そのほかの単産も時間内外の職場集会をひらき、佐藤訪米に抗議決議をおこない、金融、全石油なども実力行使をおこなった。

夜には、地評主催で「佐藤訪米抗議、安保廃棄、沖縄奪還一一・一三統一行動大阪大会」を扇町公園でひらいて、三万人の労働者、府民が結集した。

大阪大会は二回にわけて開いたが、五時からの大会には定時終了前にストをうった全国金属を中心に、三菱労連（中立）なども加わって扇町公園を埋めた。また六時からの大会には総評各単産のほかに社会党や部落解放同盟などが参加して公園外にも人波があふれた。

白はちまきをしめた千人をこす電機労連、ゼネラル石油を中心とする全石油など、中立の民間労組の大量参加がめだった。

帖佐地評議長、亀田社会党府本委員長などの挨拶のあと「われわれはこの秋の当面の闘いに全力をあげることによって、来春闘も七〇年闘争も可能だとの立場にたって、今日のたたかいを組んだ。今日の課題は沖縄奪還をどう闘うかであり、このストと結集のエネルギーを今後どう広げ強めていくかである。一時金闘争も満額獲得をかちとる組合もふえている。さらにがんばろう」と決意表明、アピールを発表した。

デモ途中、扇町公園正面出口前で火炎ビンが投げられ、デモが約四十分停滞したが、労組部隊は既定方針をまげず、梅新―市役所―淀屋橋―中央郵便局のコースを整々と行進し、十時すぎ流れ解散をした。

デモ行進中に、全金組合員一名と部落解放同盟の二名が不当な逮捕を受け、地評、社会党の代表は、警察の過剰警備に、激しく抗議した。解放同盟は十四日午前三時まで東署に座込みを行ない、即時釈放を要求した。同日朝には八百名を府警に動員、抗議し、[illegible]同日朝、府警に抗議した。

佐藤訪米抗議　安保廃棄　沖…
11.13統一行動大阪大会

ストをうった労働者が再結集して佐藤訪米に抗議（扇町…

16日も　訪米反対府民集会
17日中心に　各地区でも

地評は一一・一三統一行動のあと、十七日の佐藤訪米の当日[illegible]第一[illegible]

安保反対府民共闘会議事務局は、十一月十六日[illegible]安保廃棄、沖縄奪還、佐藤訪米反対大阪府民[illegible]

いては、反安保府民共闘として全国統一闘争に参加し、まとまった行動をとることになった。大阪からも統一[illegible]参加する。現地闘争は、社会党、共産党、[illegible]なかで、十七日早朝[illegible]から大田[illegible]で佐藤訪米反対のデモをおこなうことにしている。

安保廃棄

（軟）

[illegible]ナが訪米の[illegible]に[illegible]しているのに、[illegible]出発の[illegible]を[illegible]って待機している状況だからものすごい。この成功の原因はいくつか論評のなかであげられているが、なんといっても労働者大衆の一人ひとりが安保のもつ重要な意味を真剣に考え、自分たちで何とかしなければならないという自覚があってはじめて成しえたことである。雨にうたれながら四キロのデモコースを、時には声をかぎりのシュプレヒコールとなり、ときには反戦の歌となって闘志にこだましたのである。指導者をもって自認する人びとは、この無限とも思える労働者大衆のエネルギーを大事にしなければならない。

◇　◇　◇

そういっている間にも次の十一月十三日がやってくる。いまどこの単産もストライキの準備に本格的に取組んでいる。10・21で点火された反安保、沖縄返還の火は大きなほのほとなって燃えさかっている。いま重要なことは、集会の主催者をどこにするかというような議論ではなくてその火をどうすれば佐藤内閣打倒にむけられるか、どうすれば安保をやきつくすことができるかという議論なのである。各自そのことを銘記しよう。

◇　◇　◇

いよいよ十一月十七日に佐藤が訪米する。いま巷には"核ぬき本土なみ"で沖縄がかえってくるような佐藤の大宣伝が、みたい[illegible]

■長沼節夫さんからの便り

『明日への葬列』、副題「60年代反権力闘争に斃れた10人の遺志」で60年代に死亡した樺美智子から中村克己の10人を紹介（高橋和巳編、合同出版、１９７０年７月）。その中で糟谷孝幸さんの章（１０４〜１２５頁）を執筆したのが長沼節夫さん。内藤秀之の文中に「糟谷のことを取材記述された長沼節夫さんから電話があり、糟谷プロジェクトが広がってよかったね。私はこんな状態だから何も出来ない。がんばれよと喜んでくれました」と紹介されています。残念ながら本書の完成前の、２０１９年11月16日、永眠されました。ご冥福をお祈りしつつ、この間のやりとりを紹介します。

長沼節夫さま

不躾に、お願いの手紙を差し上げる失礼をお許しください。

私は、白川真澄と申します。１９６１年に京大経済学部に入学し、共産党で活動して後に除名され、60年代後半は共産主義労働者党で活動しました。今年が１９６９年から半世紀ですが、長沼さまが高橋和巳編『明日への葬列』でお書きいただいているように、この年の11月13日の大阪扇町公園の戦闘で岡山大生の糟谷孝幸君が虐殺されました。関西の出来事であったこともあって糟谷君のことは余り知られておらず、まして歳月が経つにつれて人びとの記憶から消えてきました。

糟谷君を現場に同行し自身も事後逮捕された岡山大の内藤秀之さんは、その後日本原の酪農家に婿入りし演習場反対の運動と「山の牛乳」という産直運動を続けてきました。その内藤さんを招いた今年１月の東京の講演会の後、彼が糟谷君を人びとの記憶にとどめるプロジェクトをぜひ行いたいと提案しました。それをきっかけに岡山や大阪の関係者が相談して、「糟谷プロジェクト」を立ち上げることになりました。多くの方に呼びかけ人・賛同人になっていただくことをお願いししています。

つきましては、糟谷君についての数少ない文章をお書きいただいている長沼さまには、ぜひ呼びかけ人か賛同人として名前を連ねていただくようお願いいたします。本来ならば、もっと早くお願いをするべきところ、連絡先が分からず遅くなってしまいました。

どうか、よろしくお願いいたします。

２０１９年９月13日

白川真澄

拝復　白川さん。

先頃旧総評会館で開かれた「塩見君を偲ぶ会」で大学時代以来、初めてスピーチを聞き、眉目秀麗の昔と変わらぬ姿、頼もしき限りでした。それにしても重信房子メッセージにあったように塩見君らの運動は滅茶苦茶でしたね。小生は何年卒かな　１９４２年生まれ１浪　↓　京大文。殆ど「京都大学新聞」で過ごしていたので、全共闘が京大正門前にバリケードを作るや、「新聞関係は一切入れない」と昨日までの友にも言われました。お陰で京大全共闘と滝田氏らの武闘訓練を見ない幸運に恵まれました。後年、上京して「パルチザン前史」という映画を見ると滝田らが指導していたのは、旧日本陸軍が新卒兵に科していた中国人への刺突訓練と同じでした。まさか貴兄のセクトは賛同していなかったでしょうね。
ところで、糟谷君記念会へのお誘いありがとうございました。しかし、小生は昨夏以来「白血病」にて長期入院中似て、賛助金さえ割けません。『明日への葬列』取材で岡山大へ行き広々したキャンパスのみ思い出としてあるのみです。あしからず。

長沼節夫。10／14

白川さん
真情吐露のハガキをハダカのままの無防備で投函するのは余りに無防備かつ失礼と思い、簡易手紙に入れ直しました。その分、お届けが遅れるけど。
小生、吉田寮時代は田中真人君とケンカばかりしたけど、卒業後は急速に仲良くなりました。彼は代々木時代、クラス討論や教養部自治会など、何でもいいから混乱させ、決めさせるなと言われ、そう動いたと述懐してました。右翼は論外として、左翼も堕落した時代でしたね。当時の財産として高橋和巳の『我が解体』くらいでしょうか。
去年か一昨年、佐倉の歴博に行って全共闘展を見て、仲間らでやっている「メディア・ウオッチ100」に書きましたが、大いなる思想には突き当りませんでした。大兄は既に成果をモノしましたか、教えて頂きたいものです。

長沼節夫。10／15

糟谷孝幸（かすやたかゆき）
1948年8月8日兵庫県加古川市生まれる。市立川西小学校、市立宝殿中学校をへて、県立加古川東高校へ。1968年岡山大学法文学部に入学。岡山大学全共闘で活動。1969年11月13日、佐藤訪米阻止大阪闘争のデモで3機動隊員の暴行を受け扇町公園南側路上で逮捕。翌14日に死亡。享年21歳。

権力犯罪を許さない　忘れない
糟谷孝幸君追悼50周年

首都圏の集い

と　き：12月8日（日）午後1時半～4時

ところ：千代田区和泉橋区民館

（会場表示は「国連憲法問題研究会」）

主　催：糟谷プロジェクト　＊入場無料
参加者はお申込ください

東京連絡先：03-6273-7233（研究所テオリア）

1969年11月13日、佐藤訪米阻止闘争（大阪扇町）を闘った糟谷孝幸君（岡山大学法科2年生）は機動隊の残虐な警棒の乱打によって虐殺され、21才の短い生涯を閉じました。

あれから50年。私たちは『1969糟谷孝幸50周年プロジェクト（略称：糟谷プロジェクト）』を準備、10月13日にはスタート集会を行いました。

「糟谷プロジェクト」では、糟谷君を人びとの記憶に永くとどめるための本を出版すると同時に、2020年の1月13日（月・休）に大阪の地で集会を持ちます。この間、賛同の輪は、山﨑博昭プロジェクトの皆さんをはじめ多くの方々のご協力で、202名（10月31日現在）となりました。

あの時代をどうとらえるか、さらに記憶や記録を掘り起こしながら、みんなで話し合い、さらに輪を広げていきたい。『首都圏の集い』を開催しますので、ぜひご参加ください。

□集い次第

主催者挨拶：内藤　秀之
現状報告
参加者からの発言
意見交換
今後に向けて

□会場案内

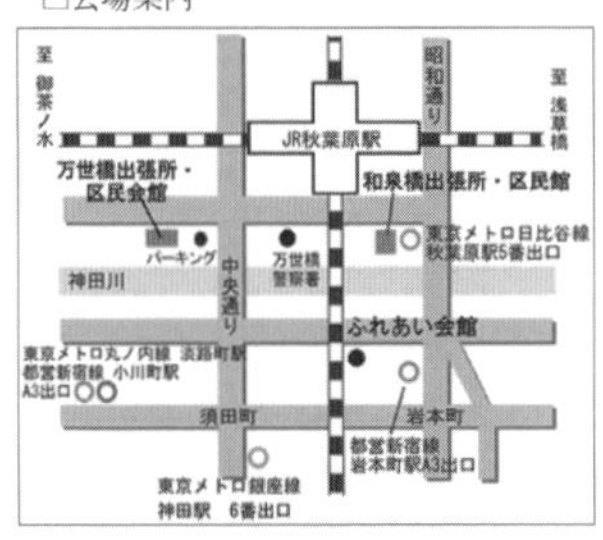

千代田区和泉橋区民館
〒101-0021 東京都千代田区神田佐久間町1-11-7
秋葉原駅中央改札口・昭和通り口3分

【糟谷基金振込先】
<銀行振込の場合>みずほ銀行岡山支店（店番号521）
口座番号：3031882　口座名：糟谷プロジェクト
<郵便局からの振込の場合>　記号　15400　　番号　39802021
他金融機関からの場合　【店名】五四八　【店番】548
【預金種目】普通預金　【口座番号】3980202
<郵便振替用紙で振込みの場合>名義：内藤秀之　口座番号：01260-2-34985

1969糟谷孝幸50周年プロジェクト　（世話人　内藤　秀之　080-1926-6983）
〒708-1321　岡山県勝田郡奈義町宮内124
事務局連絡先　〒700-0971 岡山市北区野田5-8-11 ほっと企画気付
電話　086-242-5220　FAX　086-244-7724
E-mail:m-yamada@po1.oninet.ne.jp（090-9410-6488 山田雅美）

権力犯罪を許さない　忘れない

糟谷（かすや）孝幸君追悼 50 周年集会

お話：**海老坂　武**さん（フランス文学）

「1969 年とは何であったのか？」

特別報告：「11.13 裁判・付審判闘争の報告」他

11.13 闘争元被告・糟谷孝幸君虐殺事件告発を推進する会元事務局

スピーチ：糟谷君同級生・山﨑博昭プロジェクト・全国各地から
その他…

と　き：2020 年 1 月 13 日（月・休）午後 1 時半～

ところ：PLP 会館　大会議室　〒 530-0041　大阪市北区天神橋３丁目 9-27

主　催：糟谷プロジェクト

入場無料

1969 年 11 月 13 日、佐藤訪米阻止闘争（大阪扇町）を闘った糟谷孝幸君（岡山大学法科 2 年生）は機動隊の残虐な警棒の乱打によって虐殺され、21 才の短い生涯を閉じました。

あれから 50 年。風化する記憶や記録を掘り起こし、糟谷君とその時代の意味を考え、本として残していきたいと糟谷プロジェクトをスタートしました。

糟谷孝幸君追悼 50 周年集会にご参加ください。そして糟谷基金にご協力ください。

<銀行振込の場合> みずほ銀行岡山支店（店番号 521）
口座番号：3031882　　口座名：糟谷プロジェクト
<郵便局からの振込の場合>　記号　15400　　番号　39802021
他金融機関からの場合　【店名】五四八　【店番】548
【預金種目】普通預金　　【口座番号】3980202
<郵便振替用紙で振込みの場合> 名義：内藤秀之　口座番号：01260-2-34985

PLP 会館　会場案内

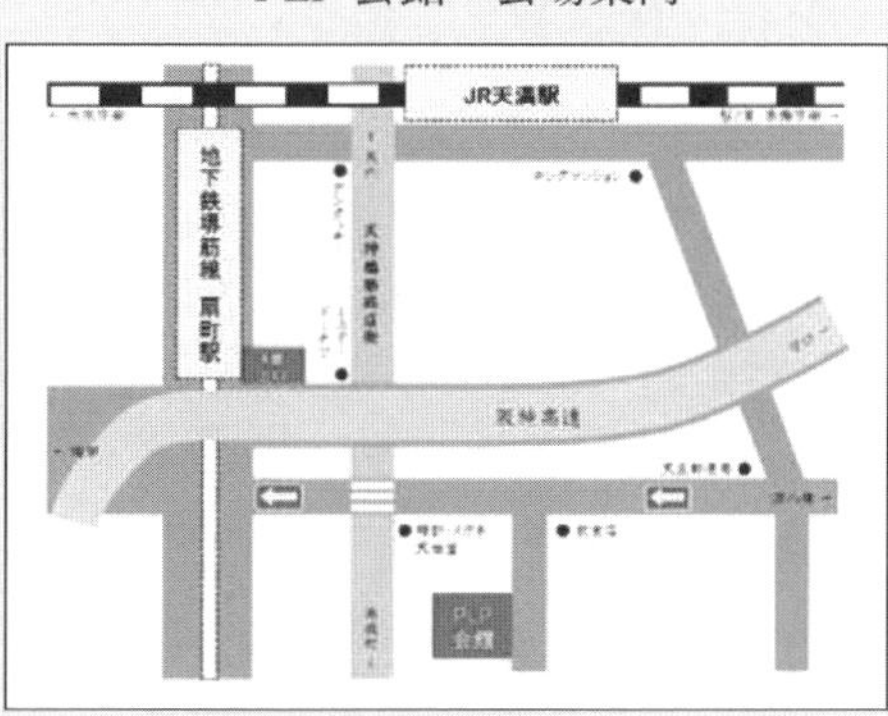

大阪市営地下鉄堺筋線　扇町駅 4 番出口より徒歩 3 分
JR 大阪環状線　天満駅改札口より南側へ徒歩 5 分
当館には駐車場はございません。ご来館の際は公共交通機関をご利用ください。（PLP 会館 HP より転載）

1969 糟谷孝幸 50 周年プロジェクト：内藤　秀之（080-1926-6983）
〒 708-1321　岡山県勝田郡奈義町宮内 124
事務局連絡先　〒 700-0971　岡山市北区野田 5-8-11　ほっと企画気付
電話　086-242-5220（090-9410-6488 山田雅美）　FAX　086-244-7724
E-mail:m-yamada@po1.oninet.ne.jp

■朝日新聞　2019年11月12日

1969年11月13日 大阪の安保抗議デモ

大学生の死 語り継ぐ

仲間ら「糟谷孝幸プロジェクト」

1969年11月13日、日米安保条約や佐藤栄作首相に対する大きな抗議集会が大阪市北区の扇町公園であった。機動隊とぶつかり、21歳の大学生が14日に死んだ。それから50年。当時の仲間が追悼に動きだした。

69年11月13日は沖縄で戦後最大規模といわれた決起大会があった日でもある。米軍占領下から脱するにあたって、「核抜き、本土並み」という日本政府のうたい文句とは裏腹に核や基地の問題が残るため、「祖国復帰」を願う人々も失望の声をあげた。

米軍基地を支える安保条約の自動延長も近づいていた。継続を求めて11月17日に訪米する予定の佐藤首相に対して本土でも学生・労働運動が広がり、翌年の70年安保闘争を迎えようとしていた。

そんな情勢下であった扇町公園での集会は「訪米阻止」「安保破棄」「沖縄」を掲げて数万人が集まった。

兵庫県加古川市出身で岡山大学2年の糟谷孝幸さんは、「訪米阻止に向けての起爆剤が必要なのだ（略）それが僕が人間として生きることが可能な唯一の道なのだ」と日記に書き、12日に岡山を発ち、13日のデモに参加した。

夕刻、火炎瓶を投げる学生側と機動隊がぶつかった。曽根崎署に連行された糟谷さんは頭の骨が折れる大けがを負い、14日に亡くなった。

糟谷孝幸さんの遺影を背に「糟谷プロジェクト」を語る内藤秀之さん

「機動隊の警棒による虐殺」を主張する学生・弁護団側は、警察官3人を大阪地検に告発したり大阪地裁に付審判を請求したりした。府警側は裁判官忌避の申し立てや警察官の証言拒否で対抗。不起訴処分と棄却に終わり時効となった。

内藤秀之さん(72)＝岡山県奈義町＝は岡山大で糟谷さんの2年先輩だった。

大阪へ一緒に向かい、同じデモ隊にいた糟谷さんの死に「糟谷の遺志を継ぎ、糟谷とともに生きる」と誓う。大学を中退して71年に岡山で農家になった。県北部にある陸上自衛隊日本原演習場の反対運動を、毎年の糟谷さんの墓参りとともに今も続けている。

あの日から50年。60年安保闘争の東大生樺美智子さん（当時22）や、67年のベトナム反戦の京大生山崎博昭さん（当時18）と比べて糟谷さんの記録が少ないと内藤さんは気づく。

「糟谷の時は止まったままだ。どういう人だったのか記録を残したい」

墓参り仲間と話しあって「1969糟谷孝幸50周年プロジェクト」を企画し、先月13日に大阪市でスタート集会を開いた。ルポライターの鎌田慧さんやフランス文学者の海老坂武さんら200人超が呼びかけ人や賛同人になった。

同窓生やデモ参加者ら約20人の出席者から「単なる追悼で終わらせたくない」という意見があり、プロジェクトでは当時の情勢や運動の歴史的な意味、今への教訓も探る。来年1月13日に大阪市内で追悼50周年集会を開き、同11月をめどに記録や証言を収めた本を出す計画だ。

プロジェクトや、加古川市の寺で今月13日にある墓参りへの参加者、基金への寄付を募っている。問い合わせは事務局の山田さん（090・9410・6488）へ。（下地毅）

「糟谷プロジェクト」スタート集会＝いずれも10月13日、大阪市北区天神橋3丁目のPLP会館

朝日新聞
33　大阪　大市内　14版△　2020年（令和2年）1月19日（日）

69年デモで落命 糟谷さんを追悼

大阪で献花と集会

日米安保条約の期限が切れる1970年を前に、継続をめざす佐藤栄作首相の訪米に抗議する69年11月のデモで落命した糟谷孝幸（かすやたかゆき）さん（当時21）を追悼する献花が13日、現場の扇町公園（大阪市北区）であった。

献花前の集会では仏文学者の海老坂武さんが講演し、67〜69年という時代を振り返った。それによると、世界的なベトナム反戦運動を基盤として、組織よりも個人を大切にする意識と市民運動が広がり、声をあげれば社会は変わるという希望を持てた時代だった。また海老坂さんは、現在の原発輸出や米軍基地建設といった「人間を殺そうとする政治」に対して、60年代の運動を支えた怒りと悲しみを呼び戻して立ち向かうことを呼びかけた。

兵庫県加古川市出身で岡山大生だった糟谷さんの同級生ら140人が参加。「おとなしい生徒だった」「国家権力を倒したいというよりも、人間らしく生きたいというのが根底にあった」などと語りあった。

主催の「1969糟谷孝幸50周年プロジェクト」（090・9410・6488）は11月に記録本を出す。賛同者を募っている。

（下地毅）

糟谷孝幸さんと機動隊がぶつかった現場付近に花を手向ける参加者ら＝大阪市北区の扇町公園

■加古川東高同窓生のみなさんへ送付した手紙

新緑の候なのに新型コロナ感染禍で何か落ち着かない昨日今日です。

さて、見知らぬ差出人からの突然のお手紙で驚かせ申し訳ありません。

昨年２０１９年は、加古川東高出身で岡山大学生だった糟谷孝幸さんが逝去されて50年でした。私たちは、糟谷君逝去50年を追悼する事業に取り組んでいる〝糟谷プロジェクト〟といいます。51年前の１９６９年（昭和44年）、当時岡山大学2年生の糟谷孝幸さんは持ち前の正義感からアメリカのヴェトナム侵略に反対する運動に参加しました。その中で機動隊の暴行によって命を落としました。

今年1月には当時同じ志を持って参加した友人達１４０名が集まり追悼集会を開催しました。そして今は糟谷君追悼の思いを「語り継ぐ１９６９―糟谷孝幸君追悼50周年記念」（仮題）という「本」の出版という形に結実させようと取り組んでいます。

「ごく普通の学生」であった糟谷君が、「なぜヴェトナム反戦運動に参加したのか」。私たちは糟谷君の人間像を知りたくなりました。糟谷君とはどういう高校生だったのか、「本」に紹介したくなりました。

昨年あるご縁で加古川東高校第19回卒業生（昭和42年3月卒業）同窓会・年次幹事仲上常幸さんと出会うことができお話しを伺うことができました。「加古川東高時代の糟谷孝幸君」と題した寄稿もいただきました。もう少し糟谷君の事を知りたいとお願いしたところ、仲上さんから年に一度年次同窓会の集まりをしているのでその場で「糟谷君と親しかった人がいれば…」と呼び掛けてみるとおっしゃっていただきました。

ところがご存知のとおり新型コロナウイルス騒ぎが発生し、恒例の「同窓会」は今年度中止となったそうです。そこで仲上さんにご助言を頂き、糟谷君と同期の皆さんにご協力をお願いする手紙を差し上げることにしました。

なお、この手紙は同窓会名簿記載の第19回卒業生の住所に基づき全員の方に発信させて頂いており、突然の手紙となり驚かせ恐縮です。同じ時代を生きてきたご縁に免じてお許しいただきたく思っています。

糟谷君は21歳の若さで落命しました、１９６９年以降50年を生きてきた私たちはほとんどが70歳の大台を超えました。糟谷君の無念の思いに応えるために〝記憶〟を「記録」として語り継ぎたいと思っています。〝糟谷孝幸君の人物像〟を紹介する素材をご提供いただけませんか？

ご協力をよろしくお願いします。
○糟谷君の写っている写真、糟谷君が執筆した文章。
（写真は糟谷君本人のみが判別できるように加工して使用し、加工後すみやかに返却いたします。）
○糟谷君についての高校時代のエピソード等一文を執筆して頂けませんか。
（１０００字から３０００字くらい）
○ご協力頂ける場合は、７月中旬までにご送付頂けると助かります。
加古川東高校第19回卒業生（昭和42年3月卒業）の皆様

２０２０年5月31日

１９６９糟谷孝幸君追悼 50 周年プロジェクト（糟谷プロジェクト）
代表　内藤　秀之
事務局　〒 700-0971　岡山市北区野田５—８—11　ほっと企画気付
☎ 086-242-5220、FAX：086-244-7724、
携帯：090-9410-6488（山田雅美）、E-mail:m-yamada@po1.oninet.ne.jp

年表◇1960年代後半～1970年代前半の民衆運動

年	日本の運動	世界と日本の動向
1960年	5月19日～6月18日　安保条約改定反対闘争の大高揚／樺美智子さん虐殺	4月19日　韓国4月革命 12月　南ベトナムで解放民族戦線が結成 12月　池田内閣「所得倍増計画」策定
1961年	1月　新島ミサイル試射場建設反対運動 5月～6月　政治的暴力行為防止法案（デモ禁止など）反対闘争、廃案へ	8月13日　ベルリンの壁建設
1962年	12月　大学管理法反対闘争	10～11月　キューバ危機
1963年	8月6日　原水禁運動がソ連核実験を擁護する日本共産党系と社会党・総評系に分裂	8月28日　黒人差別撤廃の公民権運動、ワシントン大行進に20万人
1964年	4月8日　公労協（国鉄など公共企業体の労組）のストに共産党が反対し妨害 5月　鉄鋼・電機・自動車など民間大企業労組がＩＭＦ・ＪＣ結成 9月　沼津市のコンビナート進出反対運動が勝利	11月9日　佐藤栄作政権発足
1965年	3月25日　米国の北爆に抗議する市民有志のデモ／３００人	2月7日　米国が北ベトナムへの空爆開始

年	日本	世界
	4月24日　「ベトナムに平和を」のデモ、ベ平連が発足 4月26日　総評などベトナム侵略抗議国民総決起大会／5万人参加 8月30日　反戦青年委員会が結成／社会党・総評・社青同 10月　日韓条約反対運動	4月17日　ワシントンでベトナム反戦のデモ 6月22日　日韓基本条約調印
1966年	6月4～5日　ラスク米国務長官の来日に抗議デモ／大阪・京都 8月11～13日　ベ平連「ベトナムに平和を！日米市民会議」 10月21日　総評が世界初のベトナム反戦スト	5月16日　中国で文化大革命始まる
1967年	5月26日　砂川基地拡張阻止の闘争 7月9日　ベトナム侵略戦争反対・砂川基地拡張阻止大集会／4万8千名 10月8日　佐藤首相の南ベトナム訪問阻止・羽田闘争／山﨑博昭さん虐殺される 11月2日　沖縄で即時無条件返還要求県民大会／10万人参加 11月11日　由比忠之進さん、首相官邸前で日本の北爆支持に抗議の焼身自殺 11月12日　佐藤首相の訪米阻止・羽田闘争（第2次羽田闘争） 11月13日　米空母「イントレピッド」から4人の水兵が脱走、ベ平連が発表	4月15日　米国で50万人の反戦デモ 4月23日　美濃部亮吉、東京都知事に当選／革新自治体ブームはじまる 6月5日　第3次中東戦争 10月16日　米国で1400人の青年が徴兵カードを燃やす 10月21日　ワシントンで10万人の反戦デモ
1968年	1月17～21日　佐世保で米空母「エンタープライズ」入港阻止闘争	1月30日　南ベトナムで解放戦線がテト大攻勢

- 2月26日　成田空港建設反対の三里塚闘争、機動隊が乱入し重軽傷者続出
- 3月28日〜4月1日　在日米軍の王子野戦病院開設阻止の闘争
- 4月24日　沖縄で基地労働者（全軍労）が初のストライキ
- 5月27日　日大で20億円の使途不明金を糾弾して全共闘結成
- 6月2日　九大に米軍の戦闘機が墜落、機体の引き渡し拒否の闘争始まる
- 6月11日　北九州市の山田弾薬庫への弾薬輸送阻止の線路座り込み
- 7月2日　東大で医学部不当処分撤回を求めて安田講堂占拠、東大全共闘結成
- 8月11〜13日　ベ平連が「反戦と変革に関する国際会議」（京都）を開催
- 9月30日　日大で大衆団交に3万5千人が結集、当局はいったんは要求受け入れ（佐藤首相が介入し、約束を破棄させる）
- 10月21日　米軍燃料タンク車阻止のため新宿駅に突入・占拠、騒乱罪適用
- 11月22日　東大闘争勝利全国総決起集会（安田講堂前）／1万5千名が参加

- 4月4日　米国でキング牧師暗殺、黒人暴動頻発
- 5月4日　フランスで「5月革命」始まる
- 8月20日　ソ連軍が「プラハの春」弾圧でチェコに侵攻
- 10月31日　ジョンソン米大統領、北爆停止を発表

1969年

- 1月18〜19日　東大安田講堂攻防戦／8500人の機動隊が動員され633人逮捕
- 1月〜　全国の大学に封鎖・占拠の闘争が波及／176校

1月25日　女川原発計画に反対する三町期成同盟が結成
2月4日　沖縄でB52撤去要求し5万5千名が基地包囲／ゼネストは中止
4月20日　反戦青年委員会（28都道府県）が全国決起集会／1万名が参加
4月28日　沖縄デー／新橋駅で機動隊と衝突
6月7日　新宿西口反戦フォーク集会に5千人が参加
6月8日　伊東市でASPAC阻止の現地闘争／1万名が結集
6月15日　反戦・反安保・沖縄闘争勝利6・15統一行動／5万名が参加
全関西集会と御堂筋デモに1万5千名が参加
9月3日　早大で機動隊が導入され封鎖解除、全国の大学で封鎖解除・逮捕相次ぐ
9月5日　全国全共闘連合結成／2万6千名が結集
10月10日　全共闘・反戦青年委・ベ平連など反安保共同行動／5万名
10月21日　佐藤首相訪米阻止へ！国際反戦デー／首都の数カ所で機動隊と衝突／反戦青年委の労働者が都庁、近畿車両などの拠点でストを追求
10月31日〜11月1日　国鉄労働組合が5万人削減の合理化反対スト
11月1日　自衛隊の小西誠三曹、佐渡基地で治安出動訓練に反対し逮捕
11月13日　佐藤訪米阻止へ！大阪扇町公園の闘争／糟谷孝幸さん虐殺される

3月2日　ダマンスキー島（珍宝島）領有をめぐって中ソ両国が交戦（8月にもウイグル地区で）
8月3日　大学封鎖・占拠解除のため大学臨時措置法成立
11月15日　ワシントンの反戦デモに30万参加

11月15日　総評がストを含む行動／大阪総評は3万人集会

11月15日　全国反戦総決起集会／2万5千名が結集

11月16日　佐藤訪米阻止の羽田現地闘争／蒲田駅周辺で機動隊と衝突

反戦市民集会／1万5千名が無許可のデモ

11月17日　佐藤訪米阻止現地闘争／大田区の地区労などが六郷土手に集結

12月14日　糟谷孝幸君虐殺抗議の人民葬／1万名が参列（於日比谷野音）

1970年

1月　巻原発計画に反対する柏崎原発反対同盟結成

2月4日　沖縄全軍労の大量首切り撤回スト連帯の集会／1万8千名が参加

3月31日　赤軍派が日航機「よど号」をハイジャック

4月21日　日本原演習場で自衛隊の105ミリ榴弾砲試射に農民が着弾地に座り込んで抗議

4月28日　沖縄闘争勝利・安保粉砕統一集会（全共闘、ベ平連など）5万名参加

5月29日　米軍のカンボジア侵攻抗議の集会・デモ／1万7千名が参加

6月1日　ベ平連、反安保毎日デモを開始

6月14日　反戦・反安保の大共同行動（新左翼と市民団体）／7万2千名が参加

6月23日　安保自動延長に抗議の大行動／全国で77万名、東京で

11月21日　日米首脳会談で安保延長・沖縄返還を確認

6月23日　日米安保条約自動延長

10万名が参加

7月7日　盧溝橋事件33周年集会、在日中国人青年（華青闘）が新左翼を告発

7月15日　ゼネラル石油精製労組、解雇撤回を求めて長期ストに突入

7月23日　反戦自衛官小西三曹の裁判開始（新潟地裁）

8月　革マル派と中核派の内ゲバが激化

9月1日　出入国管理体制反対の集会／1万人

10月8日　在日朝鮮人の国籍書き換え問題に抗議して東大阪地区反戦ら40名東大阪市議会に突入・占拠闘争を闘う

10月12日　公開自主講座「公害原論」始まる

10月21日　女性だけの銀座デモ

11月22日　日米共同声明1周年抗議で全共闘・反戦・べ平連が集会／1万2千名

12月20日　沖縄コザ（現・沖縄市）で反米暴動

12月　公害国会（公害対策基本法改正）

1971年

1月11日　日産車体京都工場で季節工300名が山ネコストに突入

2月22日〜3月6日　三里塚、土地収用の強制代執行阻止闘争

4月28日　沖縄返還協定反対の集会・デモ／2万3千人が結集

5月19日　沖縄で返還協定に抗議して全軍労など54単産がゼネスト

5月28日　三菱重工株主総会に反戦株主が出席、暴力団や総会屋が暴行

5月30日　沖縄返還協定調印阻止！労学中央決起集会／3万名が

結集

6月15日　沖縄返還協定調印阻止の集会、新左翼党派間の内ゲバで流会

6月17日　明治公園の集会で爆弾破裂、警官が負傷

7月14日　大飯原発計画に反対し町長リコール運動開始

8月21〜24日　ウーマン・リブ長野合宿

9月16日　三里塚第2次強制代執行阻止闘争、東峰十字路で3警官死亡

11月10日　沖縄で返還協定抗議のゼネスト

11月14日　沖縄返還協定批准阻止の集会・デモ、32都道府県で展開

11月19日　沖縄返還協定批准阻止の行動、都内数カ所で機動隊と衝突

12月6日　水俣病患者、チッソ本社前で座り込み

1972年

2月19日　連合赤軍が浅間山荘に立て籠もり銃撃戦、後にリンチ殺人が発覚

5月5〜7日　ウーマンリブ第1回大会

6月30日〜7月1日　優生保護法改悪を阻止する全国集会

7月15日　北熊本基地からの自衛隊の沖縄派兵阻止闘争

8月5日　横浜の村雨橋で相模原補給廠からの米軍戦車、社会党のピケで阻止

8月23日　相模原に「ただの市民が戦車を止める会」発足

9月18日　市民数千人が相模原補給廠からの戦車再搬出をゲート前座り込みで阻止

6月17日　日米両政府間で沖縄返還協定調印

7月16日　ニクソン米大統領、対中和解（訪中計画）を発表

8月15日　ニクソン・ショック／米国がドルと金の交換停止に踏み切る

2月21日　ニクソン米大統領、訪中し毛沢東主席と会談

5月15日　沖縄の施政権、日本に返還

7月7日　田中角栄政権発足

	9月30日	リブ新宿センターが開設
1973年	3月〜	国鉄や郵政の職場で労組の反マル生闘争が高揚
	3月13日	労組（動労）の順法闘争による列車の遅延に怒った乗客が上尾駅で暴動
	6月16日	経団連に「何がベトナム復興だ！」のデモ／1300名が参加
	9月22日	沖縄で石油備蓄基地建設に反対する「金武湾を守る会」結成
	10月5日	米空母「ミッドウェー」横須賀入港に抗議行動／3万人が参加
	10月	PARC（アジア太平洋資料センター）開設
	11月18日	金大中氏の即時来日を実現させる国民集会
1974年	1月26日	べ平連解散集会
	3月	羽田空港でキーセン観光に反対する女たちの行動
	5月	第1回全国「精神障害者」集会
	7月7日	参院選に戸村一作三里塚空港反対同盟委員長が出馬（22万票得票）
	8月8日	東アジア反日武装戦線が三菱重工本社を爆破／死者8人
	8月25日	むつ市大湊港で漁船団が原子力船「むつ」の出港阻止行動
	9月26日	狭山差別裁判（石川一雄さんの冤罪事件）糾弾中央

1973年	1月27日	ベトナム停戦協定締結
	8月8日	金大中氏、KCIAの手で東京のホテルから拉致
	9月11日	チリで軍事クーデター、アジェンダ社会主義政権崩壊
	10月6日	第4次中東戦争、オイルショック勃発
1974年	1月9日	タイなどで田中首相の東南アジア訪問に抗議行動

行動／11万人が参加

1975年

11月　兵庫県八鹿高校の部落差別糾弾行動

8月24～26日　反原発全国集会が初の開催（京都）

11月26日～12月3日　公労協がスト権奪還の8日間スト、政府の譲歩を引き出せず敗北

11月27日　島根原発への核燃料搬入阻止闘争

12月9日　三木武夫政権発足

4月30日　南ベトナム解放戦線がサイゴン解放、米軍が敗北撤退

6月19日～7月2日　国際婦人年世界会議（メキシコ）

1976年

2月29日　ロッキード汚職に怒る市民の大行進

5月22日　部落解放同盟が狭山裁判勝利のため全国で同盟休校／１５００校

5月16日　日本原で自衛隊が迫撃砲実射に抗議する農民に投石

8月　全国障害者解放運動連絡会が結成

11月　天皇即位50周年式典反対行動

7月27日　ロッキード事件で田中角栄前首相が逮捕される

10月6日　中国プロ文革終焉（四人組逮捕）

12月24日　福田赳夫政権発足

1977年

5月8日　三里塚で岩山大鉄塔撤去をめぐる闘争／東山薫さん虐殺される

10月26日　「反原子力の日」行動、電産（労組）山口県支部が初の反原発スト

10月～　東京のペトリカメラが倒産し、労組が自主管理・自主生産の闘争

1978年

3月26日　三里塚で管制塔占拠・空港突入の闘争が勝利、開港

年	国内	世界
	を延期させる 4月17日　漁民が七尾火力発電建設阻止の海上行動 5月14日　山口県豊北町長選で反原発候補が圧勝 10月〜　大阪の田中機械が倒産し、労組が自主管理・自主生産の闘争	8月12日　日中平和友好条約調印 11月27日　日米ガイドライン（防衛協力のための指針）締結 12月7日　大平正芳政権発足 12月25日　ベトナムがカンボジアに侵攻
1979年	1月　男女雇用平等法をつくる会発足 4月5日　スリーマイル島事故を受けて、全国の住民代表が原発中止を求めて通産省と徹夜交渉 6月28〜29日　東京で初開催のサミットに反対する行動	1月16日　イランでイスラム革命 2月17日　中国がベトナムに侵攻、中越戦争勃発 3月28日　米国でスリーマイル島原発事故起こる 12月24日　ソ連がアフガニスタンに侵攻
1980年	1月7日　高浜原発3・4号機増設の公開ヒアリング抗議行動 5月〜　韓国民衆連帯の集会・ハンスト	5月18日　韓国光州で民衆蜂起 8月　ポーランド全土でスト、自主管理労組「連帯」結成

（作成者：白川真澄）

【呼びかけ文】

糟谷プロジェクトにご協力ください

１９６９年11月13日，佐藤訪米阻止闘争（大阪扇町）を闘った糟谷孝幸君（岡山大学法科２年生）は機動隊の残虐な警棒の乱打によって虐殺され、21才の短い生涯を閉じました。私たちは50年経った今も忘れることができません。

半世紀前、ベトナム反戦運動や全共闘運動が大きなうねりとなっていました。70年安保闘争は、１９６９年11月17日佐藤訪米＝日米共同声明を阻止する69秋期政治決戦として闘われました。当時救援連絡センターの水戸巌さんの文には「糟谷孝幸君の闘いと死は、樺美智子、山崎博昭の闘いとその死とならんで、権力に対する人民の闘いというものを極限において示したものだった」（１９７０告発を推進する会冊子『弾劾』から）と書かれています。

糟谷孝幸君は「…ぜひ、11・13に何か佐藤訪米阻止に向けての起爆剤が必要なのだ。犠牲になれというのか。犠牲ではないのだ。それが僕が人間として生きることが可能な唯一の道なのだ。…」と日記に残して、11月13日大阪扇町の闘いに参加し、果敢に闘い、機動隊の暴力により虐殺されたのでした。

あれから50年が経過しました。そこで、『１９６９糟谷孝幸50周年プロジェクト（略称：糟谷プロジェクト）』を発足させ、三つの事業を実現していきます。

①糟谷孝幸君の50周年の集いを開催する。
②1年後の2020年11月までに、公的記録として本を出版する。
③そのために基金を募る。（1口3000円、何口でも結構です）

残念ながら糟谷孝幸君のまとまった記録がありません。

当時の若者も70歳代になりました。今やらなければもうできそうにありません。

うすれる記憶を、あちこちにある記録を集め、まとめ、当時の状況も含め、本の出版で多くの人に知ってもらいたい。そんな思いを強くしました。

70年安保－69秋期政治決戦を闘ったみなさん、糟谷君を知っているみなさん、糟谷君を知らなくてもその気持に連帯するみなさん、「糟谷孝幸プロジェクト」に参加して下さい。

呼びかけ人・賛同人になってください。できることがあれば提案して下さい。手伝って下さい。

よろしくお願いします。

２０１９年８月

糟谷プロジェクト呼びかけ人を代表して
内藤秀之
（岡山県在住・日本原農民・69・11・13扇町闘争に岡山大学から糟谷孝幸とともに参加）

呼びかけ人・賛同人からの一言メッセージ

（五十音順）

「1969糟谷孝幸プロジェクト」への賛同申込みの際、賛同金とともに多数のメーッセージをいただきました。

朝日健太郎（東京都／先駆社）

糟谷孝幸、懐かしい名前ですね。日比谷野音の人民葬を思い出します。

五十嵐裕幸（東京都／元1969・11・13闘争被告）

平井さん（戸田徹）と50年を迎えたかったなぁ…

五十嵐政晴（新潟市／日本共産党荻川支部）

戦争とは悪であり、国家の行う犯罪行為だ！

石田　英雄（福島県）

できることはあまりありませんが、志を同じくした者のひとりとして賛同します。

岩田　吾郎（大阪市／WEBリベラシオン社）

1969年11月13日、扇町公園にいました。当時19歳、「浪人生」でしたが、なぜか大阪教育大学全共闘（銀ヘル）の部隊にいました。北大阪制圧闘争として、中電マッセンストも含めて「プロ学同」は頑張っていた記憶があります。公園の出口から火炎瓶が投げられ、プロ学同等の部隊は機動隊に突入しました。確か、まだ「緑ヘル」であったと思います。

この関係で、後続の私たち等、全共闘、反戦の部隊は待たされました。前月の10・21反戦デーから大阪の闘いのピークでした。その後は、東京の「11月決戦」です。『新左翼』44号を添付します。プロジェクトの案内を、下記WEBにアップしました。

http://0a2b3c.sakura.ne.jp/index.html

魚野　亮（京都府／縮小社会研究会）

70、71年の岡山の高校生運動のとき、岡大の人達に大変お世話になりました。

大谷　行雄（東京都／翻訳家・ビジネスコーディネーター（《フリーランス》）・10・8山﨑博昭プロジェクト事務局《東京、国際部》）

当時は高校生でしたが、社学同系高校生として、第一次第二次ともに羽田闘争を闘いました。

現在、10・8山﨑博昭プロジェクト事務局でベトナムや米国などでの国際的な事案を担当しています。どうぞ宜しくお願い申し上げます。

岡本　浩（岡山市／岡山大OB）

憲法改悪がされようとしている現在、69年の闘いに学ぶことが必要ではないでしょうか。

笠原　直子（千葉県／テオリア会員）

不当に人が殺されるのは許せません。特に権力による犯罪は罪深いと思います。記録を残すことはとても大事なことですね。

笠原　優（大阪府／泉南生活協同組合「オレンジコープ」理事長）

あの日扇町公園にいました。遅れて着いたのでもう隊列はデモに移り出していました。その時、共労党の誰かが死んだらしいと聞いて「ホンマカ！」と応えたのを覚えています。

金子　絢（神奈川県）

２０１９年１月文京シビックセンターでの内藤さん講演の会合（研究所テオリア主催）の時より、ずっと心に留めていました。山﨑博昭プロジェクトの賛同人です。

鎌田　慧（東京都／ルポライター）

運動での死者は顕彰しないといけないと思います。なにもできませんので、賛同人になります。

苅野　誠志（大阪市／公園管理運営士）

１９７０年代〜１９８０年代にかけ、糟谷孝幸さんが所属していたＰＳＬ指導下の高校生組織ＰＨＦと、その後継組織に身を置いた者としてプロジェクトの趣旨に共感しつつ成功を祈念します。

喜多　浩子（東京都）

糟谷君の闘いは、忘れてはならないものとして、いつも心の中にあります。

木下　達雄（兵庫県）

１９６９・11・13扇町公園での集会・デモに参加していました。革命前夜といっては大げさですが、異様な盛り上がりと雰囲気だった記憶があります。樺さんや山﨑さんとともに、決して忘れてはならないのが糟谷さんです。

国松　春紀（横浜市／個人誌「山猫通信・宮ケ谷版」発行人）

ぜひ記録集を刊行して下さい。ささやかですがカンパします。

国富　建治（東京都／新時代社）

私は、当時大学2年生でしたが、１９６９年11月を前にした１９６９年10・21の闘いで逮捕・起訴され、拘置所の中で糟谷さんが虐殺されたことを知りました。「全共闘」運動としての学生運動の行き詰まりの局面で、私自身も思いつめた気分で街頭闘争に突入していったことを記憶しています。

栗原　彬（東京都／政治社会学者）

樺美智子さん、山﨑博昭さん、糟谷孝幸さんを記憶し、繰り返し想起していきます。

栗間　修平（島根県）

私もかつての「69戦士」の1人でした。呼びかけ人・賛同人の中に、共に活動した友人の名前が何人もあり、また知った名前も何人かあります。私にどれだけのことができるかわかりませんが、賛同人に名を連ねていただきたいと思います。

黒田　恵（東京都）

法治国家としてあるまじき事です。暴力による封殺を許してはいけない。

桑野　博（福岡県）

日記に記された彼の決断は、私の心の中で光を発し続けています。

小寺　啓章（兵庫県／元図書館員）

過日、大阪の山﨑君の会で、この用紙とご挨拶をお聞きしました。１９６９年の糟谷君のことを想い出しました。

小山　高澄（大阪市）

糟谷君の名誉がまだ回復されてないとは驚きです。

齋藤　修（岡山市／岡山大同級生）

4・12から50年が経過し、当時の話しの出来る方とのつきあいも少なくなりました。コムネの会など含めて資料まったく保管しておりません。扇谷君とも連絡をとっておらず、現在、教養部闘争委員会の関係者といえば、加納君だけです。

私の方は、転移癌の治療を5年続けております。体調は良かったり悪かったりでコントロールに苦労しています、成年後見人活動と第三者評価活動をしております。集会の成功を祈っています。協力はいたしますので、できることがあれば連絡いただければと思います。（齋藤さんは糟谷本完成を待たず、２０２０年6月7日に亡くなられました。ご冥福をお祈りします）

重信　房子（東京都／東日本成人矯正医療センター・元日本赤軍）

「１９６９年11月13日佐藤訪米阻止闘争の抗議デモの中で、機動隊による警棒の乱打で虐殺された糟谷孝幸さんの闘いと追悼を歴史に刻むために始まった「糟谷孝幸プロジェクト」に敬意を表し連帯します。あの時、私は丁度11月11日に初めて逮捕され、東京の上野菊屋橋署に勾留されていました。9月25日に北区滝野川会館で行われた赤軍派政治集会の無届が理由でした。屋内の集会は、当時は届出なしが通常のことで、それだけで公安条例違反の初逮捕は、論議を巻き起こしました。しかも、「届出は不要」という会館側の行政指導を受けて、その通りにしたにすぎず、抗議し2泊3日で釈放されましたが、その後すぐ「別件逮捕」で「4・28闘争の凶器準備帮助罪」で拘留されていました。

当局は「大菩薩峠事件」を調べたいために、関連のない事件を持ち出したのです。この時、丁度東京でも激しく佐藤訪米阻止闘争が続き、毎日女学生の逮捕が増え、菊屋橋署も満員になりました。私の後から逮捕されて入ってきた東京女子大学の学生が「大阪では、昨日岡山大の学生が、10・8の山﨑君みたいに虐殺された！」と教えてくれました。命がけでしかデモも出来ない時代になっていると、みんなで話し合ったのを思い返しています。

そして、11月17日佐藤訪米の朝、私はみんなに呼びかけて、抗議のシュプレヒコールを訴えました。虐殺された岡山大の学生と、訪米に抗議の意志を示したかったのです。「シュプレヒコール！佐藤訪米を許さないぞ！」インターを歌い、口惜しくて泣いている人もいました。糟谷さんのこのプロジェクトの呼びかけと、当時の『新左翼』紙を読んで、あの1969年の50年前、獄中でのスクラムと抗議のシュプレヒコールとインターナショナルの歌声を鮮やかに蘇らせています。プロジェクトの成功を祈ります」２０１９年8月21日

設楽　清嗣（東京都／東京管理職ユニオンサポーターズクラブ代表）

69秋の闘争こそは私にとって栄光ある闘争であり、糟谷孝幸君は私達の誇りです。

嶋田　和子（愛知県）

水戸喜世子さまの話で、すぐ治療を受けていたら命を落とすことはなかったとのこと、残念でなりません。権力犯罪に怒りを覚える。

杉原　浩司（東京都）

社会運動の継承のための貴重な記録となることを願っています。

鈴木　哲男（千葉市／元東京23区特別区職員労働組合連合会《特区連専従役員》）

もう50年ですネ。糟谷君の死を無為にしない為にと頑張ってきたつもりですが、残念です。しかし共に夢見た世界に向けて、ささやかながら余生をぶつけたいと思っています。

高原　浩之（東京都／元共産主義者同盟・1969年当時は分派して赤軍派）

糟谷君とは面識はありませんが、ブンドの共闘関係が共労党を含む八派に発展したのは、68年10・21前後でした。以後、69年1月東大安田と4・28の闘争まで、私もブンドの一員として深くかかわりました。残念ながら、その後は赤軍派として分派し、69年11・13当時は大衆闘争から離れていました。

その後、赤軍派は破綻し（反省を超え政治的にも「後悔と贖罪」）、新左翼各派も分裂し解体または後退しました。しかし、あれから約50年、闘争に参加した多くの人々が、人民闘争の多種多様な分野で大衆と結合して闘争を継続しています。「偉大な努力」です。それが人民闘争の次の大きな怒涛を生み出すでしょう。その中に、糟谷君の精神を受け継いでいく今回のプロジェクトに賛同します。

武市　常雄（大阪市）

当時は洛北反戦青年委員会で活動しており、あの日は現場で仲間の女性会社員も救急車で病院に運ばれました。だから、糟谷さんのことはずっと気になっていました。ああ、やっと追悼できるんですね。みなさま、お世話になります。ありがとうございます。

玉井　均（広島県）

69世代より遅れた青年が高校入学（1970年）、学生服での反戦デモ・日本原の現闘小屋のゲバラの肖像画にひどくショックを受け、時代に巻き込まれていった。私も時代の転換点にいたのですね。人生の転換点でした。

辻　恵（東京都／弁護士・10・8山﨑博昭プロジェクト事務局長）

当時の息吹を現在に蘇らせましょう。

鳥井　幸雄（京都市）

正直忘れていましたが、風化せず、持続することを願っています。

長居　一郎（大阪府／元関西先駆社）

反戦・平和の信念。これからが真価が問われる…。糟谷孝幸さんたちの闘いを無にすることなく…。

仲尾　宏（滋賀県／京都造形芸大客員教授）

50周年集会のご成功を祈ります。

中川　憲一（東京都／元三里塚管制塔被告団）

糟谷同志は私にとって特別の人です。3・26空港包囲・突入・占拠の闘いで逮捕された私は、その後23日間の完黙闘争を強いられました。「命を賭けた闘いは命を賭けて守る」

毎朝、朝食後1番に留置場の独房から引き出され、1番後に（午後11時のこともあった）戻された取調べの前、私は糟谷同志（他2名）に恥じない完黙の闘いを誓いました。毎朝独房で目覚めると同時に誓いました。そして糟谷同志のおかげで、起訴2、3日前に身元がバレても完黙を貫徹することが出来ました。

あれから41年。あの時の気持ちを忘れる事なく、糟谷同志に恥じない生き方を続けたいと思っております。

永野真理子（大阪市）

私は糟谷さんと同世代です。今も扇町公園からのデモで行岡病院の前を通る時いつも彼の名を思い出します。生きていらしたらここに居たでしょうね。糟谷さんが奪われた五十年を、悔しく痛ましく思います。

中山　宏（大阪府／介護労働者）

69・11・13私は教組青年部の一員として扇町集会に参加していました。パイプ爆弾等の情報もあったせいか、府警機動隊も幾重もの荷物チェックを受け会場に入った記憶があります。公園柵越えに学生と機動隊が激しく衝突する光景も目にしました。糟谷さんのことは、岡大を卒業した人に会うと問いかけたりしたこともありました。11月13日には加古川へ行きたい。

橋野　高明（大阪市／日本基督教団牧師・元同志社大人文科学研究所研究員）

1969年11月13日、あの日、私も間違いなくあの扇町公園に居りました。機動隊の規制攻撃が異常に厳しかったことだけは、よく覚えています。糟谷孝幸さんに撃ち降ろされた警棒は私（私たち）にも振り向けられ、もしかすると虐殺された糟谷さんは、私（私たち）であったかもしれません。あの日「殺された」のは、私（私たち）でもあったのです。ずいぶん昔の事のようですが、私は決して忘れません。

橋本　利昭（兵庫県／革命的共産主義者同盟再建協議会）

今回、内藤秀之さんの文章で１９６９年11月13日の糟谷さんの闘いを初めて詳しく知りました。壮にして勇です。私は69年10月丁度1月ほど前、東京で爆取で逮捕され獄中にいました。69年安保・沖縄闘争にわれわれがかけたものを再生的に生かすことを願っています。

平井　玄（非正規思想家）

１９６９年11月の死者という糟谷さんの名は今もよく覚えています。私は「決戦」がどうも苦手で、高校闘争に腐心する中、殺人の報道に頭を殴られた思いでした。

干場　革治（東京都／東大三鷹クラブ《東大三鷹寮同窓会世話人》・元ＭＬ）

当時ＭＬ派の活動家で東大三鷹寮の寮委員長もしていました。69年11月15日蒲田で７回目の逮捕、足掛け３年中野刑務所に未決勾留、一審では実刑判決でした。自分が糟谷君でもおかしくなかった。

前田　和男（東京都／続全共闘白書編纂委員会事務局）

あれから半世紀。連帯連携の輪が広がることを祈っています。

前原　英文（兵庫県／元１９６９・４・28沖縄闘争統一被告団）

69年４月28日から12月末まで獄中（小菅）にいましたので、中から外の闘いの様子を聞いていました。糟谷さんとは直接の面識はなかったのですが、内藤さんが扇町に参加されていたということを知り、つながりを知りました。そういった事情を知らず25年以上前にタイとアメリカの大学教授の通訳兼運転手として、その人々の日本の農業調査で内藤さん宅を訪問しました。帰りにもう一軒の有機農業家Ｙさん宅に二人の教授を残して、私だけ帰阪しました。その途中兵庫県と岡山県の県境で追突事故を起こし、赤穂市民病院で1カ月入院しました。（小腸を20 cm切除）このことについては周りの人はほとんど知られてないと思います。60年代から70年代を共に闘い犠牲となった人々（山﨑さんや糟谷さん、東山さん等多くの人々）を追悼していくことは私たちの使命だと思います。

松井　裕子（沖縄／島ぐるみ会議・南風原）

人として生きようとした糟谷くんを記憶し続けます。記憶し忘れないことが原点です。

松永　了二（大阪府／人民新聞社）

当日、現場にいました。

真鍋　裕子（東京都／東京大学東洋文化研究所）

糟谷プロジェクトにつきまして、賛同人として名前を入れていただければと思います。いただいたＭＬにあるアドレスに自分で送付しようかとも考えましたが、私自身は糟谷氏のことを今回初めて知ったばかりであり、語るべき言葉を持ち合わせず、一方ではメール文に記された日記の言葉が私がずっと見てきた韓国民主化運動の烈士たちのそれとあまりに似ていること、表にもコメントしたとおり、11月13日という日付が70年11月13日に焼身自殺をとげ、韓国民主化運動の起点となった全泰壹烈士を彷彿させるものでもあり、それを糸口になにかお力になれるのではないかとも考えましたが、それを書き始めると収拾がつかなくなりそうなので、大谷様よりよろしく申し伝えていただければと思います。20年11月に追悼文集をというのは、韓国では全泰壹の50周忌にあたる時で、日韓（死者）連帯？の中でなんらかの理念付けができないものかと考えたりしております。

どうぞよろしくお願いいたします。

水谷（槙）けい子（東京都／元全国反戦救対事務局）

糟谷孝幸君は、強大な権力にたいし、敢然として敵の眼前に立ちふさがり、死を賭してまで闘い抜いた人に他なりません。帝国主義本国の人民として、侵略を二度と許さないという、人としての道を貫いたのだと思います。そうした彼のたたかいを記録として残すことは、残された者の使命だと思います。彼が成そうとしたことを、歴史にしっかりと刻印できるからです。記憶は薄れ、不正確になり、そして必ず忘れ去られるからです。記録することが、糟谷君と、そしてたたかう仲間の〝途切れることのない闘い〟を貫くことだと思います。今やらなければ、もうできないー私も本心からそう確信します。

溝辺　節子（横浜市／ふぇみん・1969・12・14糟谷孝幸君市民葬実行委員・婦人民主クラブ岡山中央支部（当時）

プロジェクトのお仲間に入れていただきありがとうございます。50年の記憶をたどりながら、忘れていたことを詫びています。

三橋　俊明（東京都／文筆家・「日大闘争の記録ー忘れざる日々」編集人・「10・8山﨑博昭プロジェクト」発起人）

日大闘争を記録する会で作ってきた冊子の9号を同封させていただきました。がんばって下さい。

宮川　一樹（兵庫県）

私は伊丹市に住む一市民として、公的病院の統廃合反対の市民運動をやっています。日本平和市民革命の一つとして闘っているつもりです。他に、好きな俳句と短歌を作り、ささやかに平和運動もしています。

山口研一郎（大阪府／やまぐちクリニック院長・現代医療を考える会代表）

糟谷さんのお名前は１９６９年当時お聞きしていたような気がしますが、直接の面識はありません。

北川さんからの再三のお誘いで賛同人を引きうけします。また本作成の段階には、私の当時（浪人生2年目）の体験をお寄せしたいと存じます。

山口　幸夫（東京都／原子力資料情報室・元「ただの市民が戦車を止める」会）

こころざしとたたかいの記録を残すことは同時代を生きた者

の責任だと思います。

山﨑　建夫（大阪府／山﨑博昭兄・山﨑博昭プロジェクト）

私も同じ時扇町公園に居ました。抗議集会にも参加しました。

権力の凶刃に斃れた若者の遺志は次代に引き継がれねばならないと思います。

山田　哲哉（東京都／元共労党・山岳ガイド）

１９６９年秋は全国中学生共闘会議の一員として佐藤訪米と闘いました。11・17の直前で糟谷さんが殺されたことに強いショックを受けました。今本当に戦争をする国が日本です。もう一度初心に帰ってガンバリましょう。

山田　晏弘（京都市）

70年安保・大学闘争は、誰にも光が当たる平等な社会を目指す闘いでしたが、新しい社会像を示せず敗北しました。世界的に格差が拡大し続ける今日、糟谷君の無念を自分の無念とし、新しい社会のシステム・像を提起できる運動ができればと思っています。

山中　健史（東京都／明大土曜会・山﨑プロジェクト事務局）

私は糟谷さんとは面識はありませんが、69年12月に東京の日比谷公園で行われた「糟谷君虐殺抗議集会」に参加しました。この日の様子は、私のブログに掲載しています。

１９６９年12月糟谷君虐殺抗議集会

https://blogs.yahoo.co.jp/meidai1970/31769131.html

また、10・8山﨑博昭プロジェクトの事務局も担当しておりました。そんなこともあり、このプロジェクトの賛同人になります。よろしくお願いします。

吉田　信吾（京都市／ホームヘルパー）

現代史の一側面として闘いの記録は残しておきたいです。

吉田　智弥（兵庫県／「枝葉通信」発行人）

当時、28歳の広告労働者でしたので、世代は少し違いますが、たまたま同じ現場にいましたので、「事件」のことは忘れません。

脇　義重（福岡市）

同世代であり、共に佐藤訪米阻止を闘った。私の「生きる道」として糟谷君の遺志を共にする。

【呼びかけ人】

（50音順）

天野　恵一（東京都／反天皇制運動連絡会）
荒木　雅弘（大阪府／元告発を推進する会事務局）
五十嵐裕幸（東京都／元１９６９・11・13闘争被告）
五十嵐　守（京都市）
石田　信行（東京都／小農・元69築地被告）
今井　明（川崎市）
岩木　要（川崎市／元プロ学同委員長）
浦木　靖（鳥取県／湯梨浜町議会議員）
要　宏輝（和歌山県／元連合大阪副会長）
加納　洋一（岡山市／岡山大同クラス）
菅　孝行（埼玉県／文筆業）
北川靖一郎（大阪府）
国富　建治（東京都／新時代社）
黒部　俊介（岡山県／記録映像作家）
児玉　正人（京都府）
佐藤　耕造（福岡県／社会福祉法人徳和会理事長・元告発を推進する会呼びかけ人）
里見　柊二（京都市）
繁山　達郎（東京都／研究所テオリア）
設楽　清嗣（東京都／東京管理職ユニオンサポーターズクラブ代表）
白川　真澄（川崎市／ピープルズ・プラン研究所・元共労党書記長）
菅澤　邦明（兵庫県／西宮公同教会・元告発を推進する会呼びかけ人）
杉岡康次郎（兵庫県）
田中　幸也（大阪府／元１９６９・11・13闘争被告）

田中　一昭（川崎市／岡山大ＯＢ・地域精神保健福祉）
月野和陽右（横浜市／元シェル石油労働組合）
辻　惠（東京都／弁護士・10・8山﨑博昭プロジェクト事務局長）
内藤　秀之（岡山県／日本原農民・岡山大ＯＢ）
中川　憲一（東京都／元三里塚管制塔被告団）
中北龍太郎（大阪府／弁護士）
橋野　高明（大阪市／日本基督教団牧師・元同志社大人文科学研究所研究員）
花崎　皋平（北海道／哲学者）
前田　和男（東京都／『続・全共闘白書』編纂委員会事務局）
松田　健二（東京都／社会評論社代表・岡山大ＯＢ）
松谷　清（静岡市／静岡市議会議員）
溝辺　節子（横浜市／1969・12・14糟谷孝幸君市民葬実行委員・元婦人民主クラブ岡山中央支部）
光吉　準（岡山県／岡山大ＯＢ・鏡野町議会議員）
水戸喜世子（大阪府／元救援連絡センター事務局長）
宮内　順治（兵庫県）
宮部　彰（東京都／緑の党グリーンズジャパン運営委員）
武藤　一羊（横浜市／ピープルズ・プラン研究所）
山﨑　建夫（大阪府／山﨑博昭兄・山﨑プロジェクト）
山田　雅美（岡山市／岡山大ＯＢ）
山中　四郎（岡山市）
山中　幸男（東京都／救援連絡センター）
山本　久司（金沢市）
吉岡　正教（岡山市）
吉田　和雄（東京都／研究所テオリア）
米澤　鐵志（京都府／被爆証言者）

【賛同人】

揚田　崇徳（広島県／農耕民）
秋月　康夫（東京都）
朝日健太郎（東京都／先駆社）
荒野　一夫（滋賀県）
飯田　玲子（神奈川県／藤沢九条の会）
井奥　雅樹（兵庫県／岡山大ＯＢ・高砂市議会議員）
五十嵐政晴（新潟市／日本共産党荻川支部）
生島　猛（大阪府）
石塚　健（兵庫県／元教員）
石田　英雄（福島県）
石田　米子（岡山市／歴史研究者）
石田　俊幸（大阪府／大阪全労協顧問）
市場　尚文（岡山市／岡山大ＯＢ・医師）
伊東　利一（大阪府）
井上　康（京都府）
猪股　美恵（栃木県／元川崎市議会議員）
岩田　吾郎（大阪市／ＷＥＢリベラシオン社）
岩谷　哲夫（大阪府）
岩本　乾治（福岡県）
上原　敦男（香川県）
魚野　亮（京都府／縮小社会研究会）
鵜野　吉雄（京都市）
浦木　敏正（鳥取県倉吉市）

海老坂　武（兵庫県／フランス文学）
Ｍ．フォックス（兵庫県）
大石　和昭（岡山市／弁護士・岡山大ＯＢ）
扇谷　昭（大阪府／岡山大同クラス）
大久保和子（東京都）
大塩　剛（東京都）
大杉美千子（京都市）
太田　敏之（岡山市／元三里塚管制塔被告団）
大谷　行雄（東京都／翻訳家、10・8山﨑博昭プロジェクト）
大津　啓（福岡市）
大森　万蔵（奈良県）
大盛　力（東京都）
岡田　勝（愛媛県／岡山大ＯＢ）
岡本　浩（岡山市／岡山大ＯＢ）
奥津　亘（岡山市／弁護士）
小倉　雄二（大阪府）
尾崎　裕幸（北海道）
鬼木のぞみ（岡山市／岡山大ＯＢ・岡山市議会議員）
笠原　優（大阪府／泉南生活協同組合［オレンジコープ］理事長）
笠原　直子（千葉県／テオリア会員）
片岡　卓三（京都府）
加藤　敬（札幌市）
加藤　浩道（札幌市）
金子　絢（横浜市／神奈川県）
鎌田　慧（東京都／ルポライター）

嘉山　将夫（埼玉県／全国一般埼京ユニオン委員長）
　　　　　　　　※2020・3・23・死去
苅野　誠志（大阪市／公園管理運営士）
川嶋　澄夫（大阪府／元広島大全共闘議長）
岸本真須美（岡山市／ふぇみん岡山）
喜多　浩子（東京都）
北沢　　啓（横浜市）
北野　辰一（兵庫県／演劇人）
北村　　弦（京都府）
北本　修二（大阪市／弁護士・10・8山﨑プロジェクト）
木下　達雄（兵庫県）
木村　晋治（東京都）
木村　松夫（東京都／地域活動家）
草刈　雅夫（岡山県／元私塾経営・農業&株式トレイダー）
久下　　格（京都府／元国鉄労働組合員）
国松　春紀（横浜市／個人誌「山猫通信・宮ケ谷版」発行人）
久保田　潤（静岡市）
栗原　　彬（東京都／政治社会学者）
栗間　修平（島根県）
黒沢　真一（名古屋市）
黒田　　恵（東京都）
桑野　　博（福岡県）
古賀　　滋（大阪府／昔反帝高評（労対派）
小寺　啓章（兵庫県／元図書館員）
古林　久和（岡山県）

小山　高澄（大阪市）
小山　　弘（京都市）
小山　帥人（大阪市／ジャーナリスト）
最首　　悟（横浜市／予備校講師）
齋藤　　修（岡山市／岡山大同級生）　※2020・6・7・死去
齋藤　武光（東京都／エントロピー学会世話人）
齋藤　秀紀（山形県）
酒井　　一（兵庫県／尼崎市議会議員）
酒井　杏郎（東京都）
坂口　邦明（大阪府）
坂元　康二（岡山市／岡山大OB・パステル）
佐川　　浩（大阪府）
佐々木幹郎（東京都／詩人・山﨑博昭プロジェクト発起人）
佐藤　茂伸（神奈川県／自然食品店相談役）
沢　　圭介（大阪府）
椎野　和枝（神奈川県）
塩原　洋光（東京都）
重信　房子（東京都／東日本成人矯正医療センター・元日本赤軍）
重松　朋宏（東京都／国立市議会議員）
嶋田　和子（愛知県／犯罪被害者）
新開　純也（京都府）
杉原　浩司（東京都）
鈴木　哲男（千葉市／元東京23区特別区職員労働組合連合会）
高木　照雄（茨城県）
高桑　博司（大阪府）

高橋　登（大阪府／泉大津市議会議員）
高橋　幸子（滋賀県／「はなかみ通信」編集人）
高原　浩之（東京都／元共産同）
田木　景三（東京都）
田窪　篤己（神戸市）
武市　常雄（大阪市）
龍本　秀隆（大阪府／住職）
田中　孝征（京都市）
玉井　均（広島県）
高村　幸子（岡山市／ふぇみん岡山）
塚本　泰史（滋賀県）
土屋　勝（東京都／岡山大ＯＢ）
椿　邦彦（大阪市）
出口　史郎（大阪府／東大阪三里塚闘争に連帯する会）
寺井　律（神戸市）
寺田　道男（京都府／反戦・反貧困・反差別共同行動in京都事務局長）
鳥井　幸雄（京都市）
長居　一郎（大阪府／元関西先駆社）
仲尾　宏（滋賀県／京都造形芸大客員教授）
長岡　基浩（大阪府）
仲上　常幸（加古川市／加古川東高同学年）
中川　正（岡山県／新聞配達夫）
中川　瑞代（東京都／弁護士）
中澤　透（東京都／大震災義援　ウシトラ旅団）
中田　和道（東京都）

中野　貞弘（神戸市）
永野真理子（大阪市）
中村　文生（京都府）
中山　宏（大阪府／介護労働者）
西川　哲（京都市／岡山大ＯＢ、元大学教員）
西村　光子（川崎市／こども食堂）
西村　隆平（京都府）
丹羽　通晴（大阪市／関西先駆社）
野網　昭南（大阪市）
橋本　信彦（埼玉県／岡山大ＯＢ）
橋本　利昭（兵庫県／革命的共産主義者同盟再建協議会）
羽世田鉱四郎（大阪府）
濱田　亮典（長崎県／佐世保市民）
浜田　幸雄（千葉県）
林　敏秋（京都府）
林　真樹（兵庫県／元大阪市従労組公園支部支部長・元社青同解放派労対グループ・神奈川大）
林　直（東京都）
披田信一郎（茨城県／元龍ヶ崎市議会議員）
平井　玄（非正規思想家）
平井　正志（岡山県／日本原農民）
広畑　貞昭（尼崎市／あまがさき共生と自治21代表）
藤井　正道（大阪府）
藤井　悦子（京都府／アジェンダプロジェクト）
藤本　敬三（大阪市／用務員）
二木　洋子（大阪府）

船橋　邦子（千葉県／北京JAC・1968年に大学院生として東大闘争に参加）
星川　洋史（大阪市／関西新時代社）
干場　革治（東京都／東大三鷹クラブ〔東大三鷹寮同窓会世話人〕・元ML）
堀　文夫（大阪府／東大阪三里塚闘争に連帯する会）
前原　英文（兵庫県／元69・4・28沖縄闘争統一被告団）
増田　敬一（埼玉県）
松井　隆志（東京都／武蔵大学教員・ピープルズ・プラン研究所）
松井　裕子（沖縄／島ぐるみ会議・南風原）
松岡　年昭（大阪市）
松岡　利康（兵庫県／鹿砦社）
松岡　勲（大阪府）
松島　正雄（横浜市／シルバー人材センター磯子事務所）
松平　直彦（埼玉県／当時赤軍派・大菩薩事件で逮捕中）
松永　了二（大阪府／人民新聞社）
松野　哲二（東京都／元現代民主主義研究会・府中緊急派遣村共同代表）
松本　宣崇（岡山市／岡山大OB）
真鍋　祐子（東京都／東京大学東洋文化研究所）
真鍋　知巳（愛媛県／新社会党愛媛県本部委員長）
丸山　彰（東京都／元日大全共闘）
水谷（槙）けい子（東京都／元全国反戦救対事務局）
水谷　保孝（東京都／元革共同全国委員会）
三角　忠（東京都）
三橋　俊明（東京都／文筆家・「日大闘争の記録―忘れざる日々」編集人・山﨑プロジェクト）
光本　一郎（川崎市／NPO職員・岡山大OB）

南　俊二（京都市）
宮川　一樹（兵庫県）
三好　龍孝（大阪府／日蓮宗本澄寺住職）
三好　一郎（神戸市）
三輪喜久治（大阪府／東大阪三里塚闘争に連帯する会）
元豊田　平（東京都／研究所テオリア）
森本　栄（岡山県／元連合岡山会長）
森本　浩文（大阪府）
八木　健彦（奈良市）
谷島　修一（東京都／研究所テオリア）
薮原　孝雄（群馬県／研究所テオリア）
山口　幸夫（東京都／原子力資料情報室・元「ただの市民が戦車を止める」会）
山口研一郎（大阪府／やまぐちクリニック院長・現代医療を考える会代表）
山口　恒樹（大阪府／緑の大阪）
山崎　雅毅（沖縄県／石垣島・アンパルの自然を守る会・岡山大OB）
山田　哲哉（東京都／元共労党・山岳ガイド）
山田　謙（大阪府／東大阪三里塚闘争に連帯する会）
山田　晏弘（京都府）
山戸　貞夫（山口県／祝島・反原発運動）
山中　健史（東京都／明大土曜会・山﨑プロジェクト事務局）
山本　義隆（東京都／予備校講師）
山脇ひろし（埼玉県／研究所テオリア）
横山　茂彦（千葉県／「情況」編集委員）
吉田　智弥（兵庫県／枝葉通信発行人）
吉田　信吾（京都市／ホームヘルパー）

與芝　豊（東京都）
吉村　勝利（長崎県／佐世保市民）
若槻　武行（川崎市／岡山大ＯＢ）
若林　勝（兵庫県）
脇　義重（福岡市）
渡邊　充春（大阪市／歯科医師）

※他に氏名非公表で賛同協力いただいた方は71名です。

糟谷プロジェクト・活動日録

■ 2019年

4.24	準備会（兵庫県上郡／4名）
6月	糟谷プロジェクト協力呼びかけ発信
6.22	山崎プロジェクト関西集会に出席
7月	糟谷プロジェクト協力呼びかけチラシ配布、諸紙誌に掲載
8.5	世話人会議（大阪／6名）
8.22	関西圏会議（大阪／6名）
9.13	岡山圏会議（10名）
9.16	世話人会議（大阪／9名）
10.13	糟谷プロジェクトスタート集会（大阪）23名
11.13	称名寺墓参（23名）・交流懇談会（21名）
12.8	糟谷プロジェクト東京集会（東京）32名
12.12	朝日新聞大阪市内版に「岡山大生追悼」記事報道
12.19	朝日新聞岡山版にも「岡山大生追悼」記事報道
12.24	加古川訪問（4名）

■ 2020年

1.13	糟谷孝幸君追悼50周年集会（大阪）150名
1.19	朝日新聞大阪市内版に「1.13扇町献花」報道
4.5	世話人会議（大阪／7名）
6.2	加古川東高同窓生あて「手紙」431通発送
7.23	全国ZOOM会議（8名）
8.10	全国ZOOM会議（10名）
8.30	全国ZOOM会議（10名）

あとがき

山田　雅美（1969糟谷孝幸50周年プロジェクト事務局）

『糟谷孝幸君追悼50周年／語り継ぐ1969』が、1年半余の時を経て、ついに刊行に至りました。実に多くの人々の協力を得て、実現することができ、ともに喜び合いたいと思います。この間の経緯を時系列で簡略に報告します。

1969年から半世紀の間、毎年11月13日前後、二つのグループが、糟谷君の墓所である称名寺（加古川市）を訪問、墓参を続けてきました。そして、50周年が近づくにつれ糟谷と彼が生きた時代を人々の記憶に永くとどめるために何かできないかとの声がわきあがってきました。とくに2019年1月東京での集いで報告した内藤秀之の想いは強く、それは呼びかけ文に凝縮されています。

2019年4月、岡山・大阪の有志（内藤秀之・荒木雅弘・黒部俊介・山田雅美）が、兵庫県上郡町に集い、話し合いました。そこで、『1969糟谷孝幸50周年プロジェクト（略称：糟谷プロジェクト）準備会』を発足させ、三つの事業（① 2019年11月に糟谷孝幸君の生地、加古川で50周年の集会を開催する。② 1年後の2020年11月をメドに、公的記録として本を出版する。③そのために基金を募る）を進めていくことを確認しました。

6月、内藤秀之起草の糟谷プロジェクトへの協力の呼びかけ文が多くの人に届くように、いろんな方に協力を依頼する作業をはじめました。そんな折、山﨑博昭プロジェクトの関西集会で発言する機会をいただき、内藤秀之が出席してアピール。以降、多くの方の賛同と協力、貴重なアドバイスをいただきました。ありがとうございました。

7月、糟谷プロジェクトへの協力をお願いするチラシを作成、さらに協力者を広げていくことをはじめました。以降「市民の意見ニュース」への同封、鹿砦社発行『1969年混沌と狂騒の時代』や『季刊ピープルズ・プラン』86号に掲載して頂いたりと、さまざまな形で発信されます。

8月、当初の想定を超える呼びかけ人・賛同人の広がりという事態に対応し、さらに前に進めるため、糟谷プロジェクトの体制を岡山・関西圏・首都圏の三地域に世話人・事務局をおき、とりくみを強化していくことに。世話人・事務局に名を連ねていただいた方々は以下の通りです。

岡山世話人　：内藤秀之・加納洋一、事務局：山田雅美・黒部俊介　11・13公判記録入力担当：吉岡正教

関西圏世話人：児玉正人・荒木雅弘、事務局：北川靖一郎・田中幸也・五十嵐守

首都圏世話人：白川真澄・田中一昭・若槻武行、事務局：繁山達郎　HP担当：井奥雅樹

10月13日、糟谷プロジェクト スタート集会を大阪で開催、朝日新聞にとりあげられるなどして、さらに広がります。

11月13日、糟谷孝幸君の墓参り（称名寺）を実施、交流懇談会の場も持つことができました。

12月8日には、糟谷プロジェクト首都圏の集いを開催、全国的な取り組みへ。

そして、２０２０年1月13日、「権力犯罪を許さない 忘れない、糟谷孝幸君追悼50周年集会」を大阪ＰＬＰ会館で行いました。この節目の集会には、想定を超える約１５０人が集まり、大盛況でした。充実した内容で感動的な集会となり、その後の糟谷本の作成に向け弾みがつきました。

さて、私は世話人代表の内藤秀之と同世代です。この50年岡山でともに歩んできました。岡山大医学部と法文学部の違いはありましたが、ベトナム反戦や全共闘運動やその後の三里塚・日本原闘争をともにしてきました。現在は、5人の地方議員を擁する〝みどり岡山〟という市民グループのスタッフをしています。

少なくとも１９６９年を前後する一時期は、多くの人が書いているように、私自身にとっても人生の大きな節目でした。その時期に出会った人々とともに考え、悩み、行動してきたことは、その後の自分の生き方の原点となっていったのです。中でも、11・13大阪扇町闘争で機動隊に虐殺された糟谷孝幸君のことは忘れることはできません。

糟谷君は2年後輩になります。学年が違う場合、同じサークルでない限り、深いつきあいはありませんでした。糟谷君の岡山大学時代の様子は、同クラスで法科2―1闘争委員会（コムネの会）でともに活動していた二人の報告に垣間見えます。真面目でひょうきんな一面をもつ、愛すべき性格の持ち主でした。記憶は定かではありませんが、たしか速記部というサークルにも入っていたと思います。賛同人に名を連ねてくれた一人、齋藤修さんも同学年で、協力できることがあれば連絡をと言われていましたが、残念ながら、がんのため本の完成を見届けることなく6月7日、帰らぬ人となりました。

１９６９年11月13日当日、私は岡山残留組でした。それだけに翌14日糟谷君虐殺の報を聞いたときは茫然自失状態だったことを記憶しています。気を取り直し、ただちに、「糟谷孝幸君虐殺弾劾！」と大きなタイトルのビラをつくり、大学で配布し、翌15日に出発、大垣で乗り換える各駅停車で東京に向かったことを覚えています。11・16―17闘争へ参加するためです。１９６９年秋の闘いとその意義については、多くの人によってさまざまな角度から言及していただいていますので、ぜひお読みください。

もう一人私にとって忘れることができないのは、糟谷君の遺志を引き継ぎ、三里塚闘争管制塔占拠のたたかいに加わり、逮捕・勾留・起訴され、出獄後亡くなった原勲君（島根大）のことです。１９８２年身体に変調をきたした彼と一緒に、裁判のため東京に向かいました。途中、新幹線の中でケイレンを起こしながらも「三里塚闘争勝利！・日本原闘争勝利！」とつぶやきます。裁判に出席するのは無理との判断で、東大病院の病棟へ。最後の最後まで一緒にいた彼の死は、今でも悔やんでも悔やみきれません。

糟谷プロジェクトの大きな柱の一つが、糟谷君に関するこの本の出版でした。

ごく普通の学生であった糟谷君は時代の大きな波に背中を押されながら全共闘運動に加わった後、１９６９年秋の闘いへの参加を前にして自問自答を繰り返し、逮捕を覚悟して決断し、行動に身を投じました。その姿は、あの時代の若者の生き方の象徴だったとも言えます。

糟谷プロジェクトは、本の出版によって、糟谷君のたたかいと生き方を忘れることなく人びとの記憶にとどめると同時に、この時代のたたかいの意味を問い直し、経験と教訓を若い世代に伝えて、これからの運動に少しでも役立つことができればとの思いで、多くの人に執筆をお願いしました。

それに対して、70人を超える多くの人々が、原稿を寄せてくれました。いずれも気持のこもった原稿で、50年の時を経ても生き続ける糟谷君と1969年への想いが結実した結果だと思い、本当に感謝に堪えません。また、時間の経過とともに、当時の記録が少ない中で、貴重な資料を提供していただいた方々にもお礼申し上げます。

加古川東高校の同窓生のみなさんには、突然のお願いにもかかわらず、原稿と写真を寄せていただき、ありがとうございました。本の編集が終盤にかかろうとする7月末、同窓生だったという女性から電話がありました。「文章はよう書きませんが、現金書留で少々送ります」と。何と彼女は、糟谷君と小・中・高と一緒だったということです。中3の時は、同じクラスで、みなさんが触れているように、真面目で勉強のできる生徒だったとなつかしそうに話しておられました。当時、糟谷君の葬儀に、中学のときの担任の先生などと行ったそうです。

本の編集過程で起きた多くの出会いやエピソードには枚挙にいとまがありません。感動と感謝の日々でした。ともに歩んできた多くの人々が鬼籍に入っています。遅かれ早かれ私たちも彼らのもとへと逝きます。本書が、私たちが何者であり、何をなそうとしてきたか、次世代へ語り継ぐ一助になっていれば、幸いです。

最後になりますが、きびしい出版事情の中、刊行の労をとっていただいた社会評論社の松田健二社長に心からお礼申し上げます。

（2020・8・1）

【糟谷基金振込先】

＜銀行振込の場合＞　みずほ銀行岡山支店（店番号 521）
口座番号：3031882　口座名：糟谷プロジェクト
＜郵便局からの振込の場合＞　記号　15400　番号　39802021
他金融機関からの場合　【店名】五四八　【店番】548
【預金種目】普通預金　【口座番号】3980202
＜郵便振替用紙で振込みの場合＞名義：内藤秀之　口座番号：01260-2-34985

語り継ぐ 1969／糟谷孝幸追悼 50 年―その生と死

2020 年 11 月 13 日　第 1 刷発行

定　価　2,000 円＋税

編　集　糟谷孝幸 50 周年プロジェクト（糟谷プロジェクト）

世話人代表：内藤　秀之（080-1926-6983）
事務局：〒 700-0971　岡山市北区野田 5 丁目 8-11　ほっと企画気付
電　話：086-242-5220　FAX：086-244-7724
E-mail:m-yamada@po1.oninet.ne.jp　http://kasuya1969.com

発行人　松田　健二
発行所　株式会社　社会評論社
東京都文京区本郷 2-3-10
電話：03-3814-3861　FAX：03-3814-2808
https://www.shahyo.com

印刷・製本 倉敷印刷　株式会社